Lettres Persanes

« *Cela me fit résoudre à quitter l'habit persan...* »
(Lettre XXX, p. 69.)
Chardin, *Voyages en Perse* (Amsterdam, De Lormes, 1711, t. II, p. 50.)

Montesquieu

Lettres Persanes

Éditions Garnier Frères
6, Rue des Saints-Pères, Paris

Texte établi, avec introduction,
chronologie de Montesquieu,
bibliographie,
notes et relevé de variantes,

par

Paul Vernière

Professeur à la Faculté des Lettres de Paris-Nanterre

Édition illustrée de 24 reproductions

Texte établi, avec introduction,
chronologie de Montesquieu,
bibliographie,
notes et relevé de variantes,

par

Paul Vernière
Professeur à la Faculté des Lettres de Franche-Comté

Édition illustrée de 24 reproductions

INTRODUCTION

L ORSQUE *Louis XIV meurt, le 1^{er} septembre 1715, Montesquieu a vingt-six ans. Il est marié depuis quatre mois, richement marié avec la calviniste Jeanne de Lartigue. Conseiller au Parlement, il s'est installé à Bordeaux, rue Margaux. La mort de son père, deux ans plus tôt, a fait de lui l'espoir d'un nom et le chef d'un clan. Le vieux Jean-Baptiste de Secondat, président à mortier, va mourir sept mois plus tard, assurant à son neveu la survivance de sa charge. Dans cette ville éminemment bourgeoise, ville hanséatique plus que capitale provinciale, éprise de paix, de commerce libre et d'argent, Montesquieu peut prétendre aux premiers rangs : la Jurade, sise au pied de la Grosse Cloche, garde encore le souvenir de Montaigne, mais depuis les luttes de la Fronde a perdu son prestige; le Parlement, avec la Régence, voit grandir le sien, dans le vieux palais de l'Ombrière où l'odeur du fleuve monte à l'heure des marées. Quant au gouverneur, même s'il s'appelait Berwick, quant à l'intendant, c'étaient des étrangers; pour tout dire, des « gavaches » chargés par le roi de France de surveiller Bordeaux, du haut des tours de Blaye et des glacis du Château Trompette. Montesquieu, lui, était du cru. Si l'esprit général d'une ville a, dans ses limites, tout autant d'emprise que l'esprit général d'une nation, Montesquieu devait vivre et mourir comme les gens de sa caste. Il aurait été honoré et discrètement célèbre par ses discours au Parlement, par ses résomptions à l'Académie et ses bons mots dans le salon de M^{me} Duplessy; Paris peut-être l'eût estimé*

avec condescendance, comme de Brosses ou le président Bouhier. *Mais c'est en termes de destin, comme dit Malraux, et non d'histoire, qu'allait se définir sa vie : le premier signe de ce destin fut le succès des* Lettres persanes.

On ne saurait d'ailleurs parler de rupture. Tout au long de sa vie, Montesquieu joue admirablement le jeu du provincial. Il aime avoir, dit-il, « son argent sous les pieds ». Baron plus que président, il préfère le grand air de ses landes et l'odeur amère de ses vignes aux ruelles crasseuses de Bordeaux. La Brède est son donjon, Martillac son chai, Raymond sa conquête; au-delà, ses îles lointaines, Clairac et Montesquieu. *Il amasse les terres comme* Voltaire *les rentes.* Au demeurant, rude en affaires : le docteur Eylaud l'a bien prouvé en exhumant les actes de ses notaires. Mais cet homme n'a donné à sa province, à sa terre, à sa famille, que la part la plus matérielle de son être. Rien en lui de cette tendresse un peu douloureuse qui consacre l'écrivain provincial, depuis Ronsard jusqu'à Pesquidoux et Mauriac. En dehors de cette légalité qui l'accroche au terroir et de cette sagesse qui l'y ramène lorsque l'argent fait défaut, Montesquieu est ailleurs. Ouvrez son Spicilège : il rêve aux hordes tartares, à une prise d'armes sur le Bosphore, à Charles XII tombé devant Fredrikshald, au petit Chinois Arcadio Wang qu'il visitait en 1713 rue Guénégaud; avec Tavernier, il chemine sur les routes d'Ispahan à Smyrne; avec Chardin, il visite les Trois Tombeaux et déchiffre l'hymne d'Ali sur les plinthes de stuc. Vous croyez qu'il arpente ses vignes et il écrit les Lettres persanes.

LA GENÈSE

Nous aimerions déceler l'événement qui déclencha la rédaction des Lettres persanes, *réduire le mystère irritant qui préside presque toujours aux origines d'une œuvre, fixer l'heure où la décision est prise. Ce serait oublier que cette décision est ordinairement préparée depuis longtemps et*

que la vraie genèse est un inaccessible cheminement intérieur.
Montesquieu s'est refusé à toute confidence ; par pudeur
et orgueil, il voulait que l'auteur restât dans l'ombre : « Si
l'on savait qui je suis, on dirait : « Son livre jure avec
son caractère ; il devrait employer son temps à quelque
chose de mieux : cela n'est pas digne d'un homme
grave. » *Confondrait-il son caractère et son personnage ?*

Nous ne sentons pas en fait de discordance entre l'auteur
et l'œuvre. La vocation de moraliste politique est affaire
de magistrat ; et lorsque ce magistrat est gascon, qu'il aime
Paris sans s'y trouver chez soi, qu'il hait Versailles, la
cour, le despotisme et la dévotion sénile de Louis XIV,
le moraliste se mue en observateur satirique ; si le Roi meurt
et qu'une nation s'éveille à la critique, la place est libre pour
un nouveau La Bruyère qui peindrait le passage entre le
grand règne et la Régence. Que le magistrat rêve et s'ennuie,
et c'est l'appel de l'exotisme ; non pas celui des découvreurs
de terres, mais celui du sociologue en puissance qui dès 1713
interrogeait Wang sur sa Chine natale et résumait sur ses
cahiers les ouvrages de Couplet et de Kircher[1]. *En 1715-*
1716, Montesquieu avait à choisir entre un personnage —
parlementaire, académicien ou vigneron, peu importe —
et l'expression authentique de son génie. Mais l'œuvre qui
devait l'affranchir avait à concilier deux vocations en appa-
rence contradictoires : l'observation critique du monde occi-
dental et l'évocation des mœurs de l'Orient. Comment être
à la fois La Bruyère et Fréret ? Comment donner à cette
conciliation hasardeuse le charme de la vie ? Il fallait un
biais ; il suffisait même d'un procédé littéraire : l'Espion
turc *de Marana lui en donnait l'exemple.*

Or, grâce au Catalogue de la Bibliothèque de la Brède,
édité récemment par Louis Desgraves[2], *et sans exclure*
le fait qu'on peut lire un ouvrage sans le posséder, nous

1. Cf. Louis Desgraves, *Revue d'histoire de Bordeaux*, 1958, p. 200 sq.
2. Genève, Droz, 1954.

*avons quelque chance de limiter dans le temps l'influence des
modèles et des sources des* Lettres persanes. *Montesquieu
possédait l'*Espion turc, *mais seulement dans l'édition de
Cologne de 1717* [1]. *Les* Voyages *de Pitton de Tournefort
paraissent en 1717, les* Mémoires *de Retz et l'*État *pré-
sent de l'Espagne de l'abbé de Vayrac en 1718* [2]. *Les*
Voyages *de Tavernier, présents à la Brède dans l'édition de
1713 (Rouen, 6 vol.), sont rachetés dans l'édition de La
Haye de 1718* [3]. *Ce sont là sources certaines. L'achat
tardif de ces ouvrages ne prouverait-il pas que les* Lettres
persanes *existaient peut-être en puissance en 1717, mais
n'étaient pas encore en chantier? Peut-on préciser davantage?
Si l'on exclut le séjour à Paris de 1709 à 1713, dont les
souvenirs d'ailleurs sont vivants, nous pensons que l'idée des*
Lettres persanes *a dû naître à Paris au cours des longues
vacances que s'octroya le Président de décembre 1716 à
avril 1717* [4] : *arrivée du tsar Pierre le Grand, réveil jansé-
niste et appel au Concile général, chambre de justice, montée
de Dubois, signature de la Triple-Alliance, le flux des évé-
nements l'encourageait à la chronique et laissera sa trace
boueuse dans les* Lettres persanes.

*Un détail pourrait nous gêner. Montesquieu possède l'édi-
tion partielle de Chardin de 1687 et n'achètera l'édition
complète des* Voyages en Perse *qu'après le 10 mai 1720,
comme nous le prouve une note du libraire bordelais Lacourt* [5].
*Va-t-on en conclure que les nombreux emprunts à Chardin
sont postérieurs à cette date et que les* Lettres *ont été écrites
dans les six derniers mois de 1720? Nous accorderons*

1. *Op. cit.*, n° 2284.
2. *Op. cit.*, n° 2764, 3040, 3171.
3. *Op. cit.*, n° 2762 et 2763.
4. Cf. Eylaud, *Montesquieu chez ses notaires de la Brède* (Delmas,
1955, p. 15, 23 et 57) : le 5 décembre 1716, Montesquieu est « sur le
point de partir à Paris ». Le 31 mars 1717, il est encore à Paris, domicilié
rue Saint-Dominique.
5. *Catalogue, op. cit.*, n°⁸ 2738 et 2739. *Exposition de Bordeaux 1955*
(deuxième centenaire de Montesquieu, Delmas, 1955, p. 80).

volontiers à *Robert Shackleton* que *Montesquieu* a pris à *Chardin* l'orthographe des mois persans et que l'achat de *1720* prouve un besoin de vérification et de classement chronologique des Lettres [1]. Mais on ne classe les Lettres que lorsqu'elles sont écrites ; et dès le début du recueil, les traces sont évidentes et nombreuses de l'édition complète de *Chardin* [2].

Quant à l'achèvement du recueil, il suffit de le jalonner par les allusions historiques des dernières lettres : la débâcle de *Law* dans les *six premiers mois de 1720* (Lettres *CXXXII, CXXXVIII, CXLII*), l'abdication d'*Ulrique de Suède du 24 mars* (Lettre *CXXXIX*), l'exil du Parlement à *Pontoise du 21 juillet* (Lettre *CXL*), le bilan du « Système » dans la Lettre *CXLVI* datée du *11 novembre*. Il nous semble donc légitime de conclure que les Lettres persanes, dont l'idée cheminait peut-être obscurément dans l'esprit de l'auteur depuis l'adolescence, ont été rédigées en trois ans, *de la fin de 1717 à la fin de 1720* [3].

LES MODÈLES

Trois ans de travail, voilà qui est un peu court s'il s'agit de science et d'érudition ; mais voilà qui est trop long pour un ouvrage de fantaisie. A première lecture, nous ne saurions trancher : la dualité des décors, la variété des thèmes et des tons, le rythme déroutant d'une correspondance nous imposent l'idée d'une anarchie voulue et d'un désordre concerté. *Montesquieu cherche le naturel à grands frais.* C'est un jeu que les

1. *The Moslem chronology of the Lettres persanes* (in *French Studies*, 1954, p. 26).

2. Notamment sur le harem, la condition des femmes et des eunuques.

3. Nous aimerions être renseignés sur le voyage probable à Paris de l'automne 1720 (cf. Louis Vian, *Histoire de Montesquieu*, Didier, 1879, p. 55 et P. Barrière, *Montesquieu*, Delmas, 1946, p. XIII et 90). Montesquieu était rentré à Bordeaux le 14 décembre puisqu'il signe un acte ce jour-là (cf. Eylaud, *op. cit.*, p. 24).

Lettres persanes, mais un jeu savamment mené par un artiste qui ruse avec son lecteur et le dépayse à son gré. Nous cherchons le fil : il nous échappe sans cesse. Force nous est de lire l'ouvrage avec des yeux neufs, sinon avec la fraîcheur d'âme de nos ancêtres.

Un grand seigneur persan, intelligent et désabusé, suivi d'un jeune homme malléable et enthousiaste, s'exile de son pays pour découvrir à Paris les secrets et l'art de vivre du monde occidental. Les mœurs, les caractères, les types sociaux, le décor, la vie quotidienne les étonnent et les poussent au parallèle avec leur propre monde. Une fois surmonté le premier désarroi, cette société nouvelle peu à peu révèle ses fondements, ses lois et ses drames ; l'étranger quelque peu ahuri fait place à l'observateur politique, le moraliste à courte vue au sociologue et au philosophe. En neuf ans de séjour, nos Persans nous ont pesés et jugés. Mais, par un choc en retour, leurs certitudes orientales se sont effondrées : l'Islam et la Perse perdent leur prestige religieux et politique ; le sens même de la vie orientale, symbolisée par l'ordre voluptueux du harem, s'écroule. Lorsque Usbek, à l'annonce de la mort de Roxane, se décide au départ, ce n'est pas seulement un amant qui va chercher vengeance, c'est un philosophe déconcerté, réclamé par deux mondes « possibles » dont il ne sait plus discerner le meilleur.

Il est bien évident qu'un tel résumé, loin de déjouer toutes les ruses de Montesquieu, n'épuise pas tous ses desseins. Nous n'avons saisi qu'un cadre romanesque, l'enquête en Occident d'un observateur oriental. Or, c'est ce cadre même dont l'originalité a été contestée. Dès 1722, les Mémoires historiques et critiques *de Camusat et Bruzen de la Martinière déclaraient : « L'Espion turc est l'original des* Lettres persanes [1]. » *Voltaire et d'Alembert ajoutaient à* Marana *les* Amusements sérieux et comiques de

1. Amsterdam, J. F. Bernard, 1722 (t. I, p. 11, 15 janvier).

Dufresny [1]. *S'il nous faut résumer, après Robert Shackleton et A. S. Crisafulli* [2], *deux siècles de recherches érudites, six prédécesseurs ont été invoqués :*

1. Jean-Paul MARANA. *L'Espion du grand Seigneur* (Paris, 1684).

2. COTOLENDI. *Lettre écrite par un Sicilien à un de ses amis* (in *Saint-Évremoniana*, Paris, 1700, p. 374-415).

3. DUFRESNY. *Amusements sérieux et comiques* (Paris, 1699, 2e édit. augmentée, 1707).

4. J.-F. BERNARD. *Réflexions morales, satiriques et comiques sur les mœurs de notre siècle* (Cologne, 1711, 3e édit. augmentée, Amsterdam, 1716).

5. ADDISON. *The Spectator* (n° 50, 27 avril 1711, trad. française, 1716).

6. J. BONNET. *Lettre écrite à Musala, sur les mœurs et la religion des Français* (Paris, 1716).

Tant de modèles inquiètent par leur abondance même. Nouvelle inquiétude si l'on consulte le Catalogue *de la* Brède : *seul Marana s'y retrouve à la date des* Lettres persanes. *Il n'est pas moins évident que le personnage de l'observateur oriental existe avant Montesquieu. Deux problèmes fort différents se posent dès lors : la naissance et l'évolution d'un type littéraire, mais aussi la recherche d'un modèle probable des* Lettres persanes.

Si nous délaissons les causes générales, comme la vogue de l'Orient à la fin du XVIIe siècle, et les curieux précédents médiévaux exhumés par G. L. Van Roosbroek [3], *nous saisirons d'abord de simples suggestions. En 1682, dans les* Pensées sur la Comète, *Bayle déplore la corruption occi-*

1. *Siècle de Louis XIV*, édit. Moland, t. XIV, p. 106, *Éloge de Montesquieu*, t. V de l'*Encyclopédie*.
2. *Montesquieu in 1948* in *French studies* (1949, p. 304) et *l'Observateur oriental avant les Lettres persanes* in *Lettres romanes* (1954, p. 91 sq.).
3. *Persian Letters before Montesquieu* (New York, 1932, p. 22-36).

dentale et en appelle au témoignage d'étrangers : « Si ceux qui viennent à Paris avec les ambassadeurs osaient publier, quand ils sont retournés chez eux, des relations aussi libres que celles que les Français publient touchant les pays étrangers, je ne doute pas qu'ils n'eussent bien des choses à dire [1] ». *La Bruyère en 1691, dans la sixième édition des* Caractères, *s'exclame à propos de la folie du jeu :* « Si l'on m'oppose que c'est la pratique de tout l'Occident, je réponds que c'est aussi l'une de ces choses qui nous rendent barbares à l'autre partie du monde et que les Orientaux qui viennent jusqu'à nous remportent sur leurs tablettes [2] ». *Bayle encore en 1702, dans l'article* Japon *du* Dictionnaire historique et critique, *reprend son premier souhait :* « Ce serait une chose assez curieuse qu'une relation de l'Occident composée par un Japonais ou un Chinois qui aurait vécu plusieurs années dans les grandes villes de l'Europe. On nous rendrait bien le change [3] ».

De telles invites n'allaient pas rester sans réponse. Cotolendi, qui écrit en 1692, promène à Paris l'étonnement de son Sicilien. En 1699, même spectacle en douze tableaux dans les Amusements de Dufresny; *mais le conteur, qui a lu La Bruyère, décide de se déguiser :* « Je vais prendre le génie d'un voyageur siamois : nous verrons un peu de quelle manière il sera frappé de certaines choses que les préjugés de l'habitude nous font paraître raisonnables et naturelles... Je suppose donc que mon Siamois tombe des nues [4] ». *A ce Siamois parfaitement* « abstrait » *succèdent, en visite à Londres, les rois hindous d'Addison. Avec J.-F. Bernard, la fiction s'étoffe; c'est un Persan qui veut juger l'Europe en fonction de ses propres croyances :* « Quand je partis de notre commune patrie, je te com-

1. Droz, 1939, t. II, p. 28.
2. *Caractères*, VI, 71.
3. 2ᵉ édit., 1702, article *Japon*, note A.
4. *Amusements...* (Bossard, 1921, p. 70).

muniquai mon dessein de voyager chez les Infidèles
dans la pensée que je pourrais écarter de mon esprit
les préjugés qui, comme autant de brouillards, obscur-
cissent notre jugement. J'étais persuadé qu'il faut
apprendre à connaître pour devenir honnête homme...
Tout prévenu que je suis dès mon enfance pour la sain-
teté de ma religion, je voulais en éprouver mieux la
vérité par la réputation que les Nazariens pouvaient
en faire. J'espérais aussi que leurs mœurs comparées
aux nôtres me répondraient de la fausseté de leur
croyance et de la vérité de la mienne [1]... » *Même dessein
encore en 1716, lorsque le philosophe persan de J. Bonnet
écrit à Musala, son correspondant d'Ispahan, sur les mœurs
et la religion des Français. Dans les trente ans qui précèdent
les* Lettres persanes, *un type littéraire, celui de l'observa-
teur oriental, et un genre littéraire, celui de la fausse relation
à intentions morales et satiriques, se sont donc constitués et
affirmés. Montesquieu, loin de créer une mode, l'a sagement
suivie.*

 *Mais s'il faut lui refuser l'originalité du cadre, s'ensuit-il
que ses prédécesseurs soient ses modèles ? Cotolendi parle
des bruits et des embarras de Paris, après Boileau et La
Bruyère ; peint des alchimistes, des abbés galants et des
maîtres de langues. Dufresny décrit le Palais de Justice
et les salles de jeu. J.-F. Bernard dira quelques mots sur la
mode, signalera l'arrivée de l'ambassade persane de 1715
et les troubles provoqués par la bulle* Unigenitus. *Ces
mêmes troubles constituent le fond de la* Lettre à Musala.
*C'est là, comme disait Rabelais, « matière de bréviaire »
pour l'observateur du temps. Nous ne saurions en conclure
qu'une douzaine de points de contact, plus ou moins acciden-
tels, sur des thèmes d'évidente banalité, constituent de lourdes
dettes. Des six devanciers de Montesquieu, cinq n'ont aucun
droit à la reconnaissance de l'auteur, sinon à la curiosité de*

1. 3ᵉ édit., Amsterdam, J.-F. Bernard, 1716, p. 254-255.

la critique : leur maigre et banale information, leur plagiat
évident de La Bruyère, le champ étroit de leur vision qui les
limite, soit au pittoresque, soit aux questions religieuses,
leur ignorance de l'Orient, le déguisement maladroit et l'abs-
traction de leur observateur ne font qu'accuser la profondeur
de pensée et la géniale mise en scène des Lettres persanes.

Il en est tout autrement de l'Espion turc. *Son premier*
mérite est de dater de 1684 et d'avoir été constamment réédité
*jusqu'au milieu du XVIII*e *siècle. Jean-Paul Marana et son*
successeur et traducteur Cotolendi [1] *ont eu pour but de donner la*
chronique politique de la chrétienté de 1637 à 1682 et de la
raconter avec l'objectivité d'un musulman. Les six volumes et
les sept cents lettres de l'espion Méhémet, loin de se borner
à l'histoire diplomatique et militaire de l'Europe, s'effor-
cent de déceler les ressorts d'un monde. Au-delà du pittores-
que, la crise de la conscience occidentale, la mise en cause des
fondements religieux et philosophiques révèlent l'intelligence
et la liberté d'esprit des auteurs. Mais la vraisemblance de
la fiction orientale est constamment sauvegardée. Méhémet,
devenu à Paris Tite de Moldavie, vit intensément : il souffre,
il aime ; il est assiégé de scrupules religieux, s'assimile à son
corps défendant, cherche une sagesse commune entre l'Orient
et l'Occident. Ses lettres sillonnent l'Europe et l'Asie,
s'interrogent sur Venise, l'Espagne et la Moscovie.
Nul doute que dans cet intelligent fouillis Montesquieu a
trouvé un riche butin. Marana n'a pas seulement donné aux
Lettres persanes *le cadre commode du roman épistolaire*
et l'humour rusé de son observateur oriental, mais un esprit :
celui du nouveau siècle, tolérant, avisé, sceptique et enthou-
siaste, l'esprit des « lumières » qui fait de Marana un pré-
curseur et de La Bruyère un attardé.

Nous ne saurions cependant, comme le fit Pietro Toldo [2],

1. Sur les nombreux problèmes que pose *l'Espion turc*, cf. les articles
de J. E. Tucker (*Revue de littérature comparée*, janvier-mars 1958) et
W. Mac Burney (*P. M. L. A.*, déc. 1957, p. 915).

2. *Dell'Espion di Marana e delle sue attinenze con les Lettres persanes*
(in *Giornale storico della letteratura italiana*, 1897, p. 51 sq).

exalter systématiquement Marana aux dépens de Montes-
quieu. Nous préférons les conclusions plus nuancées de
Pierre Martino [1], *de Marie-Louise Dufrenoy* [2] *et récemment*
d'Alessandro Crisafulli [3]. *L'achat de l'Espion turc dans*
l'édition de 1717 a été un élément déterminant de la genèse
des Lettres persanes, *mais non de leur facture. Marana*
lisait Ricaut ; Montesquieu Tavernier et surtout Chardin.
Le Paris de la Régence n'est plus celui de Richelieu et de
Condé. Marana est un chroniqueur, Montesquieu se joue en
virtuose de tous les sujets et prend le ton de tous ses corres-
pondants. Il s'est donné, comme il le dit lui-même, « l'avan-
tage de pouvoir joindre de la philosophie, de la poli-
tique et de la morale à un roman, et de lier le tout par
une chaîne secrète et en quelque façon inconnue ».
Au-delà de la pulsion génétique qui, en 1717, a mis les Lettres
persanes *en chantier, il faut découvrir maintenant cette*
« chaîne secrète ». *Le désordre concerté dont nous parlions*
tout à l'heure ne saurait dissimuler plus longtemps la solide
structure de l'œuvre et le dosage savant des thèmes.

L'ORGANISATION

Nulle œuvre en apparence plus fantaisiste et plus anar-
chique que les Lettres persanes ; *œuvre étrange qui participe*
du roman épistolaire, de la chronique politique, du journal
de voyage, de l'essai moral, accueille le monologue tragique ou
le dialogue de comédie, sans dédaigner la dissertation, l'apo-
logue ou le conte ; œuvre déconcertante où l'intérêt risque de se
disperser dangereusement dans la succession des lieux, la
variété des décors et le mélange des thèmes.
Montesquieu a senti que l'harmonie et la vraisemblance du

1. *L'Orient dans la littérature française* (Hachette, 1906, p. 284 et 292).

2. *L'Orient romanesque en France* (Montréal, 1946, t. I, p. 158 sq).

3. *L'Observateur oriental..., article cité*, p. 107-111.

*recueil dépendaient d'une solide armature chronologique.
Toutes les lettres persanes sont datées ; mais la conjonction
des mois persans et des millésimes chrétiens paraît absurde,
si l'on se souvient que les douze mois lunaires de l'année
musulmane prennent à chaque cycle un retard de onze jours
sur l'année solaire des Occidentaux. Faut-il donc, dans ce
système composite, renoncer à toute exactitude ? Robert
Shackleton a fait la lumière à ce sujet dans un récent arti-
cle* [1]. Montesquieu s'est contenté d'assimiler les mois lunaires
persans aux mois solaires du calendrier grégorien, en fai-
sant coïncider le premier mois* Maharram *et le mois de* Mars
*qui originellement ouvrait l'année romaine. On obtenait dès
lors la table de concordance suivante :*

Maharram	= *Mars*	*Rhegeb*	= *Septembre*
Saphar	= *Avril*	*Chahban*	= *Octobre*
Rebiab I	= *Mai*	*Rhamazan*	= *Novembre*
Rebiab II	= *Juin*	*Chalval*	= *Décembre*
Gemmadi I	= *Juillet*	*Zilcadé*	= *Janvier*
Gemmadi II	= *Août*	*Zilhagé*	= *Février.*

*L'exotisme était sauf; le millésime chrétien n'égarait
pas le lecteur. Malgré quelques anachronismes qui prouvent
que la table fut dressée tardivement* [2], *l'ensemble était cohé-
rent et les dates d'une bonne exactitude* [3].

*Les trois parties du recueil s'organisaient dès lors avec
une admirable rigueur :*

I. Le voyage d'Ispahan à Paris, *retracé par 23 lettres*

1. *The Moslem chronology..., article cité.*

2. Cf. Shackleton, *art. cit.*, p. 24 : la *Lettre* XXIV (4 juin 1712)
signale la bulle *Unigenitus* comme promulguée en 1710 (en fait 1713).
La *Lettre* XXXV datée de 1713 parle de la querelle d'Homère qui
n'éclate qu'en 1714. La *Lettre* CXXXII (7 novembre 1719) antidate
d'un an la crise financière de Law.

3. Antoine Adam (*op. cit.*, p. XX) donne deux exemples caracté-
ristiques : la mort de Louis XIV (1er septembre 1715) annoncée le 4 sep-
tembre (*Lettre* XCII); l'exil du Parlement à Pontoise (21 juillet 1720)
signalé le jour même (*Lettre* CXL).

d'Usbek et de ses amis, dure treize mois et demi, du 19 mars 1711 au 4 mai 1712.

II. Paris ou le monde occidental *dont la chronique s'articule autour de la mort de Louis XIV :*

a. Le règne de Louis XIV : *69 lettres et trois ans et demi, de mai 1712 à septembre 1715. La coupure est marquée par la* Lettre XCII *(4 septembre 1715) qui annonce la mort du Roi ; la* Lettre XCI *(31 août 1715) annonce le dernier événement parisien : le départ de l'ambassadeur persan Méhémet Riza Beg. Le thème qui domine est celui de l'observation morale et satirique.*

b. La Régence : *54 lettres et cinq ans, de septembre 1715 à novembre 1720. Le jugement final sur le Système de Law, donné dans la* Lettre CXLVI *datée du 11 novembre 1720, constitue la conclusion occidentale des* Lettres persanes. *Les réflexions philosophiques et l'enquête de sociologie politique l'emportent nettement sur la recherche du pittoresque.*

III. Le drame du sérail *(14 lettres). Annoncés par la* Lettre CXLVII *du 1ᵉʳ septembre 1717, les désordres du sérail durent trois ans, alors que le sujet semblait oublié depuis plus d'un an (*Lettre XCVI *du 8 février 1716). Le grand eunuque meurt le 5 juillet 1718, Solim reçoit les pleins pouvoirs le 4 octobre 1719. Le 8 mai 1720, Solim découvre les déportements de Roxane qui se tue le même jour. Mais les lettres de Solim et de Roxane ne peuvent atteindre Paris qu'en novembre, après l'envoi de la* Lettre CXLVI *: tout laisse prévoir le départ immédiat d'Usbek, après neuf ans d'absence.*

* *

A la vraisemblance chronologique devait répondre le dosage harmonieux des thèmes. Bon nombre d'entre eux échappaient naturellement à la servitude des dates ; mais

deux pôles, Paris et Ispahan, deux mondes, l'Orient et l'Occident, artificiellement liés par l'inquiète personnalité d'Usbek, devaient s'affronter dans le recueil. C'est la vraie ligne de clivage des Lettres persanes. *Une quinzaine de lettres développent explicitement le parallèle (n^{os} : XXIII, XXXIII, XXXIV, XXXV, XXXVIII, LV, LX, LXIII, LXXV, LXXXV, LXXXVIII, etc.). Mais deux tableaux pourraient peut-être réduire la part d'arbitraire dans le classement des thèmes* [1] :

I — L'ORIENT

APOLOGUES ET CONTES	LE SÉRAIL	RELIGION	POLITIQUE
11 à 14 (*Troglodytes*)	2 - 3 - 4 - 6 - 7 - 9 - 15 - 20 - 21 - 22 - 26 - 27 - 41 - 42 - 43 - 47 - 53 - 62 - 64 - 65 - 70 - 71 - 79	16 - 17 - 18 39	19
67 (*Aphéridon*)	96	85 - 93	80 - 81 - 88
141 (*Anaïs*)	114 - 115 147 à 161	125 143	103 - 123
\|6\|	\|40\|	\|8\|	\|6\|

Nous remarquons d'emblée le dosage savant des apologues et des contes, situés dans le recueil à égale distance : leur but est de divertir, mais une plus grande fréquence aurait détourné l'intérêt de l'intrigue centrale. Sur 60 *lettres consacrées à*

1. Le chiffre en bas de colonne donne le nombre total de lettres consacrées au même sujet. Les numéros des lettres sont pour plus de commodité en chiffres arabes.

l'Orient, 40 *traitent du sérail ; mais l'enquête psychologique
sur les désenchantés, l'eunuque et la femme de harem, recoupe
ordinairement le roman particulier du sérail d'Usbek.
Les religions exotiques, l'Islam, mais aussi le zoroastrisme
et le brahmanisme, la politique orientale enfin, sont traitées
avec vigueur, mais rapidement.*

II — L'OCCIDENT

Mœurs et portraits	Philo-sophie	Religion	Politique	Nations étrangères
24 - 28 - 30 - 32 - 33 - 36 45 - 48 - 50 - 52 - 54 - 55 - 56 - 57 - 58 - 59 - 60 - 61 - 63 66 - 68 - 72 - 73 - 74 82 - 84 - 86 - 87 - 91 - 92 - 98 - 99 - 107 - 108 - 109 - 110	69 76 - 77 83 - 94 - 97 - 105 - 106	29 - 35 46 - 49 - 57 - 60 - 61 75 101	24 - 37 44 80 88 - 90 - 92 - 94 - 95 - 100 - 102 - 103 - 104 - 107 - 111 112 à 122 (De la dé-population)	31 (Venise) 51 (Russie) 78 (Espagne) 104 (Angleterre)
128 - 130 - 132 133 à 137 (Des bibliothèques) 140 - 144 - 145	143		124 - 126 - 127 - 129 - 131 - 138 - 142 - 146	139 (Suède)
42	9	10	34	5

*L'interprétation des thèmes occidentaux est plus déli-
cate. Une centaine de lettres s'y consacrent, donnant une propor-*

tion de cinq à trois en faveur de l'Occident. Deux groupes l'emportent : l'étude des mœurs domine au début du recueil, les considérations politiques et sociologiques vers la fin. Les sujets dangereux, philosophie et religion, sont abordés courageusement, mais sans donner le ton à l'ensemble. Cinq lettres prolongent l'enquête vers d'autres nations européennes, mais sauf pour l'Angleterre, l'humour l'emportera sur l'objectivité sociologique. Deux étranges digressions alourdissent enfin le recueil, à l'heure où la verve de l'écrivain s'épuise : les onze lettres sur les causes de la dépopulation viennent en effet d'une dissertation antérieure aux Lettres persanes, *comme nous le prouvera l'étude des variantes, dissertation habilement débitée mais fort reconnaissable ; les cinq lettres sur les bibliothèques n'échappent guère à la monotonie d'un catalogue, malgré les commentaires désinvoltes de l'auteur.*

<div align="center">*
* *</div>

En conclusion, malgré l'essoufflement sensible en fin de recueil et la brutalité dramatique du dénouement, le dosage des thèmes est d'une habileté consommée. Montesquieu joue en virtuose sur les motifs alternés de l'Orient et de l'Occident, entrelace questions et décors, varie les tons et fait accepter par la violence des contrastes ce que telle lettre sur la nature de Dieu aurait eu de trop austère, ou telle autre sur la condition de l'eunuque de trop violemment exotique. Le charme réel des Lettres persanes, *qui leur permet d'échapper aux modes et à l'usure des siècles, n'est pas seulement dans le langage comme le croyait Stendhal ; il ne saurait être dans l'effort de vraisemblance chronologique qui se borne à satisfaire l'esprit, non plus que dans le lien romanesque, cette « chaîne secrète » qui, aux yeux de l'auteur, faisait le*

principal mérite de l'ouvrage. Lorsqu'on pense à l'ordre de La Bruyère, au classement scolaire des Caractères, *il ne faut pas le chercher ailleurs que dans cette série continue de petits chocs qui traduisent l'étonnement du lecteur, dans cette attente ravie et jamais déçue de la surprise et, pour tout dire, dans cette esthétique du contraste qui fait des* Lettres persanes, *au sortir de l'ère classique, le premier témoignage littéraire de la renaissance baroque.*

L'INFORMATION

Faut-il maintenant creuser plus profond? Au-delà des modèles, d'une idée de manœuvre, en dehors même de la vision synthétique qui domine l'ouvrage, organise les thèmes et équilibre les masses, il y a l'humble matière qui fait l'infinie richesse des Lettres persanes : *c'est le domaine chanceux des sources. Dans* l'Esprit des lois, *ouvrage de science, Montesquieu donnera ses références ; un tel aveu pour les* Lettres persanes *eût rompu le charme. Quelle vraisemblance qu'*Usbek *ait assimilé Bayle et Leibniz, Burnet et Vossius? Mais nos Persans ont lu tant de livres et remuent tant d'idées que nous ne croyons pas toujours à leur simplicité. Quitte à désenchanter les* Lettres persanes, *il faut évoquer le sombre bureau de la Brède, les lourds ouvrages à reliure fauve, les dossiers, les notes de lecture et les spicilèges. Peu de lettres dans le recueil sentent l'improvisation, même et surtout lorsqu'il s'agit de l'Orient : la netteté des détails et des mots, la précision des anecdotes ou des allusions historiques nous font soupçonner une culture et une information qui craignent d'être indiscrètes. Assumons courageusement cette indiscrétion.*

Après les travaux de Barckhausen, Carcassonne, Muriel Dodds et Antoine Adam, nous pensions avoir peu à faire. Nous nous sommes astreint cependant à lire toutes les

sources possibles des Lettres, en suivant de préférence les
Catalogues de la Brède et de l'Académie de Bordeaux,
héritière des riches bibliothèques de Bel et de Barbot, amis de
Montesquieu. Bon nombre de rapprochements doivent être
exclus, pour des raisons simplement chronologiques. Les
idées générales, éparses dans vingt ouvrages du temps, sont
du domaine commun. Il faut délaisser les modèles génériques :
Marana et Dufresny peuvent offrir des exemples de lettres
exotiques sans toujours fournir de sources précises. Tel
portrait évoque La Bruyère, telle lettre sur Law parodie
Fénelon et le Télémaque affleure derrière l'apologue des
Troglodytes ; se souvenir n'est pas imiter. Nous appellerons
sources sûres, probables ou possibles, selon le degré de cer-
titude, les ouvrages qui, lors de la composition des Lettres
persanes, ont fourni à Montesquieu des faits ou des idées
introuvables ailleurs ; si les faits ou les idées apparaissent
en plusieurs ouvrages, la préférence sera donnée à ceux que
Montesquieu a eu quelque chance de lire, à la Brède ou à
Bordeaux, mais aussi à ceux dont le texte de Montesquieu
se rapproche stylistiquement le plus : le contact est souvent
révélé par un nom propre ou un adjectif commun. Souvent
l'interférence des sources vient nous gêner : c'est le cas de
Chardin et de Tavernier pour la Perse, de Tavernier et
de Bernier pour l'Inde. Prenons la Lettre LXXVIII sur
l'Espagne, où les détails baroques abondent : l'essentiel vient
de Mme d'Aulnoye ; mais la guitare « discordante »
révèle un souvenir de l'abbé de Vayrac ; l'expression « hommes
de chair blanche » appliquée aux créoles d'Amérique
est tirée des Voyages de Frézier ; les moustaches de Jean de
Castro et la légende des Batuecas exigent peut-être un
intermédiaire entre Montesquieu et les textes espagnols ou
portugais de Freyre de Andrada et de Gonzalez de Manuel.
Nous ne prétendons pas épuiser chaque fois l'information,
souvent étrange et fantaisiste, de notre auteur ; mais nous
pensons qu'un recensement complet de ses sources risque,
non seulement d'éclairer sa méthode de travail, mais de déceler

l'étendue de sa culture et de ses curiosités et peut-être même quelques-uns de ses desseins. Nous classerons donc en sept groupes les informateurs de Montesquieu en donnant le nombre exact des sources sûres et le numéro des lettres où l'emprunt est certain, probable ou seulement possible [1].

I. — LES PRÉDÉCESSEURS DES LETTRES PERSANES

	AUTEURS	SOURCES SÛRES	PROBABLES	POSSIBLES
8	MARANA	*Lettres* 24 * - 138 * - 39 - 113	19 - 33 - 45 - 51 - 57	29 - 30 - 105
3	COTOLENDI	32 - 33 - 58	45	55
1	DUFRESNY	86	48 - 72	24 - 99
	J. BONNET		91 - 92	37
	J.-F. BERNARD		91	30 - 36 - 99

1. Un astérisque indiquera les lettres où plusieurs emprunts sont faits au même auteur. A gauche de chaque auteur est signalé le nombre d'emprunts sûrs.

II. — VOYAGEURS ET INFORMATEURS SUR L'ORIENT

	AUTEURS	SOURCES SÛRES	PROBABLES	POSSIBLES
38	CHARDIN	*Lettres* 1 - 2 - 3 - 7 - 9 - 15 - 16 * - 18 - 23 - 26 - 28 - 29 * - 33 * - 34 - 35 - 47 * - 49 - 51 - 55 - 64 * - 70 - 85 - 97 - 102 - 112 * - 114 - 119 - 131 - 135 - 141* - 143	1 - 2 - 4 - 20 - 28 - 62 - 88	6 - 60
8	TAVERNIER	1 - 6 - 7 - 40 - 47 - 85 - 96 - 121	20 - 112 - 125	60
7	RICAUT	19* - 31 - 35 - 53 - 75	20 - 89 - 93	114
6	DU RYER (Koran)	16 - 38 - 56 - 114 *		
8	HERMANNUS DALMATA	18 * - 39 *		
5	HYDE	67 *		
2	BERNIER	40 - 125	24	
2	TOURNEFORT	34 - 57	19	
1	HERBERT	44		
1	GALLAND	80		
1	*Novus orbis*	113		
	PETIS DE LA CROIX		81	
	MARTINI		61	
	ANDRADA		78	

III. — VOYAGEURS EN D'AUTRES PARTIES DU MONDE

	AUTEURS	SOURCES SÛRES	PROBABLES	POSSIBLES
6	D'AULNOYE	78 *	44	
2	VAYRAC	78 - 121		
2	FRÉZIER	78 - 118		
2	FLACOURT	120 - 121		
1	FROGER	44		
1	OLEARIUS	51		
	GONZALEZ DE MANUEL		78	
	DAMPIER			61

IV. — ÉCRIVAINS ANCIENS

	AUTEURS	SOURCES SÛRES	PROBABLES	POSSIBLES
5	ÉCRITURE SAINTE	44 - 71 - 97 - 104 - 130		
2	POMPONIUS MELA	11 - 38		
1	DIODORE	95		
1	TITE-LIVE	128		
1	QUINTE-CURCE	126		
1	PROCOPE	131		
	HÉRODOTE			11
	CICÉRON			10

V. — HISTORIENS OU JURISTES MODERNES

	AUTEURS	SOURCES SÛRES	PROBABLES	POSSIBLES
I	RETZ	III		
I	CLARENDON	104		
I	BAUDOT DE JUILLY	102		
I	DE FERRIÈRE	100		
I	ANCILLON	53		
I	SANCHEZ	134		
	VOSSIUS		112	

VI. — PHILOSOPHES MODERNES

	AUTEURS	SOURCES SÛRES	PROBABLES	POSSIBLES
5	BAYLE	35 - 69 - 85 - 109 - 112	99 - 141	
3	DESCARTES	69 - 97 *		
3	FÉNELON	12 - 13 - 14		
	SHAFTESBURY		10 - 83 - 94 - 104	
1	SPINOZA	76	61	97
	LEIBNIZ		69 - 83	
2	BURNET	113 *		
1	PASCAL	57		
1	RAULIN	121		
	MALEBRANCHE		83	
	MACHIAVEL		94	
	LA PEYRÈRE			113

VII. — LITTÉRATEURS MODERNES

	AUTEURS	SOURCES SÛRES	PROBABLES	POSSIBLES
2	FONTENELLE	17 - 137	51	
1	Mme DACIER	137		
1	LA BRUYÈRE	72		
	GENEST			137
	FAYDIT			97
	CHORIER		141	

 Nous ne prétendons pas donner dans ces sept tableaux un répertoire définitif des sources des Lettres persanes. *Il y aurait d'ailleurs quelque abus à considérer seulement leur fréquence et à négliger leur étendue : les emprunts varient de la simple allusion au fait minime, du fait à l'anecdote, de l'anecdote à la transcription de pages entières; dans la* Lettre *CXXXIV, Montesquieu fait allusion au traité* De Matrimonio *de Sanchez; dans la* Lettre *XXIII, il doit à Chardin l'indication que les Persanes portent quatre voiles; dans la* Lettre *XLIV, il arrange l'anecdote que raconte Froger dans sa* Relation de Guinée; *dans les* Lettres *XVIII et XXXIX, il traduit quatre pages du latin rocailleux d'Hermannus Dalmata sur l'arche de Noé et sur la naissance de Mahomet. Toutes ces dettes n'ont pas le même poids.*

 Cette réserve ne saurait éluder deux séries de conclusions, la première sur l'étendue de la culture de Montesquieu et

l'orientation de ses curiosités, la seconde sur sa méthode de travail.

1. *La culture* « traditionnelle », *ou du moins ce que Montesquieu en laisse transparaître par le canal de ses Persans, est de valeur médiocre. Sur 142 sources ou allusions sûres, 4 ont trait à la littérature ; nous trouverions une proportion comparable dans les* Pensées *et le* Spicilège : *Montesquieu est délibérément un* « moderne ». *Quelques anecdotes antiques, quelques références à l'Écriture, moins d'une demi-douzaine d'historiens récents composent une vulgate de collège. Quelques ouvrages, comme la* Polygamia triumphatrix *de Leyser ou le* Variarum observationum liber *de Vossius, ne sont connus que par les résumés de Bayle. L'information philosophique enfin est extrêmement vague et composite : les commentateurs disputeront longtemps encore pour départager Leibniz, Bayle, Malebranche et Shaftesbury dans les* Lettres LXXXIII, XCIV *et* XCVII. *Montesquieu se rendra compte très tôt qu'il n'a pas la tête métaphysique.*

2. *Le sujet même des* Lettres persanes *exige un minimum de vraisemblance. Les récits de voyage constituent donc normalement l'essentiel de l'information. Sur 142 sources sûres, 93 portent sur l'Orient et les pays exotiques. Sur 93, 38 consacrent l'importance exceptionnelle de Chardin. Bien au-dessous de Chardin, Tavernier, Ricaut, Hermannus Dalmata complètent la science de Montesquieu sur la Perse, la Turquie et l'Islam. Tous les autres informateurs orientaux sont secondaires, sauf Hyde dont l'érudition nourrit l'histoire guèbre d'Aphéridon et d'Astarté et prélude à une mode durable en Occident. Quant aux échappées sur l'Afrique, l'Amérique et les pays d'Europe autres que la France, ce sont ordinairement des variations humoristiques qui n'exigent que peu de science : les anecdotes de M^me d'Aulnoy, de Flacourt, de Froger reposent de l'exactitude sociologique de Chardin. Nous retrouverons dans* l'Esprit des lois *l'information des* Lettres persanes, *amplifiée par vingt ans*

de lectures nouvelles, des curiosités plus encyclopédiques,
mais un même tour d'esprit dans l'utilisation des sources.

3. L'intérêt principal de ces recherches est peut-être
d'éclairer la méthode de travail de Montesquieu. Une Lettre
persane n'est pas un chapitre de l'Esprit des lois; elle
n'a pas pour but de faire progresser une dialectique générale;
elle s'organise souvent comme les premiers essais de Mon-
taigne. Deux ouvrages de base, Chardin et Marana, lui
rappellent constamment la fiction orientale et l'impérieuse
vraisemblance du cadre. Bon nombre de lettres n'appellent
qu'un seul informateur : Olearius pour la Russie (LI),
Hyde sur les Guèbres (LXVII), Retz sur la Fronde
(CXI), Clarendon sur l'Angleterre de Cromwell (CIV),
Burnet sur la formation du globe (CXIII), Vossius à travers
Bayle sur la population de Rome (CXII). Mais Montes-
quieu n'ignore pas le procédé de contamination : la Lettre
LXXVIII sur l'Espagne en est le meilleur exemple; mais
telle lettre sur les eunuques utilise Ancillon, telle autre
Ricaut et Chardin. Parler de méthode est donc excessif :
la fantaisie et le baroque côtoient l'information sérieuse;
une fois de plus, l'esthétique du contraste donne le ton aux
Lettres persanes.

4. Mais il serait dangereux d'interpréter cent soixante
Lettres persanes d'après cent quarante points de contact avec
des ouvrages antérieurs. La réalité parisienne est vue et jugée
sans intermédiaire; l'imagination voluptueuse suffit pour
décrire le drame du harem ou les amours d'Anaïs au paradis
d'Allah; l'actualité politique et religieuse est discutée par
un esprit original et sûr; la chronique de l'Europe suppose
dix fois la lecture récente des gazettes (Lettres CXXIII,
CXXVI, CXXVII, CXXVIII, CXXX, CXXXII,
CXXXVIII, CXXXIX, CXL, CXLII). Combien de
lettres enfin ne font qu'utiliser, démarquer ou pressentir des
dissertations ou des enquêtes menées parallèlement à la fiction
romanesque : les traités Des devoirs, De la jalousie,
les essais sur les Causes de la dépopulation, sur les

Richesses de l'Espagne, *sur* les Lois naturelles et la distinction du juste et de l'injuste, *sur* les Princes? *Tant d'ébauches, qui pour la plupart avorteront, donnent aux* Lettres persanes *leur richesse intellectuelle et leur véritable originalité, avant d'aller se fondre au creuset de* l'Esprit des lois, *que nous ne saurions épuiser les desseins de Montesquieu par l'étendue toute relative de ses dettes.*

L'INTERPRÉTATION

Il n'est pas de chef-d'œuvre sans ambiguïté : il faut laisser quelque chose à penser au lecteur. Les Lettres persanes *ne manquent pas à cette exigence.*

La plupart des lecteurs du temps et nombre de critiques ont vu dans Montesquieu un libertin d'autant plus habile que l'ouvrage ne paraissait pas sérieux. Comme ce diable boiteux venu d'Espagne, il soulevait le toit des maisons, révélait les tares et les ridicules, riait des vices, mais aussi des malheurs. « Le voile de révérence se déchirait, *dit Paul Hazard;* et derrière le voile il n'y avait qu'illogisme et qu'absurdité. Ce travail, les Persans l'accomplissaient avec un mélange si savamment dosé d'habileté et de naturel, avec tant de gaieté et de gaminerie, avec une volonté de bravade si décidée qu'on était pris au jeu et qu'on se mettait inconsciemment de la partie. Bien sot qui ne serait pas devenu leur complice... comme s'ils avaient si prestement, si poliment détruit la maison que le propriétaire lui-même les eût félicités en leur disant merci [1] ». *Alors que Marivaux se bornait à plaider l'imprudence, Paul Valéry engage Montesquieu dans l'entreprise de subversion :* « Entrer chez les gens pour déconcerter leurs idées, leur faire la surprise d'être surpris de ce qu'ils font, de ce qu'ils pensent, et qu'ils n'ont jamais conçu différent, c'est,

1. *La Pensée européenne au XVIII[e] siècle*, Boivin, 1946, t. I, p. 5.

au moyen de l'ingénuité feinte ou réelle, donner à ressentir toute la relativité d'une civilisation, d'une confiance habituelle dans l'Ordre établi... C'est aussi prophétiser le retour à quelque désordre; et même faire un peu plus que de le prédire [1]. »

Ce sont là des vues ingénieuses pour « sataniser » les Lettres persanes : *elles ne sauraient historiquement nous convaincre. En 1721, Montesquieu ne veut pas « détruire la maison » : ses fondements sont ébranlés depuis vingt ans ; il n'appelle pas le désordre, car le désordre est solidement installé dans l'État et dans la nation: il ne prêche pas la corruption, mais la réprouve. Le monde de la Régence s'est reconnu dans les* Lettres persanes *et ne s'est pas scandalisé, non plus que dans la lecture de* Manon Lescaut. *La galanterie, le jeu, le règne du plaisir, de la faveur et de l'argent, la décadence de la noblesse, des Parlements, du clergé, d'une bourgeoisie honnête, l'activité maniaque des poètes, des érudits ou des nouvellistes, ce sont tableaux dont la tristesse ne fait que s'accuser depuis La Bruyère. Si le moraliste est gai et le trait narquois, faut-il s'y laisser prendre ? Si Montesquieu crible de flèches une société qui se décompose, il ne croit pas à la vertu médicale de l'aigreur janséniste, aux doléances revêches de Boileau et de La Bruyère. Lisons la* Lettre CXXXVIII, *si haute de ton et de pensée, où sont exposées les conséquences morales et sociales du Système de Law : au contraire des moralistes classiques, Montesquieu assume pleinement le monde où il vit, sans en être un instant la dupe.*

Encore une fois, c'est l'insolence du ton qui nous trompe. S'il daube sur la Trinité et l'Eucharistie, Marana et Bayle, sans parler de Spinoza, l'ont fait avant lui. S'il rit du pape-magicien, comment pouvait-on prendre au sérieux l'homme qui allait donner la pourpre à l'abbé Dubois ? S'il critique le despotisme oriental de Louis XIV, qui ne pense de même dans les conseils ? On ne saurait exiger de Montes-

1. *Variété II*, Gallimard, 1930, p. 68-69.

quieu le respect des idoles quand le Régent lui-même les
détruit. Ce respect ne renaîtra qu'en 1726, avec le principat
du cardinal Fleury.

 Mais les véritables audaces de Montesquieu ne sont pas
dans les coups de boutoir qu'il donne à un édifice moribond.
Sa conception du monde n'est nullement négative et ne reflète
pas, comme le voudrait l'abbé Dedieu, un « scepticisme
élégant » [1]. *Ce n'est pas du scepticisme que de croire que*
les querelles théologiques épuisent la France, que les ordres
religieux thésaurisent, que le prosélytisme des missions
échoue en Perse et en Chine. C'est aller plus loin que d'atta-
quer le célibat des prêtres et d'accepter le divorce. C'est
aller trop loin que de suggérer le parallèle du merveilleux
chrétien et des légendes de l'Islam. Mais il y a une chaleur
enthousiaste dans l'affirmation de son déisme fondé sur le
sentiment intérieur du bien et du juste : « Ainsi, quand il n'y
aurait pas de Dieu, nous devrions toujours aimer la
Justice; c'est-à-dire faire nos efforts pour ressembler à
cet être dont nous avons une si belle idée et qui, s'il
existait, serait nécessairement juste. Libres que nous
serions du joug de la religion, nous ne devrions pas
l'être de celui de l'équité. » *(Lettre LXXXIII.) Mani-*
festement c'est un ordre que recherche Montesquieu, quoi
qu'en pense Valéry. Cet ordre, sur quoi compte-t-il le fonder ?

 Nous nous permettrons sur ce point d'exclure la solution
facile. Les historiens de la littérature ont trop souvent
répété que les Lettres persanes *sont « la préface spiri-*
tuelle et hardie de l'Esprit des lois »; pour découvrir la
clef des Lettres, *disent-ils, il suffit d'en retrouver la trace*
dans les ouvrages ultérieurs, de suivre au long d'une vie
entière les lignes logiques d'une pensée impeccable. Nous
ne nierons pas l'intérêt de telles recherches. Faut-il les résu-
mer ? Nous dirons avec l'abbé Dedieu que les lettres « sur
l'intolérance, sur l'esclavage, sur le caractère des

1. *Montesquieu, l'homme et l'œuvre*, Boivin, 1943, p. 110.

nations, sur la nature des peines et leur proportion, sur la justice, sur la multiplicité des religions dans un même État, sur le point d'honneur dont les Français semblent faire le principe fondamental de leur morale, sur le droit public et le droit des gens, sur la conquête, sur l'esprit public, sur les lois françaises, sur le luxe, sur la dépopulation de l'Europe, les colonies, la liberté, le divorce, la polygamie, le célibat, le droit d'aînesse, nous semblent être tantôt l'amorce de plus sérieuses études et tantôt la synthèse vigoureuse de recherches originales [1] ». *Tous ces thèmes seront repris et enserrés dans les mailles de* l'Esprit des lois. *Mais avons-nous le droit de projeter sur l'ouvrage de* 1720 *la doctrine de* 1740? *Nulle part dans les* Lettres Persanes *n'apparaît la notion centrale de la loi,* rapport nécessaire qui dérive de la nature des choses. *Le monde de* 1740 *est régi par un puissant déterminisme : lois physiques et causes morales reflètent l'emprise du climat, de la religion, des mœurs, du passé, des maximes de gouvernement ; un esprit général en résulte et le monde tel qu'il va en acquiert une sorte de légitimité. Dans* l'Esprit des lois, *l'univers entier est compris et par là même pardonné.*

Cette vision olympienne, cette sérénité que donnent l'âge et l'étude, nous les chercherions en vain dans les Lettres persanes. *On a voulu trouver la définition de la loi, celle du livre I de* l'Esprit, *dans la* Lettre LXXXIII [2] : « La Justice est un rapport de convenance, qui se trouve réellement entre deux choses ; ce rapport est le même, quelque être qui le considère, soit que ce soit Dieu, soit que ce soit un ange, ou enfin que ce soit un homme. » *Montesquieu postule ici la loi morale, reprend les thèmes de Leibniz dans la* Théodicée, *annonce Kant. Dans le premier cas, la loi est un rapport d'efficience, dans*

1. *Op. cit.*, p. 114-115.
2. Alan Boase, *The interpretation of Les Lettres persanes* (in *The French Mind*, Oxford, 1952, p. 155).

*le second, la justice est un rapport d'espérance et de foi.
Or, ce qui fait le prix des* Lettres persanes, *explique leur
accent de jeunesse et leur enthousiasme, c'est que Montes-
quieu en 1720 n'a pas encore senti le heurt entre l'exigence
idéaliste de justice, cette loi naturelle inscrite au cœur de
l'homme, et le poids de l'univers; entre la nature humaine
et la nature des choses.*

*Voilà pourquoi l'ordre que recherchent implicitement
les* Lettres persanes *est un ordre idéal, fondé sur la justice,
antérieure à toute révélation, et sur la* nature, *c'est-à-dire
sur les exigences fondamentales du cœur et de la raison.
Les deux mots coïncident d'ailleurs, la nature n'étant que la
justice perçue et accomplie. C'est une seule et même sagesse
qui se modulera sur tous les registres. L'idéal apparaît
d'emblée dans l'apologue des Troglodytes, véritable préambule
des* Lettres. *Mirza sait que les hommes sont* « nés pour être
vertueux » *et que* « la justice... leur est aussi propre que
l'existence » *(Lettre X); les Troglodytes vont au bonheur
par la vertu, sans lois ni roi. Mais en dehors de leur pays de
rêve, les mœurs ne traduisent qu'artifice et absurdité. En
Orient, le harem symbolise l'anti-nature : l'eunuque mutilé
se fait gardien·féroce, la femme cloîtrée ment, conspire et
trompe :* « J'ai réformé tes lois sur celles de la nature »,
*dira Roxane en mourant. L'Islam est ridicule par ses
contes grossiers, son rituel étrange et ses tabous alimentaires.
Le grand Mogol se pèse comme un bœuf sur sa balance,
la femme hindoue se jette au bûcher, la Madécasse se fait
avorter. Seule Anaïs est·logique en exigeant justice du paradis
d'Allah. Même l'horreur de l'inceste, qu'on croyait naturelle,
n'empêche pas Aphéridon et Astarté de pratiquer la vertu
et de mériter le bonheur. En Occident, l'anti-nature règne
plus encore. L'Église est un monument d'artifice : un pape-
magicien, des sacrements étranges, l'unité de Dieu contestée,
des casuistes fous, des directeurs aux jupes des femmes,
un mariage indissoluble, le célibat imposé aux prêtres, une
théologie obscure qui déclenche des luttes civiles, un prosély-*

tisme qui, sous couleur de charité, cache la volonté de puis-
sance. « Nous troublons l'État », *avouera un prêtre*
(Lettre LXI). Alors que la religion naturelle, accessible
à tous, se borne à exercer envers les hommes « tous les devoirs
de la charité et de l'humanité, en ne violant point les
lois sous lesquelles ils vivent » *(Lettre XLVI). Mais*
l'État lui-même corrompt ces lois fondamentales que notre
Moyen Age avait héritées des libres tribus franques. L'Es-
pagne, pour avoir chassé les Maures et les Juifs, pour avoir
pillé l'Amérique, se meurt dans l'orgueil, la paresse et
l'idolâtrie de l'or (Lettre LXXVIII). La France, à
peine échappée du despotisme oriental de Louis XIV,
cède aux mirages du Mississippi, séduite par les pirouettes
de Law (Lettre CXLII). Le vrai critère de l'anti-nature,
c'est la dépopulation du monde moderne; toutes les causes y
concourent : la tyrannie politique, le brassage des peuples,
la polygamie musulmane comme le mariage chrétien, l'eu-
nuque oriental comme le prêtre catholique, l'esclavage et la
colonisation (Lettres CXII à CXXII). *Or la politique*
naturelle donnerait force et prospérité; il suffit pour cela que
l'État se modèle sur son archétype naturel, la famille (Lettre
XCIV) *et que les rois agissent en pères* (Lettre CII). *Le*
meilleur État n'est-il pas « celui qui va à son but à
moins de frais »? *(Lettre LXXX.) Si la monarchie*
risque de dégénérer en despotisme (Lettre CII), la douceur
du gouvernement mène à l'opulence : l'agriculture est protégée
(Lettre CXXII), le luxe et les arts prospèrent (Lettre CVI),
la population s'accroît comme en Hollande et en Suisse,
républiques au sol pauvre (Lettre CXXII). Délaissons la
fable des Troglodytes et le mythe des Guèbres, observons le
nord de l'Europe : l'avenir du monde moderne se dessine chez
les peuples industrieux et libéraux. Liberté politique, tolé-
rance religieuse, travail, commerce pacifique, voilà la leçon
de sagesse qu'ils nous donnent.

 Tel est l'ordre idéal, mais accessible, que vantent les
Lettres persanes. Est-ce là prédire le désordre, comme le

voulait Valéry ? Cette religion et cette politique naturelles
ne sont pas une fuite vers l'utopie ou le primitivisme, mais
e résultat d'une prise de conscience lucide des dangers d'une
période d'anarchie et de transition.

Voilà pourquoi il nous semble imprudent et dangereux
de tirer des Lettres persanes une leçon de scepticisme et de
relativisme. « Dans tout cela, disait Marivaux, je ne vois
qu'un homme de beaucoup d'esprit qui badine, mais
qui ne songe pas assez qu'en se jouant, il engage un peu
trop la gravité respectable de ces matières. » Montes-
quieu nous enseigne que l'impertinence est libératrice et le
respect une attitude paresseuse, non pas une solution. « Nous
cherchons toujours la nature dans nos coutumes simples
et nos manières naïves », déclare Rica (Lettre LXXIII).
Entre l'autorité de l'État qu'il accepte, à condition qu'il ne
dépasse pas son objet, et le sens social qu'il prêche, à condition
qu'il n'obsède pas l'individu, Montesquieu abolit les conven-
tions : l'homme a le droit d'être ce qu'il est. Sans honte,
dans un monde libéré où ne se posera plus la question ridicule :
« Comment peut-on être Persan ? » Avec les Lettres
persanes s'ouvre l'âge de la sincérité.

Mais pourquoi ces fadeurs orientales, diront les esprits
positifs, pourquoi ces figures de ballet où, à intervalles cal-
culés, réapparaissent en troupes gracieuses ou horribles
eunuques et odalisques ? Qui donc est dupe de cette trame
romanesque qui, comme à l'opéra, s'achève sur le tableau
sanglant du sérail ? Si les Lettres persanes ont pour but
de dénoncer l'artifice, n'est-ce pas la pire des conventions
esthétiques ? Nous pourrions répondre que cet Orient n'est
pas si faux qu'il ne puisse jouer son rôle dans la démystifi-
cation du monde. Mais si l'exotisme rend la leçon moins dure
à notre amour-propre en renvoyant dos à dos Paris et Ispa-
han, si le charme de la fable et du conte repose des problèmes
sévères, si le style rit, poudroie et scintille, n'ayons pas le
mauvais goût de nous en plaindre. Eugenio d'Ors naguère
se demandait comment le XVIII^e siècle, le siècle rationa-

liste par excellence, pouvait être en même temps le siècle
baroque par définition [1]. *Nul ouvrage ne saurait mieux que*
les Lettres persanes *illustrer à la fois l'idéologie et l'esthé-*
tique des « lumières », dans un mélange unique de ratio-
nalisme incisif et de luxuriance baroque.

LE TEXTE
ET LES PRINCIPES D'ÉDITION

Les Lettres persanes *parurent dans les premiers mois*
de 1721. *Leur succès déclencha comme à l'accoutumée un*
nombre considérable de contrefaçons. Sous le millésime 1721,
Claudin présente 6 éditions dans le Catalogue Rochebi-
lière [2], *Barckhausen en dénombre 8* [3], *les mêmes probable-*
ment que décrit Tchémerzine [4], *Jean Duffour en compte* 16
dans son fichier [5]. *Toutes ces éditions se répartissent en deux*
séries, l'une timbrée de Cologne (Pierre Marteau), l'autre
d'Amsterdam (Pierre Brunel). Nous admettrons volontiers
avec les bibliophiles, de Claudin à Tchémerzine, que Pierre
Marteau dissimule l'éditeur d'Amsterdam Jacques Des-
bordes et Pierre Brunel un éditeur clandestin français de
Rouen. Quant à l'édition princeps, *aucune contestation n'est*
possible désormais ; la bibliothèque de la Brède possédait
un seul exemplaire des Lettres persanes : *sa rubrique*
était celle de Pierre Marteau [6]. *Et Montesquieu a tout dit*
dans un premier jet de ses Réflexions sur les Lettres per-
sanes : « De toutes les éditions de ce livre, il n'y a
que la première qui soit bonne : elle n'a point éprouvé
la témérité des libraires. Elle parut en 1721, imprimée à
Cologne, chez Pierre Marteau... Cet ouvrage fut aban-

1. *Du Baroque* (Gallimard, 1935, p. 40).
2. Paris, Claudin, 1882, p. 408-412.
3. Édition des *Lettres* (Hachette, 1913, t. II, p. 88-90).
4. *Bibliographie d'éditions originales* (Paris, Plée, 1933, t. VIII, p. 450).
5. *Bulletin du bibliophile*, 1939, p. 276.
6. Louis Desgraves, *Catalogue...* (Droz, 1954, p. 51, n° 677).

donné par son auteur dès sa naissance [1] ». *Étant donné
que Montesquieu lui-même ne nie pas que cette édition soit
hollandaise* [2], *nous croirons fondée la tradition reprise par
Louis Vian* [3] : *ce serait l'abbé Bottereau-Duval, secrétaire
du Président, qui, manuscrit en main, aurait mis au point à
Amsterdam l'édition Pierre Marteau, alias Desbordes.
Cet exemplaire, devenu très rare, comporte deux volumes
petit in-12, au titre rouge et noir, de 311 et 347 pages ;
le premier tome est orné d'un fleuron avec entrelacs, le
deuxième de deux anges assis sur un chérubin. Décrit avec
précision par Barckhausen et Tchémerzine, il constitue le
seul point de départ de toute édition moderne.*

Sous le même millésime 1721, *paraissait une* seconde
édition revue, corrigée, diminuée et augmentée par
l'auteur. *Toujours avec la rubrique : Cologne, Pierre Mar-
teau, elle se présentait en deux volumes de* 312 *et* 347 *pages* [4] ;
au lieu de 150 *lettres, elle n'en comptait que* 140 : *treize
étaient retranchées, mais trois nouvelles y apparaissaient ;
ces dernières étant authentiques, il semble qu'elle n'ait pu
s'élaborer sans la complicité, sinon l'aveu, de l'auteur. Mon-
tesquieu n'y faisait-il pas allusion dans une lettre à M. de
Caupos ordinairement datée d'août* 1721 : « On me mande
de Hollande que la deuxième édition des *L. P.* va
paraître avec quelques corrections [5] »? *Une étrange
légende, forgée par Voltaire et propagée par Louis Vian,
la daterait de* 1727 : *on l'aurait antidatée pour soumettre
une version édulcorée des* Lettres persanes *au cardinal
Fleury, prévenu contre Montesquieu lors de sa candidature
à l'Académie française. La critique interne de Barckhausen,
appuyé récemment par Louis Desgraves* [6], *a délicatement*

1. *Pensées*, Bordeaux, Gounoulhou, 1899, t. I, p. 48-49.
2. *Ibid.*, p. 46.
3. *Histoire de Montesquieu* (Paris, Didier, 1879, p. 56-57).
4. Bibliothèque municipale de Bordeaux, P F 7370.
5. *Correspondance*, Bordeaux, Gounoulhou, 1914, t. I, p. 17.
6. *Montesquieu et l'Académie française* (in *Revue historique de Bor-
deaux*, 1957, p. 201 sq).

rétabli les faits : les variantes et les suppressions tendraient à prouver qu'il s'agit d'une édition adaptée aux goûts et opinions d'un public protestant. Une menue découverte est encore plus probante : Jean Duffour a relevé sur l'exemplaire Spitzberg l'ex-libris *autographe de la princesse Anna de Lippe daté de* 1722 [1]. On n'antidate pas un ex-libris. *Une fois la légende dissipée, il ne demeure qu'une édition d'intérêt mineur, sauf pour les trois nouvelles lettres qu'elle apporte (n°s CXI, CXXIV, CXLV). La tradition veut cependant qu'on en collationne les variantes : nous nous y conformerons.*

Une trentaine d'éditions soumises à « la témérité des libraires » *se succédèrent avant la mort de Montesquieu. Une seule est avouée par l'auteur, celle de* 1754, *au chiffre de Pierre Marteau, dite* « l'édition avec supplément [2] ». *Il s'agit de deux volumes de* 172 *et* 205 *pages, reproduisant à quelques mots près les* 150 *lettres de l'édition* princeps; *un* supplément *de* 28 *pages s'adjoint au tome II : onze lettres dont huit inédites, précédées de* Quelques réflexions sur les Lettres persanes *et suivies de quelques variantes aux premières lettres. L'impression générale est celle du désordre et de la hâte. Faut-il s'en étonner ? En* 1751, *Montesquieu lance contre ses adversaires jansénistes la* Défense de l'Esprit des Lois. *La même année, l'abbé J.-B. Gaultier, théologien de Colbert, évêque de Montpellier, publie les* Lettres persanes convaincues d'impiété. *Très rapidement, Montesquieu rédige quelques fragments d'apologie [3]. Dans une lettre à l'abbé Guasco du* 4 octobre 1752, *il annonce avec une feinte désinvolture :* « Huart veut faire une nouvelle édition des *Lettres persanes;* mais il y a quelques *juvenilia* que je voudrais auparavant retoucher. Quoiqu'il faut qu'un Turc voie, parle et pense en Turc et non en chrétien; c'est à quoi bien des gens ne font

1. *Loc. cit.*, p. 275.
2. Bibliothèque nationale, Z 15.235 — B.M. de Bordeaux, P F 1197.
3. Cf. *Pensées, op. cit.*, t. I, p. 44-48.

point attention en lisant les *Lettres persanes* [1] ». *Les
Quelques réflexions de 1754 reprendront ce thème à
loisir, mais les* juvenilia *ne seront pas touchés. L'édition
de 1754, qui ne se donnait même pas le soin d'intégrer les
lettres nouvelles dans le recueil, ne pouvait contenter per-
sonne, ni amis ni ennemis.*

Entre temps, Montesquieu mourait. L'harmonisation des
Lettres persanes, *au nombre de 161, dut attendre la publi-
cation en 1758 de la grande édition des* Œuvres *en trois
volumes in-4° [2]. Le fils de Montesquieu, M. de Secondat,
en était le promoteur; l'avocat Richer l'ouvrier. On ne sau-
rait mettre en doute leur piété. Piété éclairée d'ailleurs : une note
des* Lettres *révèle que les éditeurs ont utilisé le manuscrit
que l'auteur* avait confié de son vivant aux libraires ;
*et l'on constate avec plaisir que les variantes sont pour la
plupart d'ordre stylistique et que les audaces juvéniles ont
été courageusement maintenues.*

*Tout semble simple dès lors : quatre éditions, deux de 1721,
celle de 1754 et celle de 1758, sont les seules à ne pas trahir
la pensée de l'auteur. La tradition des éditeurs les représentant
par les sigles A, B, C, D, l'édition D doit être le texte de
base. Mais l'affaire des* Cahiers de corrections *allait
tout remettre en cause.*

En 1897, dans sa magistrale édition des Lettres per-
sanes, *Barckhausen annonçait la découverte au château de
la Brède d'un dossier contenant trois cahiers et six feuilles
volantes. Le premier manuscrit, un in-4° de 102 pages, daté
de 1754, que nous appellerons le* Petit Cahier *et désignerons
par le sigle α, est intitulé* Corrections des Lettres per-
sanes sur la première édition imprimée à Cologne chez
Pierre Marteau en 1721 en deux volumes in-12. *Les six
dernières pages reproduisent les* Quelques réflexions de

1. *Correspondance, op. cit.,* t. II, p. 444.
2. Amsterdam et Leipzick, chez Arkstée et Merkus. B. M. de Bor-
deaux, MF 1821.

l'édition de 1754. *L'écriture est d'un secrétaire inconnu. Sur la page de titre, cette note :* « Cette copie n'est plus la dernière. J'ai fait depuis des corrections qui ont été mises dans la copie faite en grand papier et je pourrai rectifier celle-ci par celle-là en cas de besoin. » *Le deuxième manuscrit, un in-folio de* 98 *pages, que nous appellerons le* Grand Cahier, *postérieur au précédent, mais non daté, porte pour titre :* Corrections des Lettres persanes. Dernière copie. *Écrit presque entièrement par le dernier secrétaire de Montesquieu, Fitz-Patrick, il est souvent corrigé de la main même de l'auteur. Les quatre dernières pages donnent l'état définitif des* Réflexions. *L'originalité du* Grand Cahier *est d'être copieusement raturé et de présenter deux états : un état définitif que nous désignerons par le sigle* β *et un état primitif raturé que nous désignerons par* γ. *Le troisième manuscrit de* 44 *pages est une copie de la main de Fitz-Patrick des dix lettres qui n'avaient pas paru en* 1721 *et des* Réflexions, *à l'exclusion de la* Lettre *CXLIV sur les hommes d'esprit et les savants parue dans* BCD. *Le reste du dossier comporte enfin une douzaine de pages manuscrites, lettres ou fragments de lettres persanes et le manuscrit autographe original de la* Lettre *LXXVIII qui récuse le suicide.*

Nous comprenons dès lors l'intention de Barckhausen : le dernier état des Lettres *persanes est consigné dans le* Grand Cahier. *Réaliser le vœu de l'auteur, c'est donc exclure* D, *tenir compte des corrections ultimes et rejeter la* Lettre *CXLV pour donner au recueil le nombre harmonieux de* 160 *lettres. C'est ce que fit Barckhausen dans ses deux éditions, suivi par Élie Carcassonne.*

Nous nous permettrons d'être d'un autre avis. Le dossier de la Brède, inaccessible depuis Barckhausen, entré en 1939 *dans la collection Gérard de Berny, vient d'être vendu le* 27 *novembre* 1958 *et acquis par la Bibliothèque nationale. Nous l'avons étudié, après que M. André Masson a pu dissiper quelques-uns de ses mystères en éditant les ratures du*

Grand Cahier [1]. *L'étude des variantes révèle en effet, non seulement les doutes du styliste, mais les affres de conscience d'un homme dont on fait le siège jusqu'au lit de mort. On sait le rôle à son chevet du Jésuite irlandais Routh. La duchesse d'Aiguillon, qui l'assista à ses derniers moments, en février* 1755, *écrivait à Maupertuis :* « Les Jésuites le pressant de leur remettre les corrections qu'il avait faites aux *Lettres persanes,* il me remit et à M^{me} Dupré son manuscrit en nous disant : Je veux tout sacrifier à la raison et à la religion, mais rien à la société (de Jésus). Consultez avec mes amis et décidez si ceci doit paraître [2] ».

Or, d'après Barckhausen et André Masson, il ne fait aucun doute que le dossier confié à la duchesse d'Aiguillon et à M^{me} Dupré de Saint-Maur passa aux héritiers de Montesquieu, c'est-à-dire à M. de Secondat. Mais servit-il à l'élaboration de l'édition Richer de 1758? *Nous avons toutes les raisons d'en douter : les variantes du dossier n'ont pas été reprises. Barckhausen reconnaît que Richer utilisa* « un cahier manuscrit de *Corrections* analogue à ceux ci-dessus décrits. Nous ne disons qu'*analogue* car il ne semble pas avoir été identique [3] ». *Comment choisir et en vertu de quel critère?*

Une impression générale découle de l'étude des variantes. Montesquieu, durant l'année 1754, *sans douter de son œuvre, a hésité devant les attaques dont elle était l'objet;* αβ *traduisent dans leur accord ordinaire un mouvement de prudence; mais* γ, *raturé, édulcorait encore davantage : l'allusion à la Trinité disparaissait de la* Lettre XXIV. *L'édition* D, *corrigée d'après un autre manuscrit, manifestait plus d'audace et revenait presque toujours au texte originel. Quel tact nous permettrait de discerner la pensée profonde de*

1. *Actes du Congrès Montesquieu,* Bordeaux, Delmas, 1956, p. 71-82. La Bibliothèque nationale vient d'attribuer au dossier le n° n. a. fr. 21. 064.

2. *Correspondance, op. cit.,* t. II, p. 275.

3. *Op. cit.,* t. I, p. XII.

Montesquieu, de choisir entre les concessions du vieil homme et la fidélité au mouvement créateur? Pourquoi Richer et M. de Secondat ont-ils décidé de ne pas transcrire le dossier de la Brède alors qu'ils se sont conformés pour l'Esprit des lois aux dernières prescriptions de l'auteur?

C'est cette méfiance des éditeurs de 1758 que nous voudrions faire nôtre. Comme Antoine Adam naguère, nous reprendrons donc le texte D en consignant d'une part les variantes ABC et d'autre part les corrections ou repentirs αβγ des deux cahiers de 1754. Nous présenterions ainsi la filiation des manuscrits et des éditions, en faisant remarquer que Richer en 1758 travaillait sur l'édition de 1754 et non sur l'édition princeps, alors que Montesquieu corrigeait sur un exemplaire de 1721 :

Faut-il enfin ajouter que nous ne saurions nous astreindre à suivre l'orthographe et la ponctuation des éditeurs anciens?

*Elles ne correspondent nullement aux habitudes person-
nelles de Montesquieu, comme le prouve l'autographe de la
Lettre LXXVII reproduit dans notre édition. L'ortho-
graphe de Montesquieu était d'ailleurs fort incorrecte ou,
si l'on veut, provinciale* [1].

1. Cf. Ch. Beaulieux, in *Actes du Congrès Montesquieu, op. cit.*, p. 119-123.

CHRONOLOGIE DE MONTESQUIEU

1562. — *Jean de Secondat acquiert la seigneurie de Montesquieu.*

1634 26 février. — *Gaston de Secondat épouse Jeanne-Anne du Bernet, fille du premier président au Parlement de Bordeaux.*

1686 25 septembre. — *Contrat de mariage de Jacques de Secondat et de Marie-Françoise de Pesnel, héritière de la Brède.*

1689 18 janvier. — *Naissance à la Brède de Charles-Louis de Secondat.*

1696 16 octobre. — *Mort de la mère de Montesquieu.*

1700 11 août. — *Entrée de Montesquieu au collège de Juilly.*

1705 11 août. — *Départ du collège de Juilly.*

1708 29 juillet. — *Montesquieu bachelier en droit.*

12 août. — *Licence en droit.*

14 août. — *Montesquieu est reçu avocat au Parlement de Bordeaux.*

1709-1713. — *Séjour à Paris.*

1713 15 novembre. — *Mort du père de Montesquieu.*

1714 24 février. — *Montesquieu est reçu conseiller au Parlement de Bordeaux.*

1715 30 avril. — *Montesquieu épouse Jeanne de Lartigue.*

1716 10 février. — *Naissance de Jean-Baptiste de Secondat, fils aîné de Montesquieu, à Martillac.*

3 avril. — *Élection à l'Académie de Bordeaux.*

24 avril. — *Mort de J.-Baptiste de Secondat, oncle de Montesquieu, président à mortier.*

18 juin. — Dissertation sur la politique des Romains dans la religion.

13 juillet. — *Montesquieu succède à son oncle dans la charge de président à mortier.*

28 septembre. — *Montesquieu fonde à l'Académie de Bordeaux un prix d'anatomie de 300 livres.*

1717 janvier-mars. — *Séjour à Paris.*

22 janvier. — *Naissance de Marie de Montesquieu.*

15 novembre. — *Discours de rentrée à l'Académie :* Essai sur la différence des génies.

1718 1ᵉʳ mai. — Sur les causes de l'écho.

29 juin. — Sur le gui, sur la mousse des chênes, *etc.*

25 août. — Sur les glandes rénales.

1719 janvier. — *Le* Nouveau Mercure *publie le* Projet d'une histoire physique de la terre ancienne et moderne.

16 novembre. — Essai d'observations d'histoire naturelle.

1720 1ᵉʳ mai. — Sur les causes de la pesanteur.

25 août. — Sur la cause de la transparence des corps.

1721. — Lettres persanes.

août. — *Séjour probable à Paris.*

1722 7 août. — *Montesquieu part pour Paris où il séjournera jusqu'en novembre. Premières relations avec l'hôtel de Soubise et peut-être avec le club de l'Entresol.*

1723 janvier-août. — *Séjour à Paris. Montesquieu quitte la capitale trois jours avant la mort du cardinal Dubois (10 août).*

18 novembre. — Lettre de Xénocrate à Phérès. Dissertation sur le mouvement.

1724 mai-août. — *Séjour à Paris et à Versailles, puis au château de Baye chez Berthelot de Duchy.*
Le Temple de Cnide *paraît en pré-originale dans la* Bibliothèque française.

1725 janvier-février. — *Séjour à Paris.*

mars. — *Publication du* Temple de Cnide *chez Simart à Paris.*

1er mai. — *Lecture à Bordeaux du* Traité des Devoirs.

25 août. — De la considération et de la réputation.

11 novembre. — *Discours de rentrée au Parlement de Bordeaux.*

15 novembre. — *Discours à l'Académie* Sur les motifs qui doivent nous encourager dans les sciences.

1726. — *A Paris depuis décembre précédent, y séjourne jusqu'à la mi-juin.*

7 juillet. — *Vente de sa charge de président à mortier.*

25 août. — *Éloge du duc de La Force, protecteur de l'Académie, mort le 21 juillet.*

29 septembre. — *Montesquieu travaille au* Dialogue de Sylla et d'Eucrate.

28 décembre. — *Montesquieu donne procuration à sa femme avant de partir à Paris.*

1727 23 février. — *Naissance de Denise de Montesquieu. Montesquieu séjourne toute l'année à Paris.*

20 décembre. — *Premier scrutin d'élection à l'Académie française.*

1728 5 janvier. — *Montesquieu élu à l'Académie française lors d'un second scrutin.*

24 janvier. — *Discours de réception.*

5 avril. — *Montesquieu part pour Vienne, en compagnie de lord Waldegrave.*

26 avril. — *Arrivée à Vienne.*

20 mai. — *Réception au château de Laxembourg.*

juin. — *Voyage en Hongrie, visite des mines de Chemnitz, Neu-Sohl et Kœnigsberg.*

9 juillet. — *Départ de Vienne pour Gratz.*

12 août. — *Départ de Gratz pour Venise, où il arrive quatre jours plus tard.*

24 septembre-16 octobre. — *Séjour à Milan.*

18 octobre. — *Visite des îles Borromées.*

23 octobre-5 novembre. — *Séjour à Turin.*

9 novembre. — *Arrivée à Gênes.*

21-22 novembre. — *Traversée dangereuse de Gênes à la Spezzia.*

1ᵉʳ décembre. — *Arrivée à Florence.*

1729 19 janvier-18 avril. — *Séjour à Rome.*

23 avril-6 mai. — *Naples.*

4 juillet. — *Départ de Rome, après un second séjour de près de deux mois.*

9-17 juillet. — *Séjour à Bologne.*

3 août. — *Arrivée à Munich par le Brenner et Innsbrück.*

16-23 août. — *Une semaine de maladie à Augsbourg.*

29-31 août. — *Francfort.*

1ᵉʳ-15 septembre. — *Visite des villes de Rhénanie.*

24 septembre. — *Arrivée à Hanovre, où il est présenté au roi d'Angleterre, George de Hanovre.*

début octobre. — *Visite aux mines du Hartz, sous la conduite du baron de Stain.*

15 octobre. — *Arrivée à Amsterdam.*

3 novembre. — *Parti de La Haye le 31 octobre, Montesquieu traverse la Manche sur le yacht de lord Chesterfield et arrive à Londres.*

1730 23 février. — *Montesquieu écrit à Chauvelin pour*

obtenir un poste diplomatique. Le même jour, assiste à une séance du Parlement.

9 mars. — *Élection à la Royal Society.*

10 avril. — *Assiste à Westminster à une violente séance sur le port de Dunkerque.*

23 mai. — *Montesquieu est initié à la franc-maçonnerie lors d'une tenue à la Horn Tavern de Westminster.*

5 octobre. — *Présentation à la reine Caroline d'Anspach à Kensington Palace.*

31 octobre. — *Rapport de l'ambassadeur de Broglie sur les imprudences de langage de Montesquieu.*

1731 6 avril. — *Montesquieu assiste probablement au succès de Mlle Sallé, sa protégée, à Lincoln's Inn Fields.*

13 mai. — *Montesquieu est de retour à Bordeaux.*

25 août. — Description de deux fontaines de Hongrie.

20 décembre. — Sur les mines d'Allemagne.

1732 15 novembre. — Sobriété des habitants de Rome.

1733 mai. — *Montesquieu, qui séjourne depuis deux ans à Bordeaux, part pour Paris, où il demeurera jusqu'en septembre de l'année suivante.*

1734 début juin. — *Publication des* Considérations sur les causes de la grandeur et de la décadence des Romains. *Premières relations de Montesquieu avec Mme de Tencin.*

début septembre. — *Montesquieu est présent à une tenue de loge à Paris chez la duchesse de Portsmouth. Waldegrave et le duc de Richmond y assistent, ainsi que le fils de Montesquieu, âgé de dix-huit ans.*

29 novembre. — Sur la formation et le progrès des idées.

1735. — *Montesquieu, qui est rentré à Bordeaux depuis*

octobre, part en mai pour Paris et y séjournera jusqu'en septembre 1736.

2 juillet. — *Attend à Paris le docteur Desaguliers, colonne de la maçonnerie.*

mi-septembre. — *Installation de la loge de Bussy, en présence de Richmond, Desaguliers et Waldegrave. Le comte de Saint-Florentin est initié solennellement.*

1736 2 novembre. — *Montesquieu achète pour son fils l'office de conseiller au Parlement.*

1737 janvier-avril. — *A Bordeaux.*

mai-décembre. — *A Paris.*

6 avril. — *L'intendant Boucher dénonce au cardinal Fleury l'appartenance de Montesquieu à la franc-maçonnerie.*

1738 janvier-octobre. — *A Paris.*

novembre-décembre. — *A Bordeaux.*

19 novembre. — *Mariage de Marie de Montesquieu avec Joseph d'Armajan.*

1739 janvier-février. — *A Bordeaux.*

mars-décembre. — *A Paris.*

1740 janvier-mars. — *A Bordeaux.*

avril-décembre. — *A Paris.*

30 avril. — *Mariage de J.-B. de Secondat, fils de Montesquieu, avec Marie-Thérèse de Mons.*

1741 janvier-mars. — *A Bordeaux.*

avril-décembre. — *A Paris.*

20 décembre. — *Montesquieu travaille intensivement à* l'Esprit des Lois.

1742 2 février. — *A Paris. Dix-huit livres de* l'Esprit des Lois *sont achevés.*

septembre. — *Rédaction d'*Arsace et Isménie *à la demande de Mlle de Charolais.*

1743 janvier-août. — *A Paris.*

septembre-décembre. — *A Bordeaux. Révision générale de* l'Esprit des Lois.

1744. — *A Bordeaux.*

1745. — *A Bordeaux.*

2 février. — *Lecture de* l'Esprit des Lois *chez son ami bordelais Barbot.*

25 mars. — *Mariage à Clairac de Denise de Montesquieu avec son cousin Geoffroy de Secondat.*

1746 janvier-août. — *A Bordeaux.*

septembre. — *Montesquieu retourne à Paris après trois ans d'absence : la guerre et la mévente des vins en sont la cause.*
L'Esprit des Lois *ne demande plus que quelques mois de travail.*

1747 janvier-octobre. — *A Paris.*

juin. — *Montesquieu annonce à Maupertuis la fin de la rédaction de* l'Esprit des Lois. *Séjour à la cour de Lunéville.*

juillet. — *Lecture de* l'Esprit des Lois *à Paris.*

1748 janvier-avril. — *A Paris.*

mai-décembre. — *A Bordeaux.*

4 avril. — *Vente de la charge de président au conseiller Le Berthon.*

octobre. — L'Esprit des Lois, *imprimé chez Barrillot à Genève, atteint la France.*

1749 janvier-juin. — *A Bordeaux.*

juillet-décembre. — *A Paris.*

9 et 16 octobre. — *Attaque de* l'Esprit des Lois *dans les* Nouvelles ecclésiastiques.

1750. — *A Paris.*

février. — *Montesquieu publie la* Défense de l'Esprit des Lois.

septembre. — *Premier projet de censure de la Sorbonne.*

26 novembre. — *Testament de Montesquieu.*

1751 janvier-mai. — *A Paris.*

juin-décembre. — *A Bordeaux.*

20 mars. — *Montesquieu élu à l'Académie de Stanislas.*
Les Lettres persanes convaincues d'impiété *du
janséniste Gautier.*
Suite de la Défense de l'Esprit des Lois *du protestant
Angliviel de la Beaumelle.*

1752. — *A Bordeaux.*

1753 janvier-novembre. — *A Paris.*

décembre. — *A Bordeaux.*
*Rédaction de l'*Essai sur le goût *pour l'*Encyclopédie.

1754 janvier-juillet. — *A Paris.*

juillet-décembre. — *A Bordeaux.*
Réédition des Lettres persanes *avec un* Supplément.

décembre. — Lysimaque *paraît dans le* Mercure.

fin décembre. — *Départ pour Paris.*

1755 29 janvier. — *Montesquieu malade.*

10 février. — *Mort de Montesquieu.*

11 février. — *Enterrement de Montesquieu à Saint-
Sulpice. Diderot y assiste, seul de tous les philosophes.*

P. VERNIERE

BIBLIOGRAPHIE

Depuis *J.-B. Gaultier et son pamphlet*, les Lettres persanes convaincues d'impiété *(s. l.*, 1751*)*, *le premier ouvrage de Montesquieu n'a suscité aucune étude générale ; mais de nombreuses rééditions ont permis de solides ou brillantes mises au point, de Tourneux jusqu'à Valéry, de Carcassonne jusqu'à Antoine Adam. L'érudition a multiplié les travaux d'approche et les ombres que l'auteur avait généreusement répandues sur son œuvre se dissipent peu à peu. La bibliographie totale du sujet est à rechercher dans David C. Cabeen*, Montesquieu, a bibliography *(New York Public Library*, 1947, *nos* 205-252*)*, *dont un* Supplément *est donné dans* la Revue internationale de philosophie (1955, *p.* 409-434). La Revue historique de Bordeaux (1952, *p.* 173-178 *et* 1956, *p.* 223-241) *a recueilli d'autre part d'érudites chroniques bibliographiques de Louis Desgraves.*

Une fois rappelées les quatre éditions critiques de Henri Barckhausen (Imprimerie nationale, 1897, *Hachette*, 1913, *rééd. Droz*, 1932*), Élie Carcassonne (Belles Lettres*, 1929*) et Antoine Adam (Droz*, 1954*); une fois signalées les grandes vues d'ensemble sur Montesquieu et son œuvre depuis Louis Vian (*1879*), Albert Sorel (*1887*), Barckhausen (*1907*), Joseph Dedieu (*1913 *et* 1943*) jusqu'à Pierre Barrière (*1946*), nous classerons les références aux* Lettres persanes *selon l'ordre même de notre introduction.*

I. *LA GENÈSE.*

H. Barckhausen. *Montesquieu, les Lettres persanes et les archives de la Brède (Revue du droit public*, juillet 1898, p. 37 sq).

P. Barrière. *Éléments personnels et éléments bordelais dans les Lettres persanes* (R. H. L., janvier 1951, p. 17 sq).

Robert Shackleton. *The Moslem Chronology of the Lettres persanes* (*French Studies,* janvier 1954, p. 17-27).

II. *LES PROMOTEURS DU GENRE*

Pietro Toldo. *Dell'Espion di Giovanni Marana e delle sue attinenze con le Lettres persanes* (*Giornale Storico della lett. italiana,* Turin, 1892, t. XXIX, p. 46 sq).

Ernest Jovy. *Le Précurseur et l'inspirateur direct des Lettres persanes* (*Bulletin du Bibliophile,* avril et mai 1917, p. 195 et 263).

G. van Roosbroek. *Persian Letters before Montesquieu* (New York, Columbia University, 1932).

Jean Ray. *Du Dictionnaire de Bayle aux Lettres persanes* (*Revue philosophique de la France et de l'étranger,* janvier-mars 1945, p. 72 sq).

A. Crisafulli. *L'Observateur oriental avant les Lettres persanes* (*Lettres romanes,* Louvain, 1954, p. 91-113).

J. E. Tucker. *The Turkish Spy and its french background* (*Revue de Littérature comparée,* janvier-mars 1958, p. 74-91).

III. *L'INFORMATION*

Pierre Martino. *L'Orient dans la littérature française* (Hachette, 1906, p. 284-297).

Muriel Dodds. *The persian background of the Lettres persanes* (*Durham University journal,* 1935, t. XXIX, p. 77 et 158).

Marie-Louise Dufrénoy. *L'Orient romanesque en France* (Montréal, Beauchemin, 1946, t. I, p. 155-168).

André Masson. *Un Chinois inspirateur des Lettres persanes* (*Revue des Deux Mondes,* 15 mars 1951).

IV. L'INTERPRÉTATION

Paul VALÉRY. *Préface aux Lettres persanes* (in *Variété II*, Gallimard, 1930, p. 53 sq).

V. CHATELAIN. *Montesquieu moraliste dans les Lettres persanes* (Paris, *Cahier des études litt. françaises*, 1931).

A. CRISAFULLI. *Parallels to ideas in the Lettres persanes* (P. M. L. A., New York, sept. 1937, p. 773 sq).

ID. *Montesquieu's story of the Troglodytes, its background, meaning and significance* (P. M. L. A., juin 1943, p. 372 sq).

R. B. OAKE. *Polygamy in the Lettres persanes* (*Romanic Review*, fév. 1941, p. 56-62).

Ronald GRIMSLEY. *The idea of nature in the Lettres persanes* (*French studies*, oct. 1951, p. 293).

Alan BOASE. *The interpretation of the Lettres persanes* (in *The French Mind*, Mélanges Rudler, Oxford, 1952, p. 152-169).

Roger LAUFER. *La réussite romanesque et la signification des Lettres persanes* (R. H. L., avril-juin 1961).

Roger MERCIER. *Le roman dans les Lettres persanes* (Revue des Sciences humaines, juillet 1962).

Pauline KRA. *The invisible chain of the Lettres persanes* (in *Studies on Voltaire*, vol. XXIII).

V. LE TEXTE

A. LANDRIN. *La véritable édition originale des Lettres persanes* (*Le Conseiller du bibliophile*, t. I, 1876, p. 73-77).

A. CLAUDIN. *Catalogue de la Bibliothèque Rochebilière* (Paris, Claudin, 1892, p. 408-414).

H. BARCKHAUSEN. Edit. *Lettres persanes* (Hachette, 1913, t. II, p. 87-94).

A. TCHÉMERZINE. *Bibliographie d'éditions originales* (Paris, Plée, 1933, t. VIII, p. 450).

J. Duffour. *Recherches sur les éditions originales des Lettres persanes* (*Bulletin du Bibliophile*, 1939, p. 274-278).

Laurin-Portener. *Le dossier des Lettres persanes. Notes sur les cahiers de corrections* (Revue d'Histoire de Bordeaux, janvier-juin 1963).

Elisabeth Carayol. *Des Lettres persanes oubliées* (R. H. L., janvier-mars 1965, pp. 15-26).

LETTRES PERSANES

LETTRES
PERSANES.
TOME I.

A COLOGNE,
Chez Pierre Marteau,
M DCC XXI.

LETTRES
PERSANES.
TOME II.

A COLOGNE,
Chez Pierre Marteau,
M DCC XXI.

Pages de titre de l'édition
originale
Pierre Marteau, Cologne, 1721.
(*Introduction*, p. XXXV.)

LETTRES
PERSANES.

SECONDE EDITION.

*Revuë , corrigée , diminuée & aug-
mentée par l'Auteur.*

TOME I.

1722

A COLOGNE,

Chez PIERRE MARTEAU,

M DCC XXI.

PAGE DE TITRE DE LA DEUXIÈME ÉDITION
(Introduction, pp. XXXVI-XXXVII.*)*

Corrections des Lettres Persânes

Sur la premiere Edition imprimée
à Cologne chez Pierre Marteau
en 1721 en deux volumes in douze

Corrections du tome premier

Nouvelle Copie

Cette Copie n'est plus la derniere. J'ay
fait depuis Des corrections qui ont été
mises Dans la Copie faite en grand Papier
et je pourrai rectifier celleci par
cellela en cas De besoin

LE « PETIT CAHIER » DE CORRECTIONS
(Introduction, p. XXXVIII.)

LE « GRAND CAHIER » DE CORRECTIONS
(Introduction, p. XXXIX.)

ISPAHAN, LA VILLE DU SOLEIL.
Chardin, *Voyages en Perse* (Amsterdam, De Lormes, 1711, T. III, p. 3.)
« *Je résolus de m'exiler de ma patrie...* » (Lettre VIII, p. 22.)

LE VOYAGE D'USBEK D'ISPAHAN A SMYRNE
(Lettre XIX, p. 46.)
D'après Gueudeville, *Atlas historique* (Amsterdam, 1721, T. V.)

« Il ne manque que toi dans ces lieux, où la paix règne. »
(Lettre XLVII, p. 96.)

Ricaut, *Histoire de l'état présent de l'empire ottoman.* (Amsterdam, Wolfgank, 1670, p. 98.)

« Je vais faire [...] changer tout un sérail de face. »
(Lettre XCVI, p. 198.)

QUELQUES RÉFLEXIONS
SUR
LES LETTRES PERSANES [1]

Rien *n'a plu davantage, dans les* Lettres persanes, *que d'y trouver [a], sans y penser, une espèce de roman. On en voit le commencement, le progrès, la fin. Les divers personnages sont placés dans une chaîne qui les lie. A mesure qu'ils font un plus long séjour en Europe, les mœurs de cette partie du Monde prennent dans leur tête un air moins merveilleux et moins bizarre, et ils sont plus ou moins frappés de ce bizarre et de ce merveilleux, suivant la différence de leurs caractères. D'un autre côté, le désordre croît dans le sérail d'Asie à proportion de la longueur de l'absence d'Usbek, c'est-à-dire à mesure que la fureur augmente, et que 'amour diminue.*

D'ailleurs, ces sortes de romans réussissent ordinairement, parce que l'on rend compte soi-même de sa situation actuelle; ce qui fait plus sentir les passions que tous les récits qu'on en pourrait faire. Et c'est une des causes du succès de quelques ouvrages charmants qui ont paru depuis les Lettres persanes [b].

Enfin, dans les romans ordinaires, les digressions ne peuvent être permises que lorsqu'elles forment elles-mêmes un nouveau roman. On n'y saurait mêler de raisonnements, parce qu'aucun des personnages n'y ayant été assemblé pour raisonner, cela choquerait le dessein et la nature de l'ouvrage. Mais dans la forme de lettres, où les acteurs ne sont pas choisis [c], et où les sujets qu'on traite ne sont dépendants d'aucun dessein ou d'aucun plan déjà formé, l'auteur s'est donné l'avantage de pouvoir joindre de la philosophie,

1. Ces réflexions ont été écrites peu après la lecture du pamphlet de l'abbé Gaultier, *les Lettres persanes convaincues d'impiété* (s. l., 1751) et parurent dans le *Supplément* de l'édition de 1754. Une première mise au net a été retrouvée dans les papiers de la Brède et recueillie dans les *Pensées* (ms. t. III, f⁰ 320 v⁰, Bordeaux, Gounoulhou, 1899, t. I, p. 45-48). Les variantes sont consignées en fin de volume.

*de la politique et de la morale à un roman [1], et de lier le tout par
une chaîne secrète et, en quelque façon, inconnue.*

*Les Lettres persanes eurent d'abord un débit si prodigieux
que les libraires [a] mirent tout en usage pour en avoir des suites.
Ils allaient tirer par la manche tous ceux qu'ils rencontraient :
« Monsieur, disaient-ils, je vous prie [b], faites-moi des Lettres
persanes. »*

*Mais ce que je viens de dire suffit [c] pour faire voir qu'elles
ne sont susceptibles d'aucune suite, encore moins [d] d'aucun mélange
avec des lettres écrites d'une autre main, quelque ingénieuses
qu'elles puissent être.*

*Il y a quelques traits que bien des gens ont trouvés trop hardis;
mais ils sont priés [e] de faire attention à la nature de cet ouvrage.
Les Persans qui devaient y jouer un si grand rôle [e] se trouvaient
tout à coup transplantés en Europe, c'est-à-dire dans un autre
univers [h]. Il y avait un temps où il fallait nécessairement [h] les
représenter pleins d'ignorance et de préjugés : on n'était attentif
qu'à faire voir la génération et le progrès de leurs idées. Leurs
premières pensées devaient être singulières : il semblait qu'on
n'avait rien à faire qu'à leur donner l'espèce de singularité qui peut
compatir avec de l'esprit; on n'avait à peindre que le sentiment
qu'ils avaient eu [i] à chaque chose qui leur avait paru extraordi-
naire. Bien loin qu'on pensât à intéresser quelque principe de notre
religion, on ne soupçonnait pas même d'imprudence. Ces traits
se trouvent toujours liés avec le sentiment de surprise et d'étonne-
ment, et point avec l'idée d'examen, et encore moins avec celle de
critique [j]. En parlant de notre religion, ces Persans ne devaient
pas paraître plus instruits que lorsqu'ils parlaient de nos coutumes
et de nos usages [k]; et, s'ils trouvent quelquefois nos dogmes sin-
guliers, cette singularité est toujours marquée au coin de la
parfaite ignorance des liaisons qu'il y a entre ces dogmes et nos
autres vérités [2].*

1. C'est l'idée de Marana dans *l'Espion turc :* « L'auteur, pour égayer
ses *Lettres*, a entremêlé des morceaux de morale fort ingénieusement
habillés, des maximes de politique et par-ci par-là quelque peu de
philosophie, ce qui fait une fort agréable variété » (édit. Cologne,
Kinkius, 1739, t. IV, p. 2).

2. Même précaution dans Marana : « La philosophie de l'auteur ne
sera peut-être pas du goût de nos philosophes chrétiens. Il raisonne
souvent selon les principes des Mahométans... on ne doit pas trouver

On fait cette justification par amour pour ces grandes vérités,
indépendamment du respect pour le Genre humain, que l'on n'a
pas certainement voulu frapper par l'endroit le plus tendre. On
prie donc le lecteur [1] *de ne pas cesser un moment de regarder les*
traits dont je parle comme des effets de la surprise de gens qui
devaient en avoir, ou comme des paradoxes faits par des hommes
qui n'étaient pas même en état d'en faire. Il est prié de faire atten-
tion que tout l'agrément consistait dans le contraste éternel entre
les choses réelles et la manière singulière, neuve ou bizarre, dont
elles étaient aperçues. Certainement la nature et le dessein des
Lettres persanes *sont si à découvert qu'elles ne tromperont*
jamais que ceux qui voudront se tromper eux-mêmes [a].

mauvais qu'il soutienne les intérêts de la religion dans laquelle il a
été élevé. » (*Op. cit.*, t. II, Préface.) Mais l'abbé Gaultier ne saurait s'y
laisser prendre : « Si le Persan avance quelque impiété, on dit : c'est
un Persan qui raisonne selon ses principes et quelquefois aussi contre
les principes de sa secte ; à quoi un Chrétien paraît ne pas prendre beau-
coup d'intérêt... mais ceux qui savent sous combien de formes l'im-
piété s'est masquée, depuis trente ans, pour pulluler et s'étendre, n'ont
pas besoin qu'on leur dise que le Persan qui parle est un Français
très connu qui met dans la bouche du Persan ce qu'il pense, lui Fran-
çais, en matière de religion » (*op. cit.*, p. 11).

1. Réponse à l'abbé Gaultier (*op. cit.*, p. 1) : « Ce qu'il y a de bon dans
les *Lettres persanes* est un piège pour une infinité de lecteurs. »

INTRODUCTION

Je ne fais point ici d'Épître dédicatoire, et je ne demande point de protection pour ce livre : on le lira, s'il est bon ; et, s'il est mauvais, je ne me soucie pas qu'on le lise.

J'ai détaché ces premières lettres pour essayer le goût du public ; j'en ai un grand nombre d'autres dans mon portefeuille, que je pourrai lui donner dans la suite.

Mais c'est à condition que je ne serai pas connu : car si l'on vient à savoir mon nom, dès ce moment je me tais. Je connais une femme qui marche assez bien, mais qui boite dès qu'on la regarde [1]. C'est assez des défauts de l'ouvrage sans que je présente encore à la critique ceux de ma personne. Si l'on savait qui je suis, on dirait : « Son livre jure avec son caractère ; il devrait employer son temps à quelque chose de mieux : cela n'est pas digne d'un homme grave. » Les critiques ne manquent jamais ces sortes de réflexions, parce qu'on les peut faire sans essayer beaucoup son esprit.

Les Persans qui écrivent ici étaient logés avec moi ; nous passions notre vie ensemble. Comme ils [a] me regardaient comme un homme d'un autre monde, ils ne me cachaient rien. En effet, des gens transplantés de si loin ne pouvaient plus avoir de secrets. Ils me communiquaient la plupart de leurs lettres ; je les copiai. J'en surpris même quelques-unes dont ils se seraient bien gardés de me faire confidence, tant elles étaient mortifiantes pour la vanité et la jalousie.

Je ne fais donc que l'office de traducteur : toute ma peine a été de mettre l'ouvrage à nos mœurs. J'ai soulagé le lecteur

1. La tradition verrait là une allusion à Jeanne de Lartigue, l'épouse de Montesquieu (cf. P. Barrière, *Montesquieu*, Bordeaux, Delmas, 1946, p. 23).

du langage asiatique autant que je l'ai pu, et l'ai sauvé d'une infinité d'expressions sublimes, qui l'auraient envoyé[a] jusque dans les nues [1].

Mais ce n'est pas tout ce que j'ai fait pour lui. J'ai retranché les longs compliments, dont les Orientaux ne sont pas moins prodigues que nous, et j'ai passé un nombre infini de ces minuties qui ont tant de peine à soutenir le grand jour, et qui doivent toujours mourir entre deux amis.

Si la plupart de ceux qui nous ont donné des recueils de lettres avaient fait de même, ils auraient vu leurs ouvrages[b] s'évanouir.

Il y a une chose qui m'a souvent étonné : c'est de voir ces Persans quelquefois aussi instruits que moi-même des mœurs et des manières de la Nation[c], jusqu'à en connaître les plus fines cironstances, et à remarquer des choses qui, je suis sûr, ont échappé à bien des Allemands qui ont voyagé en France. J'attribue cela au long séjour qu'ils y ont fait; sans compter qu'il est plus facile à un Asiatique de s'instruire des mœurs des Français dans un an, qu'il ne l'est à un Français de s'instruire des mœurs des Asiatiques dans quatre, parce que les uns se livrent autant que les autres se communiquent peu.

L'usage a permis à tout traducteur, et même au plus barbare commentateur, d'orner la tête de sa version, ou de sa glose, du panégyrique de l'original, et d'en relever

1. Cf. l'Espion turc (op. cit., t. II, Préface) : « On trouvera presque partout un beau feu d'imagination et une manière de s'exprimer vivement, particulière aux Arabes... On trouvera plusieurs tours d'expression qui ont quelque chose de guindé et qui ne sont pas fort du génie de notre langue. On aurait pu les changer si on avait voulu; mais, quoiqu'on n'ait pas regardé ces endroits comme des beautés, on a jugé néanmoins qu'ils étaient nécessaires pour la bienséance. On traduit un Arabe et un Mahométan. » Mais Montesquieu suit plutôt Fr. Bernard (Réflexions morales, satiriques et comiques sur les mœurs de notre siècle, Amsterdam, J.-F. Bernard, 3e édit., 1716, p. 86) : « Le Persan conçoit presque toujours les choses selon le génie des Orientaux; mais je changerai le tour de son style quand je remarquerai qu'il s'éloigne trop de notre manière d'écrire. Par les expressions que je ne réformerai pas, on pourra toujours assez reconnaître que c'est un Persan qui parle. »

l'utilité, le mérite et l'excellence. Je ne l'ai point fait; on en devinera facilement les raisons [1]. Une des meilleures est que ce serait une chose très ennuyeuse, placée dans un lieu déjà très ennuyeux de lui-même : je veux dire une Préface

[1]. Même fausse modestie dans *l'Espion turc* (*op. cit.*, t. V, Préface) : « Si l'on a dit autrefois que les Préfaces ressemblent aux affiches, on peut le dire à plus juste titre à présent, qu'il semble que la bonne foi et la modestie soient des vertus hors de mode... Ne saurait-on faire une Préface sans en imposer au public ? Et si l'on veut louer un ouvrage, ne saurait-on puiser ces louanges du mérite de l'ouvrage même ? »

LETTRE PREMIÈRE [a]

USBEK [1] A SON AMI RUSTAN, A ISPAHAN.

NOUS n'avons séjourné qu'un jour à Com. Lorsque nous eûmes fait nos dévotions sur le tombeau de la Vierge qui a mis au monde douze prophètes [2], nous nous remîmes en chemin, et hier, vingt-cinquième jour de notre départ d'Ispahan, nous arrivâmes à Tauris [3].

1. Usbek est le nom générique d'un peuple de race tartare qui résidait au nord-est de la Perse (Usbekistan). Selon Pierre Martino (*L'Orient dans la littérature française*, Hachette, 1906, p. 291), Montesquieu l'aurait emprunté à un personnage des *Mille et un jours (Histoire de Couloufe et de la belle Dilara)*. Rien n'est moins sûr.

2. La meilleure description de Kom est celle de Chardin qui donne plusieurs planches gravées de la mosquée des Trois Tombeaux, sanctuaire révéré des Chiites. Quatre cours mènent à l'édifice à trois chapelles, les tombeaux des rois de Perse Abbas II et Séfi Iᵉʳ encadrant le tombeau de Fathmé, « fille de Mousa Cazem, un des douze califes que les Persans croient avoir été les légitimes successeurs de Mahomed; après la mort d'Ali, son gendre, Mousa Cazem, était le septième en ordre » (*Voyages en Perse*, Amsterdam, J. de Lormes, 1711, édit. in-4º, t. I, p. 204). Il y avait confusion dans le culte entre Fathmé, fille de Mousa, et Fathmé, fille de Mahomet et aïeule des douze califes chiites. Le terme de « Vierge », où nombre de commentateurs ont vu une impertinence, est en fait tiré de l'oraison dictée aux pèlerins de Kom et dont Chardin nous donne la traduction (*op. cit.*, t. I, p. 205) : « Je te souhaite le salut éternel, ô vierge très pure, très juste et immaculée, glorieuse Fathmé fille de Mahammed l'élu, femme d'Ali le bien-aimé, mère des douze vrais vicaires de Dieu d'illustre naissance. »

3. L'itinéraire de nos Persans est, en sens inverse, celui que Tavernier suivit deux fois, lors de son deuxième voyage et lors du sixième en 1664. Même longueur de voyage, puisque Tavernier précisait : « De Tauris à Ispahan l'on compte ordinairement vingt-quatre jours de marche de caravane » (édit. Paris, 1810, t. I, p. 72). Chardin mit plus de temps : parti de Tauris le 28 mai 1673, il arriva à Ispahan le 24 juin, ce qui fait vingt-huit jours; mais, comme Usbek, il s'est arrêté un jour à Kom, pèlerinage traditionnel. C'est la route normale des caravanes du Nord, par Cachan, Kom, Sultanieh, Casbin et Ardistan.

Rica et moi sommes peut-être les premiers parmi les
Persans que l'envie de savoir ait fait sortir de leur pays,
et qui aient renoncé aux douceurs d'une vie tranquille
pour aller chercher laborieusement la sagesse [1].

Nous sommes nés dans un royaume florissant; mais
nous n'avons pas cru que ces bornes fussent celles de nos
connaissances, et que la lumière orientale dût seule nous
éclairer.

Mande-moi ce que l'on dit de notre voyage; ne me
flatte point : je ne compte pas sur un grand nombre d'ap-
probateurs. Adresse ta lettre à Erzeron, où je séjournerai
quelque temps.

Adieu, mon cher Rustan; sois assuré qu'en quelque
lieu du monde où je sois tu as un ami fidèle.

De Tauris le 15 de la lune de Saphar, 1711 [2].

LETTRE II

USBEK AU PREMIER EUNUQUE NOIR,
A SON SÉRAIL D'ISPAHAN.

TU es le gardien fidèle des plus belles femmes de Perse;
je t'ai confié ce que j'avais dans le Monde de plus
cher; tu tiens en tes mains les clefs de ces portes fatales
qui ne s'ouvrent que pour moi. Tandis que tu veilles sur
ce dépôt précieux de mon cœur, il se repose et jouit d'une

1. Élie Carcassonne signale deux réflexions de Chardin : « Les Per-
sans n'aiment ni la promenade ni les voyages... Pour ce qui est des
voyages, ceux de simple curiosité sont encore plus inconcevables aux
Persans que les promenades. » (*Op. cit.*, t. II, p. 39 et 40.)
2. Si nous acceptons la démonstration de Robert Shackleton — et
elle nous paraît probante — (cf. *The Moslem chronology of the Lettres
persanes*, in *French Studies*, Oxford, 1954, p. 17 sq), Montesquieu
adopte l'année solaire commençant au 1er mars en essayant de concilier
l'ère chrétienne et la nomenclature musulmane des mois lunaires.
Le 1er de la lune de Maharram est le 1er mars et Maharram aura
trente et un jours. Dès lors, tout s'éclaire : arrivée à Tauris le 14 Saphar
1711, c'est-à-dire le 14 avril, la troupe d'Usbek avait donc quitté
Ispahan le 19 de Mars-Maharram.

sécurité entière. Tu fais la garde dans le silence de la nuit, comme dans le tumulte du jour; tes soins infatigables soutiennent la vertu lorsqu'elle chancelle. Si les femmes que tu gardes voulaient sortir de leur devoir, tu leur en ferais perdre l'espérance. Tu es le fléau du vice et la colonne de la fidélité.

Tu leur commandes, et leur obéis [a]; tu exécutes aveuglément toutes leurs volontés et leur fais exécuter de même les lois du sérail. Tu trouves de la gloire à leur rendre les services les plus vils; tu te soumets avec respect et avec crainte à leurs ordres légitimes; tu les sers comme l'esclave de leurs esclaves. Mais, par un retour d'empire, tu commandes en maître comme moi-même, quand tu crains le relâchement des lois de la pudeur et de la modestie [1].

Souviens-toi toujours du néant d'où [b] je t'ai fait sortir, lorsque tu étais le dernier de mes esclaves, pour te mettre en cette place et te confier les délices de mon cœur. Tiens-toi dans un profond abaissement auprès de celles qui partagent mon amour; mais fais-leur en même temps sentir leur extrême dépendance. Procure-leur tous les plaisirs qui peuvent être innocents; trompe leurs inquiétudes; amuse-les par la musique, les danses, les boissons délicieuses; persuade-leur de s'assembler souvent. Si elles veulent aller à la campagne, tu peux les y mener; mais fais faire main basse sur tous les hommes qui se présenteront devant elles. Exhorte-les à la propreté, qui est l'image de la netteté de l'âme [2]. Parle-

1. Cette poésie monacale sur le harem vient de Chardin, qui compare le quartier des femmes à un « couvent de nonnes » (I, 277). Mais Chardin décrivait le sérail des rois de Perse, véritable ville close. Celui d'Usbek est plus modeste; cinq femmes, semble-t-il, Fatmé, Roxane, Zachi, Zélis et Zéphis, quatre eunuques noirs, le grand eunuque, Ismaël, Narsit et Solim, et trois eunuques blancs, Cosrou, Nadir et leur chef. Chardin précisait : « Le nombre des eunuques dans les maisons des plus grands seigneurs est d'ordinaire de six à huit » (II, 284). Il insistait sur l'ordre, l'obéissance et le silence de ce monde étrange (II, 277), mais aussi sur ses crimes (II, 278). Montesquieu, derrière le masque d'Usbek, feint de voir dans la vie du harem une véritable ascèse religieuse et morale.
2. Cf. Chardin (II, 344) : « Ils ont toujours à la bouche cet axiome de leur faux prophète : *la religion est fondée sur la netteté et la moitié*

leur quelquefois de moi. Je voudrais les revoir dans ce
lieu charmant qu'elles embellissent.

Adieu.

De Tauris, le 18 de la lune de Saphar, 1711 [a].

LETTRE III

ZACHI A USBEK, A TAURIS.

Nous avons ordonné au chef des eunuques de nous
mener à la campagne; il te dira qu'aucun accident
ne nous est arrivé. Quand il fallut traverser la rivière et
quitter nos litières, nous nous mîmes, selon la coutume,
dans des boîtes [1] : deux esclaves nous portèrent sur leurs
épaules, et nous échappâmes à tous les regards.

Comment aurais-je pu vivre, cher Usbek, dans ton sérail
d'Ispahan, dans ces lieux qui, me rappelant sans cesse
mes plaisirs passés, irritaient tous les jours mes désirs avec
une nouvelle violence? J'errais d'appartements en appar-
tements, te cherchant toujours, et ne te trouvant jamais;
mais rencontrant partout un cruel souvenir de ma féli-
cité passée. Tantôt je me voyais [b] en ce lieu où, pour la
première fois de ma vie, je te reçus dans mes bras; tantôt,
dans celui où tu décidas cette fameuse querelle entre tes

de la religion c'est d'être bien net. Vous pouvez juger combien la netteté
corporelle est considérée dans cette grossière religion, puisqu'elle
doit précéder tous les actes de piété qu'on y pratique. »

1. Montesquieu n'a pas lu Chardin de très près. Ispahan, bâtie
sur le fleuve Zendéroud, qui est « aussi gros durant le printemps que
la Seine l'est à Paris durant l'hiver » (*op. cit.*, t. III, p. 4), possédait
trois ponts monumentaux dont deux sont décrits avec précision
(*ibid.*, t. III, p. 59 et 73). Pourquoi donc passer à gué, lorsqu'il y a
des ponts? Pourquoi quitter des « litières », alors que Chardin déclare
qu'on n'a en Perse « ni carrosses, ni chariots, ni litières, ni chaises »
(*ibid.*, t. II, p. 41)? Que sont ces « boîtes », portées à bras par des
esclaves, que nous retrouverons dans la *Lettre* XLVII? Ce sont des
« berceaux couverts et fermés » portés, non à bras, mais à dos de
chameau, que Chardin, après tous les voyageurs en Perse, décrit
deux fois (*ibid.*, t. II, p. 41, et t. III, p. 57). Mais on peut imaginer qu'on
débâtait le chameau et que les « boîtes » devenaient des chaises à porteurs.

femmes. Chacune de nous se prétendait supérieure aux autres en beauté. Nous nous présentâmes devant toi après avoir épuisé tout ce que l'imagination peut fournir de parures et d'ornements. Tu vis avec plaisir les miracles de notre art; tu admiras jusques où nous avait emportées l'ardeur de te plaire. Mais tu fis bientôt céder ces charmes empruntés à des grâces plus naturelles : tu détruisis tout notre ouvrage. Il fallut nous dépouiller de ces ornements qui t'étaient devenus incommodes; il fallut paraître à ta vue dans la simplicité de la nature. Je comptai pour rien la pudeur; je ne pensai qu'à ma gloire. Heureux Usbek, que de charmes furent étalés à tes yeux! Nous te vîmes longtemps errer d'enchantements en enchantements : ton âme incertaine demeura longtemps sans se fixer; chaque grâce nouvelle te demandait un tribut; nous fûmes en un moment toutes couvertes de tes baisers; tu portas tes curieux regards dans les lieux les plus secrets; tu nous fis passer en un instant dans mille situations différentes : toujours de nouveaux commandements et une obéissance toujours nouvelle. Je te l'avoue, Usbek : une passion encore plus vive que l'ambition me fit souhaiter de te plaire. Je me vis insensiblement devenir la maîtresse de ton cœur; tu me pris; tu me quittas; tu revins à moi, et je sus te retenir : le triomphe fut tout pour moi, et le désespoir pour mes rivales. Il nous sembla que nous fussions seuls dans le Monde : tout ce qui nous entourait ne fut plus digne de nous occuper. Plût au ciel que mes rivales eussent eu le courage de rester témoins de toutes les marques d'amour que je reçus de toi! Si elles avaient bien vu mes transports, elles auraient senti la différence qu'il y a de mon amour au leur; elles auraient vu que, si elles pouvaient disputer avec moi de charmes, elles ne pouvaient pas disputer de sensibilité...

Mais où suis-je! Où m'emmène ce vain récit? C'est un malheur de n'être point aimée; mais c'est un affront de ne l'être plus. Tu nous quittes, Usbek, pour aller errer dans des climats barbares. Quoi! tu comptes pour rien l'avantage d'être aimé? Hélas! tu ne sais même pas ce que tu perds! Je pousse des soupirs qui ne sont point entendus; mes larmes coulent, et tu n'en jouis pas; il semble que l'amour respire

dans le sérail, et ton insensibilité t'en éloigne sans cesse!
Ah! mon cher Usbek, si tu savais être heureux.

Du sérail de Fatmé,
le 21 de la lune de Maharram, 1711 [1].

LETTRE IV

ZÉPHIS A USBEK, A ERZERON.

ENFIN ce monstre noir a résolu de me désespérer:
il veut à toute force m'ôter mon esclave Zélide;
Zélide qui me sert avec tant d'affection, et dont les adroites
mains portent partout les ornements et les grâces. Il ne lui
suffit pas que cette séparation soit douloureuse: il veut
encore qu'elle soit déshonorante. Le traître veut regarder
comme criminels les motifs de ma confiance, et, parce
qu'il s'ennuie derrière la porte, où je le renvoie toujours,
il ose supposer qu'il a entendu ou vu des choses que je ne
sais pas même imaginer [2]. Je suis bien malheureuse! Ma
retraite ni ma vertu ne sauraient me mettre à l'abri de ses
soupçons extravagants: un vil esclave vient m'attaquer
jusque dans ton cœur, et il faut que je m'y défende! Non,
j'ai trop de respect pour moi-même pour descendre jus-
ques à des justifications: je ne veux d'autre garant de ma
conduite que toi-même, que ton amour, que le mien, et,
s'il faut te le dire, cher Usbek, que mes larmes.

Du sérail de Fatmé,
le 29 de la lune de Maharram, 1711.

1. Lettre du 21 mars 1711, donc de peu postérieure au départ
d'Ispahan (19 mars). Le remaniement de l'édition B expliquerait,
selon Antoine Adam, cette date manifestement trop précoce.
2. Cf. Chardin (t. II, p. 280): « On observe (les femmes) de fort près,
de peur qu'elles ne fassent des intrigues et des complots contre leurs
rivales ou qu'elles ne deviennent amoureuses les unes des autres.
Les femmes orientales ont toujours passé pour tribades... On les
empêche d'y satisfaire tant qu'on peut, parce qu'on prétend que cela
diminue leurs appas et les rend moins sensibles à l'amour des hommes. »

LETTRE V [a]

RUSTAN A USBEK, A ERZERON.

[handwritten: Friend sad that Us + Rica going away from Persia]

Tᴜ es le sujet de toutes les conversations d'Ispahan : on ne parle que de ton départ. Les uns l'attribuent à une légèreté d'esprit; les autres, à quelque chagrin. Tes amis seuls te défendent, et ils ne persuadent personne [1]. On ne peut comprendre que tu puisses quitter tes femmes, tes parents, tes amis, ta patrie pour aller dans des climats inconnus aux Persans. La mère de Rica est inconsolable; elle te demande son fils que tu lui as, dit-elle, enlevé. Pour moi, mon cher Usbek, je me sens naturellement porté à approuver tout ce que tu fais, mais je ne saurais te pardonner ton absence, et, quelques raisons que tu m'en puisses donner, mon cœur ne les goûtera jamais.

Adieu; aime-moi toujours.

D'Ispahan, le 28 de la lune de Rebiab 1, 1711.

LETTRE VI [b]

USBEK A SON AMI NESSIR, A ISPAHAN

A une journée d'Erivan, nous quittâmes la Perse pour entrer dans les terres de l'obéissance des Turcs. Douze jours après, nous arrivâmes à Erzeron [2], où nous séjournerons trois ou quatre mois.

Il faut que je te l'avoue, Nessir : j'ai senti une douleur secrète quand j'ai perdu la Perse de vue, et que je me suis trouvé au milieu des perfides Osmanlins. A mesure

1. La lettre de Rustan, datée du 28 mai 1711, répond à la lettre I : « Mande-moi ce que l'on dit de notre voyage... : je ne compte pas sur un grand nombre d'approbateurs. » M. Barrière (*Les Éléments personnels... dans les Lettres persanes*, in R. H. L., 1951, p. 21) y voit très justement l'écho des réactions bordelaises, lorsque le Président, dans ses voyages à Paris de 1717 et de 1720, essaye d'échapper à l'emprise quelque peu étouffante de son milieu provincial.

2. Chardin qui venait de Tiflis, capitale de la Géorgie, n'avait pas quitté le territoire persan pour atteindre Erivan, capitale de l'Arménie (*op. cit.*, t. I, p. 150 sq). C'est donc l'itinéraire de Tavernier, inversé évidemment, que suit Usbek. Tavernier indique « dix journées

que j'entrais dans les pays de ces profanes, il me semblait
que je devenais profane moi-même [1].

Ma patrie, ma famille, mes amis se sont présentés
à mon esprit; ma tendresse s'est réveillée; une certaine
inquiétude a achevé de me troubler et m'a fait connaître
que, pour mon repos, j'avais trop entrepris.

Mais ce qui afflige le plus mon cœur, ce sont mes fem-
mes : je ne puis penser à elles que je ne sois dévoré de cha-
grins.

Ce n'est pas, Nessir, que je les aime : je me trouve à cet
égard dans une insensibilité qui ne me laisse point de désirs.
Dans le nombreux sérail où j'ai vécu, j'ai prévenu l'amour
et l'ai détruit par lui-même; mais, de ma froideur même,
il sort une jalousie secrète, qui me dévore. Je vois une troupe
de femmes laissées presque à elles-mêmes; je n'ai que des
âmes lâches qui m'en répondent. J'aurais peine à être en
sûreté si mes esclaves étaient fidèles. Que sera-ce, s'ils ne le
sont pas? Quelles tristes nouvelles peuvent m'en venir
dans les pays éloignés que je vais parcourir! C'est un mal
où mes amis ne peuvent porter de remède : c'est un lieu
dont ils doivent ignorer les tristes secrets. Et qu'y pour-
raient-ils faire? N'aimerais-je pas mille fois mieux une
obscure impunité qu'une correction éclatante? Je dépose
en ton cœur tous mes chagrins, mon cher Nessir; c'est la
seule consolation qui me reste dans l'état où je suis.

D'Erzeron, le 10 de la lune de Rebiab 2, 1711 [2].

de caravane » de Tauris à Erivan, et précise que d'Erivan à Erzeroum
capitale de l'Arménie turque, « la caravane est d'ordinaire douze jours
en chemin » (*Voyages*, Paris, 1692, t. I, p. 27) : Montesquieu reprend
exactement ce dernier détail.

1. La rivalité politique des Persans et des Turcs trouvait un prétexte
dans leur rivalité religieuse; les Persans étaient *Chiites*, sectateurs d'Ali,
gendre du Prophète, les Turcs *Sunnites*, fidèles d'Abou Bekr, beau-père
de Mahomet, et d'Omar. « Ils se traitent réciproquement de chiens,
déclare Chardin, d'infidèles pires que les Juifs et les Idolâtres. Il y a
même des docteurs persans qui tiennent que les Turcs ne sont pas
musulmans, c'est-à-dire de vrais croyants, mais que ce sont des *Kafers*
ou des infidèles. » (*Op. cit.*, t. III, p. 170.)

2. Usbek était encore à Tauris le 18 avril (*Lettre* II) mais nous
ignorons la date de son départ. Le 10 juin il est à Erzeron, depuis une
semaine probablement, les deux villes étant distantes de vingt-deux
jours de caravane.

LETTRE VII

From another woman pining 4 him.

FATMÉ A USBEK, A ERZERON.

IL y a deux mois que tu es parti[1], mon cher Usbek, et, dans l'abattement où je suis, je ne puis pas me le persuader encore. Je cours tout le sérail, comme si tu y étais; je ne suis point désabusée. Que veux-tu que devienne une femme qui t'aime; qui était accoutumée à te tenir dans ses bras; qui n'était occupée que du soin de te donner des preuves de sa tendresse : libre par l'avantage de sa naissance, esclave par la violence de son amour?

Quand je t'épousai, mes yeux n'avaient point encore vu le visage d'un homme[2]; tu es le seul encore dont la vue m'ait été permise[3] : car je ne mets[a] pas au rang des hommes ces eunuques affreux dont la moindre imperfection est de n'être point hommes[4]. Quand je compare la beauté de ton visage avec la difformité du leur, je ne puis m'empêcher de m'estimer heureuse : mon imagination

1. Lettre datée du 12 mai 1711, c'est-à-dire moins de deux mois après le départ d'Usbek.

2. Cf. Chardin (*op. cit.*, t. II, p. 276) : « Pour ce qui est des femmes, on leur apprend à faire consister leur honneur et leur vertu non seulement à ne pas désirer le commerce des hommes, mais même à n'en avoir jamais vu et n'en avoir jamais été vues. »

3. « Les femmes persanes sont beaucoup plus étroitement gardées que les femmes turques et les femmes indiennes. » (*Note de Montesquieu*). Termes exactement repris de Chardin (*op. cit.*, t. II, p. 275) : « Les femmes sont plus étroitement gardées en Perse qu'en aucun endroit de la terre... J'en rapporte la cause à la luxure qui est naturelle au climat persan,... plus forte que dans les pays voisins, comme par exemple les pays de Turquie et des Indes. »

4. Le mot peut venir de Ricaut, *Histoire de l'état présent de l'empire ottoman* (Amsterdam, Wolfgang, 1670, p. 96) qui se demande s'il reste encore aux eunuques « quelque chose de l'homme ». L'ouvrage n'est pas à la Brède, mais c'est une des sources certaines des *Lettres persanes*.

ne me fournit point d'idée plus ravissante que les charmes
enchanteurs de ta personne. Je te le jure, Usbek : quand il
me serait permis de sortir de ce lieu où je suis enfermée par
la nécessité de ma condition ; quand je pourrais me dérober
à la garde qui m'environne ; quand il me serait permis
de choisir parmi tous les hommes qui vivent dans cette
capitale des nations : Usbek, je te le jure, je ne choisirais
que toi. Il ne peut y avoir que toi dans le Monde qui mérite
d'être aimé.

Ne pense pas que ton absence m'ait fait négliger une
beauté qui t'est chère. Quoique je ne doive être vue de
personne, et que les ornements dont je me pare soient
inutiles à ton bonheur, je cherche cependant à m'entretenir
dans l'habitude de plaire. Je ne me couche point que je
ne me sois parfumée des essences les plus délicieuses.
Je me rappelle ce temps heureux où tu venais dans mes bras ;
un songe flatteur, qui me séduit, me montre ce cher objet
de mon amour ; mon imagination se perd dans ses désirs,
comme elle se flatte dans ses espérances. Je pense quelque-
fois que, dégoûté d'un pénible voyage, tu vas revenir à
nous ; la nuit se passe dans des songes qui n'appartiennent ni
à la veille ni au sommeil ; je te cherche à mes côtés, et il me
semble que tu me fuis ; enfin le feu qui me dévore dissipe
lui-même ces enchantements et rappelle mes esprits.
Je me trouve pour lors si animée...

Tu ne le croirais pas, Usbek : il est impossible de vivre
dans cet état ; le feu coule dans mes veines. Que ne puis-je
t'exprimer ce que je sens si bien ! et comment sens-je si bien
ce que je ne puis t'exprimer ! Dans ces moments, Usbek,
je donnerais l'empire du Monde pour un seul de tes bai-
sers [a]. Qu'une femme est malheureuse d'avoir des désirs
si violents, lorsqu'elle est privée de celui qui peut seul les
satisfaire [b] : que, livrée à elle-même, n'ayant rien qui puisse
la distraire, il faut qu'elle vive dans l'habitude des soupirs
et dans la fureur d'une passion irritée [c] ; que, bien loin d'être
heureuse, elle n'a pas même l'avantage de servir à la félicité
d'un autre : ornement inutile d'un sérail, gardée pour l'hon-
neur, et non pas pour le bonheur de son époux !

Vous êtes bien cruels, vous autres hommes ! Vous êtes
charmés que nous ayons des passions [d] que nous ne puis-

ions satisfaire; vous nous traitez comme si nous étions
insensibles, et vous seriez bien fâchés que nous le fussions;
vous croyez que nos désirs, si longtemps mortifiés, seront
irrités à votre vue. Il y a de la peine à se faire aimer; il est
plus court d'obtenir du désespoir de nos sens *a* ce que vous
n'osez attendre *b* de votre mérite.

Adieu, mon cher Usbek, adieu. Compte que je ne vis
que pour t'adorer; mon âme est toute pleine de toi; et ton
absence, bien loin de te faire oublier, animerait mon amour,
s'il pouvait devenir plus violent.

Du sérail d'Ispahan, le 12 de la lune de Rebiab 1, 1711.

LETTRE VIII

USBEK A SON AMI RUSTAN, A ISPAHAN.

TA lettre m'a été rendue à Erzeron, où je suis. Je m'étais
bien douté que mon départ ferait du bruit; je ne
m'en suis point mis en peine [1]. Que veux-tu que je suive,
la prudence de mes ennemis, ou la mienne?

Je parus à la Cour dès ma plus tendre jeunesse. Je
le puis dire : mon cœur ne s'y corrompit point; je formai
même un grand dessein : j'osai y être vertueux. Dès que
je connus le vice, je m'en éloignai; mais je m'en approchai
ensuite pour le démasquer. Je portai la vérité jusques au
pied du trône : j'y parlai un langage jusqu'alors inconnu;
je déconcertai la flatterie, et j'étonnai en même temps les
adorateurs et l'idole.

Mais, quand je vis que ma sincérité m'avait fait des
ennemis; que je m'étais attiré la jalousie des ministres,
sans avoir la faveur du Prince; que, dans une cour corrom-
pue, je ne me soutenais plus que par une faible vertu :

1. Datée du 20 août 1711, la *Lettre* VIII répond à celle de Rustan
du 28 mai.

je résolus de la quitter. Je feignis un grand attachement pour les sciences, et, à force de le feindre, il me vint réellement. Je ne me mêlai plus d'aucunes affaires, et je me retirai dans une maison de campagne [1]. Mais ce parti même avait ses inconvénients : je restais toujours exposé à la malice de mes ennemis, et je m'étais presque ôté les moyens de m'en garantir. Quelques avis secrets me firent penser à moi sérieusement. Je résolus de m'exiler de ma patrie, et ma retraite même de la Cour m'en fournit un prétexte plausible. J'allai au roi; je lui marquai l'envie que j'avais de m'instruire dans les sciences de l'Occident; je lui insinuai qu'il pourrait tirer de l'utilité de mes voyages. Je trouvai grâce devant ses yeux; je partis, et je dérobai une victime à mes ennemis.

Voilà, Rustan, le véritable motif de mon voyage. Laisse parler Ispahan; ne me défends que devant ceux qui m'aiment; laisse à mes ennemis leurs interprétations malignes : je suis trop heureux que ce soit le seul mal qu'ils me puissent faire.

On parle de moi à présent. Peut-être ne serai-je que trop oublié, et que mes amis... Non, Rustan, je ne veux point me livrer à cette triste pensée : je leur serai toujours cher; je compte sur leur fidélité, comme sur la tienne.

D'Erzeron le 20 ᵃ de la lune de Gemmadi 2, 1711.

Us. tells. why he left court - 'cos' he didn't want to be corrupted by it.

1. Tout un contexte provincial semble bien percer au travers de cette lettre et jamais l'hypothèse de P. Barrière n'a été mieux fondée (*art. cit.*, p. 21-22). L'attachement « feint » pour les sciences semble marquer les soucis de Montesquieu, directeur de l'Académie de Bordeaux, attachement qui devint réel. La maison de campagne serait la Brède. Montesquieu n'a pas porté la vérité au pied du trône, mais il aurait voulu le faire. N'a-t-il pas adressé d'ailleurs au Régent en mars 1716 un *Mémoire sur les dettes de l'État* (cf. *Mélanges inédits*, Bordeaux, Gounoulhou, 1892, p. LVII et 237)?

LETTRE IX

TU suis ton ancien maître dans ses voyages; tu parcours les provinces et les royaumes; les chagrins ne sauraient faire d'impression sur toi; chaque instant te montre des choses nouvelles; tout ce que tu vois te récrée et te fait passer le temps sans le sentir.

Il n'en est pas de même de moi qui, enfermé dans une prison affreuse, suis toujours environné des mêmes objets et dévoré des mêmes chagrins. Je gémis accablé sous le poids des soins et des inquiétudes de cinquante années et, dans le cours d'une longue vie, je ne puis pas dire avoir eu un jour serein et un moment tranquille [1].

Lorsque mon premier maître eut formé le cruel projet de me confier ses femmes et m'eut obligé, par des séductions soutenues de mille menaces, de me séparer pour jamais de moi-même : las de servir dans les emplois les plus pénibles, je comptai sacrifier mes passions à mon repos et à ma fortune. Malheureux que j'étais! Mon esprit me faisait voir le dédommagement, et non pas la perte : j'espérais que je serais délivré des atteintes de l'amour par l'impuissance de le satisfaire. Hélas! on éteignit en moi l'effet des passions, sans en éteindre la cause et, bien loin d'en être soulagé, je me trouvai environné d'objets qui les irritaient sans cesse. J'entrai dans le sérail, où tout m'inspirait le regret de ce que j'avais perdu : je me sentais animé à chaque instant; mille grâces naturelles semblaient ne se découvrir à ma vue que pour me désoler [2]. Pour comble de malheurs, j'avais toujours devant les yeux un homme heureux. Dans ce temps de trouble, je n'ai jamais conduit une femme dans le lit de

1. Toute cette lettre sur la condition de l'eunuque s'inspire fortement du chapitre XIV *(Des Eunuques)* de la *Description du gouvernement des Persans* de Chardin *(op. cit.,* t. II, p. 283-285).

2. *Ibid.* (t. II, p. 279) : « Quelques gens assurent qu'il y a des eunuques qui ressentent les passions de l'amour et qui recherchent le commerce des femmes. »

mon maître, je ne l'ai jamais déshabillée, que je ne sois rentré chez moi la rage dans le cœur et un affreux désespoir dans l'âme.

Voilà comme j'ai passé ma misérable jeunesse. Je n'avais de confident que moi-même; chargé d'ennuis et de chagrins, il me les fallait dévorer, et ces mêmes femmes, que j'étais tenté de regarder avec des yeux si tendres, je ne les envisageais qu'avec des regards sévères. J'étais perdu si elles m'avaient pénétré. Quel avantage n'en auraient-elles pas pris?

Je me souviens qu'un jour que je mettais une femme dans le bain, je me sentis si transporté que je perdis entièrement la raison, et que j'osai porter ma main dans ^a un lieu redoutable. Je crus, à la première réflexion, que ce jour était le dernier de mes jours. Je fus pourtant assez heureux pour échapper à mille morts. Mais la beauté que j'avais fait confidente de ma faiblesse me vendit bien cher son silence : je perdis entièrement mon autorité sur elle, et elle m'a obligé depuis à des condescendances qui m'ont exposé mille fois à perdre la vie.

Enfin, les feux de la jeunesse ont passé : je suis vieux, et je me trouve à cet égard dans un état tranquille; je regarde les femmes avec indifférence, et ^b je leur rends bien tous leurs mépris et tous les tourments qu'elles m'ont fait souffrir. Je me souviens toujours que j'étais né pour les commander, et il me semble que je redeviens homme dans les occasions où je leur commande encore. Je les hais depuis que je les envisage de sens froid, et que ma raison me laisse voir toutes leurs faiblesses. Quoique je les garde pour un autre, le plaisir de me faire obéir me donne une joie secrète : quand je les prive de tout, il me semble que c'est pour moi, et il m'en revient toujours une satisfaction indirecte. Je me trouve dans le sérail comme dans un petit empire, et mon ambition, la seule passion qui me reste, se satisfait un peu. Je vois avec plaisir que tout roule sur moi, et qu'à tous les instants je suis nécessaire. Je me charge volontiers de la haine de toutes ces femmes, qui m'affermit dans le poste où je suis. Aussi n'ont-elles pas affaire à un ingrat : elles me trouvent au-devant de tous leurs plaisirs les plus innocents. Je me présente toujours à elles comme une

barrière inébranlable : elles forment des projets, et je les
arrête soudain. Je m'arme de refus ; je me hérisse de scru-
pules ; je n'ai jamais dans la bouche que les mots de devoir,
de vertu, de pudeur, de modestie. Je les désespère en leur
parlant sans cesse de la faiblesse de leur sexe et de l'autorité
du maître. Je me plains ensuite d'être obligé à tant de sévé-
rité et je semble vouloir leur faire entendre que je n'ai d'autre
motif que leur propre intérêt et un grand attachement pour
elles.

Ce n'est pas qu'à mon tour je n'aie un nombre infini
de désagréments, et que tous les jours ces femmes vindi-
catives ne cherchent à renchérir sur ceux que je leur donne [1] :
elles ont des revers terribles. Il y a entre nous comme un
flux et un *a* reflux d'empire et de soumission. Elles font
toujours tomber sur moi les emplois les plus humiliants ;
elles affectent un mépris qui n'a point d'exemple ; et, sans
égard pour ma vieillesse, elles me font lever la nuit dix fois
pour la moindre bagatelle. Je suis accablé sans cesse d'or-
dres, de commmandements, d'emplois, de caprices : il semble
qu'elles se relaient pour m'exercer, et que leurs fantaisies
se succèdent. Souvent elles se plaisent à me faire redoubler
de soins ; elles me font faire de fausses confidences : tantôt
on vient me dire qu'il a paru un jeune homme autour de ces
murs ; une autre fois, qu'on a entendu du bruit, ou bien
qu'on doit rendre une lettre. Tout ceci me trouble, et elles
rient de ce trouble : elles sont charmées de me voir ainsi me
tourmenter moi-même. Une autre fois elles m'attachent
derrière leur porte et m'y enchaînent nuit et jour ; elles
savent feindre des maladies, des défaillances, des frayeurs ;
elles ne manquent pas de prétexte pour me mener au point
où elles veulent. Il faut, dans ces occasions, une obéissance
aveugle et une complaisance sans bornes : un refus dans la
bouche d'un homme comme moi serait une chose inouïe, et,
si je balançais à leur obéir, elles seraient en droit de me
châtier. J'aimerais autant perdre la vie, mon cher Ibbi,
que de descendre à cette humiliation.

1. *Ibid.* (p. 285) : « Ce que je puis dire de certain, c'est qu'on assure
généralement en Orient que les femmes haïssent les eunuques à la
mort, comme des argus qui veillent sur toutes leurs actions. »

Ce n'est pas tout : je ne suis jamais sûr d'être un instant dans la faveur de mon maître [1]; j'ai autant d'ennemies dans son cœur, qui ne songent qu'à me perdre [a]. Elles ont des quarts d'heure où je ne suis point écouté, des quarts d'heure où l'on ne refuse rien, des quarts d'heure où j'ai toujours tort. Je mène dans le lit de mon maître des femmes irritées. Crois-tu que l'on y travaille pour moi et que mon parti soit le plus fort? J'ai tout à craindre de leurs larmes, de leurs soupirs, de leurs embrassements, et de leurs plaisirs mêmes : elles sont dans le lieu de leurs triomphes; leurs charmes me deviennent terribles; les services présents effacent dans un moment tous mes services passés, et rien ne peut me répondre d'un maître qui n'est plus à lui-même.

Combien de fois m'est-il arrivé de me coucher dans la faveur et de me lever dans la disgrâce? Le jour que je fus fouetté si indignement autour du sérail, qu'avais-je fait? Je laisse [b] une femme dans les bras de mon maître. Dès qu'elle le vit enflammé, elle versa un torrent de larmes : elle se plaignit et ménagea si bien ses plaintes, qu'elles augmentaient à mesure [c] de l'amour qu'elles faisaient naître. Comment aurais-je pu me [d] soutenir dans un moment si critique? Je fus perdu lorsque je m'y attendais le moins; je fus la victime d'une négociation amoureuse et d'un traité que les soupirs avaient fait. Voilà, cher Ibbi, l'état cruel dans lequel j'ai toujours vécu.

Que tu es heureux! Tes soins se bornent uniquement à la personne d'Usbek. Il t'est facile de lui plaire et de te maintenir dans sa faveur jusques au dernier de tes jours.

Du sérail d'Ispahan, le dernier de la lune de Saphar, 1711.

Eunuch feels sorry 4 ca, complains of age etc. + talks of his cares as a eunuch.

1. Chardin insiste sur la fidélité des eunuques, esclaves étrangers et sans famille : « Tous leurs désirs, toute leur étude se rapportent uniquement à leur maître » *(ibid.).*

LETTRE X[a]

MIRZA A SON AMI USBEK, A ERZERON

Tu étais le seul qui pût me dédommager de l'absence de Rica, et il n'y avait que Rica qui pût me consoler de la tienne. Tu nous manques, Usbek : tu étais l'âme de notre Société. Qu'il faut de violence pour rompre les engagements que le cœur et l'esprit ont formés !

Nous disputons ici beaucoup ; nos disputes roulent ordinairement sur la morale. Hier on mit en question si les hommes étaient heureux par les plaisirs et les satisfactions des sens, ou par la pratique de la vertu. Je t'ai souvent ouï dire que les hommes étaient nés pour être vertueux, et que la justice est une qualité qui leur est aussi propre que l'existence [1]. Explique-moi, je te prie, ce que tu veux dire.

J'ai parlé à des mollaks, qui me désespèrent avec leurs passages de l'Alcoran [2] : car je ne leur parle pas comme vrai

1. Lettre, datée du 30 avril 1711, qui semble justifier la thèse de M. Barrière. Il semble bien que Montesquieu pense à ses amis bordelais et aux disputes académiques. Le problème du bonheur et de la vertu est évoqué à l'Académie de Bordeaux, en 1722, par Sarrau de Boynet et Montesquieu lui-même prépare un *Traité du bonheur* et un *Traité des devoirs* (cf. Barrière, *art. cit.*, p. 32). Mais Paul Dimoff (R. H. L., 1957, p. 481) fait valoir un opuscule presque inconnu de Montesquieu, probablement antérieur aux *Lettres persanes*, l'*Essai touchant les lois naturelles et la distinction du juste et de l'injuste* (in *Œuvres complètes*, Nagel, Paris, 1955, t. III, p. 179-194) : le sens de la justice y apparaît comme une loi naturelle et l'exercice de la justice comme la condition du bonheur. La parenté est certaine avec les *Recherches sur le mérite et la vertu* de Shaftesbury. Montesquieu possédait les *Characteristics* en anglais (édition de 1711 ; cf. la Brède, n° 696) ; mais il ne lisait pas l'anglais à cette date, et le livre a pu être acheté postérieurement aux *Lettres persanes*.

2. Derrière les mollaks (en réalité *mollah* par confusion du *h* et du *k*) qui sont, au dire de Tavernier (I, 664), « les docteurs de la loi » chargés de lire et d'interpréter le *Coran* tous les vendredis, ne faut-il pas voir les prêtres et directeurs de conscience de l'Église catholique ? Montesquieu suggère ici que la religion naturelle, par sa clarté, doit l'emporter sur la subtilité des casuistes, sinon sur la religion révélée.

croyant, mais comme homme, comme citoyen, comme père
de famille [1].

Adieu.

D'Ispahan, le dernier de la lune de Saphar, 1711.

LETTRE XI [2]

USBEK A MIRZA, A ISPAHAN

TU renonces à ta raison pour essayer la mienne; tu
descends jusqu'à me consulter; tu me crois capable
de t'instruire. Mon cher Mirza, il y a une chose qui
me flatte encore plus que la bonne opinion que tu as
conçue de moi : c'est ton amitié qui me la procure [a].

Pour remplir ce que tu me prescris, je n'ai pas cru
devoir employer des raisonnements fort abstraits : il
y a certaines vérités qu'il ne suffit pas de persuader, mais
qu'il faut encore faire sentir. Telles sont les vérités de
morale. Peut-être que ce morceau d'histoire te touchera plus
qu'une philosophie subtile.

Il y avait en Arabie un petit peuple appelé *Troglodyte*,
qui descendait de ces anciens Troglodytes qui, si nous
en croyons les historiens, ressemblaient plus à des bêtes
qu'à des hommes. Ceux-ci n'étaient point si contrefaits :
ils n'étaient point velus comme des ours; ils ne sifflaient
point [3]; ils avaient deux yeux; mais ils étaient si méchants

1. Le souvenir du *De Officiis* affleure ici. Montesquieu, depuis 1709
peut-être, avait été séduit par l'exposé stoïcien de Cicéron et le reprendra
dans le *Traité des devoirs* lu à l'Académie de Bordeaux le 1er mai 1725.
La tripartition cicéronienne y apparaît : *pietas erga societatem hominum,
erga rempublicam, erga parentes* (cf. Dimoff : *Cicéron, Hobbes et Montes-
quieu*, in *Annales Univ. Saraviensis*, n° I, 1952).

2. Datée du 3 août 1711, elle répond aux questions de Mirza dans
la *Lettre X*.

3. Montesquieu a-t-il lu le *De orbis situ* de Pomponius Mela qu'il
possédait à la Brède (Paris, 1540, n° 2629)? Le géographe disait : « Tro-
glodytae, nullarum opum domini, strident magis quam loquuntur »;
Hérodote leur faisait pousser des cris aigus comme des chauves-
souris : τετρίγασι κατάπερ αἱ νυκτερίδες (*Histoires*, IV, 183).

Mirsa asks Us. advice. Us. tells story of Troglodytes &
a famine in their land — moral — look after no 1.
LETTRE XI 29

et si féroces qu'il n'y avait parmi eux aucun principe d'équité
ni de justice.

Ils avaient un roi d'une origine étrangère, qui, vou-
lant corriger la méchanceté de leur naturel, les traitait
sévèrement. Mais ils conjurèrent contre lui, le tuèrent et
exterminèrent toute la famille royale.

Le coup étant fait, ils s'assemblèrent pour choisir
un gouvernement, et, après bien des dissensions, ils
créèrent des magistrats. Mais, à peine les eurent-ils élus,
qu'ils leur devinrent [a] insupportables, et ils les massacrèrent
encore.

Ce peuple, libre de ce nouveau joug, ne consulta plus
que son naturel sauvage; tous les particuliers convinrent
qu'ils n'obéiraient plus à personne; que chacun veillerait
uniquement à ses intérêts, sans consulter ceux des autres.

Cette résolution unanime flattait extrêmement tous
les particuliers. Ils disaient : « Qu'ai-je affaire d'aller me
tuer à travailler pour des gens dont je ne me soucie point?
Je penserai uniquement à moi; je vivrai heureux. Que
m'importe que les autres le soient? Je me procurerai tous
mes besoins, et, pourvu que je les aie, je ne me soucie
point que tous les autres Troglodytes soient misérables. »

On était dans le mois où l'on ensemence les terres.
Chacun dit : « Je ne labourerai mon champ que pour
qu'il me fournisse le blé qu'il me faut pour me nourrir :
une plus grande quantité me serait inutile; je ne pren-
drai point de la peine pour rien. »

Les terres de ce petit royaume n'étaient pas de même
nature : il y en avait d'arides et de montagneuses, et
d'autres qui, dans un terrain bas, étaient arrosées de plu-
sieurs ruisseaux. Cette année, la sécheresse fut très grande,
de manière que les terres qui étaient dans les lieux élevés
manquèrent absolument, tandis que celles qui purent être
arrosées furent très fertiles. Ainsi les peuples des monta-
gnes périrent presque tous de faim par la dureté des autres,
qui leur refusèrent de partager la récolte.

L'année d'ensuite fut très pluvieuse; les lieux élevés

Tous deux localisaient les Troglodytes au sud de la Libye, non en
Arabie.

se trouvèrent d'une fertilité extraordinaire, et les terres basses furent submergées. La moitié du peuple cria une seconde fois famine; mais ces misérables trouvèrent des gens aussi durs qu'ils l'avaient été eux-mêmes.

Un des principaux habitants avait une femme fort belle; son voisin en devint amoureux et l'enleva. Il s'é-mut[a] une grande querelle, et, après bien des injures et des coups, ils convinrent de s'en remettre à la décision d'un Troglodyte qui, pendant que la République subsistait, avait eu quelque crédit. Ils allèrent à lui et voulurent lui dire leurs raisons. « Que m'importe, dit cet homme, que cette femme soit à vous ou à vous? J'ai mon champ à labourer; je n'irai peut-être pas employer mon temps à terminer vos différends et à[b] travailler à vos affaires, tandis que je négligerai les miennes[c]. Je vous prie de me laisser en repos et de ne m'importuner plus de vos querelles. » Là-dessus il les quitta et s'en alla travailler sa terre[d]. Le ravisseur, qui était le plus fort, jura qu'il mourrait plutôt que de rendre cette femme, et l'autre, pénétré de l'injustice de son voisin et de la dureté du juge, s'en retournait désespéré, lorsqu'il trouva dans son chemin une femme jeune et belle, qui revenait de la fontaine. Il n'avait plus de femme; celle-là lui plut, et elle lui plut bien davantage lorsqu'il apprit que c'était la femme de celui qu'il avait voulu prendre pour juge, et qui avait été si peu sensible à son malheur. Il l'enleva et l'emmena dans sa maison.

Il y avait un homme qui possédait un champ assez fertile, qu'il cultivait avec grand soin. Deux de ses voisins s'unirent ensemble, le chassèrent de sa maison, occupèrent son champ; ils firent entre eux une union pour se défendre contre tous ceux qui voudraient l'usurper, et effectivement ils se soutinrent par là pendant plusieurs mois. Mais un des deux, ennuyé de partager ce qu'il pouvait avoir tout seul, tua l'autre et devint seul maître du champ. Son empire ne fut pas long : deux autres Troglodytes vinrent l'attaquer; il se trouva trop faible pour se défendre, et il fut massacré.

Un Troglodyte presque tout nu vit de la laine[e] qui était à vendre; il en demanda le prix. Le marchand dit en lui-même : « Naturellement je ne devrais espérer de ma

laine qu'autant d'argent qu'il en faut pour acheter deux mesures de blé; mais je la vais vendre quatre fois davantage, afin d'avoir huit mesures. » Il fallut en passer par là et payer le prix demandé. « Je suis bien aise, dit le marchand; j'aurai du blé à présent. » — « Que dites-vous? reprit l'acheteur [a]. Vous avez besoin de blé? J'en ai à vendre. Il n'y a que le prix qui vous étonnera peut-être : car vous saurez que le blé est extrêmement cher, et que la famine règne presque partout. Mais rendez-moi mon argent, et je vous donnerai une mesure de blé : car je ne veux pas m'en défaire autrement, dussiez-vous crever de faim. »

Cependant une maladie cruelle ravageait la contrée. Un médecin habile y arriva du pays voisin et donna ses remèdes si à propos qu'il guérit tous ceux qui se mirent dans [b] ses mains. Quand la maladie eut cessé, il alla chez tous ceux qu'il avait traités demander son salaire; mais il ne trouva que des refus. Il retourna dans son pays, et il y arriva accablé des fatigues d'un si long voyage. Mais bientôt après il apprit que la même maladie se faisait sentir de nouveau et affligeait plus que jamais cette terre ingrate. Ils allèrent à lui cette fois et n'attendirent pas qu'il vînt chez eux. « Allez, leur dit-il, hommes injustes! Vous avez dans l'âme un poison plus mortel que celui dont vous voulez guérir; vous ne méritez pas d'occuper une place sur la Terre, parce que vous n'avez point d'humanité, et que les règles de l'équité vous sont inconnues. Je croirais offenser les Dieux, qui vous punissent, si je m'opposais à la justice de leur colère. »

D'Erzeron [c], le 3 de la lune de Gemmadi 2, 1711.

LETTRE XII [1]

USBEK AU MÊME, A ISPAHAN

TU as vu, mon cher Mirza, comment les Troglodytes périrent par leur méchanceté même et furent les

1. Le souvenir de Fénelon demeure ici constant. C'est la Bétique du *Télémaque* (Wetstein, 1719, livre VIII, p. 170), avec tous les thèmes

victimes de leurs propres injustices. De tant de familles,
il n'en resta que deux qui échappèrent aux malheurs
de la Nation. Il y avait dans ce pays deux hommes bien
singuliers : ils avaient de l'humanité; ils connaissaient la
justice; ils aimaient la vertu. Autant liés par la droiture
de leur cœur que par la corruption de celui des autres,
ils voyaient la désolation générale et ne la ressentaient que
par la pitié; c'était le motif d'une union nouvelle. Ils tra-
vaillaient avec une sollicitude commune pour l'intérêt
commun; ils n'avaient de différends que ceux qu'une douce
et tendre amitié faisait naître; et, dans l'endroit du pays le
plus écarté, séparés de leurs compatriotes indignes de leur
présence, ils menaient une vie heureuse et tranquille. La
terre semblait produire d'elle-même, cultivée par ces ver-
tueuses mains.

Ils aimaient leurs femmes, et ils en étaient tendrement
chéris [a]. Toute leur attention était d'élever leurs enfants
à la vertu. Ils leur représentaient sans cesse les malheurs
de leurs compatriotes et leur mettaient devant les yeux
cet exemple si triste [b]; ils leur faisaient surtout sentir que
l'intérêt des particuliers se trouve toujours dans l'intérêt
commun; que vouloir s'en séparer, c'est vouloir se perdre;
que la vertu n'est point une chose qui doive nous coûter;
qu'il ne faut point la regarder comme un exercice pénible;
et que la justice pour autrui est une charité pour nous.

Ils eurent bientôt la consolation des pères vertueux
qui est d'avoir des enfants qui leur ressemblent. Le jeune
peuple qui s'éleva sous leurs yeux s'accrut par d'heureux
mariages : le nombre augmenta; l'union fut toujours la
même, et la vertu, bien loin de s'affaiblir dans la multitude,

fabuleux de l'âge d'or. Les Troglodytes, vertueux comme le peuple
de Bétique, sont des bergers : « L'innocence des mœurs, la bonne foi,
l'obéissance et l'horreur du vice habitent dans cette heureuse terre. »
« Tous les biens sont communs; les fruits des arbres, le lait des trou-
peaux sont des richesses si abondantes que des peuples si sobres et si
modérés n'ont pas besoin de les partager. » Communisme et frater-
nité : « Ils s'aiment tous d'un amour fraternel que rien ne trouble. »
Même idéal arcadien qui exclut l'argent, le commerce, la vie urbaine,
les conquêtes et la guerre. Le style même de Montesquieu imite l'onc-
tion fénelonienne.

fut fortifiée, au contraire, par un plus grand nombre
d'exemples.

Qui pourrait représenter ici le bonheur de ces Troglo-
dytes? Un peuple si juste devait être chéri des Dieux.
Dès qu'il ouvrit les yeux pour les connaître, il apprit à
les craindre, et la Religion vint adoucir dans les mœurs [a]
ce que la Nature y avait laissé de trop rude [1].

Ils instituèrent des fêtes en l'honneur des Dieux : les
jeunes filles, ornées de fleurs, et les jeunes garçons les
célébraient par leurs danses et par les accords d'une musi-
que champêtre. On faisait ensuite des festins où la joie
ne régnait pas moins que la frugalité. C'était dans ces assem-
blées que parlait la Nature naïve : c'est là qu'on apprenait
à donner le cœur et à le recevoir; c'est là que la pudeur
virginale faisait en rougissant un aveu surpris, mais bientôt
confirmé par le consentement des pères; et c'est là que les
tendres mères se plaisaient à prévoir de loin [b] une union
douce et fidèle.

On allait au Temple pour demander les faveurs des
Dieux; ce n'était pas les richesses et une onéreuse abon-
dance : de pareils souhaits étaient indignes des heureux
Troglodytes; ils ne savaient les désirer que pour leurs
compatriotes. Ils n'étaient au pied des autels que pour
demander la santé de leurs pères, l'union de leurs frères,
la tendresse de leurs femmes, l'amour et l'obéissance de
leurs enfants. Les filles y venaient apporter le tendre sacri-
fice de leur cœur et ne leur demandaient d'autre grâce que
celle de pouvoir rendre un Troglodyte heureux.

Le soir, lorsque les troupeaux quittaient les prairies,
et que les bœufs fatigués avaient ramené la charrue, ils
s'assemblaient, et, dans un repas frugal, ils chantaient
les injustices des premiers Troglodytes et leurs malheurs,

1. La religion n'est pas révélée aux Troglodytes. Elle est naturelle
et dérive spontanément de cœurs vertueux. Montesquieu voudrait-
il prouver « la suffisance de la religion naturelle », du moins dans le
domaine social? Sur la religion qui adoucit les mœurs, on pourrait
penser avec A. Crisafulli (*art. cit.*, P.M.L.A., 1943) à l'influence de Polybe
(*Histoires*, IV, 19-21, Teubner, 1889, t. II, p. 29) décrivant la vie des
Arcadiens : οὕτως γὰρ μόνως ἂν λήξαιεν τῆς τότε περὶ αὐτοὺς
γενομένης ἀγριότητος. Mais Polybe est une des sources de Fénelon.

la vertu renaissante avec un nouveau peuple et sa félicité. Ils célébraient[a] les grandeurs des Dieux, leurs faveurs toujours présentes aux hommes qui les implorent, et leur colère inévitable à ceux qui ne les craignent pas; ils décrivaient ensuite les délices de la vie champêtre et le bonheur d'une condition toujours parée de l'innocence. Bientôt ils s'abandonnaient à un sommeil que les soins et les chagrins n'interrompaient jamais.

La Nature ne fournissait pas moins à leurs désirs qu'à leurs besoins. Dans ce pays heureux, la cupidité était étrangère : ils se faisaient des présents où celui qui donnait croyait toujours avoir l'avantage. Le peuple troglodyte se regardait comme une seule famille[1]; les troupeaux étaient presque toujours confondus; la seule peine qu'on s'épargnait ordinairement, c'était de les partager.

D'Erzeron, le 6 de la lune de Gemmadi 2, 1711.

LETTRE XIII

USBEK AU MÊME

JE ne saurais assez te parler de la vertu des Troglodytes. Un d'eux disait un jour : « Mon père doit demain labourer son champ; je me lèverai deux heures avant lui, et, quand il ira à son champ, il le trouvera tout labouré. »

Un autre disait en lui-même : « Il me semble que ma sœur a du goût pour un jeune Troglodyte de nos parents; il faut que je parle à mon père, et que je le détermine à faire ce mariage. »

On vint dire à un autre que des voleurs avaient enlevé

1. Les deux tableaux contrastés des *Lettres* XI et XII étaient déjà en puissance dans l'*Essai sur les lois naturelles* (*article cité*, p. 490); dans le respect de la nature, « personne ne cherchera à s'élever sur les autres et personne ne s'exposera à être abaissé. Il n'y aura parmi les hommes ni envie ni haine. Ils ne penseront tous qu'à s'aider mutuellement. *Ce ne sera qu'une même famille*, dont l'union sera cimentée par l'amitié et la terre deviendra un paradis où ses habitants nageront dans le plaisir et dans la joie. » L'identité des termes est surprenante.

son troupeau : « J'en suis bien fâché, dit-il ; car il y avait une génisse toute blanche que je voulais offrir aux Dieux. »

On entendait dire à un autre : « Il faut que j'aille au Temple remercier les Dieux : car mon frère que mon père aime tant, et que je chéris si fort, a recouvré la santé. »

Ou bien : « Il y a un champ qui touche celui de mon père, et ceux qui le cultivent sont tous les jours exposés aux ardeurs du Soleil ; il faut que j'aille y planter deux arbres, afin que ces pauvres gens puissent aller quelquefois se reposer sous leur ombre. »

Un jour que plusieurs Troglodytes étaient assemblés, un vieillard parla d'un jeune homme qu'il soupçonnait d'avoir commis une mauvaise action, et lui en fit des reproches. « Nous ne croyons pas qu'il ait commis ce crime, dirent les jeunes Troglodytes, mais, s'il l'a fait, puisse-t-il mourir le dernier de sa famille ! »

On vint dire à un Troglodyte que des étrangers avaient pillé sa maison et avaient tout emporté. « S'ils n'étaient pas injustes, répondit-il, je souhaiterais que les Dieux leur en donnassent un plus long usage qu'à moi. »

Tant de prospérités ne furent pas regardées sans envie ; les peuples voisins s'assemblèrent, et, sous un vain prétexte, ils résolurent d'enlever leurs troupeaux. Dès que cette résolution fut connue, les Troglodytes envoyèrent au-devant d'eux des ambassadeurs, qui leur parlèrent ainsi :

« Que vous ont fait les Troglodytes ? Ont-ils enlevé vos femmes, dérobé vos bestiaux, ravagé vos campagnes ? Non : nous sommes justes, et nous craignons les Dieux. Que demandez-vous [a] donc de nous ? Voulez-vous de la laine pour vous faire des habits ? Voulez-vous du lait pour vos troupeaux ou des fruits de nos terres ? Mettez [b] bas les armes ; venez au milieu de nous, et nous vous donnerons de tout cela. Mais nous jurons, par ce qu'il y a de plus sacré, que, si vous entrez dans nos terres comme ennemis, nous vous regarderons comme un peuple injuste, et que nous vous traiterons comme des bêtes farouches. »

Ces paroles furent renvoyées avec mépris : ces peuples sauvages entrèrent armés dans la terre des Troglodytes, qu'ils ne croyaient défendus que par leur innocence.

Mais ils étaient bien disposés à la défense [1] : ils avaient mis leurs femmes et leurs enfants au milieu d'eux. Ils furent étonnés de l'injustice de leurs ennemis, et non pas de leur nombre. Une ardeur nouvelle s'était emparée de leur cœur : l'un voulait mourir pour son père; un autre, pour sa femme et ses enfants; celui-ci, pour ses frères; celui-là, pour ses amis; tous, pour le peuple troglodyte. La place de celui qui expirait était d'abord prise par un autre, qui, outre la cause commune, avait encore une mort particulière à venger.

Tel fut le combat de l'Injustice et de la Vertu; ces peuples lâches, qui ne cherchaient que le butin, n'eurent pas[a] honte de fuir, et ils cédèrent à la vertu des Troglodytes, même sans en être touchés.

D'Erzeron, le 9 de la lune de Gemmadi 2, 1711.

LETTRE XIV

USBEK AU MÊME

COMME le Peuple grossissait tous les jours, les Troglodytes crurent qu'il était à propos de se choisir un roi. Ils convinrent qu'il fallait déférer la couronne à celui qui était le plus juste, et ils jetèrent tous les yeux sur un vieillard vénérable par son âge et par une longue vertu. Il n'avait pas voulu se trouver à cette assemblée; il s'était retiré dans sa maison, le cœur serré de tristesse.

Lorsqu'on lui envoya des députés pour lui apprendre le choix qu'on avait fait de lui : « A Dieu ne plaise, dit-il, que je fasse ce tort aux Troglodytes, que l'on puisse croire qu'il n'y a personne parmi eux de plus juste que moi! Vous me déférez la couronne, et, si vous le voulez absolument, il faudra bien que je la prenne. Mais comptez que je mourrai de douleur d'avoir vu en naissant les Troglo-

1. Même attitude chez les habitants de la Bétique : « Ce peuple abandonnerait son pays ou se livrerait à la mort plutôt que d'accepter la servitude. » (Wetstein, 1719, livre VIII, p. 174.)

Trogs. elect an old man king but says he's soon going to die.

dytes libres et de les voir aujourd'hui assujettis [1]. » A ces mots, il se mit à répandre un torrent de larmes. « Malheureux jour, disait-il; et pourquoi ai-je tant vécu? » Puis il s'écria d'une voix sévère : « Je vois bien ce que c'est, ô Troglodytes! votre vertu commence à vous peser. Dans l'état où vous êtes, n'ayant point de chef, il faut que vous soyez vertueux malgré vous : sans cela vous ne sauriez subsister, et vous tomberiez dans le malheur de vos premiers pères. Mais ce joug vous paraît trop dur; vous aimez mieux être soumis à un prince et obéir à ses lois, moins rigides que vos mœurs. Vous savez que, pour lors, vous pourrez contenter votre ambition, acquérir des richesses et languir dans une lâche volupté, et que, pourvu que vous évitiez de tomber dans les grands crimes, vous n'aurez pas besoin de la vertu. » Il s'arrêta un moment, et ses larmes coulèrent plus que jamais. « Et[a] que prétendez-vous que je fasse? Comment se peut-il que je commande quelque chose à un Troglodyte? Voulez-vous qu'il fasse une action vertueuse parce que je la lui commande, lui qui la ferait tout de même sans moi et par le seul penchant de la nature? O Troglodytes! je suis à la fin de mes jours; mon sang est glacé dans mes veines; je vais bientôt revoir vos sacrés aïeux. Pourquoi voulez-vous que je les afflige, et que je sois obligé de leur dire que je vous ai laissés sous un autre joug que celui de la Vertu? »

D'Erzeron, le 10 de la lune de Gemmadi 2, 1711.

1. Même son chez Fénelon : « Quelle folie de mettre son bonheur à gouverner les autres hommes, dont le gouvernement donne tant de peine, si on veut les gouverner avec raison et suivant la justice! Tout ce qu'un homme sage peut faire, (c'est) de s'assujettir à gouverner... un peuple qui le prie d'être comme son père et son pasteur... » (Wetstein, 1719, livre VIII, p. 171.) L'anarchisme vertueux de Montesquieu, car on ne saurait parler ici de démocratie, est un thème poétique, même s'il vise sans le dire les théories de Hobbes. Ne cédons pas à la tentation de faire d'un apologue un traité dogmatique et d'une aspiration morale un programme politique.

Les 4 lettres de l'épisode sont datées des 3, 6, 9 et 10 août 1711.

Eunuch complains that he's never really loved.

LETTRE XV[a]

LE PREMIER EUNUQUE A JARON, EUNUQUE NOIR, A ERZERON [1]

JE prie le Ciel qu'il te ramène dans ces lieux et te dérobe à tous les dangers.

Quoique je n'aie guère jamais connu cet engagement qu'on appelle *amitié* [2], et que je me sois enveloppé tout entier dans moi-même, tu m'as cependant fait sentir que j'avais encore un cœur, et pendant que j'étais de bronze pour tous ces esclaves qui vivaient sous mes lois, je voyais croître ton enfance avec plaisir.

Le temps vint où mon maître jeta sur toi les yeux. Il s'en fallait bien que la nature eût encore parlé lorsque le fer te sépara de la nature. Je ne te dirai point si je te plaignis, ou si je sentis du plaisir à te voir élevé [b] jusqu'à moi. J'apaisai tes pleurs et tes cris. Je crus te voir prendre une seconde naissance et sortir d'une servitude où tu devais toujours obéir, pour entrer dans une servitude où tu devais commander. Je pris soin de ton éducation. La sévérité, toujours inséparable des instructions, te fit longtemps ignorer que tu m'étais cher. Tu me l'étais pourtant, et je

1. « La *Lettre* XV qui manque dans *A B* est la première du supplément de *C*. Dans le *Grand Cahier de corrections*, Montesquieu en a ordonné l'insertion en ces termes : « Cette lettre doit être mise à la page 64, t. I. Elle sera la quinzième et celle qui était la quinzième sera la seizième ; ainsi de suite. » (Barckhausen, *op. cit.*, II, 13.) Mais dans le tome II des *Pensées* manuscrites, Montesquieu nous a laissé une *Lettre du grand eunuque à Janum* (n⁰ 1617-II, f⁰ 466) qui est un premier état de celle-ci. Janum, qui accompagne son maître en voyage, est devenu Jaron, qui est en fait le nom d'une ville de Perse, entre Chiraz et Laar, célèbre pour ses dattes et pour une montagne escarpée (cf. Chardin, t. III, p. 150) dont Montesquieu se souviendra dans la *Lettre* XCVII. Est-ce de sa part un humour volontaire que de faire d'une ville un nom de personne ?

2. Montesquieu feuillette toujours le chapitre de Chardin (t. II, p. 284) : «On peut ajouter que les eunuques n'ont pas même les relations de l'amitié ; à cause que de la manière dont ils vivent, ils ne trouvent guères ni les occasions ni le temps de faire des amis. »

Tombeaux des deux derniers ROYS DE PERSE

« *Pourquoi vis-tu dans les tombeaux, divin Mollak ?* » (Lettre XVI, p. 39.)
Chardin, *Voyages en Perse* (Amsterdam, De Lormes, 1711, t. I, p. 203.)

te dirais que je t'aimais comme un père aime son fils, si
ces noms de père et de fils pouvaient convenir à notre
destinée.

Tu vas parcourir les pays habités par les Chrétiens,
qui n'ont jamais cru; il est impossible que tu n'y contractes
bien des souillures [1]. Comment le Prophète pourrait-il
te regarder au milieu de tant de millions de ses ennemis?
Je voudrais que mon maître fît, à son retour, le pèlerinage
de La Mecque : vous vous purifieriez tous dans la terre des
Anges [a].

Du sérail [b] d'Ispahan, le 10 de la lune de Gemmadi [2], 1711.

LETTRE XVI [c]

USBEK AU MOLLAK MÉHÉMET-HALI

GARDIEN DES TROIS TOMBEAUX,

A COM [3]

Pourquoi vis-tu dans les tombeaux, divin Mollak?
Tu es bien plus fait pour le séjour des étoiles. Tu te
caches sans doute de peur d'obscurcir le Soleil. Tu n'as
point de taches comme cet astre; mais, comme lui, tu te
couvres de nuages [4].

1. Cf. Chardin (t. II, p. 344) : « Les Persans superstitieux ne goûtent
ni de nos aliments ni d'aucune chose que nous ayons apprêtée, ou
des gens d'une autre religion que la leur; ni ne touchent à nos ustensiles
ou à nos meubles, tenant tout cela impur; mais il faut observer qu'il
n'y a que les bigots qui poussent la chose si loin. »

2. Montesquieu n'a pas spécifié s'il s'agit de Gemmadi I ou II,
c'est-à-dire de juillet ou d'août.

3. Usbek, qui avait fait ses dévotions au tombeau de Fathmé, dans
la mosquée de Kom (cf. *Lettre* I), se souvient de son hôte. En fait,
trois grands seigneurs de Perse « avaient la cure ou l'intendance du
lieu et de tout le bien légué », chacun disposant d'une chapelle et de
son revenu. « Leur titre d'office, ajoute Chardin (II, 213) est *Turbedar*,
c'est-à-dire garde du sépulcre. » Le gardien du tombeau de la sainte
était du temps de Chardin un « illustre vieillard », ancien colonel de la
garde royale, et non un *mollah*, docteur de la Loi.

4. La couleur orientale de cette lettre vient de l'*Éloge de Hali* du
poète persan Hassan Casy (Al-Hasan ben al-Khasib, qui vivait au

Ta science est un abîme plus profond que l'Océan; ton esprit est plus perçant que Zufagar [1], cette épée d'Hali qui avait deux pointes; tu sais ce qui se passe dans les neuf chœurs des Puissances célestes; tu lis l'Alcoran sur la poitrine de notre divin prophète; et, lorsque tu trouves quelque passage obscur, un Ange, par son ordre, déploie ses ailes rapides et descend du trône pour t'en révéler le secret.

Je pourrais par ton moyen avoir avec les Séraphins une intime correspondance: car enfin, treizième Iman [2], n'es-tu pas le centre où le Ciel et la Terre aboutissent, et le point de communication entre l'Abîme et l'Empyrée?

Je suis au milieu d'un peuple profane. Permets que je me purifie avec toi; souffre que je tourne mon visage vers les lieux sacrés que tu habites; distingue-moi des méchants, comme on distingue au lever de l'aurore le filet blanc d'avec le filet noir [3]; aide-moi de tes conseils;

IIIe siècle de l'Hégire). Gravé sur la frise de la chapelle d'Abbas II, Chardin en avait donné une traduction complète (t. I, p. 207 sq). Montesquieu reporte l'éloge sur le gardien des tombeaux : « Grand astre de la justice et de la religion, infaillible expositeur des quatre livres... Qu'est-ce que la lumière du soleil, comparée à celle de ton esprit?... Ta bouche est le trésor des sens sublimes... L'ange messager de la vérité, Gabriel, baise tous les jours le seuil de ta porte... Le soleil à l'ombre et sous les auspices de qui roule la nature n'est qu'un rayon de l'éclat de l'agrafe de ta ceinture... ».

1. C'est encore Chardin, dans l'*Éloge de Hali*, qui renseigne Montesquieu sur l'épée divine donnée au héros par l'ange Gabriel : « Il n'y a de brave qu'Aly. Il n'y a point d'épée semblable à *Zulfagar*, l'épée à deux pointes... » (I, 208.)

2. Cf. Chardin (II, 339) : « Les douze imans sont Aly, cousin et gendre de Mahomet, et ses descendants à la onzième génération... La secte des Persans ne reconnaît que ces douze princes-là pour vrais successeurs de Mahammed à l'égard du droit. » Le dernier, *Mahammed Mehdi*, fut éliminé par les califes de Bagdad en l'an 296 de l'Hégire (918 après J.-C.). La dévotion d'Usbek va trop loin en faisant du gardien de Kom un « treizième iman ». Mais Montesquieu dans cette lettre ne recule devant aucune outrance.

3. Chardin (II, 243) donnait la prescription pour le jeûne : « Buvez et mangez jusqu'au moment que vous pourrez discerner à l'horizon un fil blanc d'un fil noir. » De même Marana (Cologne, Kinkius, 1739, t. I, p. 152) : « Jusqu'à ce que l'aurore qui devance le jour me donne assez de lumière pour distinguer un fil noir d'avec un blanc. » Montesquieu s'est reporté au texte du *Coran* (chap. II, verset 183) dans la

prends soin de mon âme; enivre-la de l'esprit des Pro-
phètes; nourris-la de la science du Paradis, et permets que
je mette ses plaies à tes pieds.

Adresse tes lettres sacrées à Erzeron, où je resterai
quelques mois.

D'Erzeron, le 11 de la lune de Gemmadi 2, 1711.

Us. on how eagerly he awaits a letter from Mollak.

LETTRE XVII

USBEK AU MÊME

J E ne puis, divin Mollak, calmer mon impatience; je
ne saurais attendre ta sublime réponse. J'ai des dou-
tes[a]; il faut les fixer. Je sens que ma raison s'égare;
ramène-la dans le droit chemin. Viens m'éclairer, source de
lumière; foudroie avec ta plume divine les difficultés que
je vais te proposer; fais-moi pitié de moi-même et rougir
de la question que je vais te faire.

D'où vient que notre législateur nous prive de la
chair de pourceau et de toutes les viandes qu'il appelle
immondes? D'où vient qu'il nous défend de toucher un
corps mort, et que, pour purifier notre âme, il nous ordonne
de nous laver sans cesse le corps? Il me semble que les
choses ne sont en elles-mêmes ni pures ni impures : je ne
puis concevoir aucune qualité inhérente au sujet qui
puisse les rendre telles. La boue ne nous paraît sale que
parce qu'elle blesse notre vue ou quelque autre de nos sens;
mais, en elle-même, elle ne l'est pas plus que l'or et les dia-
mants. L'idée de souillure contractée par l'attouche-
ment d'un cadavre ne nous est venue que d'une cer-
taine répugnance naturelle que nous en avons. Si les
corps de ceux qui ne se lavent point ne blessaient ni
l'odorat ni la vue, comment aurait-on pu s'imaginer
qu'ils fussent impurs?

traduction Du Ryer qu'il possédait (La Haye, 1685, p. 22) : « Jus-
qu'à ce que vous distinguiez le filet blanc et le filet noir par la lumière
de l'aurore. » Le mot *filet* au lieu de *fil* le prouve formellement.

Les sens, divin Mollak, doivent donc être les seuls juges de la pureté ou de l'impureté des choses. Mais, comme les objets n'affectent point les hommes de la même manière, que ce qui donne une sensation agréable aux uns en produit une dégoûtante chez les autres, il suit que le témoignage des sens ne peut servir ici de règle, à moins qu'on ne dise que chacun peut, à sa fantaisie, décider ce point et distinguer, pour ce qui le concerne, les choses pures d'avec celles qui ne le sont pas.

Mais cela même, sacré Mollak, ne renverserait-il pas les distinctions établies par notre divin Prophète et les points fondamentaux de la Loi, qui a été écrite de la main des Anges [1]?

D'Erzeron, le 20 de la lune de Gemmadi 2, 1711.

LETTRE XVIII

MÉHÉMET-HALI, SERVITEUR DES PROPHÈTES,
A USBEK, A ERZERON

Vous nous faites toujours des questions qu'on a faites mille fois à notre saint Prophète. Que ne lisez-vous les *Traditions* des Docteurs [2]? Que n'allez-vous à cette

1. Lettre, datée du 20 août 1711, sur le thème de la souillure et des purifications. Chardin donnait une traduction du *Traité des purifications* de Cheik Bahadin Mahammed (t. II, p. 346-384) qui distinguait le péché (emploi du vin ou de la viande de porc) de l'incapacité légale (attouchement d'un corps mort); le principe étant que « le corps se présente devant Dieu comme l'âme, il faut donc qu'il soit pur, tant pour parler à Dieu que pour entrer dans le lieu consacré à son culte » (II, 343). La minutie des Persans était sur ce point extraordinaire. Antoine Adam fait valoir fort justement une page des *Pensées* (III, f° 28), où Montesquieu, dans une conversation avec Fontenelle, explique la notion religieuse de souillure par l'aversion spontanée pour les choses désagréables à nos sens (*op. cit.*, p. 50). C'est la thèse même d'Usbek.

2. En dehors du *Coran* et des souvenirs des compagnons du Prophète, la *Sunna*, la théologie musulmane a développé une casuistique et des commentaires qui interprètent le livre sacré : ce sont les recueils de *Hadith*, « les traditions des docteurs ».

source pure de toute intelligence? Vous trouveriez tous
vos doutes résolus.

Malheureux, qui, toujours embarrassés des choses
de la Terre, n'avez jamais regardé d'un œil fixe celles
du Ciel, et qui révérez la condition des mollaks, sans oser
ni l'embrasser ni la suivre!

Profanes, qui n'entrez jamais dans les secrets de l'Éter-
nel, vos lumières ressemblent aux ténèbres de l'Abîme,
et les raisonnements de votre esprit sont comme la pous-
sière que vos pieds font élever lorsque le Soleil est dans
son midi, dans le mois ardent de Chahban [1].

Aussi le zénith de votre esprit ne va pas au nadir [2] de
celui du moindre des immaums [3]. Votre vaine philosophie
est cet éclair qui annonce l'orage et l'obscurité; vous êtes
au milieu de la tempête, et vous errez au gré des vents.

Il est bien facile de répondre à votre difficulté; il ne faut
pour cela que vous raconter ce qui arriva un jour à notre
saint Prophète, lorsque, tenté par les Chrétiens, éprouvé
par les Juifs, il confondit également les uns et les autres.

Le Juif Abdias Ibesalon lui demanda pourquoi Dieu
avait défendu de manger de la chair de pourceau. « Ce
n'est pas sans raison, répondit Mahomet [a] : c'est un animal
immonde, et je vais vous en convaincre. » Il fit sur sa main,
avec de la boue, la figure d'un homme; il la jeta à terre et
lui cria : « Levez-vous! » Sur-le-champ, un homme se leva
et dit : « Je suis Japhet, fils de Noé. — Avais-tu les cheveux
aussi blancs quand tu es mort? lui dit le saint Prophète.
— Non, répondit-il; mais, quand tu m'as réveillé, j'ai
cru que le jour du Jugement était venu, et j'ai eu une si
grande frayeur que mes cheveux ont blanchi tout à coup. »

1. Le mois lunaire de Chahban est le huitième de l'année musul-
mane. D'après le système artificiel de Montesquieu, ce serait octobre,
qui n'est pas le mois le plus chaud.

2. L'image, malgré sa couleur orientale, n'est pas très cohérente;
elle vient encore de l'*Éloge de Hali* déjà cité (Chardin, *op. cit.*, t. I,
p. 210) : « C'est une petite louange pour ton ineffable pouvoir que de
t'appeler le *zénith* de la puissance, vu que le zénith n'est pas davantage
que le *nadir* du pouvoir de ton portier. »

3. « Ce mot est plus en usage chez les Turcs que chez les Persans. »
(Note de Montesquieu.) Ce sont en Turquie les desservants des mos-
quées.

« Or çà, raconte-moi, lui dit l'Envoyé de Dieu, toute l'histoire de l'arche de Noé. » Japhet obéit et détailla exactement tout ce qui s'était passé les premiers mois. Après quoi il parla ainsi[a] :

« Nous mîmes les ordures de tous les animaux dans un côté de l'Arche ; ce qui la fit si fort pencher, que nous en eûmes une peur mortelle : surtout nos femmes, qui se lamentaient de la belle manière. Notre père Noé ayant été au conseil de Dieu, il lui commanda de prendre l'éléphant et de lui faire tourner la tête vers le côté qui penchait. Ce grand animal fit tant d'ordures qu'il en naquit un cochon. »

Croyez-vous, Usbek, que, depuis ce temps-là, nous nous en soyons abstenus, et que nous l'ayons regardé comme un animal immonde ?

Mais, comme le cochon remuait tous les jours ces ordures, il s'éleva une telle puanteur dans l'Arche, qu'il ne put lui-même s'empêcher d'éternuer, et il sortit de son nez un rat, qui allait rongeant tout ce qui se trouvait devant lui : ce qui devint si insupportable à Noé, qu'il crut qu'il était à propos de consulter Dieu encore. Il lui ordonna de donner au lion un grand coup sur le front, qui éternua aussi et fit sortir de son nez un chat. Croyez-vous que ces animaux soient encore immondes ? Que vous en semble ?

Quand donc vous n'apercevez pas la raison de l'impureté de certaines choses, c'est que vous en ignorez beaucoup d'autres, et que vous n'avez pas la connaissance de ce qui s'est passé entre Dieu, les Anges et les Hommes. Vous ne savez pas l'histoire de l'éternité. Vous n'avez point lu les livres qui sont écrits au Ciel : ce qui vous en a été révélé n'est qu'une petite partie de la bibliothèque divine ; et ceux qui, comme nous, en approchent de plus près tandis qu'ils sont en cette vie, sont encore dans l'obscurité et les ténèbres [1].

Adieu ; Mahomet soit dans votre cœur.

De[b] *Com, le dernier de la lune de Chahban,* 1711.

1. « Tradition mahométane. » *(Note de Montesquieu.)* Barckhausen en a retrouvé une version dans le *Voyage d'Olearius en Moscovie, Tar-*

tarie et Perse, traduit par A. de Wicquefort (Paris, 1659, t. I, p. 548 sq). Olearius ne figure pas au catalogue de la Brède, mais le président Barbot possédait l'édition de 1666 (Paris, Dupuis, I, p. 549) et il n'est pas exclu que Montesquieu l'ait eue en main (cf. *Lettre LI*). L'auteur de « ce conte ridicule et sale » serait pour Olearius « un paraphraste persan de l'Alcoran ». Mais au lieu d'un dialogue entre Mahomet et le Juif Abdias Ibesalon, il s'agit seulement de Jésus interrogé sur Noé et les Apôtres. D'où l'exigence d'une source commune. Cette source est indiscutablement un gros recueil d'Hermannus Dalmata : *Machumetis Saracenorum principis doctrina* (s. l., 1550, in-folio) que nous avons retrouvé à Bordeaux (Bibliothèque municipale, D. 10604). Un docteur juif, Abdia Iben Salon, demande à Mahomet l'origine de l'interdit porté « sur la chair du pourceau » et le Prophète répond : « Placet, dum studiosus ades. Nam Jesus Christus, dum rogaretur a discipulis ut modum arcae Noe, habitumque superstitis in ea generis humani exponeret, tacitus rogantes audiens, formulam ex luto inter manus suas confectam jecit humi. Et surrexit homo canus. Cui Christus : *Tu quis es*, respondit : *Ego Jafeth filius Noe*. Cui Jesus : *Itane canus mortuus es ?* Respondit : *Nequaquam, sed in hac ipsa hora, putans me ad diem judicii surgere, metu canus effectus sum*. Praecepit ergo Jesus ut omnem historiam arcae discipulis rogantibus exponeret. Tunc ille rem omnem a primordio narrans, ordine pervenit ad locum, ubi cum secessus, inquit, pondere egestionis arcam inclinaret, timuimus valde. Consuluit itaque pater Deum. Cui Deus : *Adduc, inquit, elephantem et verte posteriora ejus super locum*. Et fecit. Ubi ergo elephas fimum suum hominum egestioni injecit, surrexit sus grandis. *Satisne videtur ergo causae, Abdia, vitandi animal immundum ?* Ait, *certe satis*. Dum prosequaris, quid profecerit hac necessitate editus? Respondit : Quem cum omnem massam illam rostro fossorio dispergeret, conceptum insuetis naribus foetorem efflans, murem edidit. Qui deinde cum tabulas indesinenter roderet, consulto pater Domino, leonem in fronte percutit. Leo concitus flatu anhelo cattum naribus ejecit. Hic Judaeus : *Bene*, inquit, *omnia*. » (*Op. cit.*, p. 197.)

La traduction de Montesquieu adoucit le texte, introduit quelques contresens, ajoute la lamentation des femmes et exclut de l'histoire Jésus et ses disciples. Mais l'ensemble est plus exact qu'Olearius et surtout, le personnage d'Abdias est conservé : *Montesquieu a suivi Hermannus Dalmata et non Olearius*. Abdias Iben Salon est connu dans les traditions musulmanes sous le nom d'*Abd Allah ben Salam :* juif de Médine converti par Mahomet, il servit fidèlement Omar et Othman et mourut en 43 de l'Hégire (663-664). Les questions qu'il aurait posées au Prophète avant de se convertir devinrent des livres entiers : colportées par Anas ben Malik (mort en 711), ces légendes atteignirent l'Europe avec la traduction latine d'Hermannus Dalmata. M. Henri Busson, poursuivant des recherches parallèles aux nôtres, est arrivé à des conclusions plus précises encore (in *Revue historique de Bordeaux*, oct.-déc. 1958, p. 257 sq) : Montesquieu a utilisé très probablement une traduction italienne d'Hermannus Dalmata, *l'Alcorano di Mahometo*, due à Andrea Arrivabene (1547), qui se trouvait à la Brède (cf. Desgraves, *op. cit.*, p. 45, n° 584).

LETTRE XIX

USBEK A SON AMI RUSTAN A ISPAHAN

Nous n'avons séjourné que huit jours à Tocat; après trente-cinq jours de marche, nous sommes arrivés à Smyrne [1].

De Tocat à Smyrne, on ne trouve pas une seule ville qui mérite qu'on la nomme [2]. J'ai vu avec étonnement la faiblesse de l'empire des Osmanlins. Ce corps malade ne se soutient pas par un régime doux et tempéré, mais par des remèdes violents, qui l'épuisent et le minent sans cesse [3].

Les bachas, qui n'obtiennent leurs emplois qu'à force d'argent, entrent ruinés dans les provinces et les ravagent comme des pays de conquête [4]. Une milice insolente n'est

1. Cette lettre, datée du 9 novembre 1711, ne donne aucune indication sur la durée du trajet d'Erzeron à Tocat, centre de caravane de Cappadoce. Comme l'a remarqué A. Adam (*op. cit.*, p. 55), Tavernier ne fournissait pas explicitement le renseignement. Mais le voyageur indiquait « à peu près trente-cinq journées de caravane » de Tocat à Smyrne (*op. cit.*, I, p. 95). Si, d'après les sites d'étapes, nous comptons dix jours d'Erzeron à Tocat et huit jours d'arrêt dans cette dernière ville, le voyage d'Usbek a demandé cinquante-trois jours : le départ d'Erzeron est donc antérieur au 18 septembre.

2. Tavernier (*op. cit.*, I, p. 10) a longuement décrit les délices de Tocat, siège d'une forte garnison turque, mais ne cite que des villages sur la piste de Tocat à Smyrne (*ibid.*, p. 95-103).

3. Tous les voyageurs s'accordent pour affirmer la décadence de l'empire turc depuis Thévenot (1665), Michel Febvre (1675), Pétis de la Croix (1695) jusqu'à Paul Lucas. Excluons Paul Lucas dont Montesquieu ne possède à la Brède que l'édition de 1728 (Desgraves, *op. cit.*, n⁰ 2749). Il semble que la source principale soit à chercher dans la *Relation d'un voyage au Levant* de Pitton de Tournefort (Lyon, Anisson, 1718, la Brède, *op. cit.*, n⁰ 2764) et plus précisément la *Lettre XIII à Pontchartrain sur le gouvernement et la politique des Turcs* (t. II, p. 267 sq). Mais le botaniste se borne souvent à démarquer Ricaut : « Les Turcs croient qu'il est de leur politique de ruiner une partie de leur empire » (I, chap. xv, p. 171). « Toutes choses y sont en désordre, ce qui est à mon avis une marque évidente de la décadence de l'empire ottoman » (*Ibid.*, I, chap. xvii, p. 193).

4. Cf. Ricaut, *op. cit.* (III, chap. i, p. 404) : « Les villages y sont abandonnés et des provinces aussi agréables et fertiles que Tempé ou la Thessalie sont désertes et sans être cultivées. Ces désolations

soumise qu'à ses caprices. Les places sont démantelées ;
les villes, désertes ; les campagnes, désolées, la culture des
terres et le commerce, entièrement abandonnés.

L'impunité règne dans ce gouvernement sévère : les
Chrétiens qui cultivent les terres, les Juifs qui lèvent les
tributs, sont exposés à mille violences.

La propriété des terres est incertaine, et, par consé-
quent, l'ardeur de les faire valoir, ralentie : il n'y a ni
titre ni possession qui vaille contre le caprice de ceux qui
gouvernent.

Ces barbares ont tellement abandonné les arts [1], qu'ils
ont négligé jusques à l'art militaire. Pendant que les
nations d'Europe se raffinent tous les jours, ils restent dans
leur ancienne ignorance, et ils ne s'avisent de prendre leurs
nouvelles inventions qu'après qu'elles s'en sont servies
mille fois contre eux [2][a].

Ils n'ont aucune expérience sur la mer, point d'ha-
bileté [b] dans la manœuvre [3]. On dit qu'une poignée de
Chrétiens sortis d'un rocher [4] font suer les Ottomans [c]
et fatiguent leur empire.

viennent de la tyrannie et de l'avarice insatiable des bachas... qui trai-
tent (les pauvres habitants) comme des ennemis et comme s'ils étaient
en pays conquis. »

1. Mêmes expressions dans Ricaut (I, chap. XVII, p. 196-197) :
« Il est aisé de reconnaître pourquoi les *Arts* sont si fort négligés en
Turquie, pourquoi les Turcs ont si peu de soin de *faire valoir les terres*...
Cela vient de ce qu'ils n'ont point d'héritiers assurés, à qui ils puissent
laisser le fruit de leur travail après leur mort. »

2. *Ibid.* (III, chap. I, p. 402) : « Depuis quelque temps, leurs forces de
terre sont diminuées, celles de mer ont été réduites en un pitoyable
état par le mauvais succès et par l'ignorance des gens de mer »; (p. 407) :
« Plusieurs officiers qui ont fait la guerre contre les Turcs disent
qu'ils font plus de progrès par le grand nombre d'hommes que par
leur courage et par la connaissance de l'art militaire. » Cette idée est
générale en Europe depuis les combats du Raab (juillet-août 1664)
à proximité de Vienne.

3. Accord de Thévenot (*Relation*, 1665, p. 139), Ricaut (III, chap.
XII, *Des forces des Turcs par mer*) et Tournefort (II, p. 49). Mais Ricaut
est le plus net : « Les Turcs ont été battus sur la mer par la petite répu-
blique de Venise, pour n'avoir pas eu des gens qui sussent bien com-
mander leurs flottes » (*op. cit.*, p. 491).

4. « Ce sont apparemment les chevaliers de Malte. » (*Note de Montes-
quieu.*) Cf. Marana (I, p. 323, *Lettre 75 au Bassa de la mer*) : « L'isle

Incapables de faire le commerce, ils souffrent presque
avec peine que les Européens, toujours laborieux et
entreprenants, viennent le faire : ils croient faire grâce
à ces étrangers de permettre *a* qu'ils les enrichissent.

Dans toute cette vaste étendue de pays que j'ai tra-
versée *b*, je n'ai trouvé que Smyrne qu'on puisse regarder
comme une ville riche et puissante. Ce sont les Européens
qui la rendent telle, et il ne tient pas aux Turcs qu'elle ne
ressemble à toutes les autres.

Voilà, cher Rustan, une juste idée de cet empire, qui,
avant deux siècles, sera le théâtre des triomphes de quel-
que conquérant.

*De *c* Smyrne, le 2 de la lune de Rhamazan, 1711.*

LETTRE XX

USBEK A ZACHI, SA FEMME, AU SÉRAIL D'ISPAHAN

Vous m'avez offensé, Zachi, et je sens dans mon cœur
des mouvements que vous devriez craindre, si mon
éloignement ne vous laissait le temps de changer de con-
duite et d'apaiser la violente jalousie dont je suis tourmenté.

J'apprends qu'on vous a trouvée seule avec Nadir,
eunuque blanc, qui payera de sa tête son infidélité et sa
perfidie. Comment vous êtes-vous oubliée jusqu'à ne pas
sentir qu'il ne vous est pas permis de recevoir dans votre
chambre un eunuque blanc, tandis que vous en avez de
noirs destinés à vous servir [2] ? Vous avez beau me dire

de Malte n'est qu'un atome de terre... Il n'en est pas de même des che-
valiers qui en sont les maîtres ; ils ne sont que cent en nombre, mais
nous les voyons et sentons souvent... Quoiqu'ils n'ayent que peu de
vaisseaux, ils font trembler les flottes des Ottomans. »

1. Datée du 12 janvier 1712. M. A. Adam fait justement remarquer
que si les éditions de 1721 portent 1711, c'est que Montesquieu savait
que l'année musulmane commençait au 1er mars. Ce n'est que dans
les éditions *C* qu'il rationalise son système.

2. Toute cette science du harem vient de Chardin (*op. cit.*, II, 275) :
« Les eunuques sont de deux espèces, les blancs et les noirs ; les blancs

« ... je n'ai trouvé que Smyrne qu'on puisse regarder comme une ville riche et puissante. » (Lettre XIX, p. 48.)
D'après Gueudeville, *Atlas historique* (Amsterdam, 1721, t. V.)

que des eunuques ne sont pas des hommes, et que votre
vertu vous met au-dessus des pensées que pourrait faire
naître en vous une ressemblance imparfaite. Cela ne suffit ni
pour vous ni pour moi : pour vous, parce que vous faites
une chose que les lois du sérail vous défendent; pour moi,
en ce que*a* vous m'ôtez l'honneur, en vous exposant à des
regards... Que dis-je, à des regards? Peut-être aux entre-
prises d'un perfide qui vous aura souillée par ses crimes,
et plus encore par ses regrets et le désespoir de son impuis-
sance.

Vous me direz peut-être que vous m'avez été tou-
jours fidèle. Eh! pouviez-vous ne l'être pas? Comment
auriez-vous trompé la vigilance des eunuques noirs*b*
qui sont si surpris de la vie que vous menez? Comment
auriez-vous pu briser ces verrous et ces portes qui vous
tiennent enfermée? Vous vous vantez d'une vertu qui n'est
pas libre, et peut-être que vos désirs impurs vous ont ôté
mille fois le mérite et le prix de cette fidélité que vous van-
tez tant.

Je veux que vous n'ayez point fait tout ce que j'ai
lieu de soupçonner; que ce perfide n'ait point porté
sur vous ses mains sacrilèges; que vous ayez refusé de
prodiguer à sa vue les délices de son maître; que, couverte
de vos habits, vous ayez laissé cette faible barrière entre lui
et vous; que, frappé lui-même d'un saint respect, il ait
baissé les yeux; que, manquant à sa hardiesse, il ait trem-
blé sur les châtiments qu'il se prépare. Quand tout cela
serait vrai, il ne l'est pas moins que vous avez fait une chose
qui est contre votre devoir. Et, si vous l'avez violé gra-
tuitement, sans remplir vos inclinations déréglées, qu'eus-

ne vont jamais parmi les femmes ou du moins fort rarement, au lieu
que les noirs ne sortent jamais du palais»; (II, 279) : « Les eunuques
blancs gardent le dehors sans approcher des femmes... *on est jaloux
d'eux malgré leur impuissance...* » Mais, d'après Chardin (II, 284) :
« Le roi peut seul avoir des eunuques blancs ». Montesquieu peut se
souvenir de Tavernier (*op. cit.*, V, p. 705) : « Il y a deux sortes d'eu-
nuques pour la garde des sultanes et *des femmes des grands seigneurs.*
Les uns sont blancs et ceux-cy n'approchent guère des femmes, mais
sont commis à la garde des premières portes du harem; les autres
sont noirs, affreux de visage et ce sont ces derniers qui gardent l'inté-
rieur du harem. »

siez-vous fait pour les satisfaire? Que feriez-vous encore si
vous pouviez sortir de ce lieu sacré, qui est pour vous une
dure prison, comme il est pour vos compagnes un asile
favorable contre les atteintes du vice, un temple sacré,
où votre sexe perd sa faiblesse et se trouve invincible
malgré tous les désavantages de la nature? Que feriez-
vous, si, laissée à vous-même, vous n'aviez pour vous
défendre que votre amour pour moi, qui est si griève-
ment offensé, et votre devoir que vous avez si indigne-
ment trahi? Que les mœurs du pays où vous vivez sont
saintes, qui vous arrachent aux attentats*a* des plus vils
esclaves! Vous devez me rendre grâce de la gêne où je vous
fais vivre, puisque ce n'est que par là que vous méritez
encore de vivre.

Vous ne pouvez souffrir le chef des eunuques, parce
qu'il a toujours les yeux*b* sur votre conduite, et qu'il vous
donne ses sages conseils. Sa laideur, dites-vous, est si
grande que vous ne pouvez le voir sans peine; comme si,
dans ces sortes de postes, on mettait de plus beaux objets[1].
Ce qui vous afflige est de n'avoir pas à sa place l'eunuque
blanc qui vous déshonore.

Mais que vous a fait votre première esclave? Elle
vous a dit que les familiarités que vous preniez avec
la jeune Zélide étaient contre la bienséance[2]. Voilà la
raison de votre haine.

Je devrais être, Zachi, un juge sévère; je ne suis qu'un
époux qui cherche à vous trouver innocente. L'amour
que j'ai pour Roxane, ma nouvelle épouse, m'a laissé
toute la tendresse que je dois avoir pour vous, qui n'êtes
pas moins belle. Je partage mon amour entre vous deux,

1. Cf. Tavernier (V, 705), Chardin (II, 277) mais aussi Ricaut
(*op. cit.*, I, 96) : « Pour mortifier l'inclination naturelle que les femmes
ont pour les hommes, on en choisit... qui soient si noirs et si laids
qu'ils puissent donner de l'horreur, s'il leur venait dans l'esprit
qu'il leur reste encore quelque chose de l'homme. » Chardin décrit
ainsi le chef des eunuques noirs : « Un vieux esclave, difforme et fan-
tasque, sous la conduite duquel vous pouvez penser à quel point de
jeunes beautés vivent dans le martyre. »

2. Cf. Chardin (II, 280) : « On observe (les femmes) de fort près, de
peur... qu'elles ne deviennent amoureuses les unes des autres. Les
femmes orientales ont toujours passé pour tribades. »

et Roxane n'a d'autre avantage que celui que la vertu peut
ajouter à la beauté.

De [a] Smyrne, le 12 de la lune de Zilcadé, 1711 [b].

LETTRE XXI

USBEK AU PREMIER EUNUQUE BLANC

VOUS devez trembler à l'ouverture de cette lettre,
ou plutôt vous le deviez lorsque vous souffrîtes la
perfidie de Nadir. Vous, qui, dans une vieillesse froide et
languissante, ne pouvez sans crime lever les yeux sur les
redoutables objets de mon amour; vous, à qui il n'est jamais
permis de mettre un pied sacrilège sur la porte du lieu ter-
rible qui les dérobe à tous les regards : vous souffrez que
ceux dont la conduite vous est confiée aient fait ce que
vous n'auriez pas la témérité de faire, et vous n'apercevez
pas la foudre toute prête à tomber sur eux et sur vous?

Et qui êtes-vous, que de vils instruments que je puis
briser à ma fantaisie; qui n'existez qu'autant que vous
savez obéir [c]; qui n'êtes dans le monde que pour vivre
sous mes lois ou pour mourir dès que je l'ordonne [d]; qui ne
respirez qu'autant que mon bonheur, mon amour, ma jalou-
sie même, ont besoin de votre bassesse; et enfin, qui ne
pouvez avoir d'autre partage que la soumission, d'autre
âme que mes volontés, d'autre espérance que ma félicité?

Je sais que quelques-unes de mes femmes souffrent
impatiemment les lois austères du devoir; que la présence
continuelle d'un eunuque noir les ennuie; qu'elles sont
fatiguées de ces objets affreux, qui leur sont donnés pour
les ramener à leur époux; je le sais. Mais vous, qui vous
prêtez à ce désordre, vous serez puni d'une manière à faire
trembler tous ceux qui abusent de ma confiance.

Je jure par tous les prophètes du Ciel, et par Hali, le
plus grand de tous, que, si vous vous écartez de votre
devoir, je regarderai votre vie comme celle des insectes
que je trouve sous mes pieds.

De [e] Smyrne, le 12 de la lune de Zilcadé, 1711 [f].

LETTRE XXII [1a]

JARON AU PREMIER EUNUQUE[b]

À mesure qu'Usbek s'éloigne du sérail, il tourne sa tête vers ses femmes sacrées; il soupire, il verse des larmes; sa douleur s'aigrit, ses soupçons se fortifient. Il veut augmenter le nombre de leurs[c] gardiens. Il va me renvoyer avec tous les noirs qui l'accompagnent. Il ne craint plus pour lui : il craint pour ce qui lui est mille fois plus cher que lui-même.

Je vais donc vivre sous tes lois et partager tes soins. Grand Dieu[d]! qu'il faut de choses pour rendre un seul homme heureux!

La Nature semblait avoir mis les femmes dans la dépendance et les en avoir retirées. Le désordre naissait entre les deux sexes, parce que leurs droits étaient réciproques. Nous sommes entrés dans le plan d'une nouvelle harmonie : nous avons mis entre les femmes et nous la haine, et entre les hommes et les femmes l'amour.

Mon front va devenir sévère. Je laisserai tomber des regards sombres. La joie fuira de mes lèvres. Le dehors sera tranquille, et l'esprit, inquiet. Je n'attendrai point les rides de la vieillesse pour en montrer les chagrins.

J'aurais eu du plaisir à suivre mon maître dans l'Occident; mais ma volonté est son bien. Il veut que je garde ses femmes; je les garderai avec fidélité. Je sais comment je dois me conduire avec ce sexe, qui, quand on ne lui permet pas d'être vain, commence à devenir superbe, et qu'il est moins aisé d'humilier que d'anéantir.

Je tombe sous tes regards.

De Smyrne, le 12 de la lune de Zilcadé, 1711 [2].

1. Les *Lettres* XX, XXI, XXII, datées du 12 janvier 1712, partent par le même courrier.

2. Montesquieu n'a pas corrigé le millésime des trois lettres, puisque l'année devait commencer au 1er mars-Maharram. Le système se révélant obscur, le millésime occidental est adopté dans l'édition *C* de 1754. La lettre XXII, apparue pour la première fois dans le *Supplé-*

LETTRE XXIII

USBEK A SON AMI IBBEN, A SMYRNE

Nous sommes arrivés à Livourne dans quarante jours de navigation. C'est une ville nouvelle; elle est un témoignage du génie des ducs de Toscane, qui ont fait d'un village marécageux la ville d'Italie la plus florissante [1].

Les femmes y jouissent d'une grande liberté. Elles peuvent voir les hommes à travers certaines fenêtres qu'on nomme *jalousies;* elles peuvent sortir tous les jours avec quelques vieilles [a] qui les accompagnent; elles n'ont qu'un voile [2]. Leurs beaux-frères, leurs oncles, leurs neveux peuvent les voir sans que le mari s'en formalise presque jamais [b].

C'est un grand spectacle pour un Mahométan de voir pour la première fois une ville chrétienne. Je ne parle pas des choses qui frappent d'abord tous les yeux, comme la différence des édifices, des habits, des principales coutumes. Il y a jusque dans les moindres bagatelles, quelque chose de singulier que je sens, et que je ne sais pas dire.

Nous partirons demain pour Marseille; notre séjour n'y sera pas long. Le dessein de Rica et le mien est de nous rendre incessamment à Paris, qui est le siège de l'empire

ment de *C*, utilise, dans son quatrième paragraphe, le brouillon d'une *Lettre du grand eunuque à Janum* retrouvé par Barckhausen dans les papiers de la Brède.

1. Lettre datée du 12 avril 1712. Nous ne savons depuis quand nos Persans résident à Livourne, le nouveau port toscan fondé par les ducs François et Ferdinand de Médicis. Tavernier avait fait le voyage inverse en 1664 (*op. cit.*, t. III, p. 288) : parti de « Ligourne » le 26 mars, il arrivait à Smyrne le 25 avril, ce qui faisait trente et un jours de traversée. Chardin, en plein hiver, mit trois mois (*op. cit.*, t. I, p. 2), du 10 novembre 1671 au 7 février 1672. Quarante jours représentent une durée moyenne.

2. « Les Persans en ont quatre. » *(Note de Montesquieu.)* Cf. Chardin (*op. cit.*, t. II, p. 52) : « Les femmes portent quatre voiles en tout : deux qu'elles mettent dans le logis et deux qu'elles mettent de plus quand elles sortent. »

d'Europe. Les voyageurs cherchent toujours les grandes
villes, qui sont une espèce de patrie commune à tous les
étrangers.

Adieu; sois persuadé que je t'aimerai toujours.

De ª Livourne, le 12 de la lune de Saphar, 1712.

LETTRE XXIV

RICA A IBBEN, A SMYRNE

NOUS sommes à Paris depuis un mois, et nous avons
toujours été dans un mouvement continuel. Il
faut bien des affaires avant qu'on soit logé, qu'on ait
trouvé les gens à qui on est adressé, et qu'on se soit pourvu
des choses nécessaires, qui manquent toutes à la fois.

Paris est aussi grand qu'Ispahan [1]. Les maisons y sont
si hautes qu'on jugerait qu'elles ne sont habitées que par
des astrologues. Tu juges bien qu'une ville bâtie en l'air,
qui a six ou sept maisons les unes sur les autres, est extrê-
mement peuplée [2], et que, quand tout le monde est des-
cendu dans la rue, il s'y fait un bel embarras [3].

1. Même étonnement et mêmes comparaisons naïves dans une série
de lettres de *l'Espion turc* (*op. cit.*, t. I, lettres 5 à 11 : *De sa manière
de vivre et de la ville de Paris*). Sur la grandeur comparée des capitales,
cf. *ibid.* (t. I, lettre 9, p. 31) : « Tout ce que je pourrais te dire de l'éten-
due de Paris n'approcherait pas ce que tu en sais déjà. Cette ville me
paraît grande et peuplée, mais Constantinople l'est plus encore. »

2. Mêmes détails dans *l'Espion turc* (t. V, p. 187, lettre 43) : « On
peut appeler Paris un entassement de villes les unes sur les autres;
puisque les maisons y sont divisées comme l'air en appartements
hauts, moyens et bas, et pour mieux dire, comme les cieux que les
astronomes font monter à neuf. » Mais avant Marana, Bernier compa-
rait aussi Paris et Delhi, capitale du Grand Mogol : « Quand je considère
ces trois ou quatre Paris qui sont l'un sur l'autre..., cet incroyable
embarras d'hommes et de femmes, de gens de pied et de cheval, de
charrettes, de chaises et de carrosses, cette ville-là me semble une
pépinière du monde et j'ai de la peine à croire qu'il y en ait autant dans
Delhi » (*Voyages*, Amsterdam, Marret, 1709, t. II, p. 70. La Brède,
op. cit., nº 2735).

3. Cf. *l'Espion turc* (t. I, p. 21, lettre 6) : « Je suis dans cette ville
comme un homme perdu dans la confusion... C'est un bruit et un tin-

Tu ne le croirais pas peut-être : depuis un mois que je suis ici, je n'y ai encore vu marcher personne. Il n'y a point de gens au monde qui tirent mieux parti de leur machine que les Français : ils courent; ils volent [1]. Les voitures lentes d'Asie, le pas réglé de nos chameaux, les feraient tomber en syncope. Pour moi, qui ne suis point fait à ce train, et qui vais souvent à pied sans changer d'allure, j'enrage quelquefois comme un Chrétien : car encore passe qu'on m'éclabousse depuis les pieds jusqu'à la tête; mais je ne puis pardonner les coups de coude que je reçois régulièrement et périodiquement [2]. Un homme qui vient après moi, et qui me passe, me fait faire un demi-tour, et un autre, qui me croise de l'autre côté, me remet soudain[a] où le premier m'avait pris; et je n'ai pas fait cent pas, que je suis plus brisé que si j'avais fait dix lieues.

Ne crois pas que je puisse, quant à présent, te parler à fond des mœurs et des coutumes européennes : je n'en ai moi-même qu'une légère idée, et je n'ai eu à peine que le temps de m'étonner.

Le roi de France est le plus puissant prince de l'Europe. Il n'a point de mines d'or comme le roi d'Espagne, son voisin; mais il a plus de richesses que lui, parce qu'il les tire de la vanité de ses sujets, plus inépuisable que les mines. On lui a vu entreprendre ou soutenir de grandes guerres, n'ayant d'autres fonds que des titres d'honneur

tamarre continuel » et *Lettre d'un Sicilien* de Cotolendi (in *Saint-Évremoniana*, 1710, p. 336) : « Cette grande ville est le siège du tumulte. »

1. Cf. *l'Espion turc* (t. I, p. 37, lettre 2) : « S'ils vont à pied, ils courent; s'ils vont à cheval, ils volent... » et Dufresny, *Amusements sérieux et comiques* (Bossard, 1921, p. 71) dont le Siamois s'épouvante devant les embarras de la rue Saint-Honoré : « Il voit une infinité de machines que des hommes font mouvoir; les uns sont dessus, les autres dedans, les autres derrière; ceux-ci portent, ceux-là sont portés. L'un tire, l'autre pousse; l'un frappe, l'autre crie; celui-ci s'enfuit, l'autre court après. Je demande à mon Siamois ce qu'il pense de ce spectacle : j'admire et je tremble, me répond-il; j'admire que, dans un espace si étroit, tant de machines et tant d'animaux soient aussi agités sans se confondre; se démêler d'un tel embarras, c'est un chef-d'œuvre de l'adresse des Français... »

2. Cf. Boileau, *Satire VI* sur *les Embarras de Paris* :
« L'un me heurte d'un ais dont je suis tout froissé;
Je vois d'un autre coup mon chapeau renversé. »

à vendre [1], et, par un prodige de l'orgueil humain, ses troupes se trouvaient payées, ses places, munies, et ses flottes, équipées.

D'ailleurs ce roi est un grand magicien : il exerce son empire sur l'esprit même de ses sujets ; il les fait penser comme il veut. S'il n'a qu'un million d'écus dans son trésor, et qu'il en ait besoin de deux, il n'a qu'à leur persuader qu'un écu en vaut deux, et ils le croient. S'il a une guerre difficile à soutenir, et qu'il n'ait point d'argent, il n'a qu'à leur mettre dans la tête qu'un morceau de papier est de l'argent, et ils en sont aussitôt convaincus. Il va même jusqu'à leur faire croire qu'il les guérit de toutes sortes de maux en les touchant, tant est grande la force et la puissance qu'il a sur les esprits [2].

Ce que je te dis de ce prince ne doit pas t'étonner : il y a un autre magicien, plus fort que lui, qui n'est pas moins maître de son esprit qu'il l'est lui-même de celui des autres. Ce magicien s'appelle le Pape. Tantôt il lui fait croire que trois ne sont qu'un [a], que le pain qu'on mange n'est pas du pain, ou que le vin qu'on boit n'est pas du vin, et mille autres choses de cette espèce [3].

Et pour le tenir toujours en haleine et ne point lui laisser perdre l'habitude de croire, il lui donne de temps en temps, pour l'exercer, de certains articles de croyance. Il y a deux ans qu'il lui envoya un grand écrit, qu'il appela Constitution [4], et voulut obliger, sous de grandes peines,

1. Allusion à la vente d'offices royaux, expédient fréquent des ministres de Louis XIV ; cf. Marana (op. cit., t. V, p. 32) : « J'admire souvent les trésors de ce monarque qui paraissent inépuisables. Mais les voies des rois sont secrètes et celui de France est singulier dans les moyens mystérieux dont il se sert pour s'enrichir. »

2. Cf. Marana (op. cit., t. V, p. 30-32, lettre 5 : Du pouvoir qu'ont les rois de France de guérir les écrouelles) : « Tout le prodige selon moi consiste dans la force de l'imagination qui, comme tu sais, guérit à demi grand nombre de maladies... Le sang des rois de France a peut-être quelque teinture magique. »

3. Ibid. (t. I, p. 41, lettre 12) : « Ils mangent d'un certain pain... où ils s'imaginent que leur Messie est réellement présent... As-tu jamais vu rien de si fou ? » L'allusion à la Trinité sera supprimée dans l'édition B.

4. Barckhausen fait remarquer que la bulle Unigenitus fut promulguée le 8 septembre 1713. Notre lettre, datée du 4 juin 1712, la recule jus-

ce prince et ses sujets de croire tout ce qui y était contenu. Il réussit à l'égard du prince, qui se soumit aussitôt et donna l'exemple à ses sujets. Mais quelques-uns d'entre eux se révoltèrent et dirent qu'ils ne voulaient rien croire de tout ce qui était dans cet écrit. Ce sont les femmes qui ont été les motrices de toute cette révolte [a], qui divise toute la Cour, tout le royaume et toutes les familles. Cette Constitution [b] leur défend de lire un livre que tous les Chrétiens disent avoir été apporté du Ciel [1] : c'est proprement leur Alcoran. Les femmes, indignées de l'outrage fait à leur sexe, soulèvent tout contre la Constitution [c] : elles ont mis les hommes de leur parti, qui, dans cette occasion, ne veulent point avoir de privilège. On doit [d] pourtant avouer que ce moufti ne raisonne pas mal, et, par le grand Hali, il faut qu'il ait été instruit des principes de notre sainte loi. Car, puisque les femmes sont d'une création inférieure à la nôtre, et que nos prophètes nous disent qu'elles n'entreront point dans le Paradis [2], pourquoi faut-il qu'elles se mêlent de lire un livre qui n'est fait que pour apprendre le chemin du Paradis ?

J'ai ouï raconter du roi des choses qui tiennent du prodige, et je ne doute pas que tu ne balances à les croire.

On dit que, pendant qu'il faisait la guerre à ses voisins, qui s'étaient tous ligués contre lui, il avait dans son royaume un nombre innombrable d'ennemis invisibles qui l'entouraient. On ajoute qu'il les a cherchés pendant plus de trente ans, et que, malgré les soins infatigables de certains dervis qui ont sa confiance, il n'en a pu trouver un seul. Il vivent avec lui : ils sont à sa cour, dans sa capitale,

qu'en 1710. Anachronisme ou remaniement chronologique des lettres ?

1. A. Adam rappelle l'article 83 de la bulle qui condamne Quesnel sur le point suivant : « Est illusio sibi persuadere quod notitia mysteriorum religionis non debeat communicari feminis lectione sacrorum librorum. » Il y a eu, comme le distingue fort bien Montesquieu, une poussée féministe à l'intérieur du mouvement janséniste au XVIIIᵉ siècle.

2. Cf. Chardin (*op. cit.*, t. II, p. 328) : « On dit communément que les Mahométans excluent les femmes du Paradis. Il est vrai qu'ils les en excluent, mais c'est seulement en ce sens qu'elles ne doivent pas être en même lieu avec les hommes. »

dans ses troupes, dans ses tribunaux; et cependant on dit
qu'il aura le chagrin de mourir sans les avoir trouvés. On
dirait qu'ils existent en général, et qu'ils ne sont plus rien
en particulier: c'est un corps, mais point de membres.
Sans doute que le Ciel veut punir ce prince de n'avoir
pas été assez modéré envers les ennemis qu'il a vaincus,
puisqu'il lui en donne d'invisibles, et dont le génie et le
destin sont au-dessus du sien [1].

Je continuerai à t'écrire, et je t'apprendrai des choses
bien éloignées du caractère et du génie persan[a]. C'est
bien la même Terre qui nous porte tous deux; mais les
hommes du pays où je vis, et ceux du pays où tu es, sont
des hommes bien différents.

De Paris, le 4 de la lune de Rebiab 2, 1712.

LETTRE XXV[b]

USBEK A IBBEN, A SMYRNE

J'AI reçu une lettre de ton neveu Rhedi: il me mande
qu'il quitte Smyrne dans le dessein de voir l'Italie;
que l'unique but de son voyage est de s'instruire et de se
rendre par là plus digne de toi. Je te félicite d'avoir un
neveu qui sera quelque jour la consolation de ta vieillesse.

Rica t'écrit une longue lettre; il m'a dit qu'il te par-
lait beaucoup de ce pays-ci. La vivacité de son esprit
fait qu'il saisit tout avec promptitude. Pour moi, qui
pense plus lentement, je ne suis[c] en état de te rien dire.

Tu es le sujet de nos conversations les plus tendres:
nous ne pouvons assez parler du bon accueil que tu nous
as fait à Smyrne, et des services que ton amitié nous rend
tous les jours.

Puisses-tu, généreux Ibben, trouver partout des amis
aussi reconnaissants et aussi fidèles que nous! Puissé-je
te revoir bientôt et retrouver avec toi ces jours heureux
qui coulent si doucement entre deux amis! Adieu.

De[d] Paris, le 4 de la lune de Rebiab 2, 1712.

1. Les dervis de confiance sont les Jésuites et les ennemis invisibles
les Jansénistes.

LETTRE XXVI

USBEK A ROXANE AU SÉRAIL D'ISPAHAN

Que vous êtes heureuse, Roxane, d'être dans le doux pays de Perse, et non pas dans ces climats empoisonnés où l'on ne connaît ni la pudeur ni la vertu! Que vous êtes heureuse! Vous vivez dans mon sérail comme dans le séjour de l'innocence, inaccessible aux attentats de tous les humains; vous vous trouvez avec joie dans une heureuse impuissance de faillir: jamais homme ne vous a souillée de ses regards lascifs; votre beau-père même, dans la liberté des festins, n'a jamais vu votre belle bouche: vous n'avez jamais manqué de vous attacher un bandeau sacré pour la couvrir. Heureuse Roxane! Quand vous avez été à la campagne, vous avez toujours eu des eunuques qui ont marché devant vous pour donner la mort à tous les téméraires qui n'ont pas fui à votre vue. Moi-même, à qui le Ciel vous a donnée pour faire mon bonheur, quelle peine n'ai-je pas eue pour me rendre maître de ce trésor que vous défendiez avec tant de constance! Quel chagrin pour moi, dans les premiers jours de notre mariage, de ne pas vous voir! Et quelle impatience quand je vous eus vue! Vous ne la satisfaisiez pourtant pas; vous l'irritiez, au contraire, par les refus obstinés d'une pudeur alarmée: vous me confondiez avec tous ces hommes à qui vous vous cachez sans cesse. Vous souvient-il de ce jour où je vous perdis parmi vos esclaves qui me trahirent et vous dérobèrent à mes recherches? Vous souvient-il de cet autre où, voyant vos larmes impuissantes, vous employâtes l'autorité de votre mère pour arrêter les fureurs de mon amour? Vous souvient-il, lorsque toutes les ressources vous manquèrent, de celles que vous trouvâtes dans votre courage? Vous prîtes un poignard[a] et menaçâtes d'immoler un époux qui vous aimait, s'il continuait à exiger de vous ce que vous chérissiez plus que votre époux même. Deux mois se passèrent dans ce combat de l'Amour et de la Vertu. Vous poussâtes trop loin vos chastes scrupules: vous ne vous

rendîtes pas même après avoir été vaincue; vous défendîtes
jusques à la dernière extrémité une virginité mourante;
vous me regardâtes comme un ennemi qui vous avait fait
un outrage, non pas comme un époux qui vous avait
aimée; vous fûtes plus de trois mois que vous n'osiez me
regarder sans rougir : votre air confus semblait me repro-
cher l'avantage que j'avais pris. Je n'avais pas même une
possession tranquille : vous me dérobiez tout ce que vous
pouviez de ces charmes et de ces grâces, et j'étais enivré des
plus grandes faveurs sans[a] avoir obtenu les moindres [1].

Si vous aviez été élevée dans ce pays-ci, vous n'au-
riez pas été si troublée; les femmes y ont perdu toute
retenue; elles se présentent devant les hommes à visage
découvert, comme si elles voulaient demander leur défaite;
elles les cherchent de leurs regards[b]; elles les voient dans
les mosquées, les promenades, chez elles-mêmes; l'usage
de se faire servir par des eunuques leur est inconnu. Au
lieu de cette noble simplicité et de[c] cette aimable pudeur
qui règne parmi vous, on voit une impudence brutale,
à laquelle il est impossible de s'accoutumer.

Oui, Roxane, si vous étiez ici, vous vous sentiriez
outragée dans l'affreuse ignominie où votre sexe est
descendu[d]; vous fuiriez ces abominables lieux, et vous
soupireriez pour cette douce retraite, où vous trouvez
l'innocence, où vous êtes sûre de vous-même, où nul
péril ne vous fait trembler, où enfin vous pouvez m'aimer
sans craindre de perdre jamais l'amour que vous me devez.

Quand vous relevez l'éclat de votre teint par les plus
belles couleurs; quand vous vous parfumez tout le corps
des essences les plus précieuses; quand vous vous parez

1. Comme l'a bien vu Élie Carcassonne, cette scène est inspirée de
Chardin (t. I, p. 168) : « Un homme ne voit sa femme que quand il a
consommé le mariage et souvent il ne le consomme que plusieurs jours
après que son épouse est chez lui, la belle fuyant et se cachant parmi
les femmes ou ne voulant pas laisser approcher le mari. Ces façons
arrivent souvent entre les personnes de qualité, parce qu'à leur avis cela
sent la débauchée de donner sitôt la dernière faveur. Les filles de sang
royal en usent particulièrement de la façon; il faut des mois pour les
réduire et pour leur mettre en tête que leur mari est digne de les
toucher. » Chardin raconte, pour illustrer ses dires, l'aventure d'un
général persan marié à la fille du shah Abbas le Grand.

de vos plus beaux habits; quand vous cherchez à vous
distinguer de vos compagnes par les grâces de la danse et
par la douceur de votre chant; que vous combattez gra-
cieusement avec elles de charmes, de douceur et d'enjoue-
ment : je ne puis m'imaginer que vous ayez d'autre objet
que celui de me plaire; et, quand je vous vois rougir
modestement; que vos regards cherchent les miens; que
vous vous insinuez dans mon cœur par des paroles douces et
flatteuses : je ne saurais, Roxane, douter de votre amour.

Mais que puis-je penser des femmes d'Europe? L'art
de composer leur teint, les ornements dont elles se parent,
les soins qu'elles prennent de leur personne[a], le désir
continuel de plaire qui les occupe sont autant de taches
faites à leur vertu et d'outrages à leurs époux.

Ce n'est pas, Roxane, que je pense qu'elles poussent
l'attentat aussi loin qu'une pareille conduite devrait
le faire croire, et qu'elles portent la débauche à cet excès
horrible qui fait frémir, de violer absolument la foi conju-
gale. Il y a bien peu de femmes assez abandonnées pour
aller jusque-là[b] : elles portent toutes dans leur cœur[c] un
certain caractère de vertu qui y est gravé, que la naissance
donne, et que l'éducation affaiblit, mais ne détruit pas.
Elles peuvent bien se relâcher des devoirs extérieurs que la
pudeur exige; mais, quand il s'agit de faire les derniers pas,
la nature se révolte. Aussi, quand nous vous enfermons si
étroitement; que nous vous faisons garder par tant d'es-
claves, que nous gênons si fort vos désirs lorsqu'ils volent
trop loin : ce n'est pas que nous craignions la dernière
infidélité; mais c'est que nous savons[d] que la pureté ne
saurait être trop grande, et que la moindre tache peut la
corrompre.

Je vous plains, Roxane. Votre chasteté, si longtemps
éprouvée, méritait un époux qui ne vous eût jamais quittée,
et qui pût lui-même réprimer les désirs que votre seule
vertu sait soumettre.

De Paris, le 7 de la lune de Rhegeb, 1712.

LETTRE XXVII

USBEK A NESSIR, A ISPAHAN

Nous sommes à présent à Paris, cette superbe rivale de la ville du Soleil [1].

Lorsque je partis de Smyrne, je chargeai mon ami Ibben de te faire tenir une boîte où il y avait quelques présents pour toi; tu recevras cette lettre par la même voie. Quoique éloigné de lui de cinq ou six cents lieues, je lui donne de mes nouvelles, et je reçois des siennes aussi facilement que s'il était à Ispahan, et moi, à Com. J'envoie mes lettres à Marseille, d'où il part continuellement des vaisseaux pour Smyrne; de là, il envoie celles qui sont pour la Perse par les caravanes d'Arméniens qui partent tous les jours pour Ispahan.

Rica jouit d'une santé parfaite : la force de sa constitution, sa jeunesse et sa gaieté naturelle le mettent au-dessus de toutes les épreuves.

Mais, pour moi, je ne me porte pas bien : mon corps et mon esprit sont abattus; je me livre à des réflexions qui deviennent tous les jours plus tristes; ma santé, qui s'affaiblit, me tourne vers ma patrie et me rend ce pays-ci plus étranger.

Mais, cher Nessir, je te conjure, fais en sorte que mes femmes ignorent l'état où je suis : si elles m'aiment, je veux épargner leurs larmes, et, si elles ne m'aiment pas, je ne veux point augmenter leur hardiesse.

Si mes eunuques me croyaient en danger, s'ils pouvaient espérer l'impunité d'une lâche complaisance, ils cesseraient bientôt d'être sourds à la voix flatteuse de ce sexe qui se fait entendre aux rochers et remue les choses inanimées.

Adieu, Nessir; j'ai du plaisir à te donner des marques de ma confiance.

De [a] Paris, le 5 de la lune de Chabban, 1712.

1. « Ispahan. » _(Note de Montesquieu.)_ Le soleil est avec le lion l'emblème de la monarchie persane (cf. Chardin, t. III, p. 107).

LETTRE XXVIII

RICA A ***.

JE vis hier une chose assez singulière, quoiqu'elle se passe tous les jours à Paris.

Tout le peuple s'assemble sur la fin de l'après-dînée et va jouer une espèce de scène que j'ai entendu appeler *comédie*. Le grand mouvement est sur une estrade, qu'on nomme le *théâtre*. Aux deux côtés, on voit, dans de petits réduits qu'on nomme *loges*, des hommes et des femmes qui jouent ensemble des scènes muettes, à peu près comme celles qui sont en usage en notre Perse [1].

Ici[a], c'est une amante affligée qui exprime sa langueur; une autre, plus animée[b], dévore des yeux son amant, qui la regarde de même : toutes les passions sont peintes sur les visages et exprimées avec une éloquence qui, pour être muette, n'en est que plus vive[c]. Là, les actrices [d] ne paraissent qu'à demi-corps et ont ordinairement un manchon, par modestie, pour cacher leurs bras. Il y a en bas une troupe de gens debout [2], qui se moquent de ceux qui sont en haut sur le théâtre, et ces derniers rient à leur tour de ceux qui sont en bas.

Mais ceux qui prennent le plus de peine sont quelques gens[e] qu'on prend pour cet effet dans un âge peu avancé, pour soutenir la fatigue[f]. Ils sont obligés d'être partout : ils passent par des endroits qu'eux seuls connaissent, montent avec une adresse surprenante d'étage en étage; ils sont en haut, en bas, dans toutes les loges; ils plongent, pour ainsi dire; on les perd, ils reparaissent; souvent ils quittent le lieu de la scène et vont jouer dans un autre. On en voit même qui, par un prodige qu'on n'aurait osé espérer de leurs béquilles, marchent et vont comme les

1. Rica observe, à la Comédie-Française, le public des loges plus que la scène elle-même. Chardin avait décrit les « scènes muettes » du théâtre persan (t. I, p. 161, t. II, p. 115) où les actrices miment en dansant toutes les passions de l'amour.

2. Le parterre.

autres. Enfin on se rend à des salles où l'on joue une comédie particulière : on commence par des révérences : on continue par des embrassades. On dit que la connaissance la plus légère met un homme en droit d'en étouffer un autre. Il semble que le lieu inspire de la tendresse. En effet, on dit que les princesses qui y règnent ne sont point cruelles, et, si on excepte deux ou trois heures du[a] jour, où elles sont assez sauvages, on peut dire que le reste du temps elles sont traitables, et que c'est une ivresse qui les quitte aisément.

Tout ce que je te dis ici se passe à peu près de même dans un autre endroit, qu'on nomme l'*Opéra* : toute la différence est qu'on parle à l'un, et que l'on chante à l'autre. Un de mes amis me mena l'autre jour dans la loge où se déshabillait une des principales actrices. Nous fîmes si bien connaissance, que le lendemain je reçus d'elle cette lettre :

MONSIEUR,

Je suis la plus malheureuse fille du monde ; j'ai toujours été la plus vertueuse actrice de l'Opéra. Il y a sept ou huit mois que j'étais dans la loge où vous me vîtes hier. Comme je m'habillais en prêtresse de Diane, un jeune abbé vint m'y trouver, et, sans respect pour mon habit blanc, mon voile et mon bandeau, il me ravit mon innocence. J'ai beau lui exagérer le sacrifice que je lui ai fait ; il se met à rire et me soutient qu'il m'a trouvée très profane. Cependant je suis si grosse que je n'ose plus me présenter sur le théâtre : car je suis, sur le chapitre de l'honneur, d'une délicatesse inconcevable, et je soutiens toujours qu'à une fille bien née il est plus facile de faire perdre la vertu que la modestie. Avec cette délicatesse, vous jugez bien que ce jeune abbé n'eût jamais réussi, s'il ne m'avait promis de se marier avec moi : un motif si légitime me fit passer sur les petites formalités ordinaires et commencer par où j'aurais dû finir. Mais, puisque son infidélité m'a déshonorée, je ne veux plus vivre à l'Opéra, où, entre vous et moi, l'on ne me donne guère de quoi vivre : car, à présent que j'avance en âge, et que je perds du côté des charmes, ma pension, qui est toujours la même, semble diminuer tous les jours. J'ai appris, par un homme de votre suite, que l'on faisait

*un cas infini, dans votre pays, d'une danseuse, et que, si j'étais
à Ispahan, ma fortune serait aussitôt faite* [1]. *Si vous vouliez
m'accorder votre protection et m'emmener*[a] *avec vous dans ce
pays-là, vous auriez l'avantage de faire du bien à une fille qui,
par sa vertu et sa conduite, ne se rendrait pas indigne de vos
bontés. Je suis...*

De [b] *Paris, le 2 de la lune de Chalval,* 1712.

LETTRE XXIX

RICA A IBBEN, A SMYRNE

L E Pape est le Chef des Chrétiens. C'est une vieille
idole qu'on encense par habitude. Il était autrefois
redoutable aux princes même : car il les déposait aussi
facilement que nos magnifiques sultans déposent les rois
d'Irimette et de Géorgie [2]. Mais on ne le craint plus [3].
Il se dit successeur d'un des premiers Chrétiens, qu'on
appelle *saint Pierre*, et c'est certainement une riche succes-
sion : car il a des trésors immenses et un grand pays sous
sa domination.

Les évêques sont des gens de loi qui lui sont subor-
donnés et ont, sous son autorité, deux fonctions bien
différentes : quand ils sont assemblés, ils font, comme lui,
des articles de foi ; quand ils sont en particulier, ils n'ont

1. Chardin (t. I, p. 162) : « Je me souviens que je vis un soir à la
cour deux de ces danseuses qui avaient chacune pour plus de 10.000 écus
de pierreries sur elles. »
2. L'Imirette et la Géorgie étaient deux petits royaumes cauca-
siens, tributaires au xviie siècle de la Couronne de Perse. La principale
ville de l'Imirette était Koutaïs, sur le Phase. Chardin traverse le pays
en décembre 1672 et le décrit avec beaucoup plus de précision qu'Olea-
rius (t. I, p. 81). Rien n'explique la graphie *Irimette*, sauf peut-être
une erreur d'impression.
3. Cf. Marana (t. II, p. 108, lettre 28) : « Il est certain que les Chré-
tiens ont, de l'heure qu'il est, beaucoup diminué de l'obéissance
aveugle qu'ils rendaient autrefois au Pontife romain... Il y eut un
temps que plusieurs rois furent forcés de tenir leurs couronnes à
hommages du Prélat de Rome. »

guère d'autre fonction que de dispenser d'accomplir la Loi. Car tu sauras que la religion chrétienne est chargée d'une infinité de pratiques très difficiles, et, comme on a jugé qu'il est moins aisé de remplir ses devoirs que d'avoir des évêques qui en dispensent, on a pris ce dernier parti pour l'utilité publique. De sorte que si l'on*a* ne veut pas faire le Rhamazan; si on ne veut pas s'assujettir aux formalités des mariages; si on veut rompre ses vœux; si on veut se marier contre les défenses de la Loi; quelquefois même, si on veut revenir contre son serment : on va à l'Evêque ou au Pape, qui donne aussitôt la dispense.

Les évêques ne font pas des articles de foi de leur propre mouvement. Il y a un nombre infini de docteurs, la plupart dervis [1], qui soulèvent entre eux mille questions nouvelles sur la Religion. On les laisse disputer longtemps et la guerre dure jusqu'à ce qu'une décision vienne la terminer.

Aussi puis-je t'assurer qu'il n'y a jamais eu de royaume où il y ait eu tant de guerres civiles que dans celui du Christ.

Ceux qui mettent au jour quelque proposition nouvelle sont d'abord appelés *hérétiques*. Chaque hérésie a son nom, qui est, pour ceux qui y sont engagés, comme le nom de ralliement. Mais n'est hérétique qui ne veut : il n'y a qu'à partager le différend par la moitié et donner une distinction à ceux qui accusent d'hérésie, et, quelle que soit la distinction, intelligible ou non, elle rend un homme blanc comme de la neige, et il peut se faire appeler *orthodoxe*.

Ce que je te dis est bon pour la France et l'Allemagne : car j'ai ouï dire qu'en Espagne et en Portugal*b* il y a de certains dervis qui n'entendent point raillerie, et qui font brûler un homme comme de la paille. Quand on tombe entre les mains de ces gens-là, heureux celui qui a toujours prié Dieu avec de petits grains de bois à la main, qui a porté sur lui deux morceaux de drap attachés à deux rubans [2],

1. Théologiens et casuistes.
2. Un scapulaire.

et qui a été quelquefois dans une province qu'on appelle *la Galice* [1] ! Sans cela un pauvre diable est bien embarrassé. Quand il jurerait comme un Païen qu'il est orthodoxe, on pourrait bien ne pas demeurer d'accord des qualités et le brûler comme hérétique : il aurait beau donner sa distinction. Point de distinction! Il serait en cendres avant que l'on eût seulement pensé à l'écouter.

Les autres juges présument qu'un accusé est innocent; ceux-ci le présument toujours coupable : dans le doute, ils tiennent pour règle de se déterminer du côté de la rigueur; apparemment parce qu'ils croient les hommes mauvais. Mais, d'un autre côté, ils en ont si bonne opinion, qu'ils ne les jugent jamais capables de mentir : car ils reçoivent le témoignage des ennemis capitaux, des femmes de mauvaise vie, de ceux qui exercent une profession infâme. Ils font dans leur sentence un petit compliment à ceux qui sont revêtus d'une chemise de soufre, et leur disent qu'ils sont bien fâchés de les voir si mal habillés, qu'ils sont doux, qu'ils [a] abhorrent le sang et sont [b] au désespoir de les avoir condamnés. Mais, pour se consoler, ils confisquent tous les biens de ces malheureux à leur profit [2].

Heureuse la terre qui est habitée par les enfants des Prophètes! Ces tristes spectacles y sont inconnus [3]. La sainte religion que les Anges y ont apportée se défend par

1. Le pèlerinage de Saint-Jacques-de-Compostelle.
2. Cf. Marana (t. II, p. 280, lettre 73) : « La première chose que font les saints inquisiteurs est de faire une exacte et dévote recherche des biens du prisonnier. S'ils trouvent qu'il soit riche, il n'en faut pas davantage pour le rendre criminel, et les bons Pères prennent pieusement le soin de disposer de ce qu'il a. »
3. « Les Persans sont les plus tolérants de tous les Mahométans. » *(Note de Montesquieu.)* Chardin, protestant lui-même, et qui souffrira de la politique religieuse de Louis XIV au point de s'expatrier, appréciait la tolérance des Persans : « Un avantage inexprimable que ces peuples ont par-dessus les Chrétiens, c'est qu'ils ne sont point vexés par la Religion... Chacun est là-dessus en pleine liberté et croit ce qu'il veut. » « La religion de Mohammed enseigne qu'il y a un grand mérite à convertir les infidèles, mais qu'il ne faut pas pour cela leur faire de violence et que pourvu qu'ils payent le tribut imposé, il leur faut garder la justice et les traiter humainement. » (T. II, p. 306.)

sa vérité même : elle n'a point besoin de ces moyens vio-
lents pour se maintenir.

De ª, Paris le 4 de la lune de Chalval, 1712.

LETTRE XXX

RICA AU MÊME, A SMYRNE

L ES habitants de Paris sont d'une curiosité qui va jus-
qu'à l'extravagance. Lorsque j'arrivai, je fus regardé
comme si j'avais été envoyé du Ciel : vieillards, hommes,
femmes, enfants, tous voulaient me voir. Si je sortais,
tout le monde se mettait aux fenêtres; si j'étais aux Tuile-
ries, je voyais aussitôt un cercle se former autour de moi :
les femmes mêmes faisaient un arc-en-ciel, nuancé de mille
couleurs, qui m'entourait; si j'étais aux spectacles, je trou-
vais d'abord ᵇ cent lorgnettes dressées contre ma figure :
enfin jamais homme n'a tant été vu que moi [1]. Je souriais
quelquefois d'entendre des gens qui n'étaient presque
jamais sortis de leur chambre, qui disaient entre eux : « Il
faut avouer qu'il a l'air bien persan. » Chose admirable!
je trouvais de mes portraits partout; je me voyais multi-
plié dans toutes les boutiques, sur toutes les cheminées :
tant on craignait de ne m'avoir pas assez vu.

Tant d'honneurs ne laissent pas d'être à charge : je
ne me croyais pas un homme si curieux et si rare; et,
quoique j'aie très bonne opinion de moi, je ne me serais
jamais imaginé que je dusse troubler le repos d'une grande

1. Même scène dans Marana (t. I, p. 303, lettre 71) à propos d'un
envoyé de la Porte : « La populace a remarqué son habit, sa barbe et
sa démarche comme quelque chose d'extraordinaire... Non seulement
la populace accourt pour voir nos ambassadeurs à cause des habits
qu'ils portent, mais aussi les personnes de considération ont la même
curiosité. » Même accueil du Persan dans J.-F. Bernard : « Comme ils
trouvent singulier tout ce qui est nouveau à leurs yeux, mon équi-
page, ma barbe, mes manières et le phlegme que j'ai pris dans l'étude
de la sublime philosophie, m'attirèrent une infinité de curieux. » Même
remarque dans la *Lettre d'un Sicilien* (*Saint-Évremoniana*, p. 367) : « On
aime les étrangers... »

« ...*si j'étais aux Tuileries...* » (Lettre XXX, p. 68.)
Marana, *L'Espion dans les cours*
(Cologne, Erasme Kinkius, 1739, t. I, p. 26.)

ville où je n'étais point connu. Cela me fit résoudre à quitter l'habit persan et à en endosser un à l'européenne, pour voir s'il resterait encore dans ma physionomie quelque chose d'admirable. Cet essai me fit connaître ce que je valais réellement : libre de tous les ornements étrangers, je me vis apprécié au plus juste. J'eus sujet de me plaindre de mon tailleur, qui m'avait fait perdre en un instant l'attention et l'estime publique : car j'entrai tout à coup dans un néant affreux. Je demeurais quelquefois une heure dans une compagnie sans qu'on m'eût regardé, et qu'on m'eût mis en occasion d'ouvrir la bouche [1]. Mais, si quelqu'un, par hasard, apprenait à la compagnie que j'étais Persan, j'entendais aussitôt autour de moi un bourdonnement : « Ah ! ah ! Monsieur est Persan ? c'est une chose bien extraordinaire ! Comment peut-on être Persan ? »

De[a] Paris, le 6 de la lune de Chalval, 1712.

LETTRE XXXI

RHÉDI A USBEK, A PARIS

JE suis à présent à Venise, mon cher Usbek. On peut avoir vu toutes les villes du Monde et être surpris en arrivant à Venise : on sera toujours étonné de voir une ville, des tours et des mosquées sortir de dessous l'eau, et de trouver un peuple innombrable dans un endroit où il ne devrait y avoir que des poissons.

1. L'aventure de Rica est celle du Persan de J.-F. Bernard (*Idée de l'amitié des Européens*, p. 117-120) : « J'avoue que je fus charmé de l'accueil de ceux à qui j'étais recommandé. Chacun s'empressait à me servir et je ne tardai guère à être environné d'amis... Pour mieux connaître le naturel de ces peuples infidèles, je crus devoir me contrefaire dans la suite. Je m'équipais pauvrement... Peu à peu on me fuyait, j'étais suspect de contagion et je crois qu'enfin on m'aurait chassé de la ville si je n'eusse repris mon air et mon équipage ordinaire. » Mais ici le critère est celui de la richesse plus que du costume. On sait de plus que Montesquieu avait rencontré en 1713 à Paris le Chinois Arcadio Wang (cf. A. Masson, *Revue des Deux Mondes*, 15 mai 1951), qui avait pris en 1712 l'habit européen. S'agirait-il d'une confidence de Wang ?

Mais cette ville profane manque du trésor le plus pré-
cieux qui soit au Monde, c'est-à-dire d'eau vive; il est
impossible d'y accomplir une seule ablution légale [1].
Elle est en abomination à notre saint Prophète; il[a] ne la
regarde jamais, du haut du Ciel, qu'avec colère.

Sans cela, mon cher Usbek, je serais charmé de vivre
dans une ville où mon esprit se forme tous les jours. Je
m'instruis des secrets du commerce, des intérêts des princes,
de la forme de leur gouvernement; je ne néglige pas même
les superstitions européennes; je m'applique à la méde-
cine, à la physique, à l'astronomie; j'étudie les arts; enfin
je sors des nuages qui couvraient mes yeux dans le pays de
ma naissance.

De Venise, le 16 de la lune de Chalval, 1712.

LETTRE XXXII[b]

RICA A ***.

J'ALLAI l'autre jour voir une maison où l'on entretient
environ trois cents personnes assez pauvrement. J'eus
bientôt fait : car l'église et les bâtiments[c] ne méritent
pas d'être regardés. Ceux qui sont dans cette maison étaient
assez gais : plusieurs d'entre eux jouaient aux cartes ou à
d'autres jeux que je ne connais point. Comme je sortais,
un de ces hommes sortait aussi, et, m'ayant entendu deman-
der le chemin du Marais, qui est le quartier le plus éloigné
de Paris : « J'y vais, me dit-il, et je vous conduirai; suivez-
moi. » Il me mena à merveille, me tira de tous les embarras
et me sauva adroitement des carrosses et des voitures.
Nous étions prêts d'arriver, quand la curiosité me prit.
« Mon bon ami, lui dis-je, ne pourrais-je savoir qui vous

1. L'idée vient de Ricaut (*op. cit.*, III, 12, p. 497) : « J'ai ouï dire à une
personne de grande qualité parmi les Turcs que, s'ils avaient conquis
Venise, ils n'y demeureraient pas, parce qu'il n'y a point d'eau douce,
dont ils ont besoin pour leurs mosquées et pour les lavements qu'ils
font avant leurs prières. »

Eglise des quinze-vingts. Ifrael excud.

LES QUINZE-VINGTS (Lettre XXXII, p. 70)
Gravure par Israel Silvestre.

êtes ? — Je suis aveugle, Monsieur, me répondit-il. — Comment ! lui dis-je, vous êtes aveugle ! Et que ne priiez-vous cet honnête homme qui jouait aux cartes avec vous de nous conduire ? — Il est aveugle aussi, me répondit-il. Il y a quatre cents ans que nous sommes trois cents aveugles dans cette maison où vous m'avez trouvé. Mais il faut que je vous quitte. Voilà la rue que vous demandiez. Je vais me mettre dans la foule ; j'entre dans cette église, où je vous jure, j'embarrasserai plus les gens qu'ils ne m'embarrasseront [1]. »

De Paris, le 17 de la lune de Chalval, 1712.

LETTRE XXXIII

USBEK A RHÉDI, A VENISE

LE vin est si cher à Paris, par les impôts que l'on y met [2], qu'il semble qu'on ait entrepris d'y faire exécuter les préceptes[a] du divin Alcoran qui défend d'en boire.

Lorsque je pense aux funestes effets de cette liqueur, je ne puis m'empêcher de la regarder comme le présent le plus redoutable que la Nature ait fait aux hommes. Si quelque chose a flétri la vie et la réputation de nos monarques, ç'a été leur intempérance : c'est la source la plus empoisonnée de leurs injustices et de leurs cruautés.

1. Les aveugles de Paris sont un des motifs de Cotolendi dans la *Lettre d'un Sicilien* (*op. cit.*, p. 338-339) : « Ils demeurent tous ensemble dans une grande maison appelée l'Hôpital des Quinze-vingt... Ils vont par toute la ville sans guide et marchent plusieurs ensemble parmi une infinité de charrettes, de carrosses et de chevaux, avec la même sûreté que s'ils avaient des yeux à leurs pieds... Surtout ils ne manquent pas de tourmenter dans toutes les églises (les fidèles) à qui ils demandent l'aumône, avec une tasse de cuivre d'une main et un bâton de l'autre... » Ce dernier trait décèlerait, selon A. Adam, un emprunt de Montesquieu.

2. La remarque est dans Cotolendi (*op. cit.*, p. 351-352) : « Une petite mesure vaut plus à Paris qu'un baril à la campagne » ; mais Montesquieu, producteur bordelais, est plus sensible qu'un autre aux taxes qui grèvent le transport du vin à Paris.

Je le dirai, à la honte des hommes : la Loi interdit à nos princes l'usage du vin, et ils en boivent avec un excès qui les dégrade de l'humanité même [1]; cet usage, au contraire, est permis aux princes chrétiens, et on ne remarque pas qu'il leur fasse faire aucune faute. L'esprit humain est la contradiction même : dans une débauche licencieuse, on se révolte avec fureur contre les préceptes, et la Loi, faite pour nous rendre plus justes, ne sert souvent qu'à nous rendre plus coupables.

Mais, quand je désapprouve l'usage de cette liqueur qui fait perdre la raison, je ne condamne pas de même ces boissons qui l'égaient. C'est la sagesse des Orientaux de chercher des remèdes contre la tristesse avec autant de soin que contre les maladies les plus dangereuses. Lorsqu'il arrive quelque malheur à un Européen, il n'a d'autre ressource que la lecture d'un philosophe qu'on appelle *Sénèque ;* mais les Asiatiques, plus sensés qu'eux, et meilleurs physiciens en cela, prennent des breuvages capables de rendre l'homme gai et de charmer le souvenir de ses peines [2].

Il n'y a rien de si affligeant que les consolations tirées de la nécessité du mal, de l'inutilité des remèdes, de la fatalité du destin, de l'ordre de la Providence, et du malheur de la condition humaine. C'est se moquer de vouloir adoucir un mal par la considération que l'on est né misérable. Il vaut bien mieux enlever l'esprit hors de ses

1. Cf. Chardin (t. II, p. 344) : « J'ai vu le roi de Perse défunt... quelquefois ivre trois ou quatre jours de suite » (II, 212); « Le roi voulait obliger le premier ministre à boire du vin, lui disant : Pourquoi êtes-vous le seul à la cour à refuser de boire avec moi ? »

2. S'agit-il du café ? Mais la *Lettre* XXXVI montrera qu'il est connu en Occident. Chardin (II, 69) signalait la décoction de la coque et de la graine de pavot « qu'on nomme *coquenar* dont il y a des cabarets dans toutes les villes... Une espèce d'assoupissement et de stupidité suit cette gaîté inégale et désordonnée. Mais les Persans l'appellent une extase et soutiennent qu'il y a quelque chose de surnaturel et de divin dans cet état-là. » L'Espion turc, au contraire d'Usbek, ne dédaigne pas Sénèque qui est sa lecture favorite (I, 3, III, 313, etc.) et vante le vin dont il a pris l'habitude : « Le vin élève l'esprit... A défaut de cette liqueur, toutes les nations où le vin ne croît pas ont inventé quelque boisson qui pût guérir la mélancolie et rende le cœur joyeux. » (IV, 397, lettre 86.)

réflexions, et traiter l'homme comme sensible, au lieu de le traiter comme raisonnable.

L'âme, unie avec le corps, en est sans cesse tyrannisée. Si le mouvement du sang est trop lent; si les esprits ne sont pas assez épurés; s'ils ne sont pas en quantité suffisante : nous tombons dans l'accablement et dans la tristesse. Mais, si nous prenons des breuvages qui puissent changer cette disposition de notre corps [1], notre âme redevient capable de recevoir des impressions qui l'égaient, et elle sent un plaisir secret de voir sa machine reprendre, pour ainsi dire, son mouvement et sa vie.

De Paris, le 25 de la lune de Zilcadé, 1713.

LETTRE XXXIV

USBEK [a] A IBBEN, A SMYRNE

LES femmes de Perse sont plus belles que celles de France; mais celles de France sont plus jolies. Il est difficile [b] de ne point aimer les premières, et de ne se point plaire avec les secondes : les unes sont plus tendres et plus modestes; les autres sont plus gaies et plus enjouées.

Ce qui rend le sang si beau en Perse, c'est la vie réglée que les femmes y mènent : elles ne jouent ni ne veillent; elles ne boivent point de vin et ne s'exposent presque jamais à l'air [2]. Il faut avouer que le sérail est plutôt fait pour la santé que pour les plaisirs : c'est une vie unie, qui ne pique point; tout s'y ressent de la subordination et du

1. *Ibid.* : « Nous ne subsisterions point, si nous ne donnions quelquefois à la nature un nouveau ferment pour la dégager de la matière grossière. »

2. A. Adam trouve la source de cette idée dans Tournefort (Lyon, Anisson, 1717, t. II, p. 369) : « Les femmes turques, sur le rapport de nos Françaises de Constantinople et de Smyrne qui les voient au bain avec beaucoup de liberté, sont en général belles et bien faites... D'ailleurs leur nourriture est beaucoup plus douce et plus uniforme que celle de nos femmes qui boivent du vin, des liqueurs et qui passent la plus grande partie des nuits à jouer. »

devoir; les plaisirs mêmes y sont graves, et les joies, sévères; et on ne les goûte presque jamais que comme des marques d'autorité et de dépendance.

Les hommes mêmes n'ont pas en Perse la gaieté qu'ont les Français[a] : on ne leur voit point cette liberté d'esprit et cet air content que je trouve ici dans tous les états et dans toutes les conditions.

C'est bien pis en Turquie, où l'on pourrait trouver des familles où, de père en fils, personne n'a ri depuis la fondation de la Monarchie.

Cette gravité des Asiatiques vient du peu de commerce qu'il y a entre eux : ils ne se voient que lorsqu'ils y sont forcés par la cérémonie [1]. L'amitié, ce doux engagement du cœur, qui fait ici la douceur de la vie, leur est presque inconnue. Ils se retirent dans leurs maisons, où ils trouvent toujours une compagnie qui les attend; de manière que chaque famille est, pour ainsi dire, isolée[b].

Un jour que je m'entretenais là-dessus avec un homme de ce pays-ci, il me dit : « Ce qui me choque le plus de vos mœurs, c'est que vous êtes obligés de vivre avec des esclaves, dont le cœur et l'esprit se sentent toujours de la bassesse de leur condition. Ces gens lâches affaiblissent en vous les sentiments de la vertu que l'on tient de la Nature, et ils les ruinent[c] depuis l'enfance, qu'ils vous obsèdent [2]. Car, enfin, défaites-vous des préjugés. Que peut-on attendre de l'éducation qu'on reçoit d'un misérable qui fait consister son honneur à garder les femmes

1. Chardin dit pourtant (_op. cit._, t. II, p. 37) : « Ils s'entrevisitent soigneusement dans toutes les occasions de joie et de tristesse et aux fêtes solennelles », mais insiste sur le cérémonial de leur civilité : « les pieds serrés l'un contre l'autre, les mains l'une sur l'autre à la ceinture, la tête un peu penchée devant soi, avec les yeux arrêtés dans une contenance grave et recueillie » (_ibid._, p. 38).

2. Cf. Chardin (II, 226) : « Lorsque les princes parviennent (au trône), il arrive d'ordinaire que leurs femmes et les eunuques qui les ont élevés les _obsèdent_ et les gouvernent toute leur vie. Ces personnes qui ne connaissent au monde que le sérail... arrachent promptement les sentiments de gloire qu'ils voient naître dans le cœur du prince »; (II, 234) : « Les souverains mahométans, étant élevés dans des sérails avec des femmes et des eunuques, sont si peu capables de régner qu'il faut... qu'on mette quelqu'un sous eux pour gouverner à leur place ».

d'un autre et s'enorgueillit du plus vil emploi qui soit
parmi les humains; qui est méprisable par sa fidélité même
(qui est la seule de ses vertus), parce qu'il y est porté
par envie, par jalousie et par désespoir; qui, brûlant
de se venger des deux sexes dont il est le rebut, consent
à être tyrannisé par le plus fort, pourvu qu'il puisse déso-
ler le plus faible; qui, tirant de son imperfection, de sa
laideur et de sa difformité, tout l'éclat de sa condition,
n'est estimé que parce qu'il est indigne de l'être; qui, enfin,
rivé pour jamais à la porte où il est attaché, plus dur que
les gonds et les verrous qui la tiennent, se vante de cin-
quante ans de vie dans ce poste indigne, où, chargé de la
jalousie de son maître, il a exercé toute sa bassesse? »

De Paris, le 14 de la lune de Zilhagé, 1713.

LETTRE XXXV

USBEK A GEMCHID [1], SON COUSIN,
DERVIS DU BRILLANT MONASTÈRE DE TAURIS [2].

QUE penses-tu des Chrétiens, sublime dervis? Crois-
tu qu'au jour du Jugement ils seront comme les
infidèles Turcs, qui serviront d'ânes aux Juifs et les mène-
ront[a] au grand trot en Enfer [3]? Je sais bien qu'ils n'iront

1. La graphie *Gemchid* est prise directement à Chardin, d'après
l'Hymne de Hali (op. cit., t. I, p. 211), et non à l'*Historia religionis vete-
rum Persarum* (Oxford, 1700, chap. IX, p. 164) de Thomas Hyde qui
transcrit *Gjemshid*. C'est le nom d'un roi mythique de la Perse, dont
Firdousi dans le *Livre des Rois* a conté les prouesses.
2. Chardin décrivait Tauris et signalait (t. I, p. 184) « au bout de la
ville, à l'occident, sur une petite montagne, un fort joli hermitage
qu'on appelle *Ayn Ali*, c'est-à-dire les yeux d'Ali. Cet hermitage est
une des dévotions et une des promenades des Taurisiens. »
3. L'expression est courante chez les Orientaux. Ricaut rapporte
ce mot du mufti de Constantinople contre les Persans : « J'espère aussi
de la majesté divine qu'au jour du jugement elle vous fera servir
d'ânes aux Juifs et que cette misérable nation... vous montera et vous
mènera au trot en Enfer » (*op. cit.*, t. II, chap. X, p. 300). Reprise de
l'expression dans Chardin (t. III, p. 170) : « Les Turcs enseignent que
les Juifs vont en Enfer, montés sur des Persans. »

point dans le séjour des Prophètes, et que le grand Hali n'est point venu pour eux. Mais, parce qu'ils n'ont pas été assez heureux pour trouver des mosquées dans leur pays, crois-tu qu'ils soient condamnés à des châtiments éternels, et que Dieu les punisse pour n'avoir pas pratiqué une religion qu'il ne leur a pas fait connaître? Je puis te le dire : j'ai souvent examiné ces Chrétiens; je les ai interrogés pour voir s'ils avaient quelque idée du grand Hali, qui était le plus beau de tous les hommes [1] : j'ai trouvé qu'ils n'en avaient jamais ouï parler.

Ils ne ressemblent point à ces infidèles que nos saints prophètes faisaient passer au fil de l'épée, parce qu'ils refusaient de croire aux miracles du Ciel : ils sont plutôt comme ces malheureux qui vivaient dans les ténèbres de l'idôlatrie avant que la divine lumière vînt éclairer le visage de notre grand Prophète.

D'ailleurs, si l'on examine de près leur religion, on y trouvera comme une semence de nos dogmes. J'ai souvent admiré les secrets de la Providence, qui semble les avoir voulu préparer par là à la conversion générale. J'ai ouï parler d'un livre de leurs docteurs [a], intitulé *la Polygamie triomphante* [2], dans lequel il est prouvé que la polygamie est ordonnée aux Chrétiens. Leur baptême est l'image de nos ablutions légales, et les Chrétiens n'errent que dans l'efficacité qu'ils donnent à cette première ablution, qu'ils croient devoir suffire pour toutes les autres. Leurs prêtres et leurs moines prient comme nous sept

1. Cf. Chardin (t. I, p. 184) : « Les Persans disent que ce calife, que leur Prophète fit son gendre, a été le plus bel homme dont on ait jamais ouï parler ». Mais l'abbé Gaultier (*Lettres persanes convaincues d'impiété*, 1751, p. 61), déclare que Montesquieu, par malignité, applique à Ali ce que David disait du Messie. Pour une fois, le flair lui fait défaut.

2. *Polygamia triumphatrix, seu Discursus politicus de Polygamia, auctore Theoph. Aletheo, cum notis Athanasii Vincentii* (Lund, 1682). Cet ouvrage du luthérien Johann Leiser n'est pas à la Brède, mais Montesquieu a certainement lu à son sujet l'article humoristique de Bayle dans les *Nouvelles de la République des Lettres* (avril 1685, art. I et II, in *Œuvres diverses*, t. III, p. 256-260). Le théologien saxon est aussi raillé dans les articles Lyserus et Lamech (note A) du *Dictionnaire historique et critique*.

fois ¹ le jour. Ils espèrent de jouir d'un paradis où ils goû-
teront mille délices par le moyen de la résurrection des
corps. Ils ont, comme nous, des jeûnes marqués, des
mortifications avec lesquelles ils espèrent fléchir la misé-
ricorde divine. Ils rendent un culte aux bons Anges et se
méfient des mauvais. Ils ont une sainte crédulité pour les
miracles que Dieu opère par le ministère de ses serviteurs.
Ils reconnaissent, comme nous, l'insuffisance de leurs méri-
tes et le besoin qu'ils ont d'un intercesseur auprès de Dieu.
Je vois partout le Mahométisme, quoique je n'y trouve point
Mahomet. On a beau faire, la Vérité s'échappe et perce
toujours les ténèbres qui l'environnent. Il viendra un jour
où l'Éternel ne verra sur la terre que des ᵃ vrais Croyants :
le temps, qui consume tout, détruira les erreurs mêmes ;
tous les hommes seront étonnés de se voir sous le même éten-
dard ; tout, jusques à la Loi, sera consommé : les divins
exemplaires seront enlevés de la terre et portés dans les
célestes Archives.

<div style="text-align:right">De Paris, le 20 de la lune de Zilhagé, 1713.</div>

LETTRE XXXVI

USBEK A RHÉDI, A VENISE

L E café est très en usage à Paris : il y a un grand nombre
de maisons publiques où on le distribue. Dans quel-
ques-unes de ces maisons, on dit des nouvelles ; dans d'au-
tres, on joue aux échecs². Il y en a une, où l'on apprête le
café de telle manière qu'il donne de l'esprit à ceux qui en

1. Selon Mahomet, rapporté par Chardin (t. II, p. 389), « il suffisait
aux Mahométans de faire cinq prières par jour ». Montesquieu corri-
gera son erreur dans *l'Esprit des lois* (livre XXIV, chap. 11).

2. La mode des cafés correspond aux premiers séjours de Montes-
quieu à Paris. La Bruyère n'en parlait pas. Cotolendi, dans la *Lettre
d'un Sicilien* (*op. cit.*, p. 377), en disait quelques mots. J.-F. Bernard
y consacre deux pages (*op. cit.*, p. 55-56) : « Un breuvage noirâtre,
chaud ou tiède, que l'on sert dans des vaisseaux de terre... Dans les
extases que causent et les liqueurs et la fumée du tabac, l'esprit de ce
peuple s'anime... La meilleure partie du peuple parle impétueusement.
Chacun fait ses réflexions sur les nouvelles et personne ne veut être
contredit. »

prennent : au moins, de tous ceux qui en sortent, il n'y a personne qui ne croie qu'il en a quatre fois plus que lorsqu'il y est entré [1].

Mais ce qui me choque de ces beaux esprits, c'est qu'ils ne se rendent pas utiles à leur patrie, et qu'ils amusent leurs talents à des choses puériles. Par exemple, lorsque j'arrivai à Paris, je les trouvai échauffés sur une dispute, la plus mince qu'il[a] se puisse imaginer : il s'agissait de la réputation d'un vieux poète grec dont, depuis deux mille ans, on ignore la patrie, aussi bien que le temps de sa mort [2]. Les deux partis avouaient que c'était un poète excellent; il n'était question que du plus ou du moins de mérite qu'il fallait lui attribuer. Chacun en voulait donner le taux; mais, parmi ces distributeurs de réputation, les uns faisaient meilleur poids que les autres. Voilà la querelle! Elle était bien vive : car on se disait cordialement, de part et d'autre, des injures si grossières, on faisait des plaisanteries si amères, que je n'admirais pas moins la manière de disputer, que le sujet de la dispute. « Si quelqu'un, disais-je en moi-même, était assez étourdi pour aller devant un de ces défenseurs du poète grec attaquer la réputation de quelque honnête citoyen, il ne serait pas mal relevé, et je crois que ce zèle si délicat sur la réputation des morts s'embraserait bien[b] pour défendre celle des vivants! Mais, quoi qu'il en soit, ajoutais-je, Dieu me garde de m'attirer jamais l'inimitié des censeurs de ce poète, que le séjour de deux mille ans dans le tombeau n'a pu garantir d'une haine si implacable! Ils frappent à présent des coups en l'air. Mais que serait-ce si leur fureur était animée par la présence d'un ennemi? »

1. Le café qui donne de l'esprit à ses clients est le café Procope, que le Palermitain Procope Coltelli ouvrit rue des Fossés-Saint-Germain, en face du local où la Comédie-Française s'était établie en 1688. En 1713, date de la lettre d'Usbek, Nicolas Boindin y préludait à une redoutable carrière de discoureur. Fréret, ami de Montesquieu, était un habitué du Procope.

2. La traduction de l'*Iliade* par M[me] Dacier est de 1699, mais c'est à la fin de l'année 1713 qu'Houdar de la Motte donna son *Iliade en XII chants accommodée au goût du jour*. M[me] Dacier devant ce sacrilège lança son traité *Des causes de la corruption du goût* (1714). Ce fut la deuxième phase de la querelle des Anciens et des Modernes.

Ceux dont je te viens de parler disputent en langue vulgaire, et il faut les distinguer d'une autre sorte de disputeurs qui se servent d'une langue barbare[a] qui semble ajouter quelque chose à la fureur et à l'opiniâtreté des combattants. Il y a des quartiers[1] où l'on voit comme une mêlée noire et épaisse de ces sortes de gens; ils se nourrissent de distinctions; ils vivent de raisonnements et de fausses conséquences. Ce métier, où l'on devrait mourir de faim, ne laisse pas de rendre : on a vu une nation entière, chassée de son pays, traverser les mers pour s'établir en France, n'emportant avec elle, pour parer aux nécessités de la vie, qu'un redoutable talent pour la dispute[2].

Adieu.

De Paris, le dernier de la lune de Zilhagé, 1713.

LETTRE XXXVII

USBEK A IBBEN, A SMYRNE

LE roi de France est vieux. Nous n'avons point d'exemple[b] dans nos histoires d'un monarque qui ait si longtemps régné[3]. On dit qu'il possède à un très haut degré le talent de se faire obéir : il gouverne avec le même génie sa famille, sa cour, son état. On lui a souvent entendu dire

1. Le pays latin, dominé par le monastère de Sainte-Geneviève, qui groupait autour de la Sorbonne les principaux collèges universitaires ou religieux.

2. Cette nation, au dire de Barckhausen, serait celle des prêtres catholiques irlandais, réfugiés en France après la chute de Jacques II et le *bill* du Parlement leur interdisant le séjour en Irlande. Un séminaire irlandais avait été créé à leur intention.

3. Louis XIV, né le 5 septembre 1638, avait en 1713, date de la lettre d'Usbek, soixante-quinze ans et régnait depuis soixante-dix ans. La seconde *Lettre à Musala* de Joseph Bonnet (in *Bulletin du bibliophile*, 1917, p. 248) commence un éloge de Louis XIV à peu près dans les mêmes termes : « L'histoire nous fournit peu d'exemples d'un si long règne. » Montesquieu insiste plus sur les mérites. Dans les *Pensées* (Bordeaux, 1899, t. I, p. 369-373), le jugement sur Louis XIV sera plus dédaigneux et plus nettement irrespectueux.

que, de tous les gouvernements du Monde, celui des Turcs
ou celui de notre auguste sultan lui plairait le mieux, tant
il fait cas de la politique orientale.

J'ai étudié son caractère, et j'y ai trouvé des contra-
dictions qu'il m'est impossible de résoudre. Par exem-
ple : il a un ministre qui n'a que dix-huit ans, et une maî-
tresse qui en a quatre-vingts [1]; il aime sa religion, et il ne
peut souffrir ceux qui disent qu'il la faut observer à la rigueur;
quoiqu'il fuie le tumulte des villes, et *a* qu'il se communique
peu, il n'est occupé, depuis le matin jusques au soir, qu'à
faire parler de lui; il aime les trophées et les victoires, mais
il craint autant de voir un bon général à la tête de ses
troupes, qu'il aurait sujet de le craindre à la tête d'une armée
ennemie. Il n'est, je crois, jamais arrivé qu'à lui d'être,
en même temps, comblé de plus de richesse qu'un prince
n'en saurait espérer, et accablé d'une pauvreté qu'un parti-
culier ne pourrait soutenir.

Il aime à gratifier ceux qui le servent; mais il paye
aussi libéralement les assiduités ou plutôt l'oisiveté de
ses courtisans, que les campagnes laborieuses de ses
capitaines. Souvent il préfère un homme qui le déshabille,
ou qui lui donne la serviette lorsqu'il se met à table, à un
autre qui lui prend des villes ou lui gagne des batailles [2].
Il ne croit pas que la grandeur souveraine doive être dans
la distribution des grâces, et, sans examiner si celui qu'il
comble de biens est homme de mérite, il croit que son choix
va le rendre tel : aussi lui a-t-on vu donner une petite pen-

1. M^me de Maintenon, née en 1635, avait soixante-dix-huit ans.
Quant au ministre, il s'agit pour Barckhausen du marquis de Barbé-
zieux, fils de Louvois, nommé secrétaire d'État en 1685 à dix-sept ans.
Antoine Adam y voit une allusion au marquis de Cany, fils de Cha-
millart, secrétaire d'État en 1708 à dix-huit ans.

2. Cf. *Spicilège* (mss. Bordeaux, p. 408, édition Masson, p. 130) :
« Louis XIV craignit toute sa vie les gens d'esprit. Il avait dessein de
faire donner la lieutenance des gardes à M. de Catinat. M. de la Feuillade
craignit un subalterne de si grand mérite et ne trouva d'autre moyen,
pour l'exclure, que d'en dire au roi tout le bien du monde et à le lui
représenter aussi propre pour le cabinet que pour l'armée. » *Ibid.*
(mss. Bx, p. 529, édit. Masson, p. 185) : « Un homme qui ne pouvait
souffrir des talents supérieurs, qui donnait le commandement à des
gens décrépits et le ministère à des jeunes gens. »

sion à un homme qui avait fui deux lieues, et un beau gou-
vernement à un autre qui en avait fui quatre.

Il est magnifique, surtout dans ses bâtiments : il y
a plus de statues dans les jardins de son palais que de
citoyens dans une grande ville. Sa garde est aussi forte
que celle du prince devant qui les trônes se renversent.
Ses armées sont aussi nombreuses; ses ressources, aussi
grandes; et ses finances, aussi inépuisables.

De Paris, le 7 de la lune de Maharram, 1713.

LETTRE XXXVIII

RICA A IBBEN, A SMYRNE

C'EST une grande question, parmi les hommes, de
savoir s'il est plus avantageux d'ôter aux femmes
la liberté que de la leur laisser; il me semble qu'il y a
bien des raisons pour et contre. Si les Européens disent qu'il
n'y a pas de générosité à rendre malheureuses les personnes
que l'on aime, nos Asiatiques répondent qu'il y a de la
bassesse aux hommes de renoncer[a] à l'empire que la Nature
leur a donné sur les femmes. Si on leur dit que le grand
nombre de femmes enfermées est embarrassant, ils répon-
dent que dix femmes qui obéissent embarrassent moins
qu'une qui n'obéit pas. Que s'ils objectent à leur tour que
les Européens ne sauraient être heureux avec des femmes
qui ne leur sont pas fidèles, on leur répond que cette
fidélité, qu'ils vantent tant, n'empêche point le dégoût
qui suit toujours les passions satisfaites; que nos femmes
sont trop à nous; qu'une possession si tranquille ne nous
laisse rien à désirer ni à craindre; qu'un peu de coquetterie
est un sel qui pique et prévient la corruption. Peut-être
qu'un homme plus sage que moi serait embarrassé de déci-
der : car, si les Asiatiques font[b] fort bien de chercher des
moyens propres à calmer leurs inquiétudes, les Européens
font fort bien aussi de n'en point avoir[1].

1. Marana, dans une longue lettre (*op. cit.*, t. I, lettre 113, p. 466),
reprenait la querelle des femmes et opposait les points de vue de l'Orient

« Après tout, disent-ils, quand nous serions malheureux en qualité de maris, nous trouverions toujours moyen de nous dédommager en qualité d'amants. Pour qu'un homme pût se plaindre avec raison de l'infidélité de sa femme, il faudrait qu'il n'y eût que trois personnes dans le monde ; ils seront toujours à but quand il y en aura quatre. »

C'est une autre question de savoir si la Loi naturelle soumet les femmes aux hommes. « Non, me disait l'autre jour un philosophe très galant [1] : la Nature n'a jamais dicté une telle loi. L'empire que nous avons sur elles est une véritable tyrannie ; elles ne nous l'ont laissé prendre que parce qu'elles ont plus de douceur que nous, et par conséquent, plus d'humanité et de raison. Ces avantages qui devaient sans doute leur donner la supériorité, si nous avions été raisonnables, la leur ont fait perdre, parce que nous ne le sommes point. Or, s'il est vrai que nous n'avons [a] sur les femmes qu'un pouvoir tyrannique, il ne l'est pas moins qu'elles ont sur nous un empire naturel : celui de la beauté, à qui rien ne résiste. Le nôtre n'est pas de tous les pays ; mais celui de la beauté est universel. Pourquoi aurions-nous donc un privilège ? Est-ce parce que nous sommes les plus forts ? Mais c'est une véritable injustice. Nous employons toutes sortes de moyens pour leur abattre le courage ; les forces seraient égales si l'éducation l'était aussi. Éprouvons-les dans les talents que l'éducation n'a point affaiblis, et nous verrons si nous sommes si forts [2]. »

et de l'Occident : « Malgré la sévérité de notre Orient, je ne saurais désapprouver tout à fait la galanterie des Occidentaux. Si nous devons regarder les femmes comme nos ennemies, il me semble qu'il y a de la lâcheté et de la bassesse à les désarmer de cette manière. Mais si elles méritent d'être appelées nos amies, il y a de l'inhumanité et de la tyrannie de les priver d'une ingénieuse éducation. »

1. Ce « philosophe très galant » ne serait-il pas Fontenelle, l'oracle du salon de M^me de Lambert ?

2. Cf. Marana (*ibid.*, p. 467) : « Nous ne devons point appréhender de perdre l'empire que nous avons sur elles, en perfectionnant ainsi leurs avantages naturels, puisqu'on remarque que là où il y a plus de science, de sens et de connaissance, là il y a plus de modestie et de régularité de mœurs. Je ne vois donc aucune raison pourquoi nous devrions ainsi nous faire peur des femmes et ne pas leur donner une aussi bonne éducation qu'à nous-mêmes. »

Il faut l'avouer, quoique cela choque nos mœurs : chez les peuples les plus polis les femmes ont toujours eu de l'autorité sur leurs maris. Elle fut établie par une loi chez les Égyptiens, en l'honneur d'Isis, et chez les Babyloniens, en l'honneur de Sémiramis. On disait des Romains qu'ils commandaient à toutes les nations, mais qu'ils obéissaient à leurs femmes. Je ne parle point des Sauromates [1], qui étaient véritablement dans la servitude de ce sexe [a] : ils étaient trop barbares pour que leur exemple puisse être cité.

Tu vois [b], mon cher Ibben, que j'ai pris le goût de ce pays-ci, où l'on aime à soutenir des opinions extraordinaires et à réduire tout en paradoxe. Le Prophète a décidé la question et a réglé des droits de l'un et de l'autre sexe : « Les femmes, dit-il, doivent honorer leurs maris ; leurs maris les doivent honorer : mais ils ont l'avantage d'un degré sur elles [2]. »

De Paris, le 26 de la lune de Gemmadi 2, 1713.

LETTRE XXXIX

HAGI IBBI AU JUIF BEN JOSUÉ,
PROSÉLITE MAHOMÉTAN, A SMYRNE [3]

Il me semble, Ben Josué, qu'il y a toujours des signes éclatants qui préparent à la naissance des hommes

1. Les *Sauromates* ou *Sarmates*, habitants des plaines du Tanaïs, nés du commerce des Scythes et des Amazones, étaient demeurés, au dire de Pomponius Mela, « mulieribus obsequentes ». Montesquieu possédait à la Brède le *De Orbis situ* (Paris, Roigny, 1540, Desgraves, *op. cit.*, nº 2629) et consignait ce détail d'érudition dans son *Spicilège* (ms. de Bx, p. 185-188, édition Masson, p. 57 et 281, note 37).

2. Citation du *Coran* (II, 228), d'après la traduction d'André Du Ryer (La Haye, Moetjens, 1685, p. 27) : « Elles les doivent honorer et leurs maris les doivent aussi honorer, mais les maris ont l'avantage d'un degré sur elles. »

3. « *Hagi* est un homme qui a fait le pèlerinage de la Mecque. » *(Note de Montesquieu.)* La lettre au juif prosélyte mahométan rappelle les lettres de l'Espion turc au juif Nathan Ben Saddi qui pense se convertir à l'Islam (*op. cit.*, II, p. 403 et surtout IV, p. 250, *Abrégé de la vie et des miracles de Mahomet*).

extraordinaires, comme si la Nature souffrait une espèce de
crise, et que la Puissance céleste ne produisît qu'avec effort[1].

Il n'y a rien de si merveilleux que la naissance de Maho-
met. Dieu qui, par les décrets de la providence, avait résolu,
dès le commencement, d'envoyer aux hommes ce grand
Prophète pour enchaîner Satan, créa une lumière deux
mille ans avant Adam, qui, passant d'élu en élu, d'ancêtre
en ancêtre de Mahomet, parvint enfin jusques à lui comme
un témoignage authentique qu'il était descendu des Patriar-
ches[2].

Ce fut aussi à cause de ce même Prophète que Dieu
ne voulut pas qu'aucun enfant fût conçu que la femme[a]
ne cessât d'être immonde, et que l'homme[b] ne fût livré à
la circoncision.

Il vint au monde circoncis[3], et la joie parut sur son
visage dès sa naissance[4]. La Terre trembla trois fois,
comme si elle eût enfanté elle-même; toutes les idoles

1. Les commentateurs se sont vainement efforcés de trouver l'ori-
gine de ces poétiques légendes sur la naissance de Mahomet. Rien de
tel dans Marana, dans l'article *Mahomet* du *Dictionnaire critique*. Char-
din (t. II, p. 452) ne conte que les miracles personnels du prophète.
Antoine Adam cite Michel Baudier, *Histoire générale de la religion des
Turcs* (1632, p. 15) et Carcassonne le Père Michel Nau, *État présent
de la religion mahométane* (1688, p. 12-14). Mais un certain nombre de
détails (le mont Cabès, l'historien Isben Aben), cités par le seul Mon-
tesquieu, postulaient une source commune plus ancienne. Il s'agit,
comme dans la *Lettre* XVIII, du vieil in-quarto d'Hermannus Dalmata,
Machumetis Saracenorum principis doctrina et plus précisément du traité
De generatione Machumetis (*ibid.*, p. 201 sq) dont le latin rocailleux doit
être la traduction d'une prose poétique, sinon de fragments poétiques
arabes.

2. *De generatione Machumetis (op. cit.*, p. 201) : « Hoc ergo *lucis* semen
virtutis meae... Fuit itaque *lux* nascituri ex eo prophetae Machumet,
omnibus diebus resplendens ex facie Adam tanquam sol in rota cir-
culi sui... Eva concepit Seth, patrem prophetarum... Qua ipsa hora
lux splendens a facie Adam migravit in faciem Evae... Nascens itaque
Seth maternae *lucis* splendorem propria facie praefert... Nascitur
Ismahel, patrum *lumen* praeferens ».

3. Le détail est traditionnel (cf. Marana, *op. cit.*, t. IV, p. 251 : « Il
fut aussi circoncis naturellement »).

4. Détail ignoré des sources musulmanes. Il s'agit probablement
d'une tradition iranienne sur la naissance de Zoroastre (cf. Bayle,
Dictionnaire historique et critique, t. V, p. 620, article *Zoroastre*, citant
Pline, *Histoire naturelle*, VII, 16).

se prosternèrent; les trônes des rois furent renversés. Lucifer fut jeté au fond de la mer, et ce ne fut qu'après avoir nagé pendant quarante jours qu'il sortit de l'Abîme et s'enfuit sur le mont Cabès, d'où, avec une voix terrible, il appela les Anges [1].

Cette nuit, Dieu posa un terme entre l'homme et la femme, qu'aucun d'eux ne put passer. L'art des magiciens et nécromans se trouva sans vertu. On entendit une voix du Ciel, qui disait ces paroles : « J'ai envoyé au monde mon ami fidèle [2]. »

Selon le témoignage d'Isben Aben, historien arabe, les générations des oiseaux, des nuées, des vents, et tous les escadrons des Anges, se réunirent pour élever cet enfant et se disputèrent cet avantage. Les oiseaux disaient, dans leurs gazouillements, qu'il était plus commode qu'ils l'élevassent, parce qu'ils pouvaient plus facilement rassembler plusieurs fruits de divers lieux. Les vents murmuraient et disaient : « C'est plutôt à nous, parce que nous pouvons lui apporter de tous les endroits les odeurs les plus agréables. » — « Non, non, disaient les nuées [a], non : c'est à nos soins qu'il sera confié, parce que nous lui ferons part à tous les instants de la fraîcheur des eaux. » Là-dessus les Anges indignés s'écriaient [b] : « Que nous restera-t-il donc à faire ? » Mais une voix du Ciel fut entendue, et termina toutes les disputes : « Il ne sera point ôté d'entre les

1. *De generatione Machumetis* (*op. cit.*, p. 207) : « Qua ipsa hora inclinata sunt idola et denigrata. Arreptus etiam Lucifer ab angelis immersus est profundo maris Alcazum : unde vix post quadraginta dies evadens, in montem Kobelz aufugit. Quo cum terribili fragore et horrendo mugito omnes angelos suos convocasset, quid causae sit anxii rogant. Causam exponens : Quia natus est Machumet. » Un autre détail est pris à la page suivante : « Eversa sunt eadem hora omnia solia regum » (*ibid.*, p. 208). Le nom du *mont Kobelz*, absent de la traduction du Père Nau, prouve une lecture directe de Montesquieu. Il s'agit de l'*Abou Kobaïs*, montagne qui domine la Mekke, où la tradition montrera Mahomet errant et livré à ses visions.

2. *Ibid.*, p. 208 : « Posuitque ea nocte, per omnem Arabiam, interstitium inter masculum et foeminam quod nemo Arabum, tota illa nocte, transgredi potuit. Omnibus etiam magis sortilegis et ariolis eo die artificium suum defecit... Qua ipsa hora jecit Deus praeconem per coelum et terram natum sibi amicum fidelem et benedictum. »

mains des mortels; parce que heureuses les mamelles
qui l'allaiteront, et les mains qui le toucheront, et la mai-
son qu'il habitera, et le lit où il reposera [1]. »

Après tant de témoignages si[a] éclatants, mon cher
Josué, il faut avoir un cœur de fer pour ne pas croire
sa sainte loi. Que pouvait faire davantage le Ciel pour
autoriser sa mission divine, à moins de[b] renverser la
nature et de faire périr les hommes mêmes qu'il voulait
convaincre?

De Paris, le 20 de la lune de Rhegeb, 1713.

LETTRE XL

USBEK A IBBEN, A SMYRNE

DÈS qu'un grand est mort, on s'assemble dans une
mosquée, et l'on fait une oraison funèbre, qui est
un discours à sa louange, avec lequel on serait bien embar-
rassé de décider au juste du mérite du défunt.

Je voudrais bannir les pompes funèbres : il faut pleurer
les hommes à leur naissance, et non pas à leur mort. A
quoi servent les cérémonies, et tout l'attirail lugubre qu'on

1. *Ibid.*, p. 209 : « Hic igitur, ut *Ibenaber* asserit, certatim conveniunt
omne avium genus, tum nubes et venti ex omnibus mundi partibus,
postremo et coetus angelici pro educatione infantis altercantes. Dice-
bant enim se aves commodiores esse nutrimento infantis pro eo quod
diversis fructibus congerendis faciles sint. Dicebant venti imo nos
potius qui totius mundi odoribus eum replere possumus. Dicebant
nubes quin imo nos commodissime quibus omnium aquarum dulce-
dinem ministrare promptum est. Indignati angeli aiunt : Ad quid
haec nobis haec cura supersit? Litem compescit vox divina dicens :
Non auferetur manibus hominum. Nam beata ubera quae suget,
beatae manus quibus tractabitur. Beata domus et cubile ejus. » La
traduction de Montesquieu est infiniment plus exacte que celle de
Baudier (*op. cit.*, p. 18-19) et conserve, sous la transcription *Isben Aben*,
le nom de l'historien arabe *Ibenaber*. Robert Brunschvicg, professeur
d'islamologie en Sorbonne, proposerait d'identifier *Ibenaber* (transcrit
d'ailleurs *Ibenabem* dans l'édition Bibliander de 1543, t. I, p. 209)
avec le cousin du prophète, *Ibn Abbās*, mort en 687, rapporteur oral
de traditions où transparaît le goût du merveilleux. Montesquieu,
séduit par la poésie de ce texte qui évoque *l'Évangile de l'Enfance* (cf.
éd. Paul Peeters, 1914, p. 44 et 124), suggère de toute évidence le
parallèle de Jésus et de Mahomet.

« *Quand je vois le Mogol... se mettre dans une balance et se faire peser comme un bœuf...* » (Lettre XL, p. 87.)
François Bernier, *Voyages* (Amsterdam, Paul Marret, 1709, t. II, p. 55.)

fait paraître à un mourant dans ses derniers moments, les larmes mêmes de sa famille et la douleur de ses amis, qu'à lui exagérer la perte qu'il va faire?

Nous sommes si aveugles que nous ne savons quand nous devons nous affliger ou nous réjouir : nous n'avons presque jamais que de fausses tristesses ou de fausses joies.

Quand je vois le Mogol qui, toutes les années, va sottement se mettre*a* dans une balance et se faire*b* peser comme un bœuf : quand je vois les peuples*c* se réjouir de ce que ce prince est devenu plus matériel, c'est-à-dire moins capable de les gouverner : j'ai pitié, Ibben, de l'extravagance humaine [1].

De Paris, le 20 de la lune de Rhegeb, 1713.

LETTRE XLI*d*

LE PREMIER EUNUQUE NOIR A USBEK

ISMAEL, un des eunuques noirs, vient de mourir, magnifique Seigneur, et je ne puis m'empêcher de le remplacer. Comme les eunuques sont extrêmement*e* rares à présent, j'avais pensé de me servir d'un esclave noir que tu as à la campagne; mais je n'ai pu jusqu'ici le porter à souffrir qu'on le consacrât à cet emploi. Comme

1. Deux sources pour cette anecdote, Bernier et Tavernier, qui furent présents aux fêtes anniversaires du Grand Mogol Aureng Zeb. Voici le témoignage de Tavernier : « J'assistai, au mois de novembre 1665, à la fête du Grand Mogol qui dura cinq jours. On le pèse à l'époque anniversaire de sa naissance, et s'il pèse plus que l'année précédente on fait de grandes réjouissances. Il reçut ce jour-là plus de trente millions de livres... » (*Op. cit.*, Paris, Clouzier, 1682, V*e* partie, p. 218.) Voici Bernier : « Le troisième jour de cette fête, le Roi se fit peser avec beaucoup de cérémonie avec de grandes balances et des poids qu'on dit être d'or massif. Il me souvient que tous les Omérahs témoignèrent une grande allégresse de ce que le Roi pesait deux livres davantage que l'année précédente. » (*Voyages contenant la description des États du Grand Mogol*, Amsterdam, Marret, 1709, t. II, p. 55.) Montesquieu possède les deux ouvrages (la Brède, *op. cit.*, n*os* 2735 et 2762). Mais la grande estampe de l'ouvrage de Bernier a plus de valeur suggestive qu'aucun texte.

je vois qu'au bout du compte c'est son avantage, je voulus
l'autre jour user à son égard d'un peu de rigueur, et,
de concert avec l'intendant de tes jardins, j'ordonnai que,
malgré lui[a], on le mît en état de te rendre les services qui
flattent le plus ton cœur, et de vivre comme moi dans ces
redoutables lieux qu'il n'ose pas même regarder[b]. Mais il
se mit à hurler comme si on avait voulu l'écorcher, et fit
tant qu'il échappa de nos mains et évita le fatal couteau. Je
viens d'apprendre qu'il veut t'écrire pour te demander
grâce, soutenant que je n'ai conçu ce dessein que par
un désir insatiable de vengeance sur certaines[c] railleries
piquantes qu'il dit avoir faites de moi. Cependant je te jure
par les cent mille Prophètes que je n'ai agi que pour le bien
de ton service, la seule chose qui me soit chère, et hors
laquelle je ne regarde rien.

Je me prosterne à tes pieds.

Du sérail de Fatmé, le 7 de la lune de Maharram, 1713.

LETTRE XLII [d]

PHARAN A USBEK, SON SOUVERAIN SEIGNEUR

SI tu étais ici, magnifique Seigneur, je paraîtrais à ta
vue tout couvert de papier blanc, et il n'y en aurait
pas assez[e] pour écrire toutes les insultes que ton pre-
mier eunuque noir, le plus méchant de tous les hommes,
m'a faites depuis ton départ.

Sous prétexte de quelques railleries qu'il prétend que
j'ai faites sur le malheur de sa condition, il exerce sur ma
tête une vengeance inépuisable : il a animé contre moi
le cruel intendant de tes jardins, qui, depuis ton départ,
m'oblige à des travaux insurmontables, dans lesquels j'ai
pensé mille fois laisser la vie, sans perdre un moment
l'ardeur de te servir. Combien de fois ai-je dit en moi-
même : « J'ai un maître rempli de douceur, et je suis le plus
malheureux esclave qui soit sur la Terre. »

Je te l'avoue, magnifique Seigneur, je ne me croyais
pas destiné à de plus grandes misères; mais ce traître
d'eunuque a voulu mettre le comble à sa méchanceté.

Il y a quelques jours que, de son autorité privée, il me destina à la garde de tes femmes sacrées, c'est-à-dire à une exécution [a] qui serait pour moi mille fois plus cruelle que la mort. Ceux qui, en naissant, ont eu le malheur de recevoir de leurs cruels parents un traitement pareil [b] se consolent peut-être sur ce qu'ils n'ont jamais connu d'autre état que le leur; mais qu'on me fasse descendre de l'humanité, et qu'on m'en prive, je mourrais de douleur, si je ne mourais pas de cette barbarie.

J'embrasse tes pieds, sublime Seigneur, dans une humilité profonde. Fais en sorte que je sente les effets de cette vertu si respectée, et qu'il ne soit pas dit que, par ton ordre, il y ait sur la Terre un malheureux de plus.

Des jardins de Fatmé, le 7 de la lune de Maharram, 1713.

LETTRE XLIII [c]

USBEK A PHARAN, AUX JARDINS DE FATMÉ

R ECEVEZ la joie dans votre cœur, et reconnaissez ces sacrés caractères; faites-les baiser au grand Eunuque et à l'intendant de mes jardins [d]. Je leur défends de rien entreprendre contre vous [e]. Dites-leur d'acheter l'eunuque qui me [f] manque. Acquittez-vous de votre devoir comme si vous m'aviez toujours devant les yeux : car sachez que, plus mes bontés sont grandes, plus vous serez puni si vous en abusez.

De Paris, le 25 de la lune de Rhegeb, 1713.

LETTRE XLIV

USBEK A RHÉDI, A VENISE

I L y a en France trois sortes d'états : l'Église, l'Épée et la Robe. Chacun a un mépris souverain pour les deux autres : tel, par exemple, que l'on devrait mépriser parce

qu'il est un sot, ne l'est souvent que parce qu'il est homme de robe.

Il n'y a pas jusqu'aux plus vils artisans qui ne disputent sur l'excellence de l'art qu'ils ont choisi : chacun s'élève au-dessus de celui qui est d'une profession différente, à proportion de l'idée qu'il s'est faite de la supériorité de la sienne.

Les hommes ressemblent tous, plus ou moins, à cette femme de la province d'Erivan qui, ayant reçu quelque grâce d'un de nos monarques, lui souhaita mille fois, dans les bénédictions qu'elle lui donna, que le Ciel le fît gouverneur d'Erivan [1].

J'ai lu, dans une relation, qu'un vaisseau français ayant relâché à la côte de Guinée, quelques hommes de l'équipage voulurent aller à terre acheter quelques moutons. On les mena au roi, qui rendait la justice à ses sujets sous un arbre. Il était sur son trône, c'est-à-dire sur un morceau de bois ; aussi fier que s'il eût été sur celui du Grand Mogol ; il avait trois ou quatre gardes avec des piques de bois ; un parasol en forme de dais le couvrait de l'ardeur du soleil ; tous ses ornements et ceux de la reine, sa femme, consistaient en leur peau noire et quelques bagues. Ce prince, plus vain encore que misérable, demanda à ces étrangers si on[a] parlait beaucoup de lui en France [2]. Il croyait que son nom

1. Élie Carcassonne rapproche ce trait d'une anecdote racontée par M[me] d'Aulnoy dans sa *Relation du voyage d'Espagne* (La Haye, 1715, t. II, p. 154) : « Il y a quelque temps qu'une Espagnole, nouvellement arrivée de Naples, fit prier le roi qu'elle le pût voir. Et quand elle l'eut assez regardé, transportée de son zèle, elle lui dit en joignant les mains : Je prie Dieu, Sire, qu'il vous fasse la grâce de devenir un jour vice-roi de Naples. »

2. Dans les papiers de la Brède, Barckhausen a trouvé cette note sur les *Lettres persanes :* « J'y parle d'un roi d'Afrique : il était sur son trône, c'est-à-dire sur un morceau de bois, aussi fier que s'il eût été sur celui du Grand Mogol. Dans *l'Esprit des lois* j'ai dit la même chose d'un roi des Natchez. » Allusion à *l'Esprit des lois*, XVIII, 18 : « Vous diriez que c'est le grand Sésostris. Ce chef est traité dans sa cabane avec les cérémonies qu'on ferait à un empereur du Japon ou de la Chine. » Quant à l'anecdote, elle est prise du livre de Froger, *Relation d'un voyage aux côtes d'Afrique* (Paris, Brunet, 1698). L'auteur décrit l'entrevue d'un officier français, M. de Gennes, en 1695, avec le roi nègre de Bar, sur la rivière de Gambie : « Le roi s'avança fièrement

devait être porté d'un pôle à l'autre; et, à la différence de ce
conquérant de qui on a dit qu'il avait fait taire toute la
Terre [1], il croyait, lui, qu'il devait faire parler tout l'Univers.

Quand le Khan de Tartarie a dîné, un héraut crie que
tous les princes de la Terre peuvent aller dîner, si bon leur
semble, et ce barbare, qui ne mange que du lait, qui n'a pas
de maison, qui ne vit que de brigandage [a], regarde tous les
rois du Monde comme ses esclaves et les insulte régulière-
ment [b] deux fois par jour [2].

De Paris, le 28 de la lune de Rhegeb, 1713.

LETTRE XLV

RICA [c] A USBEK, A ***

HIER matin, comme j'étais au lit, j'entendis frapper
rudement à ma porte, qui fut soudain ouverte ou
enfoncée par un homme avec qui j'avais lié quelque société,
et qui me parut tout hors de lui-même.

Son habillement était beaucoup plus que modeste;
sa perruque de travers n'avait pas même été peignée;

sous un gros arbre où il donna audience aux ambassadeurs des rois ses
voisins... M. de Gennes l'y alla saluer... Comme l'interprète, qui
était un Français établi sur la rivière depuis plus de dix ans, avait
beaucoup de facilité à parler la langue du pays, ils eurent une longue
conversation et entre autres choses, *ce pauvre roi demanda plusieurs fois
si on parlait beaucoup de lui en France.* » (*Op. cit.*, p. 34-35.) Montesquieu
ajoute beaucoup de pittoresque à la scène.

1. Cf. I, *Macchabées*, I, 1-8, à propos d'Alexandre le grand : « Il livra
de grandes batailles ... Il frappa les rois de la terre. Il atteignit
jusqu'aux extrémités du monde et *la terre se tut en sa présence.* »

2. L'anecdote ne vient pas de Pétis de la Croix, mais, comme l'a
découvert Antoine Adam, de Thomas Herbert, *Relation du voyage de
Perse et des Indes* (Paris, Dupuis, 1663, p. 334) : « Le Cham de Tar-
tarie ne laisse pas de prendre la qualité de Soleil du très haut Dieu...
et c'est de là que vient leur sotte coutume de faire proclamer par un
hérauld au sortir de son dîner et de faire savoir à tous les autres
monarques et princes de la Terre qu'il a dîné et qu'ils peuvent aller
dîner, s'il leur plaît, comme s'ils attendaient après ses ordres pour
dîner. »

il n'avait pas eu le temps de faire recoudre son pourpoint noir, et il avait renoncé, pour ce jour-là, aux sages précautions avec lesquelles il avait coutume de déguiser le délabrement de son équipage.

« Levez-vous, me dit-il ; j'ai besoin de vous tout aujourd'hui : j'ai mille emplettes à faire, et je serai bien aise que ce soit avec vous. Il faut premièrement que nous allions à la rue Saint-Honoré parler à un notaire qui est chargé de vendre une terre de cinq cent mille livres ; je veux qu'il m'en donne la préférence. En venant ici, je me suis arrêté un moment au faubourg Saint-Germain, où j'ai loué un hôtel de deux mille écus, et j'espère passer le contrat aujourd'hui. »

Dès que je fus habillé, ou peu s'en fallait, mon homme me fit précipitamment descendre. « Commençons, dit-il, par acheter *a* un carrosse, et établissons *b* l'équipage. » En effet, nous achetâmes non seulement un carrosse, mais encore *c* pour cent mille francs de marchandises en moins d'une heure. Tout cela se fit promptement, parce que mon homme ne marchanda rien et ne compta jamais ; aussi ne déplaça-t-il pas. Je rêvais sur tout ceci, et, quand j'examinais cet homme, je trouvais en lui une complication singulière de richesses et de pauvreté ; de manière que je ne savais que croire. Mais enfin, je rompis le silence, et, le tirant à part *d*, je lui dis : « Monsieur, qui est-ce qui payera tout cela ? — Moi, dit-il *e*. Venez dans ma chambre : je vous montrerai des trésors immenses et des richesses enviées des plus grands monarques ; mais elles ne le seront pas de vous, qui les partagerez toujours avec moi. » Je le suis. Nous grimpons à son *f* cinquième étage, et, par une échelle, nous nous guindons à un sixième, qui était un cabinet ouvert aux quatre vents, dans lequel *g* il n'y avait que deux ou trois douzaines de bassins de terre remplis de diverses liqueurs. « Je me suis levé de grand matin, me dit-il, et j'ai fait d'abord ce que je fais depuis vingt-cinq ans, qui est d'aller visiter mon œuvre. J'ai vu que le grand jour était venu, qui devait me rendre plus riche qu'homme *h* qui soit sur la Terre. Voyez-vous cette liqueur vermeille ? Elle a à présent toutes les qualités que les philosophes demandent pour faire la transmutation des métaux. J'en ai tiré ces grains que vous

voyez, qui sont de vrai or par leur couleur, quoiqu'un peu imparfaits par leur pesanteur. Ce secret, que Nicolas Flamel trouva, mais que Raymond Lulle et un million d'autres cherchèrent toujours, est venu jusques à moi, et je me trouve aujourd'hui un heureux adepte. Fasse le Ciel que je ne me serve de tant de trésors qu'il m'a communiqués, que pour sa gloire *a*! »

Je sortis, et je descendis, ou plutôt je me précipitai par cet escalier *b* transporté de colère, et laissai cet homme si riche dans son hôpital [1].

Adieu, mon cher Usbek. J'irai te voir demain, et, si tu veux, nous reviendrons ensemble à Paris *c*.

De Paris, le dernier de la lune de Rhegeb, 1713.

1. Une longue lettre de Marana est consacrée aux alchimistes et à la recherche de la pierre philosophale (t. I, p. 411-421, lettre 99). Un capucin, ami de l'Espion turc, lui assurait « qu'il y avait dans Paris seul plusieurs milliers de gens qui s'appliquaient à cet exercice » (*ibid.*, p. 412) et que « plusieurs personnes étaient parvenues à la perfection de cet art qui occupe tant d'honnêtes gens de toutes les parties du monde » (*ibid.*, p. 417). Mais au fond « ils ne trouvent tous dans leur travail que beaucoup de faim, de froid et de fumée » (*ibid.*, p. 418). Cotolendi démarque Marana : « On compte cinq à six mille (alchimistes) qui seront assez malheureux pour ne recevoir de leurs travaux et de leur assiduité que de la fumée «(*Lettre d'un Sicilien*, in *Saint-Évremoniana*, Rouen, 1710, p. 363). Marana citait Raymond Lulle, le fameux alchimiste de Majorque (1235-1315). Montesquieu lui ajoute Nicolas Flamel, écrivain juré de l'Université de Paris, mort le 22 mars 1418, dont les mystérieuses richesses firent croire à la découverte du fameux secret. Selon Maurice Tourneux, dans son édition des *Lettres persanes* (Librairie des Bibliophiles, 1866), l'alchimiste de Montesquieu serait le célèbre médecin Jean Boudin, dont Saint-Simon a tracé un admirable portrait (*Mémoires*, édit. Boislisle, Hachette, 1908, t. XX, p. 232) : « Il aimait la chimie, mais il alla plus loin; il souffla, il se mit dans la tête que la pierre philosophale n'était pas impossible à trouver et avec toute sa science et son esprit, il y fut cent fois dupé... ».

LETTRE XLVI

USBEK A RHÉDI, A VENISE

J<small>E</small> vois ici des gens qui disputent sans fin sur la religion; mais il me semble qu'ils combattent en même temps à qui l'observera le moins.

Non seulement ils ne sont pas meilleurs chrétiens, mais même meilleurs citoyens, et c'est ce qui me touche : car, dans quelque religion qu'on vive, l'observation des lois, l'amour pour les hommes, la piété envers les parents, sont toujours les premiers actes de religion.

En effet, le premier objet d'un homme religieux ne doit-il pas être de plaire à la Divinité, qui a établi la religion qu'il professe? Mais le moyen le plus sûr pour y parvenir[a] est sans doute d'observer les règles de la société et les devoirs de l'humanité; car, en quelque religion qu'on vive, dès qu'on en suppose une, il faut bien que l'on suppose aussi que Dieu aime les hommes, puisqu'il établit une religion pour les rendre heureux; que s'il aime les hommes, on est assuré[b] de lui plaire en les aimant aussi, c'est-à-dire en exerçant envers eux tous les devoirs de la charité et de l'humanité, et en ne violant point les lois sous lesquelles ils vivent[1].

Par là, on est bien plus sûr[c] de plaire à Dieu qu'en observant telle ou telle cérémonie : car les cérémonies n'ont point un degré de bonté par elles-mêmes; elles ne sont bonnes qu'avec égards et dans la supposition que Dieu les a commandées. Mais c'est la matière d'une grande discussion; on peut facilement s'y tromper; car il faut choisir les cérémonies[d] d'une religion entre celles de deux mille.

Un homme faisait tous les jours à Dieu cette prière : « Seigneur, je n'entends rien dans les disputes que l'on

1. Marana disait déjà (*op. cit.*, I, p. 49, lettre 13) : « Ne crois-tu pas, toi qui es dervis et le plus éclairé de tous, que de quelque religion qu'on soit, pourvu qu'on soit honnête homme, l'on peut être heureux après sa mort?... Cependant vivons en gens de bien. »

fait sans cesse à votre sujet. Je voudrais vous servir selon votre volonté; mais chaque homme que je consulte veut que je vous serve à la sienne. Lorsque je veux vous faire ma prière, je ne sais en quelle langue je dois vous parler. Je ne sais pas non plus en quelle posture je dois me mettre : l'un dit que je dois vous prier debout; l'autre veut que je sois assis; l'autre exige que mon corps porte sur mes genoux. Ce n'est pas tout : il y en a qui prétendent que je dois me laver tous les matins avec de l'eau froide; d'autres soutiennent que vous me regarderez avec horreur si je ne me fais pas couper un petit morceau de chair. Il m'arriva l'autre jour de manger un lapin dans un caravansérail. Trois hommes qui étaient auprès de là me firent trembler : ils me soutinrent tous trois que je vous avais grièvement offensé; l'un [1], parce que cet animal était immonde; l'autre [2], parce qu'il était étouffé; l'autre [3] enfin, parce qu'il n'était pas poisson. Un Brachmane qui passait par là, et que je pris pour juge, me dit : « Ils ont tort : car apparemment vous n'avez pas tué vous-même cet animal. — Si fait, lui dis-je. — Ah! vous avez commis une action abominable, et que Dieu ne vous pardonnera jamais, me dit-il d'une voix sévère. Que savez-vous si l'âme de votre pere n'était pas passée dans cette bête [4]? » Toutes ces choses, Seigneur, me jettent dans un embarras inconcevable : je ne puis remuer la tête que je ne sois menacé de vous offenser; cependant je voudrais vous plaire et employer à cela la vie que je tiens de vous. Je ne sais si je me trompe;

1. « Un Juif. » *(Note de Montesquieu.)* Cf. *Lévitique*, XI : « Vous ne mangerez pas le lièvre qui rumine, vous le regarderez comme impur. »

2. « Un Turc. » *(Note de Montesquieu.)* Cf. Chardin (II, 61) : « Le cochon leur est défendu, le lièvre et tous les autres animaux qui sont interdits par la religion judaïque. » L'interdiction du sang était déjà dans le *Lévitique*.

3. « Un Arménien. » *(Note de Montesquieu.)* Nous ne savons pas l'origine de ce détail. Nul auteur ne parle de l'interdiction des animaux terrestres dans le christianisme arménien (cf. Chardin, I, 56, et Tavernier, IV, 495).

4. Cf. Tavernier (Livre III, chap. 1, p. 193) : « D'après ce système de métempsycose, les Indiens ont horreur de tuer quelque animal que ce soit, de peur de troubler l'âme d'un de leurs parents qui y fait pénitence ».

mais je crois que le meilleur moyen pour y parvenir est de vivre en bon citoyen dans la société où vous m'avez fait naître, et en bon père dans la famille que vous m'avez donnée [1]. »

De Paris, le 8 de la lune de Chahban, 1713.

LETTRE XLVII [a]

ZACHI A USBEK, A PARIS

J'AI une grande nouvelle à t'apprendre : je me suis réconciliée avec Zéphis ; le sérail, partagé entre nous, s'est réuni. Il ne manque que toi dans ces lieux, où la paix règne. Viens, mon cher Usbek, viens y faire triompher l'amour.

Je donnai à Zéphis un grand festin, où ta mère, tes femmes et tes principales concubines furent invitées ; tes tantes et plusieurs de tes cousines s'y trouvèrent aussi ; elles étaient venues à cheval, couvertes du sombre nuage de leurs voiles et de leurs habits.

Le lendemain, nous partîmes pour la campagne, où nous espérions être plus libres. Nous montâmes sur nos chameaux, et nous nous mîmes quatre dans chaque loge [2]. Comme la partie avait été faite brusquement, nous n'eûmes pas le temps d'envoyer à la ronde annoncer le courouc [3] ;

1. C'est-à-dire, conclut fort justement l'abbé Gaultier (*Lettres persanes convaincues d'impiété, op. cit.*, p. 71) : « Toute religion est indifférente, pourvu que l'on y remplisse les devoirs de la société ».

2. Cf. Chardin (*op. cit.*, III, 57) : « Les femmes du sérail ne vont guère que la nuit. On les mène d'ordinaire dans des manières de *cunes* ou de berceaux qu'on appelle *Cajavé* qui est une machine large de deux pieds et profonde de trois, avec une haute impériale en arc couverte de drap. Un chameau porte deux de ces grands berceaux, un de chaque côté. Les eunuques aident aux dames à monter dedans et puis ils abattent les rideaux tout autour... » Olearius décrivait déjà (*op. cit.*, I, 457) « les caisses dont leurs femmes se servent aux voyages. Les Perses les appellent *Ketzavucha* et les chargent sur des chameaux comme des ballots. » On ne saurait d'ailleurs placer quatre femmes dans chaque « loge », comme le prétend Montesquieu, mais une seulement.

3. Cf. Tavernier (*op. cit.*, V, 705) : « S'il est nécessaire qu'une femme

mais le premier Eunuque, toujours industrieux, prit une
autre précaution : car il joignit à la toile qui nous empêchait
d'être vues un rideau si épais que nous ne pouvions abso-
lument voir personne.

Quand nous fûmes arrivées à cette rivière qu'il faut
traverser, chacune de nous se mit, selon la coutume,
dans une boîte [1] et se fit porter dans le bateau : car on nous
dit que la rivière était pleine de monde. Un curieux, qui
s'approcha trop près du lieu où nous étions enfermées,
reçut un coup mortel, qui lui ôta pour jamais la lumière
du jour; un autre, qu'on trouva se baignant tout nu [a]
sur le rivage, eut le même sort; et tes fidèles eunuques
sacrifièrent à ton honneur et au nôtre ces deux infortunés.

Mais écoute le reste de nos aventures. Quand nous
fûmes au milieu du fleuve, un vent si impétueux s'éleva,
et un nuage si affreux couvrit les airs, que nos matelots
commencèrent à désespérer [2]. Effrayées de ce péril, nous
nous évanouîmes presque toutes [b]. Je me souviens que
j'entendis la voix et la dispute [c] de nos eunuques, dont les
uns disaient qu'il fallait nous avertir du péril et nous tirer

de qualité sorte, plusieurs eunuques vont devant et derrière avec des
bâtons faire le *Courouk* et obligent le monde à se retirer. Quand les
femmes du roi sont en campagne, il faut éviter de se trouver en ces
quartiers-là... Si le jour que le roi sort avec elles, il arrivait que quel-
qu'un fut endormi dans un fossé... il serait mis en pièces et tué sur le
champ sans autre forme de procès. » Chardin consacre un chapitre à
cette coutume (II, chap. XIII, p. 281) : « Lorsque les femmes de qualité
sortent du logis, un nombre de cavaliers marchent cent pas devant et
un autre nombre cent pas derrière criant *courouc, courouc*, mot turquesque
qui signifie défense, abstinence, et qui dans cet usage veut dire que le
monde se retire et que personne n'approche. Cette voix fait peur en
Perse et on ne se le fait pas dire deux fois. »

1. Chardin disait pourtant expressément (II, 41) : « Il n'y a d'autres
voitures en Perse que de grandes *cunes* ou manières de berceaux cou-
verts et fermés où vont les femmes de qualité. On n'y a ni carrosses,
ni chariots, ni litières, ni chaises. » (Cf. *Lettre* III.)

2. Montesquieu dramatise quelque peu l'épisode. La rivière de
Senderu qui arrose Ispahan « ne porte point de bateau... Elle a très peu
d'eau et le plus souvent on la passe à gué plutôt que de passer sur les
ponts. » (Tavernier, *op. cit.*, livre IV, p. 454.) Chardin prétend que le
Zendéroud est aussi gros au printemps que la Seine à Paris (III, 4);
il décrit la curieuse architecture des ponts (III, 59 et 73), mais ne signale
pas de batellerie.

de nos prisons; mais leur chef soutint toujours qu'il mour-
rait plutôt que de souffrir que son maître fût ainsi désho-
noré, et qu'il enfoncerait un poignard dans le sein de celui
qui ferait des propositions si hardies. Une de mes esclaves,
toute hors d'elle, courut vers moi déshabillée, pour me
secourir, mais un eunuque noir la prit brutalement et
la fit entrer dans l'endroit d'où elle était sortie. Pour
lors je m'évanouis et ne revins à moi qu'après que [a] le
péril fut passé.

Que les voyages sont embarrassants pour les femmes!
Les hommes ne sont exposés qu'aux dangers qui menacent [b]
leur vie, et nous sommes, à tous les instants, dans la
crainte [c] de perdre notre vie ou notre vertu.

Adieu, mon cher Usbek. Je t'adorerai toujours.

Du sérail de Fatmé, le 2 de la lune de Rhamazan, 1713.

LETTRE XLVIII

USBEK A RHÉDI, A VENISE.

CEUX qui aiment à s'instruire ne sont jamais oisifs:
quoique je ne sois chargé d'aucune affaire importante,
je suis cependant dans une occupation continuelle. Je
passe ma vie à examiner, j'écris le soir ce que j'ai remarqué,
ce que j'ai vu, ce que j'ai entendu dans la journée. Tout
m'intéresse, tout m'étonne : je suis comme un enfant, dont
les organes encore tendres sont vivement frappés par les
moindres objets.

Tu ne le croirais pas peut-être, nous sommes reçus
agréablement dans toutes les compagnies et dans toutes
les sociétés; je crois devoir beaucoup à l'esprit vif et
à la gaieté naturelle de Rica, qui fait qu'il recherche tout
le monde, et qu'il en est également recherché. Notre
air étranger n'offense plus personne; nous jouissons
même de la surprise où l'on est de nous trouver quelque
politesse : car les Français n'imaginent pas que notre
climat produise des hommes. Cependant, il faut l'avouer,
ils valent la peine [d] qu'on les détrompe.

J'ai passé quelques jours dans une maison de campagne auprès de Paris, chez un homme de considération, qui est ravi d'avoir de la compagnie chez lui. Il a une femme fort aimable, et qui joint à une grande modestie une gaieté que la vie retirée ôte toujours à nos dames de Perse.

Étranger que j'étais, je n'avais rien de mieux à faire que d'étudier[a] cette foule de gens qui y abordait sans cesse, et qui me présentait[b] toujours quelque chose de nouveau. Je remarquai d'abord un homme dont la simplicité me plut; je m'attachai à lui, il s'attacha à moi; de sorte que nous nous trouvions[c] toujours l'un auprès de l'autre.

Un jour que, dans un grand cercle, nous nous entretenions en particulier, laissant les conversations générales à elles-mêmes : « Vous trouverez peut-être en moi, lui dis-je, plus de curiosité que de politesse; mais je vous supplie d'agréer que je vous fasse quelques questions : car je m'ennuie de n'être au fait de rien et de vivre avec des gens que je ne saurais démêler[d]. Mon esprit travaille depuis deux jours : il n'y a pas un seul de ces hommes qui ne m'a donné deux cents fois la torture, et[e] je ne les devinerais de mille ans : ils me sont plus invisibles que les femmes de notre grand monarque. — Vous n'avez qu'à dire, me répondit-il, je vous instruirai de tout ce que vous souhaiterez; d'autant mieux que je vous crois homme discret, et que vous n'abuserez pas de ma confiance[1][f].

« Qui est cet homme, lui dis-je, qui nous a tant parlé des repas qu'il a donnés aux grands, qui est si familier avec vos ducs, et qui parle si souvent à vos ministres, qu'on me dit d'être d'un accès si difficile? Il faut bien que ce soit un homme de qualité; mais il a la physionomie si basse qu'il ne fait guère honneur aux gens de qualité, et, d'ailleurs, je ne lui trouve point d'éducation. Je suis étranger; mais il me semble qu'il y a en général une certaine politesse commune[g] à toutes les nations; je ne lui

1. Dufresny avait de même, dans son *Amusement* XI (*op. cit.*, p. 68), placé son Siamois dans un coin de son *cercle bourgeois* « pour être spectateur de tout ce qui s'y passe ». Dans *Gil Blas*, paru en 1715 (IV, 8), le héros de Lesage se faisait décrire par André Molina les habitués du salon de la marquise de Chaves.

trouve point de celle-là. Est-ce que vos gens de qualité sont plus mal élevés que les autres ? — Cet homme, me répondit-il en riant, est un fermier [1]. Il est autant au-dessus des autres par ses richesses, qu'il est au-dessous de tout le monde par sa naissance. Il aurait la meilleure table de Paris, s'il pouvait se résoudre à ne manger jamais chez lui. Il est bien impertinent, comme vous le voyez; mais il excelle par son cuisinier. Aussi n'en est-il pas ingrat : car vous avez entendu qu'il l'a loué tout aujourd'hui. »

« Et ce gros homme vêtu de noir, lui dis-je, que cette dame a fait placer auprès d'elle, comment a-t-il un habit si lugubre avec un air si gai et un teint si fleuri ? Il sourit gracieusement dès qu'on lui parle; sa parure est plus modeste, mais plus arrangée que celle de vos femmes. — C'est, me répondit-il, un prédicateur, et, qui pis est, un directeur [2]. Tel que vous le voyez, il en sait plus que les maris. Il connaît le faible des femmes; elles savent aussi qu'il a le sien. — Comment ? dis-je. Il parle toujours de quelque chose qu'il appelle *la grâce*. — Non pas toujours, me répondit-il. A l'oreille d'une jolie femme il parle encore plus volontiers de sa chute. Il foudroie en public; mais il est doux comme un agneau en particulier. — Il me semble, dis-je [a], qu'on le distingue beaucoup, et qu'on a de grands égards pour lui. — Comment ? si on le distingue ? C'est un homme nécessaire [b], il fait la douceur de la vie retirée : petits conseils, soins officieux, visites marquées; il dissipe un mal de tête mieux qu'homme du Monde; il est excellent. »

« Mais, si je ne vous importune pas, dites-moi qui

1. Les partisans ou fermiers sont depuis longtemps la cible préférée des moralistes et des auteurs satiriques (cf. La Bruyère, *Caractères*, VI, Louis Petit, *Satires générales*, V, Regnard, *le Divorce*, Lesage, *Turcaret*). On aime dauber sur leur naissance : La Bazinière, trésorier de l'Épargne, Gourville, receveur général de Guyenne, étaient d'anciens laquais du président Gayau et du duc de la Rochefoucauld.

2. La Bruyère s'était élevé contre les directeurs et « le spécieux... prétexte du soin des âmes » (III, 42) et l'évêque Fromentières blâmait « leur indiscrétion à se mêler avec le sexe ». Mais avec Cotolendi (*Lettre d'un Sicilien, op. cit.*, p. 360) et Montesquieu, le directeur tourne à l'abbé galant.

est celui qui est vis-à-vis de nous, qui est si mal habillé; qui fait quelquefois des grimaces et a un langage diffé- rent des autres; qui n'a pas d'esprit pour parler, mais qui *a* parle pour avoir de l'esprit? — C'est, me répondit-il, un poète, et le grotesque du Genre humain. Ces gens-là disent qu'ils sont nés ce qu'ils sont. Cela est vrai, et aussi ce qu'ils seront toute leur vie, c'est-à-dire presque toujours les plus ridicules de tous les hommes. Aussi ne les épargne- t-on point : on verse sur eux le mépris à pleines mains. La famine a fait entrer celui-ci dans cette maison, et il y est bien reçu du maître et de la maîtresse, dont la bonté et la poli- tesse ne se démentent à l'égard de personne. Il fit leur épithalame, lorsqu'ils se marièrent. C'est ce qu'il a fait de mieux en sa vie; car il s'est trouvé que le mariage a été aussi heureux qu'il l'a prédit. »

« Vous ne le croiriez pas peut-être, ajouta-t-il, entêté comme vous l'êtes des préjugés de l'Orient : il y a parmi nous des mariages heureux et des femmes dont la vertu est un gardien sévère. Les gens dont nous parlons goûtent entre eux une paix qui ne peut être troublée; ils sont aimés *b* et estimés de tout le monde. Il n'y a qu'une chose : c'est que leur bonté naturelle leur fait recevoir chez eux toute sorte de monde; ce qui fait qu'ils ont quelquefois *c* mauvaise compagnie. Ce n'est pas que je les désapprouve : il faut vivre avec les hommes *d* tels qu'ils sont; les gens qu'on dit être de si *e* bonne compagnie ne sont souvent que ceux dont les vices sont plus raffinés *f* et peut-être en est-il *g* comme des poisons, dont les plus subtils sont aussi les plus dan- gereux. »

« Et ce vieux homme, lui dis-je tout bas, qui a l'air si chagrin? Je l'ai pris d'abord pour un étranger : car, outre qu'il est habillé autrement que les autres, il censure tout ce qui se fait en France et n'approuve pas votre gou- vernement. — C'est un vieux guerrier, me dit-il, qui se rend mémorable à tous ses auditeurs par la longueur de ses exploits. Il ne peut souffrir que la France ait gagné des batailles où il ne se soit pas trouvé, ou qu'on vante un siège où il n'ait pas monté à *h* la tranchée. Il se croit si nécessaire à notre histoire, qu'il s'imagine qu'elle finit où il a fini : il regarde quelques blessures qu'il a reçues, comme la dissolu-

tion de la Monarchie, et, à la différence de ces philo-
sophes qui disent qu'on ne jouit que du présent, et que
le passé n'est rien, il ne jouit, au contraire, que du
passé et n'existe que dans les campagnes qu'il a faites : il
respire dans les temps qui se sont écoulés, comme les
héros doivent vivre dans ceux qui passeront après eux. —
Mais pourquoi, dis-je, a-t-il quitté le service? — Il ne l'a
point quitté, me répondit-il; mais le service l'a quitté :
on l'a employé dans une petite place, où il racontera ses
aventures[a] le reste de ses jours; mais il n'ira jamais plus
loin : le chemin des honneurs lui est fermé. — Et pour-
quoi[b]? lui dis-je. — Nous avons une maxime en France, me
répondit-il : c'est de n'élever jamais les officiers dont
la patience a langui dans les emplois subalternes. Nous
les regardons comme des gens dont l'esprit s'est rétréci[c]
dans les détails, et qui, par l'habitude des[d] petites choses,
sont devenus incapables des plus grandes. Nous croyons
qu'un homme qui n'a pas les qualités d'un général à
trente ans ne les aura jamais; que celui qui n'a pas ce coup
d'œil qui montre tout d'un coup un terrain de plusieurs
lieues dans toutes ses situations différentes, cette présence
d'esprit qui fait que, dans une victoire, on se sert de tous ses
avantages, et, dans un échec, de toutes ses ressources,
n'acquerra jamais ces talents. C'est pour cela que nous
avons des emplois brillants pour ces hommes grands et
sublimes que le Ciel a partagés non seulement d'un cœur,
mais aussi d'un génie héroïque, et des emplois subalternes
pour ceux dont les talents le sont aussi. De ce nombre
sont ces gens qui ont vieilli dans une guerre obscure :
ils ne réussissent tout au plus qu'à faire ce qu'ils ont fait
toute leur vie, il ne faut point commencer à les charger dans
le temps qu'ils s'affaiblissent. »

Un moment après, la curiosité me reprit, et je lui dis :
« Je m'engage à ne vous plus faire de questions, si vous
voulez encore souffrir celle-ci. Qui est ce grand jeune
homme qui a des cheveux, peu d'esprit et tant d'imperti-
nence? D'où vient qu'il parle plus haut que les autres[e]
et se sait si bon gré d'être au Monde? — C'est un homme
à bonnes fortunes », me répondit-il. A ces mots[f], des gens
entrèrent, d'autres sortirent, on se leva; quelqu'un vint

parler à mon gentilhomme, et je restai aussi peu instruit qu'auparavant. Mais, un moment après [a], je ne sais par quel hasard, ce jeune homme se trouva auprès de moi, et, m'adressant la parole : « Il fait beau. Voudriez-vous, Monsieur, faire un tour dans le parterre ? » Je lui répondis le plus civilement qu'il me fut possible, et nous sortîmes ensemble. « Je suis venu à la campagne, me dit-il, pour faire plaisir à la maîtresse de maison, avec laquelle je ne suis pas mal. Il y a bien certaine femme dans le Monde qui ne sera pas de bonne humeur [b]. Mais qu'y faire ? Je vois les plus jolies femmes de Paris ; mais je ne me fixe pas à une [c], et je leur en donne bien à garder : car entre vous et moi, je ne vaux pas grand-chose [1]. — Apparemment, Monsieur, lui dis-je, que vous avez quelque charge ou quelque emploi qui vous empêche d'être plus assidu auprès d'elles. — Non, Monsieur, je n'ai d'autre emploi que de faire enrager un mari ou désespérer un père ; j'aime à alarmer une femme qui croit me tenir, et la mettre à deux doigts de ma perte [d]. Nous sommes quelques jeunes gens qui partageons ainsi tout Paris et l'intéressons à nos moindres démarches. — A ce que je comprends, lui dis-je, vous faites plus de bruit que le guerrier le plus valeureux, et vous êtes plus considéré qu'un grave magistrat. Si vous étiez en Perse, vous ne jouiriez pas de tous ces avantages : vous deviendriez plus propre à garder nos dames qu'à leur plaire. » Le feu me monta au visage, et je crois que pour peu que j'eusse parlé, je n'aurais pu m'empêcher de le brusquer.

Que dis-tu d'un pays où l'on tolère de pareilles gens, et où l'on laisse vivre un homme qui fait un tel métier ? où l'infidélité, la trahison, le rapt, la perfidie et l'injustice conduisent à la considération ? où l'on estime un homme parce qu'il ôte une fille à son père, une femme à son mari, et trouble les sociétés les plus douces et les plus saintes ?

1. Antoine Adam a raison de voir un sens scabreux dans cette expression sibylline. L'homme à bonnes fortunes poursuit une carrière qui est souvent fort au-dessus de ses moyens. Avant Casanova et le marquis de Sade, le jeune duc de Richelieu en avait fait l'expérience. Montesquieu vise-t-il ici ce dernier qui fut mis deux fois à la Bastille pour ses excès galants ?

Heureux les enfants d'Hali, qui défendent leurs familles de l'opprobre et de la séduction. La lumière du jour n'est pas plus pure que le feu qui brûle dans le cœur de nos femmes ; nos filles ne pensent qu'en tremblant au jour qui doit les priver de cette vertu qui les rend semblables aux Anges et aux Puissances incorporelles. Terre natale et chérie, sur qui le soleil jette ses premiers regards, tu n'es point souillée par les crimes horribles qui obligent cet astre à se cacher dès qu'il paraît dans le noir Occident !

De Paris, le 5 de la lune de Rhamazan, 1713.

LETTRE XLIX

RICA A USBEK, A ***.

Étant l'autre jour dans ma chambre, je vis entrer un dervis extraordinairement habillé : sa barbe descendait jusques à sa ceinture de corde ; il avait les pieds nus ; son habit était gris, grossier et, en quelques endroits, pointu. Le tout me parut si bizarre que ma première idée fut d'envoyer chercher un peintre pour en faire une fantaisie.

Il me fit d'abord un grand compliment, dans lequel il m'apprit qu'il était homme de mérite, et de plus Capucin. « On m'a dit, ajouta-t-il, Monsieur, que vous retournez bientôt à la cour de Perse, où vous tenez un rang distingué ; je viens vous demander votre protection et vous prier de nous obtenir du roi une petite habitation, auprès de Casbin, pour deux ou trois religieux. — Mon père, lui dis-je, vous voulez donc aller en Perse ? — Moi, Monsieur ! me dit-il ; je m'en donnerai bien de garde. Je suis ici provincial, et je ne troquerais pas ma condition contre celle de tous les Capucins du Monde. — Et *a* que diable me demandez-vous donc ? — C'est, me répondit-il, que, si nous avions cet hospice, nos pères d'Italie y enverraient deux ou trois de leurs religieux. — Vous les connaissez apparemment, lui dis-je, ces religieux ? — Non, Monsieur, je ne les connais pas. — Eh morbleu ! que vous

importe donc qu'ils aillent en Perse? C'est un beau projet de faire respirer l'air de Casbin à deux Capucins; cela sera très utile et*ᵃ* à l'Europe et à l'Asie; il est fort nécessaire d'intéresser là-dedans les monarques. Voilà ce qui s'appelle de belles colonies*ᵇ*! Allez! Vous et vos semblables n'êtes point faits pour être transplantés, et vous ferez bien de continuer à ramper dans les endroits où vous vous êtes*ᶜ* engendrés[1]. »

De Paris, le 15 de la lune de Rhamaçan, 1713.

LETTRE L

RICA A ***.

J'AI vu des gens chez qui la vertu était si naturelle qu'elle ne se faisait pas même sentir: ils s'attachaient à leur devoir sans s'y plier et s'y portaient comme par instinct. Bien loin de relever par leurs discours leurs rares qualités, il semblait qu'elles n'avaient pas percé jusques à eux. Voilà les gens que j'aime; non pas ces hommes vertueux qui semblent être étonnés de l'être et qui regardent une bonne action comme un prodige, dont le récit doit surprendre.

Si la modestie est une vertu nécessaire à ceux à qui le Ciel a donné de grands talents, que peut-on dire de ces insectes qui osent faire paraître un orgueil qui déshonorerait les plus grands hommes?

1. Les Capucins possédaient une maison à Ispahan. « Ils vinrent en Perse, déclare Chardin (*op. cit.*, III, 36), au commencement du règne de Séfi Iᵉʳ. C'était durant le ministère de Richelieu. Le fameux Père Joseph, capucin, obtint cette recommandation en faveur de son ordre qui fit les frais de l'établissement. » Dans son portrait du provincial, Montesquieu aurait-il pensé au Père Joseph? Chardin avait lié amitié à Tiflis avec un Capucin italien, le Père Raphaël de Parme (I, 134). Mais aucune mission n'est signalée à Casbin. Le protestant Chardin croyait à l'inutilité des missionnaires qui ne se maintenaient que « pour l'honneur de l'Église romaine » *(ibid.)*. Montesquieu dira dans le *Spicilège* : « Nos missionnaires perdent leur temps dans les pays des Turcs » (mss. p. 332, édition Masson, p. 102).

Je vois de tous côtés des gens qui parlent sans cesse d'eux-mêmes : leurs conversations sont un miroir qui présente toujours leur impertinente figure. Ils vous parleront des moindres choses qui leur sont arrivées, et ils veulent que l'intérêt qu'ils y prennent les grossisse à vos yeux ; ils ont tout fait, tout vu, tout dit, tout pensé ; ils sont un modèle universel, un sujet de comparaison inépuisable, une source d'exemples qui ne tarit jamais. Oh ! que la louange est fade lorsqu'elle réfléchit vers le lieu d'où elle part !

Il y a quelques jours qu'un homme de ce caractère nous accabla[a] pendant deux heures de lui, de son mérite et de ses talents. Mais, comme il n'y a point de mouvement perpétuel dans le Monde, il cessa de parler ; la conversation nous revint donc, et nous la prîmes.

Un homme qui paraissait assez chagrin commença par se plaindre de l'ennui répandu dans les conversations. « Quoi ! toujours des sots qui se peignent eux-mêmes, et qui ramènent tout à eux ? — Vous avez raison, reprit brusquement notre discoureur. Il n'y a qu'à faire comme moi[b] : je ne me loue jamais ; j'ai du bien, de la naissance ; je fais de la dépense ; mes amis disent que j'ai quelque esprit ; mais je ne parle jamais de tout cela. Si j'ai quelques bonnes qualités, celle dont je fais le plus de cas, c'est ma modestie. »

J'admirais cet impertinent, et, pendant qu'il parlait tout haut, je disais tout bas : « Heureux celui qui a assez de vanité pour ne dire jamais de bien de lui, qui craint ceux qui l'écoutent, et ne compromet point son mérite avec l'orgueil des autres [1] ! »

De Paris, le 20 de la lune de Rhamazan, 1713.

1. La Bruyère avait plusieurs fois traité ce thème dans les *Caractères* : mérite et modestie (II, 14-17), fausse modestie (III, 46, IX, 44, XI, 65), modestie dans la conversation (V, 21).

LETTRE LI

NARGUM, ENVOYÉ DE PERSE EN MOSCOVIE,
A USBEK, A PARIS [1].

ON m'a écrit d'Ispahan que tu avais quitté la Perse, et que tu étais actuellement à Paris. Pourquoi faut-il que j'apprenne de tes nouvelles par d'autres que par toi ?

Les ordres du Roi des Rois me retiennent depuis cinq ans dans ce pays-ci, où j'ai terminé plusieurs négociations importantes.

Tu sais que le Czar est le seul des princes chrétiens dont les intérêts soient mêlés avec ceux de la Perse, parce qu'il est ennemi des Turcs comme nous.

Son empire est plus grand que le nôtre : car on compte mille lieues[a] depuis Moscou jusqu'à la dernière place de ses états du côté de la Chine.

Il est le maître absolu de la vie et des biens de ses sujets, qui sont tous esclaves, à la réserve de quatre familles. Le lieutenant des Prophètes, le Roi des Rois, qui a le Ciel pour marchepied[2], ne fait pas un exercice plus redoutable de sa puissance.

A voir le climat affreux de la Moscovie, on ne croirait jamais que ce fût une peine d'en être exilé; cependant, dès qu'un grand est disgracié, on le relègue en Sibérie.

Comme la loi de notre prophète nous défend de boire du vin, celle du prince le défend aux Moscovites.

1. Il semble, d'après la fin de cette lettre et malgré sa date (2 décembre 1713), que cet intermède russe ait sa source dans le voyage de Pierre le Grand à Paris en 1717. Mais l'Espion turc consacrait aussi deux lettres aux choses de Russie et y faisait voyager son cousin Fousi (*op. cit.*, t. III, lettre 1, t. V, lettre 3, p. 26).

2. Parmi les titres donnés au shah de Perse, Chardin relève l'expression « chef des grands rois dont le trône est l'étrier du ciel ». Mais l'expression « *sepeher recab* », traduite par Chardin : « à qui le ciel sert de marchepied », est tirée d'une requête authentique au shah, requête qui doit se conformer au style diplomatique (*ibid.*, I, p. 256). *Recab* signifie proprement « étrier ».

Ils ont une manière de recevoir leurs hôtes qui n'est point du tout persane. Dès qu'un étranger entre dans une *a* maison, le mari lui présente sa femme; l'étranger la baise; et cela passe pour une politesse faite au mari.

Quoique les pères, au contrat de mariage de leurs filles, stipulent ordinairement que le mari ne les fouettera pas, cependant on ne saurait croire combien les femmes moscovites aiment à être battues [1] : elles ne peuvent comprendre qu'elles possèdent le cœur de leur mari s'il ne les bat comme il faut : une conduite opposée, de sa part, est une marque d'indifférence *b* impardonnable.

Voici une lettre qu'une d'elles écrivit dernièrement à sa mère :

MA CHÈRE MÈRE,

Je suis la plus malheureuse femme du Monde ! Il n'y a rien que je n'aie fait pour me faire aimer de mon mari, et je n'ai jamais pu y réussir. Hier j'avais mille affaires dans la maison; je sortis, et je demeurai tout le jour dehors. Je crus, à mon retour, qu'il

1. « Ces mœurs sont changées. » *(Note de Montesquieu.)* La légende est ancienne et, d'après Albert Lortholary (*le Mirage russe en France au XVIIIᵉ siècle*, Boivin, 1951, p. 288), remonterait aux *Rerum Moscovitarum commentarii* de Sigmund von Herberstein (Bâle, 1549). On la retrouve dans la *Satire Ménippée :* « C'est religion entre les femmes, comme en Moscovie, quand leurs maris les battent très bien, et s'estime celle-là mieux mariée qui a le plus de coups. » Même son dans *l'Espion turc* de Marana : « Je connais un gentilhomme qui a demeuré quelques années à Moscou. Il dit que les femmes russiennes ne se croyent pas aimées de leurs maris, à moins qu'ils ne les battent tous les jours. Elles regardent cette correction comme une marque de l'estime et de l'affection que leurs époux ont pour elles. Si ces femmes simples sont fâchées ou chagrines, il n'y a point d'autre moyen de les mettre de bonne humeur que de les bâtonner. » (T. III, p. 3.) Montesquieu n'a pas su se refuser à cette antique plaisanterie. Son ami Barbot possédait le *Voyage d'Adam Olearius en Moscovie, Tartarie et Perse* (Paris, Dupuis, 1666-B. M. Bordeaux, H. 1987); il pouvait y trouver les premiers fauteurs de la légende, outre Herberstein, Pétreius, *Chronique de Moscovie*, et Barclay, *Tableau des Esprits* (cf. t. I, p. 175), mais aussi la réfutation : « Au moins je puis dire que je n'ai point vu de (femmes moscovites) qui ayent témoigné de la joye quand on les battait. Elles ont les mêmes passions et les mêmes inclinations que l'on voit aux autres femmes. » La lecture d'Olearius a peut-être amené Montesquieu à rédiger sa note restrictive.

*me battrait bien fort ; mais il ne me dit pas un seul mot. Ma
sœur est bien autrement traitée : son mari la bat tous les jours[a] ;
elle ne peut pas regarder un homme, qu'il ne l'assomme soudain. Ils
s'aiment beaucoup aussi, et ils vivent de la meilleure intelligence
du Monde.*

*C'est ce qui la rend si fière. Mais je ne lui donnerai pas long-
temps sujet de me mépriser. J'ai résolu de me faire aimer de mon
mari, à quelque prix que ce soit ; je le ferai si bien enrager qu'il
faudra bien[b] qu'il me donne des marques d'amitié. Il ne sera pas
dit que je ne serai pas battue, et que je vivrai dans la maison sans
que l'on pense à moi. La moindre chiquenaude qu'il me donnera,
je crierai de toute ma force, afin qu'on s'imagine qu'il y va tout
de bon, et je crois que, si quelque voisin venait au secours, je
l'étranglerais. Je vous supplie, ma chère Mère, de vouloir bien
représenter à mon mari qu'il me traite d'une manière indigne.
Mon père, qui est un si honnête homme, n'agissait pas de même,
et il me souvient, lorsque j'étais petite fille, qu'il me semblait
quelquefois qu'il vous aimait trop.*

Je vous embrasse, ma chère Mère.

Les Moscovites ne peuvent point sortir de l'Empire,
fût-ce[c] pour voyager [1]. Ainsi, séparés des autres nations
par les lois du pays, ils ont conservé leurs anciennes
coutumes avec d'autant plus d'attachement qu'ils ne
croyaient pas qu'il fût possible d'en avoir[d] d'autres.

Mais le prince qui règne à présent [2] a voulu tout chan-

1. Cf. Olearius, *op. cit.* (t. I, p. 180) : « Afin de les entretenir dans
cette bassesse et de les empêcher de voir la liberté dont les autres
peuples jouissent dans leur voisinage, il est défendu aux Moscovites,
sur peine de la vie, de sortir de l'État, sans la permission expresse du
grand Duc. »

2. Albert Lortholary a fort bien décelé le rôle de Fontenelle dans l'édi-
fication du mythe de Pierre le Grand (*op. cit.*, p. 22-25). Le voyage du
Czar à Paris en mai-juin 1717 fut un échec ; le Régent ne tenait pas
plus à sa visite que Louis XIV vingt ans plus tôt (cf. Duclos, *Mémoires
secrets*, I, 311). Mais Montesquieu suit l'opinion de Fontenelle dans
l'*Éloge de Leibniz* de 1715 : « Le Czar... a conçu la plus grande et la
plus noble pensée qui puisse tomber dans l'esprit d'un souverain,
celle de tirer ses peuples de la barbarie et d'introduire chez eux les
sciences et les arts » (*Éloges*, édition Garnier, p. 131). Dans *l'Esprit
des lois* (XI, 2), il raillera encore le scrupule religieux des Moscovites :

ger : il a eu de grands démêlés avec eux au sujet de leur
barbe ; le clergé et les moines n'ont pas moins combattu
en faveur de leur ignorance.

Il s'attache à faire fleurir les arts[a] et ne néglige rien
pour porter dans l'Europe et l'Asie la gloire de sa nation,
oubliée jusques ici et presque uniquement connue d'elle-
même.

Inquiet et sans cesse agité, il erre dans ses vastes états,
laissant partout des marques de sa sévérité naturelle.

Il les quitte, comme s'ils ne pouvaient le contenir,
et va chercher dans l'Europe d'autres provinces et de
nouveaux royaumes.

Je t'embrasse, mon cher Usbek. Donne-moi de tes nou-
velles, je te conjure.

De Moscou, le 2 de la lune de Chalval, 1713.

LETTRE LII

RICA A USBEK, A ***

J'ÉTAIS l'autre jour dans une société où je me divertis
assez bien. Il y avait là des femmes de tous les âges :
une de quatre-vingts ans, une de soixante, une de qua-
rante, qui[b] avait une nièce de[c] vingt à vingt-deux. Un
certain instinct me fit approcher de cette dernière, et
elle me dit à l'oreille : « Que dites-vous de ma tante, qui,
à son âge, veut avoir des amants et fait encore la jolie ? —
Elle a tort, lui dis-je : c'est un dessein qui ne convient qu'à
vous. » Un moment après, je me trouvai auprès de sa tante,
qui me dit : « Que dites-vous de cette femme, qui a pour le
moins soixante ans, qui a passé aujourd'hui plus d'une heure
à sa toilette ? — C'est du temps perdu, lui dis-je, et il
faut avoir vos charmes pour devoir y songer. » J'allai
à cette malheureuse femme de soixante ans et la plai-
gnais dans mon âme, lorsqu'elle me dit à l'oreille : « Y

« Certain peuple a longtemps pris la liberté pour l'usage de porter une
longue barbe. »

a-t-il rien de si ridicule? Voyez cette femme qui a quatre-
vingts ans, et qui met des rubans couleur de feu; elle veut
faire la jeune, et elle y réussit: car*a* cela approche de
l'enfance. » — « Ah! bon Dieu, dis-je en moi-même, ne
sentirons-nous jamais que le ridicule des autres? — C'est
peut-être un bonheur, disais-je ensuite, que nous trouvions
de la consolation dans les faiblesses d'autrui. » Cependant
j'étais en train de me divertir, et je dis : « Nous avons assez
monté; descendons à présent, et commençons par la vieille
qui est au sommet. » — « Madame, vous vous ressemblez
si fort, cette dame à qui je viens de parler et vous, qu'il
me semble que vous soyez deux sœurs, et je vous crois à
peu près du même âge. — Vraiment, Monsieur*b*, me dit-
elle, lorsque l'une mourra, l'autre devra avoir grand-peur :
je ne crois pas qu'il y ait d'elle à moi deux jours de diffé-
rence. » Quand je tins cette femme décrépite, j'allai à celle
de soixante ans. « Il faut, Madame, que vous décidiez un
pari que j'ai fait: j'ai gagé que cette dame et vous — lui
montrant la femme de quarante ans — étiez de même âge.
— Ma foi, dit-elle, je ne crois pas qu'il y ait six mois de
différence. — Bon, m'y voilà; continuons. » Je descendis
encore, et j'allai à la femme de quarante ans. « Madame,
faites-moi la grâce de me dire si c'est pour rire que vous
appelez cette demoiselle, qui est à l'autre table, votre nièce?
Vous êtes aussi jeune qu'elle; elle a même quelque chose
dans le visage de passé, que vous n'avez certainement pas,
et ces couleurs vives qui paraissent sur votre teint... —
Attendez, me dit-elle : je suis sa tante; mais sa mère avait
pour le moins vingt-cinq ans de plus que moi : nous n'étions
pas de même lit; j'ai ouï dire à feu ma sœur que sa fille
et moi naquîmes la même année. — Je le disais bien,
Madame, et*c* je n'avais pas tort d'être étonné. »

Mon cher Usbek, les femmes qui se sentent finir d'avance
par la perte de leurs agréments voudraient reculer vers la
jeunesse [1]. Eh! comment ne chercheraient-elles pas à trom-
per les autres? Elles font tous leurs efforts pour se tromper

1. Montesquieu a certainement lu le portrait de Lise dans La
Bruyère (*Caractères*, III, 8).

elles-mêmes et se dérober^a à ^b la plus affligeante de toutes les idées.

<div align="right">De Paris, le 3 de la lune de Chalval, 1713.</div>

LETTRE LIII

ZÉLIS A USBEK, A PARIS

JAMAIS passion n'a été plus forte et plus vive que celle de Cosrou, eunuque blanc, pour mon esclave Zélide : il la demande en mariage avec tant de fureur que je ne puis la lui refuser. Et pourquoi ferais-je de la résistance, lorsque sa mère n'en fait pas, et que Zélide elle-même paraît satisfaite de l'idée de ce mariage imposteur et de l'ombre vaine qu'on lui présente ?

Que veut-elle faire de cet infortuné, qui n'aura d'un mari que la jalousie, qui ne sortira de sa froideur que pour entrer dans un désespoir inutile ; qui se rappellera toujours la mémoire de ce qu'il a été, pour la faire souvenir de ce qu'il n'est plus ; qui, toujours prêt à se donner, et ne se donnant jamais, se trompera, la trompera sans cesse et lui fera essuyer à chaque instant tous les malheurs de sa condition ?

Et quoi^c ? être toujours dans les images et dans les fantômes ! ne vivre que pour imaginer ! se trouver toujours auprès des plaisirs, et jamais dans les plaisirs ! languissante dans les bras d'un malheureux, au lieu de répondre à ses soupirs, ne répondre qu'à ses regrets !

Quel mépris ne doit-on pas avoir pour un homme de cette espèce, fait uniquement pour garder, et jamais pour posséder ? Je cherche l'amour, et je ne le vois pas [1].

1. Montesquieu aborde trois fois le problème de l'eunuque et de ses désirs (*Lettres* IX, LIII et LXVII). L'origine n'est pas tellement dans Chardin (t. II, p. 279 et 284) que dans le *Traité des eunuques* (1707) de Charles Ancillon, qu'il possédait à la Brède (*op. cit.*, n° 1452). Il s'intéresse, en tant que juriste, au problème légal comme au problème physiologique et utilise ici (cf. Ancillon, III, p. 158 sq) la réponse à l'objection : « Que la défense de se marier ne doit pas être générale et commune à tous les eunuques, parce qu'il y en a qui sont capables de

Je te parle librement, parce que tu aimes ma naïveté, et que tu préfères mon air libre et ma sensibilité pour les plaisirs, à la pudeur feinte de mes compagnes.

Je t'ai ouï dire mille fois que les eunuques goûtent avec les femmes une sorte de volupté qui nous est inconnue [1]; que la nature se dédommage de ses pertes; qu'elle a des ressources qui réparent le désavantage de leur condition; qu'on peut bien cesser d'être homme, mais non pas d'être sensible; et que, dans cet état, on est comme dans un troisième sens, où l'on ne fait, pour ainsi dire, que changer de plaisirs.

Si cela était, je trouverais Zélide moins à plaindre : c'est quelque chose de vivre avec des gens moins malheureux.

Donne-moi tes ordres là-dessus, et fais-moi savoir si tu veux que le mariage s'accomplisse dans le sérail.

Adieu.

Du sérail d'Ispahan, le 5 de la lune de Chalval, 1713.

LETTRE LIV

RICA A USBEK, A ***

J'ÉTAIS ce matin dans ma chambre, qui[a], comme tu sais, n'est séparée des autres que par une cloison fort mince et percée en plusieurs endroits; de sorte qu'[b]on

satisfaire aux désirs d'une femme. » Il reprend les mots mêmes d'Ancillon : « Les eunuques qui s'unissent avec une femme *la trompent*. Ainsi on peut dire que ce n'est qu'un vain *phantôme;* ce n'est qu'un mariage feint et simulé et nullement un mariage réel et véritable. » (*Ibid.*, II, 3, p. 115.) Ancillon citait le Père Théophile Raynauld *(De Eunuchis)* et proscrivait le mariage des eunuques « parce qu'ils ne peuvent satisfaire qu'à des désirs impurs, illégitimes, illicites » (*ibid.*, p. 164). Ni Zélis, ni Montesquieu n'ont de ces scrupules moraux.

1. L'expression vient de Ricaut (*op. cit.*, livre II, p. 369) : « Ils ont encore une autre sorte de mariage parmi eux... c'est d'un eunuque avec une femme, j'entends un eunuque à qui il ne reste rien du tout; cependant ils prennent plusieurs femmes et pratiquent avec elles *une sorte de volupté brutale et inconnue.* »

entend tout ce qui se dit dans la chambre voisine. Un homme, qui se promenait à grands pas, disait à un autre « Je ne sais ce que c'est, mais tout tourne contre moi il y a plus de trois jours que je n'ai rien dit qui m'ait fait honneur, et je me suis trouvé confondu pêle-mêle dans toutes les conversations, sans qu'on ait fait la moindre attention à moi, et qu'on m'ait deux fois adressé la parole J'avais préparé quelques saillies pour relever mon discours ; jamais on n'a voulu souffrir que je les fisse venir. J'avais un conte fort joli à faire ; mais, à mesure que j'ai voulu l'approcher, on l'a esquivé comme si on l'avait fait *a* exprès. J'ai quelques bons mots, qui, depuis quatre jours, vieillissent dans ma tête, sans que j'en aie pu faire le moindre usage. Si cela continue, je crois qu'à la fin je serai un sot : il semble que ce soit mon étoile, et que je ne puisse m'en dispenser. Hier, j'avais espéré de briller avec trois ou quatre vieilles femmes qui certainement ne m'en *b* imposent point, et je devais dire les plus jolies choses du Monde : je fus plus d'un quart d'heure à diriger ma conversation ; mais elles ne tinrent jamais un propos suivi, et elles coupèrent, comme des Parques fatales, le fil de tous mes discours. Veux-tu que je te dise? La réputation de bel esprit coûte bien à soutenir [1]. Je ne sais comment tu as fait pour y parvenir. — Il me vient une pensée *c*, reprit l'autre : travaillons de concert à nous donner de l'esprit ; associons-nous pour cela. Chaque jour, nous nous dirons *d* de quoi nous devons parler, et nous nous secouerons si bien que, si quelqu'un vient nous interrompre au milieu de nos idées, nous l'attirerons nous-mêmes, et, s'il ne veut pas venir de bon gré, nous lui ferons violence. Nous conviendrons des endroits où il faudra approuver, de ceux où il faudra sourire, des autres où il faudra rire tout à fait et à gorge déployée. Tu verras que nous donnerons le ton à toutes les conversations, et qu'on admirera la vivacité de notre esprit et le bonheur de nos reparties. Nous nous protégerons

1. « La réputation de bel esprit coûte bien à soutenir. » Le Cydias de La Bruyère (V, 75) pensait de même et s'était ménagé un ami « qui n'avait point d'autre fonction sur la terre que... de le présenter dans les maisons comme homme rare et d'une exquise conversation ».

par des signes de tête mutuels. Tu brilleras aujourd'hui; demain tu seras mon second. J'entrerai avec toi dans une maison, et je m'écrierai en te montrant : « Il faut que je vous dise une réponse bien plaisante que Monsieur vient de faire à un homme que nous avons trouvé dans la rue. » Et je me tournerai vers toi : « Il ne s'y attendait pas; il a été bien étonné. » Je réciterai quelques-uns de mes vers, et tu diras : « J'y étais quand il les fit; c'était dans un souper, et il ne rêva pas un moment. » Souvent même nous nous raillerons, toi et moi, et l'on dira : « Voyez comme ils s'attaquent, comme ils se défendent! Ils ne s'épargnent pas. Voyons comment il sortira de là. A merveille! Quelle présence d'esprit! Voilà une véritable bataille. » Mais on ne dira pas que nous nous étions escarmouchés la veille[a]. Il faudra acheter de certains livres qui sont des recueils de bons mots composés à l'usage de ceux qui n'ont point[b] d'esprit, et qui en veulent contrefaire : tout dépend d'avoir des modèles. Je veux qu'avant six mois nous soyons en état de tenir une conversation d'une heure toute remplie de bons mots. Mais il faudra avoir une attention : c'est de soutenir leur fortune. Ce n'est pas assez de dire[c] un bon mot; il faut[d] le répandre et le semer partout. Sans cela, autant de perdu; et je t'avoue qu'il n'y a rien de si désolant que de voir une jolie chose qu'on a dite mourir dans l'oreille d'un sot qui l'entend. Il est vrai que souvent il y a une compensation, et que nous disons aussi bien des sottises qui passent *incognito;* et c'est la seule chose qui peut nous consoler dans cette occasion. Voilà, mon cher, le parti qu'il nous faut prendre. Fais ce que je te dirai, et je te promets avant six mois une place à l'Académie. C'est pour te dire que le travail ne sera pas long : car pour lors tu pourras renoncer à ton art; tu seras homme d'esprit malgré que tu en aies. On remarque en France, que dès qu'un homme entre dans une compagnie, il prend d'abord ce qu'on appelle *l'esprit du corps.* Tu seras de même, et je ne crains pour toi que l'embarras des applaudissements. »

De Paris, le 6 de la lune de Zilcadé, 1714.

LETTRE LV

RICA A IBBEN, A SMYRNE

CHEZ les peuples d'Europe[a], le premier quart d'heure
du mariage aplanit toutes les difficultés : les dernières
faveurs sont toujours de même date que la bénédiction
nuptiale; les femmes n'y font point comme nos Persanes,
qui disputent le terrain quelquefois des mois entiers [1]; il n'y
a rien de si plénier : si elles ne perdent rien, c'est qu'elles
n'ont rien à perdre; mais on sait toujours, chose honteuse !
le moment de leur défaite, et, sans consulter les astres,
on peut prédire au juste l'heure de la naissance de leurs
enfants.

Les Français ne parlent presque jamais de leurs femmes;
c'est qu'ils ont peur d'en parler devant des gens qui les
connaissent mieux qu'eux.

Il y a parmi eux des hommes très malheureux que
personne ne console : ce sont les maris jaloux. Il y en a
que tout le monde hait : ce sont les maris jaloux[b]. Il y en a
que tous les hommes méprisent : ce sont encore les maris
jaloux.

Aussi, n'y a-t-il point de pays où ils soient en si petit
nombre que chez les Français. Leur tranquillité n'est pas
fondée sur la confiance qu'ils ont en leurs femmes; c'est,
au contraire, sur la mauvaise opinion qu'ils en ont. Toutes
les sages précautions des Asiatiques, les voiles qui les cou-
vrent, les prisons où elles sont détenues, la vigilance des
eunuques, leur paraissent des moyens plus propres à
exercer l'industrie de ce sexe[c] qu'à la lasser. Ici les maris
prennent leur parti de bonne grâce et regardent les infidélités
comme des coups d'une étoile inévitable. Un mari qui vou-
drait seul posséder sa femme serait regardé comme un
perturbateur de la joie publique et comme un insensé

1. Reprise d'un thème développé dans la *Lettre* XXVI et issu de
Chardin (I, p. 168).

qui voudrait jouir de la lumière du soleil à l'exclusion des autres hommes [1].

Ici un mari qui aime sa femme est un homme qui n'a pas assez de mérite pour se faire aimer d'une autre ; qui abuse de la nécessité de la Loi pour suppléer aux agréments qui lui manquent ; qui se sert de tous ses avantages au préjudice d'une société entière ; qui s'approprie ce qui ne lui avait été donné qu'en engagement, et qui agit autant qu'il est en lui pour renverser une convention tacite qui fait le bonheur de l'un et de l'autre sexe. Ce titre de mari d'une jolie femme, qui se cache en Asie avec tant de soin, se porte ici sans inquiétude : on se sent en état de faire diversion partout. Un prince se console de la perte d'une place par la prise d'une autre. Dans le temps que le Turc nous prenait Bagdat, n'enlevions-nous pas au Mogol la forteresse de Candahor [2] ?

Un homme qui, en général, souffre les infidélités de sa femme n'est point désapprouvé ; au contraire, on le loue de sa prudence : il n'y a que les cas particuliers qui déshonorent.

Ce n'est pas qu'il n'y ait des dames vertueuses, et on peut dire qu'elles sont distinguées : mon conducteur me les faisait toujours remarquer. Mais elles étaient toutes si laides qu'il faut être un saint pour ne pas haïr la vertu.

Après ce que je t'ai dit des mœurs de ce pays-ci, tu t'imagines facilement que les Français ne s'y piquent[a]

1. C'est l'opinion de Cotolendi dans la *Lettre d'un Sicilien* : « C'est ici le pays du plaisir ; les amants n'y soupirent guère, la jalousie ne tourmente personne » (*op. cit.*, p. 362) ; « L'adultère y passe pour une galanterie dans l'esprit même des maris qui voyent tranquillement faire l'amour à leurs femmes » (*ibid.*, p. 366). On trouvait déjà dans La Bruyère (5ᵉ édition, 1690, XIV, 35) le regret de voir le mariage tombé en discrédit. On en rougira bientôt avec le *Philosophe marié* de Destouches (1727), et le *Préjugé à la mode* de Nivelle de la Chaussée (1735).

2. *L'Espion turc* (t. I, p. 237) décrivait le siège de Bagdad par le sultan Amurat IV ; la ville défendue par les troupes de Séfi Iᵉʳ fut prise le 15 août 1638. Quant à la ville de Kandahar, livrée au Grand Mogol par le Khan Ali Merdan, elle fut reprise par Abbas II, fils de Séfi Iᵉʳ, en 1649 (cf. Tavernier, *op. cit.*, livre V, p. 574). La corrélation des deux événements est donc approximative.

guère de constance. Ils croient qu'il est aussi ridicule
de jurer à une femme qu'on l'aimera toujours, que de
soutenir qu'on se portera toujours bien, ou qu'on sera
toujours heureux. Quand ils promettent à une femme
qu'ils l'aimeront toujours, ils supposent qu'elle, de son
côté, leur promet d'être toujours aimable, et, si elle manque
à sa parole, ils ne se croient plus engagés à la leur.

De Paris, le 7 de la lune de Zilcadé, 1714.

LETTRE LVI

USBEK A IBBEN, A SMYRNE

L E jeu est très en usage en Europe : c'est un état que
d'être joueur[1]. Ce seul titre tient lieu de naissance,
de bien, de probité[2] : il met tout homme qui le porte
au rang des honnêtes gens, sans examen, quoiqu'il n'y
ait personne qui ne sache qu'en jugeant ainsi il s'est trom-
pé très souvent ; mais on est convenu d'être incorrigible[a].

Les femmes y sont surtout très adonnées[3]. Il est vrai
qu'elles ne s'y livrent guère dans leur jeunesse que pour
favoriser une passion plus chère ; mais, à mesure qu'elles
vieillissent, leur passion pour le jeu semble rajeunir, et
cette passion remplit[b] tout le vide des autres.

Elles veulent ruiner leurs maris, et, pour y parvenir,

1. Usbek répond au mot de La Bruyère sur la passion du jeu en
Europe (*Caractères*. VI, 71) : « C'est peut-être l'une de ces choses qui
nous rendent barbares à l'autre partie du monde et que les Orientaux
qui viennent jusqu'à nous remportent sur leurs tablettes. »
2. La Bruyère disait que le jeu « égale les conditions » (VI, 71).
Dufresny dans son *Amusement* X (*op. cit.*, p. 47) reconnaissait dans le
jeu de lansquenet « une espèce de république mal policée où tout le
monde devient égal : le dernier de tous les hommes, l'argent à la main,
vient prendre au-dessus d'un Duc et Pair le rang que sa carte lui
donne » ; il reprenait exactement Regnard, s'étonnant de voir à la
même table de jeu :

« Le laquais d'un commis avec un duc et pair »

(*le Joueur*, III, 6-1696).
3. Dufresny avait donné *la Joueuse* en 1709.

elles ont des moyens pour tous les âges, depuis la plus tendre jeunesse jusques à la vieillesse la plus décrépite: les habits et les équipages commencent le dérangement; la coquetterie l'augmente; le jeu l'achève.

J'ai vu souvent neuf ou dix femmes, ou plutôt neuf ou dix siècles rangés autour d'une table; je les ai vues dans leurs espérances, dans leurs craintes, dans leurs joies, surtout dans leurs fureurs. Tu aurais dit qu'elles n'auraient jamais le temps de s'apaiser, et que la vie allait les quitter avant leur désespoir; tu aurais été en doute si ceux qu'elles payaient étaient leurs créanciers ou leurs légataires.

Il semble que notre saint prophète ait eu principalement en vue de nous priver de tout ce qui peut troubler notre raison: il nous [a] a interdit l'usage du vin, qui la tient ensevelie; il nous a, par un précepte exprès, défendu les jeux de hasard [1]; et, quand il lui a été impossible d'ôter la cause des passions, il les a amorties. L'amour, parmi nous, ne porte ni trouble ni fureur; c'est une passion languissante, qui laisse notre âme dans le calme: la pluralité des femmes nous sauve de leur empire; elle tempère la violence de nos désirs.

De Paris, le 10 [b] de la lune de Zilhagé, 1714.

LETTRE LVII

USBEK A RHÉDI, A VENISE

LES libertins entretiennent ici un nombre infini de filles de joie, et les dévots, un nombre innombrable de dervis. Ces dervis font trois vœux: d'obéissance, de pauvreté et de chasteté. On dit que le premier est le mieux

1. Cf. *Coran*, V, 92 : « O, croyants, le vin, les jeux de hasard, les statues et le sort des flèches sont une abomination inventée par Satan. Abstenez-vous-en. » V, 93 : « Le démon se servirait du vin et du jeu pour allumer parmi vous le feu des dissensions et vous détourner du souvenir de Dieu et de la prière » (trad. Du Ryer, *op. cit.*, p. 94).

observé de tous; quant au second, je te réponds qu'il ne
l'est point; je te laisse à juger du troisième [1].

Mais, quelque riches que soient ces dervis, ils ne quittent
jamais la qualité de pauvres; notre glorieux sultan renon-
cerait plutôt à ses magnifiques et sublimes titres. Ils ont
raison : car ce titre de pauvre les empêche de l'être.

Les médecins et quelques-uns de ces dervis qu'on
appelle *confesseurs* sont toujours ici ou trop estimés ou
trop méprisés; cependant on dit[a] que les héritiers s'accom-
modent mieux des médecins que des confesseurs.

Je fus l'autre jour dans un couvent de ces dervis. Un
d'entre eux, vénérable par ses cheveux blancs, m'accueillit
fort honnêtement; il me fit voir toute la maison; nous
entrâmes dans le jardin, et nous nous mîmes[b] à discourir.
« Mon père, lui dis-je, quel emploi avez-vous dans la com-
munauté? — Monsieur, me répondit-il avec un air très
content de ma question, je suis casuiste. — Casuiste?
repris-je : depuis que je suis en France, je n'ai pas ouï parler
de cette charge. — Quoi[c]! vous ne savez pas ce que c'est
qu'un casuiste? Eh bien! écoutez : je vais vous en donner
une idée qui ne vous laissera rien à désirer. Il y a deux sortes
de péchés : de mortels, qui excluent absolument du Para-
dis; et[d] de véniels, qui offensent Dieu à la vérité, mais ne
l'irritent pas[e] au point de nous priver de la béatitude.
Or tout notre art consiste à bien distinguer ces deux sortes
de péchés : car, à la réserve de quelques libertins, tous les
chrétiens veulent gagner le Paradis; mais il n'y a guère
personne qui ne le veuille gagner à meilleur marché[f]
qu'il est possible. Quand on connaît bien les péchés mortels,
on tâche de ne pas commettre de ceux-là, et l'on fait son
affaire. Il y a des hommes qui n'aspirent pas à une si grande
perfection, et, comme ils n'ont point d'ambition, ils ne se

1. Antoine Adam donne la source de ce mot; c'est Tournefort, à
propos des dervis véritables : « Ces dervis font vœu de pauvreté, de
chasteté et d'obéissance; mais ils se dispensent aisément des deux
premiers » (Lyon, Anisson, 1717, II, p. 113). Ricaut disait déjà d'eux :
(*op. cit.*, II, 13, p. 340) : « Ils font profession de pauvreté, de chasteté
et d'obéissance, comme les Capucins et les autres religieux de l'ordre
de Saint François ». L'assimilation des dervis et des moines est donc
fort ancienne.

soucient pas des premières places. Aussi entrent-ils[a] en
Paradis le plus juste qu'ils peuvent; pourvu qu'ils y soient,
cela leur suffit[1] : leur but est de n'en faire ni plus ni
moins[b]. Ce sont des gens qui ravissent le Ciel[2], plutôt
qu'ils ne l'obtiennent, et qui disent à Dieu : « Seigneur, j'ai
accompli les conditions à la rigueur; vous ne pouvez
vous empêcher de tenir vos promesses : comme je n'en
ai pas fait plus que vous n'en avez demandé, je vous dis-
pense de m'en accorder plus que vous n'en avez promis. »
Nous sommes donc des gens nécessaires, Monsieur. Ce
n'est pas tout pourtant; vous allez bien voir autre chose.
L'action ne fait pas le crime, c'est la connaissance de celui
qui la commet : celui qui fait un mal, tandis qu'il peut croire
que ce n'en est pas un, est en sûreté de conscience[3]; et
comme il y a un nombre infini d'actions équivoques, un
casuiste peut leur donner un degré de bonté qu'elles n'ont
point, en les déclarant bonnes[c]; et, pourvu qu'il puisse
persuader qu'elles n'ont pas de venin, il le leur ôte tout
entier. Je vous dis ici le secret d'un métier où j'ai vieilli;
je vous en fais voir les raffinements[4] : il y a un tour à
donner à tout, même aux choses qui en paraissent les
moins susceptibles. — Mon père, lui dis-je, cela est fort
bon; mais comment vous accommodez-vous avec le
Ciel? Si le Sophi avait à sa cour[d] un homme qui fît à son
égard ce que vous faites contre votre Dieu, qui mît de la
différence entre ses ordres, et qui apprît à ses sujets dans
quel cas ils doivent les exécuter, et dans quel autre ils peuvent

1. Le souvenir de Pascal et des *Provinciales* affleure dans cette lettre.
« Qu'importe, dit le Père de la IX^e lettre, par où nous entrions dans le
Paradis, moyennant que nous y entrions? »

2. L'expression est de l'Écriture : « Violenti rapiunt illud » (Matthieu,
XI, 12).

3. Cf. *Provinciales*, XIII^e lettre : « La spéculation est ce qui détermine
à l'action. D'où il s'ensuit qu'on peut en *sûreté de conscience* suivre dans
la pratique les opinions probables dans la spéculation. » A remarquer
dans les *Pensées* de Montesquieu (édition 1899, p. 249) un portrait
moins noir du casuiste.

4. Cf. Marana (*op. cit.*, V, p. 4, I^ere lettre : « Allez-vous-en consulter
ces gens sur quelques matières douteuses, ils vous accrocheront par
des termes recherchés et des problèmes bizarres... Ils tâcheront de vous
faire accroire qu'ils ont la clef du cabinet éternel... »

les violer, il le ferait empaler sur l'heure. » Je saluai *ª* mon
dervis et le quittai sans attendre sa réponse.

De Paris, le 25 de la lune de Maharram. 1714.

LETTRE LVIII

RICA A RHÉDI, A VENISE

A Paris, mon cher Rhédi, il y a bien des métiers. Là
un homme obligeant vient, pour un peu d'argent,
vous offrir le secret de faire de l'or.

Un autre vous promet de vous faire coucher avec les
Esprits aériens, pourvu que vous soyez seulement trente
ans sans voir de femmes.

Vous trouverez encore *ᵇ* des devins si habiles qu'ils
vous diront toute votre vie, pourvu qu'ils aient seulement
eu un quart d'heure de conversation avec vos domestiques.

Des femmes adroites font de la virginité une fleur
qui fleurit et renaît tous les jours, et se cueille *ᶜ* la centième
fois plus douloureusement que la première.

Il y en a d'autres qui, réparant par la force de leur art
toutes les injures du temps, savent rétablir sur un visage
une beauté qui chancelle, et même rappeler une femme du
sommet de la vieillesse pour la faire redescendre jusqu'à
la jeunesse la plus tendre.

Tous ces gens-là vivent ou cherchent à vivre dans une
ville qui est la mère de l'invention.

Les revenus des citoyens ne s'y afferment point : ils
ne consistent qu'en esprit et en industrie; chacun a la sienne,
qu'il fait valoir de son mieux.

Qui voudrait nombrer tous les gens de loi qui pour-
suivent le revenu de quelque mosquée, aurait aussitôt
compté les sables de la mer et les esclaves de notre monar-
que.

Un nombre infini de maîtres de langues, d'arts et de
sciences, enseignent ce qu'ils ne savent pas, et ce talent
est bien considérable : car il ne faut pas beaucoup d'esprit
pour montrer ce qu'on sait; mais il en faut infiniment pour
enseigner ce qu'on ignore.

On ne peut mourir ici que subitement; la mort ne saurait autrement exercer son empire : car il y a dans tous les coins des gens qui ont des remèdes infaillibles contre toutes les maladies imaginables.

Toutes les boutiques sont tendues de fils invisibles où se vont prendre tous les acheteurs. L'on en sort pourtant quelquefois à bon marché : une jeune marchande cajole un homme une heure entière pour lui faire acheter un paquet de cure-dents [1].

Il n'y a personne qui ne sorte de cette ville plus précautionné qu'il n'y est entré; à force de faire part de son bien aux autres, on apprend à le conserver; seul avantage des étrangers dans cette ville enchanteresse.

De Paris, le 10 de la lune de Saphar, 1714.

LETTRE LIX

RICA A USBEK, A ***

J'ÉTAIS l'autre jour dans une maison où il y avait un cercle de gens de toute espèce : je trouvai la conversation occupée par des vieilles femmes, qui avaient en vain travaillé tout le matin à se rajeunir. « Il faut avouer, disait une d'entre elles, que les hommes d'aujourd'hui sont bien différents de ceux que nous voyions dans notre jeunesse : ils étaient polis, gracieux, complaisants. Mais, à présent, je les trouve d'une brutalité insupportable. — Tout est changé, dit pour lors un homme qui paraissait accablé de goutte. Le temps n'est plus comme il était : il y a quarante ans [a], tout le monde se portait bien; on marchait; on était gai; on ne demandait qu'à rire et à danser. A présent, tout le monde est d'une tristesse insupportable. » Un moment

1. Cotolendi, dans sa *Lettre d'un Sicilien*, insistait sur les originaux de Paris. L'alchimiste obligeant y apparaissait (*op. cit.*, p. 364), de même que les maîtres de langues (*ibid.*, p. 368) et les jolies marchandes du Palais de Justice (*ibid.*, p. 352 et 373). A propos de ces dernières, Dufresny avait apprécié « leur voix argentine » (*Amusement* IV, *op. cit.*, p. 15).

après, la conversation tourna du côté de la politique.
« Morbleu ! dit un vieux seigneur, l'État n'est plus gouverné :
trouvez-moi à présent un ministre comme M. Colbert.
Je le connaissais beaucoup, ce M. Colbert : il était de mes
amis ; il me faisait toujours payer de mes pensions avant
qui que ce fût. Le bel ordre qu'il y avait dans les finances !
Tout le monde était à son aise. Mais aujourd'hui je suis
ruiné. — Monsieur, dit pour lors un ecclésiastique, vous
parlez là du temps le plus miraculeux de notre invincible
monarque. Y a-t-il rien de si grand que ce qu'il faisait alors
pour détruire l'Hérésie ? — Et comptez-vous pour rien
l'abolition des duels ? dit, d'un air content, un autre homme
qui n'avait point encore parlé. La remarque est judicieuse,
me dit quelqu'un à l'oreille : cet homme est charmé de
l'édit, et il l'observe si bien qu'il y a six mois qu'il reçut
cent coups de bâton pour ne le pas violer. »

Il me semble, Usbek, que nous ne jugeons jamais des
choses que par un retour secret que nous faisons sur nous-
mêmes. Je ne suis pas surpris que les Nègres peignent le
diable d'une blancheur éblouissante et leurs dieux noirs
comme du charbon ; que la Vénus de certains peuples ait
des mamelles qui lui pendent jusques aux cuisses ; et qu'en-
fin tous les idolâtres aient représenté leurs dieux avec une
figure humaine et leur aient fait part de toutes leurs incli-
nations. On a dit fort bien que, si les triangles faisaient un
dieu, ils lui donneraient trois côtés [1].

Mon cher Usbek, quand je vois des hommes qui rampent
sur un atome, c'est-à-dire la Terre, qui n'est qu'un point
de l'Univers, se proposer directement pour modèles de la
Providence, je ne sais comment accorder tant d'extrava-
gance avec tant de petitesse.

De Paris, le 14 de la lune de Saphar, 1714.

1. L'origine dogmatique de cette attaque contre l'anthropomor-
phisme divin vient de Spinoza (*Tractatus theologico-politicus*, Garnier,
1928, p. 142). Mais je verrais volontiers dans la boutade un mot de
Fontenelle. L'attaque se retrouvait dans Marana (*op. cit.*, t. IV,
lettre 57, p. 263) : « L'origine de l'idolâtrie est la présomption des
hommes qui furent assez téméraires pour représenter l'incompréhen-
sible divinité sous la forme visible des hommes ou des bêtes. »

LETTRE LX

USBEK A IBBEN, A SMYRNE

Tu me demandes s'il y a des Juifs en France? Sache que, partout où il y a de l'argent, il y a des Juifs. Tu me demandes ce qu'ils y font? Précisément ce qu'ils font en Perse [1] : rien ne ressemble plus à un Juif d'Asie qu'un Juif européen.

Ils font paraître chez les chrétiens, comme parmi nous, une obstination invincible pour leur religion, qui va jusques à la folie.

La religion juive est un vieux tronc qui a produit deux branches qui ont couvert toute la Terre : je veux dire le Mahométisme et le Christianisme; ou plutôt c'est une mère qui a engendré deux filles, qui l'ont accablée de mille plaies [2] : car, en fait de religion[a], les plus proches sont les plus grandes ennemies. Mais, quelque mauvais traitements qu'elle en ait reçus, elle ne laisse pas de se glorifier de les avoir mises au Monde; elle se sert de l'une et de l'autre pour embrasser le Monde entier, tandis que, d'un autre côté, sa vieillesse vénérable embrasse tous les temps.

Les Juifs se regardent donc comme la source de toute sainteté et l'origine de toute religion. Ils nous regardent, au contraire, comme des hérétiques, qui ont changé la Loi, ou plutôt comme des Juifs rebelles.

Si le changement s'était fait insensiblement, ils croient qu'ils auraient été facilement séduits; mais, comme il s'est fait tout à coup et d'une manière violente, comme ils peuvent marquer le jour et l'heure de l'une et de l'autre naissance, ils se scandalisent de trouver en nous des âges et se tiennent fermes à une religion que le Monde même n'a pas précédée.

1. Cf. Chardin (*op. cit.*, II, 306) : « Les Juifs étaient les grands usuriers du pays avant la venue des gentils indiens. »
2. Voltaire reprendra l'idée dans son *Sottisier* (Garnier, s. d., p. 141) : « La religion juive, mère du christianisme, grand-mère du mahométisme, battue par son fils et par son petit-fils. »

Ils n'ont jamais eu dans l'Europe un calme pareil à celui dont ils jouissent. On commence à se défaire parmi les Chrétiens de cet esprit d'intolérance qui les animait. On s'est mal trouvé, en Espagne, de les avoir chassés, et, en France, d'avoir fatigué des chrétiens dont la croyance différait un peu de celle du prince. On s'est aperçu que le zèle pour les progrès de la religion est différent de l'attachement qu'on doit avoir pour elle, et que, pour l'aimer et l'observer, il n'est pas nécessaire de haïr et de persécuter ceux qui ne l'observent pas.

Il serait à souhaiter que nos musulmans pensassent aussi sensément sur cet article que les Chrétiens; que l'on pût, une bonne fois, faire la paix entre Hali et Abubeker [1] et laisser à Dieu le soin de décider des mérites de ces saints prophètes. Je voudrais qu'on les honorât par des actes de vénération et de respect, et non pas par de vaines préférences; et qu'on cherchât à mériter leur faveur, quelque place que Dieu leur ait marquée, soit à sa droite, ou bien sous le marchepied de son trône.

De Paris, le 18 de la lune de Saphar, 1714.

LETTRE LXI

USBEK A RHÉDI, A VENISE

J'ENTRAI l'autre jour dans une église fameuse qu'on appelle *Notre-Dame.* Pendant que j'admirais ce superbe édifice, j'eus occasion de m'entretenir avec un ecclésiastique que la curiosité y avait attiré comme moi. La conversation tomba sur la tranquillité de sa profession.

1. *L'Espion turc* déplorait de même le schisme musulman (*op. cit.*, t. II, lettre 2, p. 43) : « Il faut que les Persans ou nous ayons tort. Rien ne m'assure que nous ayons raison, si ce n'est nos docteurs, partisans d'Osman et d'Ebubeker qui le soutiennent et qui, autant que j'en puis juger, ne sont pas plus infaillibles que les disciples d'Haly. Chacun se vante d'avoir le vrai sens des divins oracles et anathématise l'autre comme hérétique. La vérité ne se contredit point. »

« La plupart des gens, me dit-il, envient le bonheur de notre état, et ils ont raison. Cependant, il a ses désagréments. Nous ne sommes points si séparés du monde que nous n'y soyons appelés en mille occasions; là, nous avons un rôle très difficile à soutenir.

« Les gens du monde sont étonnants : ils ne peuvent souffrir notre approbation, ni nos censures : si nous les voulons corriger, ils nous trouvent ridicules; si nous les approuvons, ils nous regardent comme des gens au-dessous de notre caractère. Il n'y a rien de si humiliant que de penser qu'on a scandalisé les impies mêmes. Nous sommes donc obligés de tenir une conduite équivoque et d'en imposer[a] aux libertins, non pas par un caractère décidé, mais par l'incertitude où nous les mettons de la manière dont nous recevons leurs discours. Il faut avoir beaucoup d'esprit pour cela : cet état de neutralité est difficile. Les gens du monde, qui hasardent tout, qui se livrent à toutes leurs saillies, qui, selon le succès, les poussent ou les abandonnent, réussissent bien mieux[1].

« Ce n'est pas tout : cet état si heureux et si tranquille, que l'on vante tant, nous ne le conservons pas dans le monde. Dès que nous y paraissons, on nous fait disputer : on nous fait entreprendre, par exemple, de prouver l'utilité de la prière à un homme qui ne croit pas en Dieu, la nécessité du jeûne à un autre qui a nié toute sa vie l'immortalité de l'âme : l'entreprise est laborieuse, et les rieurs ne sont pas pour nous. Il y a plus : une certaine envie d'attirer les autres dans nos opinions nous tourmente sans cesse et est, pour ainsi dire, attachée à notre profession. Cela est aussi ridicule que si on voyait les Européens travailler, en faveur de la nature humaine, à blanchir le visage des Africains. Nous troublons l'État, nous nous tourmentons nous-mêmes pour[b] faire recevoir des points de religion qui ne sont point[c] fondamentaux, et nous ressemblons à ce conqué-

1. Nulle page ne marque mieux l'anticléricalisme de Montesquieu : la condition du prêtre est ambiguë dans le monde et son intervention trouble l'État. Dans les *Pensées*, il donnera cette formule : « S'ils sont de bons religieux, ils entendent mal les affaires du siècle. S'ils entendent les affaires du siècle, ils sont de mauvais religieux. » (*Op. cit.*, t. II, p. 158.)

rant de la Chine qui poussa ses sujets à une révolte générale
pour les avoir voulu obliger à se rogner les cheveux ou
les ongles [1].

« Le zèle même que nous avons pour faire remplir
à ceux dont nous sommes chargés les devoirs de notre
sainte religion, est souvent dangereux, et il ne saurait être
accompagné de trop de prudence. Un empereur nommé
Théodose fit passer au fil de l'épée tous les habitants d'une
ville[2], même les femmes et les enfants [a]; s'étant ensuite pré-
senté pour entrer dans une église, un évêque nommé

1. Cette allusion à la conquête de la Chine en 1643 par les généraux
de l'empereur tartare Xunchi viendrait, selon Antoine Adam, de
l'*Histoire de la conquête de la Chine par les Tartares* de Juan Palafox y
Mendoza (I[ere] édition, 1670. 2[e] édition, J.-F. Bernard, Asmterdam,
1723, chap. IV, p. 72-75) : « Ils leur commandèrent de se vêtir à la mode
de Tartarie et de couper leurs cheveux... Pour lors il s'en trouva qui
aimèrent autant perdre la tête que leurs cheveux. » Mais outre que
Montesquieu ne possède pas Palafox, nous n'y trouvons aucune allu-
sion à une « révolte générale » pour ce motif. Cette allusion existe au
contraire dans les *Nouveaux Voyages autour du monde* de Dampier (Amster-
dam, Masset, 1698, t. II, p. 458) que possède Montesquieu (*op. cit.*,
n° 2740) : « Cette injure leur fut plus sensible que leur servitude et fut
cause qu'ils se rebellèrent. » Mais pourquoi ne pas recourir à la source
commune de Palafox et de Dampier, l'*Histoire universelle de la Chine*
d'Alvaro Semedo (Lyon, Prost, 1667) augmentée d'une *Histoire de la
guerre des Tartares contre la Chine* du Père Martini. Montesquieu possède
l'ouvrage (*op. cit.*, n° 3115) et pouvait y lire (p. 413 et 419) : « Les Chi-
nois s'affligeaient plus de la perte de leurs cheveux que de celle de leur
Empire et combattaient plus courageusement pour ce vain ornement
de leurs têtes que pour la défense de leurs provinces. Et la folie de
quelques-uns est venue jusqu'à ce point qu'ils aimaient mieux perdre
la tête que leurs cheveux... le peuple prend les armes pour la défense
de ses cheveux... » Martini, témoin oculaire, quitta la Chine en 1651.
Mais le détail des ongles « rognés » est une invention de Montesquieu.
2. Cette allusion au massacre de Thessalonique en 390 et à la péni-
tence imposée par saint Ambroise viendrait, selon l'abbé Gaultier
(*op. cit.*, p. 101), du *Tractatus theologico-politicus* de Spinoza (Garnier,
chap. XIX, p. 360) : « En traitant un saint Ambroise de fanatique et de
fou, ce n'est pas nuire à la réputation de saint Ambroise..., mais c'est
se décrier gratuitement et s'afficher dans tous les siècles pour un
impie et un forcené. » Montesquieu tint compte de cette sortie de l'abbé
Gaultier et supprima l'épithète de « fou ». L'influence de Spinoza est
possible : Montesquieu possédait l'ouvrage dans sa bibliothèque pari-
sienne (*op. cit.*, p. 243, n° 47). Mais les détails sur l'expulsion de Théo-
dose, absents du *Tractatus*, viennent du récit de Théodoret (*Histoire*

Ambroise lui fit fermer les portes, comme à un meurtrier et un sacrilège ; et, en cela, il fit une action héroïque. Cet empereur, ayant ensuite fait la pénitence qu'un tel crime exigeait, étant admis dans l'église, alla se placer[a] parmi les prêtres ; le même évêque l'en fit sortir, et, en cela, il fit l'action d'un fanatique[b] : tant il est vrai que l'on doit se défier de son zèle. Qu'importait à la religion ou à l'État que ce prince eût ou n'eût pas une place parmi les prêtres ? »

De Paris, le premier de la lune de Rebiab 1, 1714.

LETTRE LXII

ZÉLIS A USBEK, A PARIS

TA fille ayant atteint sa septième année[1], j'ai cru qu'il était temps de la faire passer dans les appartements intérieurs du sérail et de ne point attendre qu'elle ait dix ans pour la confier aux eunuques noirs. On ne saurait de trop bonne heure priver une jeune personne des libertés de l'enfance et lui donner une éducation sainte dans les sacrés murs où la pudeur habite.

Car je ne puis être de l'avis de ces mères qui ne renferment leurs filles que lorsqu'elles sont sur le point de leur donner un époux ; qui, les condamnant au sérail plutôt qu'elles ne les y consacrent, leur font embrasser violemment une manière de vie qu'elles auraient dû leur inspirer. Faut-il tout attendre de la force de la raison, et rien de la douceur de l'habitude ?

C'est en vain que l'on nous parle de la subordination où la Nature nous a mises. Ce n'est pas assez de nous la faire sentir : il faut nous la faire pratiquer, afin qu'elle nous

ecclésiastique, V, 17) et sont parfaitement légendaires (cf. J.-R. Palanque, *Saint Ambroise et l'empire romain*, Paris, 1933, p. 421-423 et 428-430).

1. Cf. Chardin, *op. cit.*, (t. II, p. 52) : « On ne renferme les filles en Perse qu'à l'âge de six ou sept ans ; et avant cet âge-là, elles sortent quelquefois du serrail avec leur père en sorte qu'on peut les voir. »

soutienne dans ce temps critique où les passions commen-
cent à naître et à nous encourager à l'indépendance.

Si nous n'étions attachées à vous[a] que par le devoir,
nous pourrions quelquefois l'oublier. Si nous n'y étions
entraînées que par le penchant, peut-être un penchant
plus fort pourrait l'affaiblir. Mais, quand les lois nous
donnent à un homme, elles nous dérobent à tous les autres
et nous mettent aussi loin d'eux que si nous en étions à
cent mille lieues.

La Nature, industrieuse en faveur des hommes, ne
s'est pas bornée à leur donner des désirs : elle a voulu
que nous en eussions nous-mêmes, et que nous fussions
des instruments animés de leur félicité ; elle nous a mises
dans le feu des passions, pour les faire vivre tranquilles ;
s'ils sortent de leur insensibilité, elle nous a destinées à
les y faire rentrer, sans que nous puissions jamais goûter
cet heureux état où nous les mettons.

Cependant, Usbek, ne t'imagine pas que ta situation
soit plus heureuse que la mienne : j'ai goûté ici mille plai-
sirs que tu ne connais pas ; mon imagination a travaillé
sans cesse à m'en faire connaître le prix ; j'ai vécu, et tu n'as
fait que languir.

Dans la prison même où tu me retiens, je suis plus
libre que toi : tu ne saurais redoubler tes attentions pour
me faire garder, que je ne jouisse de tes inquiétudes ; et tes
soupçons, ta jalousie, tes chagrins sont autant de marques
de ta dépendance.

Continue, cher Usbek : fais veiller sur moi nuit et jour ;
ne te fie pas même aux précautions ordinaires ; augmente
mon bonheur en assurant le tien ; et sache que je ne redoute
rien que ton indifférence.

Du sérail d'Ispahan, le 2 de la lune de Rebiab 1, 1714.

LETTRE LXIII

RICA A USBEK, A ***

JE crois que tu veux passer ta vie à la campagne : je ne te perdais au commencement que pour deux ou trois jours, et en voilà quinze que je ne t'ai vu. Il est vrai que tu es dans une maison charmante, que tu y trouves une société qui te convient, que tu y raisonnes tout à ton aise : il n'en faut pas davantage pour te faire oublier tout l'Univers.

Pour moi, je mène à peu près la même vie que tu m'as vu mener : je me répands dans le monde, et je cherche à le connaître. Mon esprit perd insensiblement tout ce qui lui reste d'asiatique, et se plie *a* sans effort aux mœurs européennes. Je ne suis plus si étonné de voir dans une maison cinq ou six femmes avec cinq ou six hommes, et je trouve que cela n'est pas mal imaginé.

Je le puis dire : je ne connais les femmes que depuis que je suis ici; j'en ai plus appris dans un mois que je n'aurais fait en trente ans dans un sérail.

Chez nous, les caractères sont tous uniformes, parce qu'ils sont forcés : on ne voit point les gens tels qu'ils sont, mais tels qu'on les oblige d'être. Dans cette servitude du cœur et de l'esprit, on n'entend parler que la crainte, qui n'a qu'un langage, et non pas la nature, qui s'exprime si différemment, et qui paraît sous tant de formes.

La dissimulation, cet art parmi nous si pratiqué et si nécessaire, est ici inconnue : tout parle, tout se voit, tout s'entend; le cœur se montre comme le visage; dans les mœurs, dans la vertu, dans le vice même, on aperçoit toujours quelque chose de naïf.

Il faut *b*, pour plaire aux femmes, un certain talent différent de celui qui leur plaît encore davantage : il consiste dans une espèce de badinage dans l'esprit qui les amuse en ce qu'il semble leur promettre à chaque instant ce qu'on ne peut tenir que dans de trop longs intervalles.

Ce badinage, naturellement fait pour les toilettes, semble être parvenu *c* à former le caractère général de la Nation :

on badine au Conseil; on badine à la tête d'une armée; on badine avec un ambassadeur. Les professions ne paraissent ridicules qu'à proportion du sérieux qu'on y met : un médecin ne le serait plus si ses habits étaient moins lugubres, et s'il tuait ses malades en badinant.

De Paris, le 10 *de la lune de Rebiab* 1, 1714.

LETTRE LXIV

LE CHEF DES EUNUQUES NOIRS A USBEK, A PARIS

JE suis dans un embarras que je ne saurais t'exprimer, magnifique seigneur : le sérail est dans un désordre et une confusion épouvantables; la guerre règne entre tes femmes; tes eunuques sont partagés; on n'entend que plaintes, que murmures, que reproches; mes remontrances sont méprisées : tout semble permis dans ce temps de licence, et je n'ai plus qu'un vain titre dans le sérail.

Il n'y a aucune de tes femmes qui ne se juge au-dessus des autres par sa naissance, par sa beauté, par ses richesses, par son esprit, par ton amour, et qui ne fasse valoir quelques-uns de ces titres[a] pour avoir toutes les préférences[1]. — Je perds à chaque instant cette longue patience avec laquelle, néanmoins, j'ai eu le malheur de les mécontenter toutes : ma prudence, ma complaisance même (vertu si rare et si étrangère dans le poste que j'occupe), ont été inutiles.

Veux-tu que je te découvre, magnifique seigneur, la cause de tous ces désordres ? Elle est toute dans ton cœur et dans les tendres égards que tu as pour elles. Si tu ne me retenais pas la main; si, au lieu de la voie des remontrances, tu me laissais celle des châtiments; si, sans te laisser attendrir à leurs plaintes et à leurs larmes, tu les envoyais pleurer devant moi, qui ne m'attendris jamais : je les façonnerais bientôt au joug qu'elles doivent porter,

1. Chardin consacre plusieurs pages aux désordres du sérail d'Ispahan (*op. cit.*, II, 280) : « Les femmes qui ont été dans le sérail rapportent des choses surprenantes de la passion avec laquelle les filles se font l'amour, de la jalousie qui y entre, comme aussi de celle que les favorites ont l'une contre l'autre jusqu'à la fureur, de leurs haines, de leurs trahisons, de leurs méchants tours. »

et je lasserais leur humeur impérieuse et indépendante.

Enlevé dès l'âge de quinze ans au fond de l'Afrique, ma patrie [1], je fus d'abord vendu à un maître qui avait plus de vingt femmes ou concubines. Ayant jugé à mon air grave et taciturne que j'étais propre au sérail, il ordonna que l'on achevât de me rendre tel, et me fit faire une opération pénible dans les commencements, mais qui me fut heureuse dans la suite, parce qu'elle m'approcha de l'oreille et de la confiance de mes maîtres. J'entrai dans ce sérail, qui fut pour moi un nouveau monde. Le premier eunuque, l'homme le plus sévère que j'aie vu de ma vie, y gouvernait avec un empire absolu. On n'y entendait parler ni [a] de divisions ni de querelles : un silence profond régnait partout [2]; toutes ces femmes étaient couchées à la même heure, d'un bout de l'année à l'autre, et levées à la même heure; elles entraient dans le bain tour à tour; elles en sortaient au moindre signe que nous leur en faisions; le reste du temps, elles étaient presque toujours enfermées dans leurs chambres. Il avait une règle, qui était de les faire tenir dans une grande propreté, et il avait pour cela des attentions inexprimables : le moindre refus d'obéir était puni sans miséricorde. « Je suis, disait-il, esclave; mais je le suis d'un homme qui est votre maître et le mien, et j'use du pouvoir qu'il m'a donné sur vous : c'est lui qui vous châtie, et non pas moi, qui ne fais que prêter ma main. » Ces femmes n'entraient jamais dans la chambre de mon maître

1. Chardin dit cependant que les eunuques noirs d'Ispahan ne viennent pas d' « Abissinie et d'Éthiopie, mais de la côte de Malabar où le teint est gris-brun plutôt que noir » (*op. cit.*, II, 279 et 284).

2. Antoine Adam indique la source directe, Chardin encore (*op. cit.*, II, 277) : « On dit que l'ordre, le silence et l'obéissance du Haram est incompréhensible ». Sur l'étrange fidélité des eunuques, cf. Chardin (III, 113) : « Ils sont communément rudes, intraitables, vindicatifs; de vrais ennemis du genre humain. Comme ils sont incapables d'aimer et d'être aimés et que d'ailleurs ce sont tous des hommes de néant, transportés dans un autre monde, sans avoir de relation qu'avec le maître qui les achète, ils n'ont ni tendresse ni pitié; mais par cette même raison ils ont un attachement incomparable à leur maître et font pour lui ce qu'on ne pourrait faire pour son meilleur ami, pour ses parents, pour ses enfants, pour sa femme et pour sa patrie, parce que ce maître leur tient lieu de tout cela... »

qu'elles n'y fussent appelées ; elles recevaient cette grâce
avec joie et s'en voyaient privées sans se plaindre. Enfin,
moi, qui étais le dernier des noirs dans ce sérail tranquille,
j'étais mille fois plus respecté que je ne le suis dans le tien,
où je les commande tous.

Dès que ce grand eunuque eut connu mon génie, il
tourna les yeux de mon côté ; il parla de moi à mon maître,
comme d'un homme capable de travailler selon ses vues
et de lui succéder dans le poste qu'il remplissait. Il ne fut
point étonné de ma grande jeunesse : il crut que mon atten-
tion me tiendrait lieu d'expérience. Que te dirai-je ? Je fis
tant de progrès dans sa confiance qu'il ne faisait plus diffi-
culté de mettre dans mes mains *a* les clefs des lieux terribles
qu'il gardait depuis si longtemps. C'est sous ce grand maître
que j'appris l'art difficile de commander, et que je me
formai aux maximes d'un gouvernement inflexible. J'étu-
diai sous lui le cœur des femmes ; il m'apprit à profiter
de leurs faiblesses et à ne point m'étonner de leurs hauteurs.
Souvent il se plaisait à me les voir conduire *b* jusqu'au
dernier retranchement de l'obéissance ; il les faisait ensuite
revenir *c* insensiblement et voulait que je parusse pour
quelque temps plier moi-même. Mais il fallait le voir dans
ces moments où il les trouvait tout près du désespoir,
entre les prières et les reproches : il soutenait leurs larmes
sans s'émouvoir et se sentait flatté de cette espèce de
triomphe *d*. « Voilà, disait-il d'un air content, comment il
faut gouverner les femmes. Leur nombre ne m'embar-
rasse pas : je conduirais de même toutes celles de notre
grand monarque. Comment un homme peut-il espérer
de captiver leur cœur si ses fidèles eunuques n'ont com-
mencé par soumettre leur esprit *e* ? »

Il avait non seulement de la fermeté, mais aussi de la
pénétration : il lisait leurs pensées et leurs dissimulations ;
leurs gestes étudiés, leur visage feint, ne lui dérobaient
rien ; il savait toutes leurs actions les plus cachées et leurs
paroles les plus secrètes ; il se servait des unes pour con-
naître les autres, et il se plaisait à récompenser la moindre
confidence. Comme elles n'abordaient leur mari que lors-
qu'elles étaient averties, l'eunuque y appelait qui il voulait,
et tournait les yeux de son maître sur celle qu'il avait en

vue; et cette distinction était la récompense de quelque
secret révélé. Il avait persuadé son maître qu'il était du
bon ordre qu'il lui laissât ce choix, afin de lui donner une
autorité plus grande. Voilà comme on gouvernait, magni-
fique seigneur, dans un sérail qui était, je crois, le mieux
réglé qu'il y eût en Perse.

Laisse-moi les mains libres; permets que je me fasse
obéir. Huit jours remettront l'ordre dans le sein de la confu-
sion. C'est ce que ta gloire demande, et que ta sûreté exige.

De ton sérail d'Ispahan, le 9 de la lune de Rebiab 1, 1714.

LETTRE LXV[a]

USBEK A SES FEMMES, AU SÉRAIL D'ISPAHAN

J'APPRENDS que le sérail est dans le désordre, et qu'il
est rempli de querelles et de divisions intestines. Que
vous recommandai-je en partant, que la paix et la
bonne intelligence? Vous me le promîtes. Était-ce pour me
tromper?

C'est vous qui seriez trompées si je voulais suivre les
conseils que me donne le grand Eunuque, si je voulais
employer mon autorité pour vous faire vivre comme mes
exhortations le demandaient de vous.

Je ne sais me servir de ces moyens violents que lorsque
j'ai tenté tous les autres. Faites donc en votre considération
ce que vous n'avez pas voulu faire à la mienne.

Le premier Eunuque a grand sujet de se plaindre: il
dit que vous n'avez aucun égard pour lui. Comment pou-
vez-vous accorder cette conduite avec la modestie de votre
état? N'est-ce pas à lui que, pendant mon absence, votre
vertu est confiée? C'est un trésor sacré, dont il est le dépo-
sitaire. Mais ces mépris que vous lui témoignez font voir[b]
que ceux qui sont chargés de vous faire vivre dans les lois
de l'honneur vous sont à charge.

Changez donc de conduite, je vous prie, et faites en
sorte que je puisse, une autre fois, rejeter les propositions
que l'on me fait contre votre liberté et votre repos.

Car je voudrais vous faire oublier que je suis votre maî-
tre, pour me souvenir seulement que je suis votre époux.

De Paris, le 5 de la lune de Chahban, 1714.

LETTRE LXVI

RICA A ***

ON s'attache ici beaucoup aux sciences; mais je ne
sais si on est fort savant. Celui qui doute de tout
comme philosophe n'ose rien nier comme théologien [1].
Cet homme contradictoire est toujours content de lui,
pourvu qu'on convienne des qualités.

La fureur de la plupart des Français, c'est d'avoir de
l'esprit, et la fureur de ceux qui veulent avoir de l'esprit,
c'est de faire des livres.

Cependant il n'y a rien de si mal imaginé : la Nature
semblait avoir sagement pourvu à ce que les sottises des
hommes fussent passagères, et les livres les immortalisent.
Un sot devrait être content d'avoir ennuyé tous ceux qui
ont vécu avec lui : il veut encore tourmenter les races futures,
il veut que sa sottise triomphe de l'oubli[a], dont il aurait pu
jouir comme du tombeau; il veut que la postérité soit infor-
mée qu'il a vécu, et qu'elle sache à jamais qu'il a été un sot.

De tous les auteurs, il n'y en a point que je méprise
plus que les compilateurs, qui vont, de tous côtés, chercher
des lambeaux des ouvrages des autres, qu'ils plaquent[b]
dans les leurs, comme des pièces de gazon dans un par-
terre [2]. Ils ne sont point au-dessus de ces ouvriers d'impri-
merie qui rangent des caractères qui, combinés ensemble,
font un livre où ils n'ont fourni que la main. Je voudrais
qu'on respectât les livres originaux, et il me semble que c'est
une espèce de profanation de tirer les pièces qui les compo-
sent du sanctuaire où elles sont, pour les exposer à un mépris
qu'elles ne méritent point.

1. Serait-ce Descartes ?
2. Reprise de La Bruyère (*I, Des ouvrages de l'esprit*, 62) : « Il y a des
esprits inférieurs et subalternes qui ne semblent faits que pour être
le recueil, le registre ou le magasin de toutes les productions des autres
génies : ils sont plagiaires, traducteurs, compilateurs... »

Quand un homme n'a rien à dire de nouveau, que ne se tait-il? Qu'a-t-on affaire de ces doubles emplois? « Mais je veux donner un nouvel ordre. — Vous êtes *a* un habile homme : vous venez dans ma bibliothèque, et vous mettez en bas les livres qui sont en haut, et en haut ceux qui sont en bas. C'est *b* un beau chef-d'œuvre! »

Je t'écris sur ce sujet, ***, parce que je suis outré d'un livre que je viens de quitter, qui est si gros qu'il semblait contenir la Science universelle; mais il m'a rompu la tête sans m'avoir rien appris.

Adieu.

<div style="text-align: right;">

De Paris, le 8 de la lune de Chahban, 1714.

</div>

LETTRE LXVII

IBBEN A USBEK, A PARIS

TROIS vaisseaux sont arrivés ici sans m'avoir apporté de tes nouvelles *c*. Es-tu malade? ou te plais-tu à m'inquiéter?

Si tu ne m'aimes pas dans un pays où tu n'es lié à rien, que sera-ce au milieu de la Perse et dans le sein de ta famille? Mais peut-être que je me trompe : tu es assez aimable pour trouver partout des amis. Le cœur est citoyen de tous les pays. Comment une âme bien faite peut-elle s'empêcher de former des engagements? Je te l'avoue : je respecte les anciennes amitiés; mais je ne suis pas fâché d'en faire partout de nouvelles.

En quelque pays que j'aie été, j'y ai vécu comme si j'avais dû y passer ma vie [1] : j'ai eu le même empressement pour les gens vertueux, la même compassion ou plutôt la même tendresse pour les malheureux, la même estime pour ceux que la prospérité n'a point aveuglés. C'est mon caractère, Usbek : partout où je trouverai des hommes, je me choisirai des amis.

Il y a ici un Guèbre [2] qui, après toi, a, je crois, la première

1. Montesquieu a repris le mot dans les *Pensées* (mss, I, p. 220- édit. 1899, t. I, p. 9) : « Quand j'ai voyagé dans les pays étrangers, je m'y suis attaché comme au mien propre. »

2. Montesquieu est renseigné sur les Guèbres par Tavernier (*op.*

place dans mon cœur : c'est l'âme de la probité même
Des raisons particulières l'ont obligé de se retirer dans cette
ville où il vit tranquillement du produit d'un trafic honnête
avec une femme qu'il aime. Sa vie est toute marquée d'ac-
tions généreuses, et, quoiqu'il cherche la vie obscure, il y a
plus d'héroïsme dans son cœur que dans celui des plus
grands monarques.

Je lui ai parlé mille fois de toi ; je lui montre toutes
tes lettres ; je remarque que cela lui fait plaisir ; et je vois
déjà que tu as un ami qui t'est inconnu.

Tu trouveras ici ses principales aventures : quelque
répugnance qu'il eût à les écrire, il n'a pu les refuser à
mon amitié, et je les confie à la tienne.

HISTOIRE D'APHÉRIDON ET D'ASTARTÉ [1]

Je suis né parmi les Guèbres, d'une religion qui est
peut-être la plus ancienne qui soit au monde [2]. Je fus si

cit., IV, 8, p. 480-494 : De la religion des Gaures qui sont les descendants des
anciens Persans adorateurs du feu) et par Chardin (op. cit., III, p. 127-
132). Mais il dit Guèbres comme Chardin et non Gaures. L'essentiel
de son information vient cependant de l'orientaliste anglais Thomas
Hyde, Historia religionis veterum Persarum (Oxford, 1700), dont il avait
constitué des extraits non retrouvés à la Brède (cf. Spicilège, édit. Masson,
p. 110, et Pensées, II, p. 201). L'ouvrage était à l'Académie de Bordeaux
(B. M., H. 4102).
1. Astarté n'est que la transcription grecque ('Ἀστάρτη) de la déesse
phénicienne et akkadienne Ishtar, l'Anahita du panthéon iranien.
Aphéridon est aussi une transcription grecque d'un roi perse plus ou
moins mythique, Phridûni ou Aphridûn, héros national des vieilles
légendes épiques utilisées par Firdousi dans le Livre des Rois. Mais
Montesquieu ne lisait pas le Shah Nameh, publié pour la première fois
à Calcutta en 1811, ni le Zend-Avesta rapporté en Europe et traduit
en 1771 par Anquetil-Duperron. Sa source est très probablement Hyde
(op. cit., XXIV, p. 317 et 417) : Dans le palais construit à Balkh par
Zoroastre pour le roi Gushtasp, se trouvaient les statues des ancêtres
Gemshid et Aphridûn. Montesquieu a déjà utilisé le premier nom
dans la Lettre XXXV. Mais l'Hymne d'Ali dans Chardin (op. cit.,
t. I, p. 211) lui fournissait ce distique :
　　La couronne de Gemchid est sombre et ternie
　　　　　devant l'aigrette de ton turban.
　　Le trône de Fereydon est un banc de bois
　　　　　en comparaison de ton siège.
2. C'est le début de Hyde (op. cit., p. 1) : « Ab ipso diluvio arcessi-
tur huc usque continuata religio. »

malheureux que l'amour me vint avant la raison : j'avais
à peine six ans, que je ne pouvais vivre qu'avec ma sœur;
mes yeux s'attachaient toujours sur elle, et, lorsqu'elle me
quittait un moment, elle les retrouvait baignés de larmes;
chaque jour n'augmentait pas plus mon âge que mon
amour. Mon père, étonné d'une si forte sympathie, aurait
bien souhaité de nous marier ensemble, selon l'ancien usage
des Guèbres, introduit par Cambyse [1]; mais la crainte des
Mahométans, sous le joug desquels nous vivons, empêche
ceux de notre nation de penser à ces alliances saintes, que
notre religion ordonne plutôt qu'elle ne permet [a], et qui
sont des images si naïves de l'union déjà formée par la
Nature.

Mon père, voyant donc qu'il aurait été dangereux
de suivre mon inclination et la sienne, résolut d'éteindre
une flamme qu'il croyait naissante, mais qui était déjà à
sa dernière période. Il prétexta un voyage et m'emmena
avec lui, laissant ma sœur entre les mains d'une de ses
parentes : car ma mère était morte depuis deux ans. Je
ne vous dirai point quel fut le désespoir de cette sépa-
ration : j'embrassai ma sœur toute baignée de larmes;
mais je n'en versai point : car la douleur m'avait rendu
comme insensible. Nous arrivâmes à Tefflis [2], et mon
père, ayant confié mon éducation à un de nos parents,
m'y laissa et s'en retourna chez lui.

Quelque temps après, j'appris que, par le crédit d'un

1. D'après Hérodote (*Histoires*, III, 31, Belles Lettres, 1939, t. III,
p. 159), Cambyse aurait épousé sa sœur Méroé et aurait fait entériner
son acte auprès des juges royaux de Perse. Mais avant Cambyse (529-
522 A. C.), nous dit-il, « les Perses n'avaient nullement l'habitude de
prendre leurs sœurs pour femmes ». Au contraire, les historiens arabes
utilisés par Hyde (*op. cit.*, XXIV, p. 313) et notamment Abu Mohammed
Mustapha dans sa *Vita Gushtaspis* accusent Zoroastre d'avoir légalisé
l'inceste : « In isto libro licitum fecit conjugium cum matre et sorore ».
Montesquieu n'a pas suivi sur ce point les récits de voyage qui ne
tarissent pas sur les bonnes mœurs des Guèbres.
2. Chardin orthographie *Tifflis* et Tavernier *Teflis* (*op. cit.*, III, p. 9)
la capitale du royaume de Géorgie, alors vassal de la Perse. La meilleure
description est celle de Chardin (*op. cit.*, I, p. 131-134) qui y a séjourné
tout un mois (février 1673).

de ses amis, il avait ^a fait entrer ma sœur dans le beiram [1] du
Roi, où elle était au service d'une sultane. Si l'on m'avait
appris sa mort, je n'en aurais pas été plus frappé : car,
outre que je n'espérais plus de la revoir, son entrée dans
le beiram l'avait rendue mahométane, et elle ne pouvait
plus, suivant le préjugé de cette religion, me regarder
qu'avec horreur ^b. Cependant, ne pouvant plus vivre à
Tefflis, las de moi-même et de la vie, je retournai à Ispahan.
Mes premières paroles furent amères à mon père : je lui
reprochai d'avoir mis sa fille en un lieu où l'on ne peut
entrer qu'en changeant de religion : « Vous avez attiré
sur votre famille, lui dis-je, la colère de Dieu et du Soleil,
qui vous éclaire; vous avez plus fait que si vous aviez
souillé les Éléments, puisque vous avez souillé l'âme de
votre fille, qui n'est pas moins pure : j'en mourrai de
douleur et d'amour; mais puisse ma mort être la seule
peine que Dieu vous fasse sentir! » A ces mots, je sortis,
et, pendant deux ans, je passai ma vie à aller regarder les
murailles du beiram et considérer le lieu où ma sœur pou-
vait être, m'exposant tous les jours mille fois à être égorgé
par les eunuques qui font la ronde autour de ces redoutables
lieux.

Enfin, mon père mourut, et la sultane que ma sœur
servait, la voyant tous les jours croître en beauté, en devint
jalouse et la maria avec un eunuque qui la souhaitait avec
passion. Par ce moyen, ma sœur sortit du sérail et prit
avec son eunuque une maison à Ispahan.

Je fus plus de trois mois sans pouvoir lui parler : l'eu-
nuque, le plus jaloux de tous les hommes, me remettant
toujours, sous divers prétextes. Enfin j'entrai dans son
beiram, et il me lui fit parler ^c au travers d'une jalousie.
Des yeux de lynx ne l'auraient pas pu découvrir, tant elle
était enveloppée d'habits et de voiles, et je ne pus la

1. Confusion inexplicable et trois fois répétée de Montesquieu.
Chardin décrit longuement le *haram*, proprement le lieu sacré et inter-
dit, réservé aux femmes (II, p. 275). Le *bairam* ou *beiram* est le nom
donné au Moyen-Orient aux deux plus grandes fêtes de l'Islam, l'une
qui clôt le Ramadan et l'autre soixante-dix jours plus tard (cf. Ricaut,
op. cit., II, p. 24, et Chardin, II, p. 450).

reconnaître qu'au son de sa voix. Quelle fut mon émotion
quand je me vis si près et si éloigné d'elle! Je me contrai-
gnis : car j'étais examiné. Quant à elle, il me parut qu'elle
versa quelques larmes. Son mari voulut me faire quelques
mauvaises excuses; mais je le traitai comme le dernier des
esclaves. Il fut bien embarrassé quand il vit que je parlais
à ma sœur une langue qui lui était inconnue : c'était l'an-
cien persan, qui est notre langue sacrée [1]. « Quoi! ma sœur,
lui dis-je, est-il vrai que vous avez quitté la religion de vos
pères? Je sais qu'en entrant au beiram vous avez dû faire
profession du Mahométisme. Mais, dites-moi, votre cœur
a-t-il pu consentir, comme votre bouche, à quitter une
religion qui me permet de vous aimer? Et pour qui la
quittez-vous, cette religion, qui nous doit être si chère?
Pour un misérable encore flétri des fers qu'il a portés;
qui, s'il était homme, serait le dernier de tous! — Mon
frère, dit-elle, cet homme dont vous parlez est mon mari;
il faut que je l'honore, tout indigne qu'il vous paraît;
et je serais aussi la dernière des femmes si... — Ah! ma
sœur, lui dis-je, vous êtes guèbre; il n'est ni votre époux,
ni ne peut l'être. Si vous êtes fidèle comme vos pères, vous
ne devez le regarder que comme un monstre. — Hélas!
dit-elle, que cette religion se montre à moi de loin! A
peine en savais-je les préceptes qu'il les fallut oublier.
Vous voyez que cette langue que je vous parle ne m'est
plus familière, et que j'ai toutes les peines du monde à
m'exprimer. Mais comptez que le souvenir de notre enfance
me charme toujours; que, depuis ce temps-là, je n'ai eu que
de fausses joies; qu'il ne s'est pas passé de jour que je n'aie
pensé à vous; que vous avez eu plus de part que vous ne
croyez à mon mariage; et que je n'y ai été déterminée que
par l'espérance de vous revoir. Mais que ce jour, qui m'a tant
coûté, va me coûter encore! Je vous vois tout hors de vous-
même; mon mari frémit de rage et de jalousie. Je ne vous
verrai plus; je vous parle sans doute pour la dernière fois

1. Pour Chardin (t. II, p. 105), l'ancien persan est une langue perdue,
mais les Guèbres qu'il a interrogés connaissent encore le *pehlvi*, idiome
des Sassanides, dernière dynastie autochtone avant la conquête musul-
mane.

de ma vie. Si cela était, mon frère, elle ne serait pas longue. »
A ces mots, elle s'attendrit, et se voyant hors d'état de
tenir la conversation, elle me quitta le plus désolé des
hommes.

Trois ou quatre jours après, je demandai à voir ma
sœur. Le barbare eunuque aurait bien voulu m'en empê-
cher; mais, outre que ces sortes de maris n'ont pas sur
leurs femmes la même autorité que les autres, il aimait
si éperdument ma sœur qu'il ne savait rien lui refuser.
Je la vis encore dans le même lieu et sous les mêmes voiles [a],
accompagnée de deux esclaves; ce qui me fit avoir recours
à notre langue particulière : « Ma sœur, lui dis-je, d'où
vient que je ne puis vous voir sans me trouver dans une
situation affreuse? Les murailles qui vous tiennent enfer-
mée, ces verrous et ces grilles, ces misérables gardiens
qui vous observent, me mettent en fureur. Comment
avez-vous perdu la douce liberté dont jouissaient vos
ancêtres? Votre mère, qui était si chaste, ne donnait à
son mari, pour garant de sa vertu, que sa vertu même.
Ils vivaient heureux, l'un et l'autre, dans une confiance
mutuelle, et la simplicité de leurs mœurs était pour eux
une richesse plus précieuse mille fois que le faux éclat
dont vous semblez jouir dans cette maison somptueuse.
En perdant votre religion, vous avez perdu votre liberté,
votre bonheur et cette précieuse égalité qui fait l'honneur
de votre sexe. Mais ce qu'il y a de pis encore, c'est que vous
êtes, non pas la femme (car vous ne pouvez l'être), mais
l'esclave d'un esclave qui a été dégradé de l'humanité.
— Ah! mon frère, dit-elle, respectez mon époux, respectez
la religion que j'ai embrassée. Selon cette religion, je n'ai
pu vous entendre ni vous parler sans crime. — Quoi!
ma sœur, lui dis-je tout transporté, vous la croyez donc
véritable, cette religion? — Ah! dit-elle, qu'il me serait
avantageux qu'elle ne le fût pas! Je fais pour elle un trop
grand sacrifice pour que je puisse ne la pas croire; et si
mes doutes... » A ces mots, elle se tut. « Oui, vos doutes,
ma sœur, sont bien fondés, quels qu'ils soient. Qu'atten-
dez-vous d'une religion qui vous rend malheureuse pour
ce monde-ci et ne vous laisse point d'espérance pour l'autre ?
Songez que la nôtre est la plus ancienne qui soit au Monde;

qu'elle a toujours fleuri dans la Perse et n'a pas d'autre origine que cet empire, dont les commencements ne sont point connus; que ce n'est que le hasard qui y a introduit le Mahométisme; que cette secte y a été établie, non par la voie de la persuasion, mais de la conquête [1]. Si nos princes naturels n'avaient pas été faibles, vous verriez régner encore le culte de ces anciens Mages. Transportez-vous dans ces siècles reculés : tout vous parlera du Magisme et rien de la secte mahométane, qui, plusieurs milliers d'années après, n'était pas même dans son enfance [2]. — Mais, dit-elle, quand ma religion serait plus moderne que la vôtre, elle est au moins plus pure, puisqu'elle n'adore que Dieu; au lieu que vous adorez encore le Soleil, les Étoiles, le Feu, et même les Éléments. — Je vois, ma sœur, que vous avez appris parmi les Musulmans à calomnier notre sainte religion. Nous n'adorons ni les Astres ni les Éléments, et nos pères ne les ont jamais adorés : jamais ils ne leur ont élevé des temples; jamais ils ne leur ont offert des sacrifices; ils leur ont seulement rendu un culte religieux, mais inférieur, comme à des ouvrages et des manifestations de la Divinité [3]. Mais, ma sœur, au nom de Dieu, qui nous éclaire, recevez ce livre sacré que je vous porte; c'est le livre de notre législateur Zoroastre [4]; lisez-le sans prévention [a]; recevez dans votre cœur les rayons

1. C'est en 651 après Jésus-Christ que le dernier souverain sassanide, Yazdjird III, mourut tragiquement, après avoir été repoussé jusqu'au fond du Khorassan par les armées musulmanes des lieutenants d'Omar.

2. Cf. Hyde (*op. cit.*, IX, p. 161, et X, p. 170) : « Veterum Persarum fides orthodoxa primitiva postea in Abrahami doctrina atque in Mosaïcae historiae veritate confirmata... Persarum religio in multis convenit cum judaica et magna ex parte ab ea desumpta fuit. »

3. Cf. Hyde (IV, p. 108) : « Gavri affirmant se non adorare Planetam sed tantum unum Deum. Cur prostrati adorent orientem solem ? Respondent homagium praestare ei creaturae, utpote quae post hominem sit perfectissima earum quas Deus ex nihilo creavit. » Le monothéisme des Guèbres ne fait donc aucun doute pour l'orientaliste d'Oxford.

4. Cf. Hyde (*op. cit.*, XXII, p. 299) : « Zerdusht est auctor libri quem composuit. Alii dicunt ad eum dimissum fuisse a caelo; is est *Zend Avesta*. » Zerdusht est Zoroastre.

de lumière qui vous éclaireront en le lisant; souvenez-vous de vos pères qui ont si longtemps honoré le Soleil dans la ville sainte de Balk [1]; et, enfin, souvenez-vous de moi, qui n'espère de repos, de fortune, de vie, que de votre changement. » Je la quittai tout transporté et la laissai seule décider la plus grande affaire que je pusse avoir de ma vie.

J'y retournai deux jours après; je ne lui parlai point: j'attendis dans le silence l'arrêt de ma vie ou de ma mort. « Vous êtes aimé, mon frère, me dit-elle, et par une Guèbre. J'ai longtemps combattu. Mais, Dieux! que l'amour lève de difficultés! que je suis soulagée! Je ne crains plus de vous trop aimer; je puis ne mettre point de bornes à mon amour; l'excès même en est légitime. Ah! que ceci convient bien à l'état de mon cœur! Mais vous, qui avez su rompre les chaînes que mon esprit s'était forgées, quand romprez-vous celles qui me lient les mains? Dès ce moment, je me donne à vous. Faites voir, par la promptitude avec laquelle vous m'accepterez, combien ce présent vous est cher. Mon frère, la première fois que je pourrai vous embrasser, je crois que je mourrai dans vos bras. » Je n'exprimerais jamais bien la joie que je sentis à ces paroles [a]: je me crus et je me vis, en effet, en un instant, le plus heureux de tous les hommes; je vis presque accomplir tous les désirs que j'avais formés en vingt-cinq ans de vie, et évanouir tous les chagrins qui me l'avaient rendue si laborieuse. Mais, quand je me fus un peu accoutumé à ces douces idées, je trouvai que je n'étais pas si près de mon bonheur que je me l'étais figuré [b] tout à coup, quoique j'eusse surmonté le plus grand de tous les obstacles. Il fallait surprendre la vigilance de ses gardiens. Je n'osais confier à personne le secret de ma vie. Je n'avais que ma sœur; elle n'avait que moi. Si je manquais [c] mon coup, je courais le risque d'être empalé; mais je ne voyais pas de peine plus cruelle que de le manquer. Nous convînmes

1. D'après la chronique arabe de Bundari, rapportée par Hyde (XXIV, p. 315), c'est à Balkh que Zoroastre convertit le roi Gushtasp. L'ancienne Bactres est actuellement une petite ville des confins nord de l'Afghanistan, à une cinquantaine de kilomètres au sud de l'Amou-Daria.

qu'elle m'enverrait demander une horloge que son père lui avait laissée, et que j'y mettrais dedans une lime pour scier les jalousies d'une fenêtre qui donnait [a] sur la rue, et une corde nouée pour descendre; que je ne la verrais plus dorénavant; mais que j'irais toutes les nuits sous cette [b] fenêtre attendre qu'elle pût exécuter son dessein. Je passai quinze nuits entières sans voir personne, parce qu'elle n'avait pas trouvé le temps favorable. Enfin la seizième, j'entendis une scie qui travaillait. De temps en temps, l'ouvrage était interrompu, et, dans ces intervalles, ma frayeur était inexprimable. Après [c] une heure de travail, je la vis qui attachait la corde; elle se laissa aller et glissa dans mes bras. Je ne connus plus le danger, et je restai longtemps sans bouger de là. Je la conduisis hors de la Ville, où j'avais un cheval tout prêt; je la mis en croupe derrière moi et m'éloignai, avec toute la promptitude imaginable, d'un lieu qui pouvait nous être si funeste. Nous arrivâmes avant le jour chez un Guèbre, dans un lieu désert où il était retiré, vivant frugalement du travail de ses mains; nous ne jugeâmes pas à propos de rester chez lui, et, par son conseil, nous entrâmes dans une épaisse forêt, et nous nous mîmes dans le creux d'un vieux chêne, jusques à ce que le bruit de notre évasion se fût dissipé. Nous vivions tous deux dans ce séjour écarté, sans témoins, nous répétant sans cesse que nous nous aimerions toujours, attendant l'occasion que quelque prêtre guèbre pût faire la cérémonie du mariage prescrite par nos livres sacrés. « Ma sœur, lui disais-je, que cette union est sainte! La Nature nous avait unis; notre sainte loi va nous unir encore. » Enfin un prêtre vint calmer notre impatience amoureuse. Il fit, dans la maison du paysan, toutes les cérémonies du mariage; il nous bénit et nous souhaita mille fois toute la vigueur de Gustaspe et la sainteté de l'Hohoraspe [1]. Bientôt après, nous quit-

1. Montesquieu n'a pu connaître le *Livre des Rois* qui s'étend longuement sur les règnes de Lohrasp et de Gushtasp (cf. édit. Mohl, Imprimerie nationale, 1855, t. IV, p. 279-730). La source est encore Hyde qui consacre un chapitre au roi Gushtasp (ancien persan *Vistaspa*) converti par Zoroastre (*op. cit.*, XXIII, p. 301-307) et signale son père *Lohrasp*

tâmes la Perse, où nous n'étions pas en sûreté, et nous nous retirâmes en Géorgie. Nous y vécûmes un an, tous les jours plus charmés. l'un de l'autre; mais, comme mon argent allait finir, et que je craignais la misère pour ma sœur, non pas pour moi, je la quittai pour aller chercher quelque secours chez nos parents. Jamais adieu ne fut plus tendre. Mais mon voyage me fut non seulement inutile, mais funeste : car, ayant trouvé, d'un côté, tous nos biens confisqués, de l'autre, mes parents presque dans l'impuissance de me secourir, je ne rapportai d'argent précisément que ce qu'il fallait pour mon retour. Mais quel fut mon désespoir! Je ne trouvai plus ma sœur. Quelques jours avant mon arrivée, des Tartares avaient fait une incursion dans la ville où elle était, et, comme ils la trouvèrent belle, ils la prirent, et la vendirent à des Juifs qui allaient en Turquie, et ne laissèrent qu'une petite fille dont elle était accouchée quelques mois auparavant. Je suivis ces Juifs et les joignis à trois lieues de là. Mes prières, mes larmes, furent vaines : ils me demandèrent toujours trente tomans [1] et ne se relâchèrent jamais d'un seul. Après m'être adressé à tout le monde, avoir imploré la protection des prêtres turcs et chrétiens, je m'adressai à un marchand arménien, je lui vendis ma fille, et me vendis aussi pour trente-cinq tomans. J'allai aux Juifs, je leur donnai trente tomans et portai les cinq autres à ma sœur, que je n'avais pas encore vue : « Vous êtes libre, lui dis-je, ma sœur, et je puis vous embrasser. Voilà cinq tomans que je vous porte. J'ai du regret qu'on ne m'ait pas acheté davantage. — Quoi!

(ancien persan *Aurvat aspa*), transcrit bizarrement par Montesquieu (*ibid.*, XXIV, p. 315). Hyde est le seul à transcrire le rituel zoroastrien des mariages : « Inter benedictiones nuptiales quas in libro *Zend* sacerdos recenter nuptis apprecatur, sequente modo legitur : *sicut rex Gushtasp fortes estote.* » Faut-il assimiler Gushtasp à Hystaspe, le père de Darius, deuxième fondateur en 521 avant J.-C. de l'empire achéménide? C'est l'avis de C. Huart (l'*Iran antique*, A. Michel, 1943, p. 403) mais non de Meillet (*Ann. Musée Guimet*, 1925, p. 24). Tout cet épisode guèbre prouve la minutieuse information de Montesquieu, même lorsqu'il ébauche un conte oriental qui ne vise qu'à plaire.

1. Monnaie de compte, utilisée en Perse, qui vaut 10.000 dinars ou 50 abassis de dix-huit sous. Chardin fixe sa valeur à quinze écus ou quarante-cinq livres de France (*op. cit.*, II, p. 92).

dit-elle, vous vous êtes vendu? — Oui, lui dis-je. — Ah!
malheureux; qu'avez-vous fait? N'étais-je pas assez infor-
tunée, sans que vous travaillassiez à me le *a* rendre davan-
tage? Votre liberté me consolait, et votre esclavage va me
mettre *b* au tombeau. Ah! mon frère, que votre amour est
cruel! Et ma fille? Je ne la vois point. — Je l'ai vendue
aussi », lui dis-je. Nous fondîmes tous deux en larmes et
n'eûmes pas la force de nous rien dire. Enfin j'allai trouver
mon maître, et ma sœur y arriva presque aussitôt que moi.
Elle se jeta à ses genoux. « Je vous demande, dit-elle, la
servitude, comme les autres vous demandent la liberté.
Prenez-moi. Vous me vendrez plus cher que mon mari. »
Ce fut alors qu'il se fit un combat qui arracha les larmes
des yeux de mon maître. « Malheureux! dit-elle, as-tu pensé
que je pusse accepter ma liberté aux dépens de la tienne?
Seigneur, vous voyez deux infortunés qui mourront si vous
nous séparez. Je me donne à vous. Payez-moi. Peut-être
que cet argent et mes services pourront quelque jour
obtenir de vous ce que je n'ose vous demander. Il est de
votre intérêt de ne nous point séparer : comptez que je dis-
pose de ma vie. » L'Arménien était un homme doux, qui
fut touché de nos malheurs. « Servez-moi, l'un et l'autre,
avec fidélité et avec zèle, et je vous promets que, dans un
an, je vous donnerai votre liberté. Je vois que vous ne
méritez, ni l'un ni l'autre, les malheurs de votre condition.
Si, lorsque vous serez libres, vous êtes aussi heureux que vous
le méritez, si la fortune vous rit, je suis certain que vous
me satisferez de la perte que je souffrirai. » Nous embras-
sâmes tous deux ses genoux et le suivîmes dans son voyage.
Nous nous soulagions, l'un et l'autre *c* dans les travaux
de la servitude, et j'étais charmé lorsque j'avais pu faire
l'ouvrage qui était tombé à ma sœur.

 La fin de l'année arriva; notre maître tint sa parole
et nous délivra. Nous retournâmes à Tefflis. Là je trouvai
un ancien ami de mon père, qui exerçait avec succès la
médecine dans cette ville; il me prêta quelque argent avec
lequel je fis quelque négoce. Quelques affaires m'appe-
lèrent ensuite à Smyrne, où je m'établis. J'y vis depuis
six ans, et j'y jouis de la plus aimable et de la plus douce
société du Monde : l'union règne dans ma famille, et je

ne changerais pas ma condition pour celle de tous les rois
du Monde. J'ai été assez heureux pour retrouver le mar-
chand arménien à qui je dois tout, et je lui ai rendu *a* des
services signalés.

De Smyrne, le 27 de la lune de Gemmadi 2, 1714.

LETTRE LXVIII

RICA A USBEK, A ***

J'ALLAI l'autre jour dîner chez un homme de robe, qui
m'en avait prié plusieurs fois. Après avoir parlé de
bien des choses, je lui dis : « Monsieur, il me paraît que
votre métier est bien pénible. — Pas tant que vous vous
l'imaginez *b*, répondit-il : de la manière dont nous le fai-
sons, ce n'est qu'un amusement. — Mais quoi *c* ? n'avez-
vous pas toujours la tête remplie des affaires d'autrui ?
N'êtes-vous pas toujours occupé de choses qui ne sont
point intéressantes ? — Vous avez raison ; ces choses ne
sont point intéressantes : car nous nous y intéressons si
peu que rien, et cela même fait que le métier n'est pas si
fatigant que vous dites. » Quand je vis qu'il prenait la
chose d'une manière si dégagée, je continuai et lui dis :
« Monsieur, je n'ai point vu votre cabinet. — Je le crois :
car je n'en ai point. Quand je pris cette charge, j'eus besoin
d'argent pour la payer *d* ; je vendis ma bibliothèque, et
le libraire qui la prit, d'un nombre prodigieux de volumes,
ne me laissa que mon livre de raison [1]. Ce n'est pas que je les
regrette : nous autres juges ne nous enflons point d'une
vaine science. Qu'avons-nous à faire de tous ces volumes de
lois ? Presque tous les cas sont hypothétiques et sortent de
la règle générale [2]. — Mais ne serait-ce pas, Monsieur, lui

1. Registre où un négociant ou un particulier marque ses gains et
ses dépenses. Mais chez bon nombre de bourgeois d'autrefois, le livre
de raison sert à consigner la chronique familiale.
2. L'idée se retrouve dans les *Pensées* (t. II, p. 366) : « Comme la
multiplicité des traités entre les princes ne fait que multiplier les occa-

dis-je, parce que vous les en faites sortir ? Car, enfin, pour-
quoi chez tous les peuples du Monde y aurait-il des lois
si elles n'avaient pas leur application ? et comment peut-on
les appliquer si on ne les sait pas ? — Si vous connaissiez
le Palais, reprit le magistrat, vous ne parleriez pas comme
vous faites : nous avons des livres vivants, qui sont les
avocats; ils travaillent pour nous et se chargent de nous
instruire. — Et ne se chargent-ils pas aussi quelquefois de
vous tromper? lui repartis-je. Vous ne feriez donc pas mal
de vous garantir de leurs embûches : ils ont des armes avec
lesquelles ils attaquent votre équité; il serait bon que
vous en eussiez aussi pour la défendre, et que vous n'allas-
siez pas vous mettre dans la mêlée, habillés à la légère,
parmi des gens cuirassés jusques aux dents. »

De Paris, le 13 de la lune de Chahban, 1714.

LETTRE LXIX

USBEK A RHÉDI, A VENISE

TU ne te serais jamais imaginé que je fusse devenu plus
métaphysicien que je ne l'étais : cela est pourtant,
et tu en seras convaincu quand tu auras essuyé ce débor-
dement de ma philosophie [1].

Les philosophes les plus sensés qui ont réfléchi sur la
nature de Dieu ont dit qu'il était un être souverainement
parfait; mais ils ont extrêmement abusé de cette idée :
ils ont fait une énumération de toutes les perfections diffé-
rentes que l'homme est capable d'avoir et d'imaginer, et
en ont chargé l'idée de la Divinité, sans songer que sou-

sions et les prétextes de la guerre, ainsi, dans la vie civile, la multi-
plicité des lois ne fait que donner naissance aux contestations des par-
ticuliers. »

1. Cette lettre sur la prescience divine et la liberté humaine s'ins-
pirerait, selon Élie Carcassonne, de la *Théodicée* de Leibniz. L'ouvrage,
paru en français en 1710, fut réédité en 1714 par les Jésuites (cf.
W. H. Barber, *Leibniz in France*, Oxford, Clarendon, 1955, p. 91).
Montesquieu possédait cette dernière édition (cf. Louis Desgraves,
op. cit., p. 32, n° 405). Leibniz répondait à Bayle et aux articles *Buri-
dan, Jansenius* et *Manichéens* du *Dictionnaire historique et critique*.

vent ces attributs s'entr'empêchent, et qu'ils ne peuvent
subsister dans un même sujet sans se détruire [1].

Les poètes d'Occident disent qu'un peintre, ayant
voulu faire le portrait de la Déesse de la Beauté, assembla
les plus belles Grecques et prit de chacune ce qu'elle avait
de plus agréable[a], dont il fit un tout pour[b] ressembler à la
plus belle de toutes les Déesses [2]. Si un homme en avait
conclu qu'elle était blonde et brune, qu'elle avait les yeux
noirs et bleus, qu'elle était douce et fière, il aurait passé
pour ridicule.

Souvent Dieu manque d'une perfection qui pourrait
lui donner une grande imperfection; mais il n'est jamais
limité que par lui-même : il est lui-même sa nécessité.
Ainsi, quoique Dieu soit tout-puissant, il ne peut pas violer
ses promesses, ni tromper les hommes [3]. Souvent même
l'impuissance n'est pas dans lui, mais dans les choses rela-
tives; et c'est la raison pourquoi il ne peut pas changer
l'essence des choses [4].

Ainsi il n'y a pas sujet de s'étonner que quelques-uns
de nos docteurs [5] aient osé nier la prescience infinie de Dieu

1. C'est probablement Descartes qui est visé par cette exégèse insi-
nuante, très proche de celle de Bayle : si Dieu, à qui Descartes donne
intelligence et volonté infinies, est aussi toute perfection et toute bonté,
comment ne pas le rendre responsable du mal sur la terre ? N'y a-t-il
pas incompatibilité des attributs ?

2. Cinq jeunes filles de Crotone posèrent pour le portrait d'Hélène
par Zeuxis.

3. Cf. Descartes (*Méditations*, IV) : « Je reconnais qu'il est impossible
que jamais [Dieu] me trompe, puisqu'en toute fraude et tromperie il se
rencontre quelque sorte d'imperfection. Et quoiqu'il semble que pou-
voir tromper soit une marque de subtilité ou de puissance, toutefois
vouloir tromper témoigne sans doute de la faiblesse ou de la malice;
et partant, cela ne peut se rencontrer en Dieu. »

4. Raisonnement que Montesquieu reprendra à son compte dans le
Spicilège (édit. Masson, p. 104) : « J'argumentais un jour sur le principe
de Descartes que Dieu peut changer les essences des choses et dis :
*Si Deus non potuisset mutare essentias rerum, non potuisset creare. Ergo...
probo : creatio est extractio ex nihilo. Atqui nihili nullae sunt proprietates.
Ergo Deus mutavit essentiam nihili.* » Nous retrouverons plus bas l'ex-
pression : « Le rien, qui n'a point de propriétés. »

5. *Nos* docteurs ? Est-ce Montesquieu ou Usbek qui parle ? S'agit-il
des docteurs musulmans ou des sociniens attaqués par Leibniz dans la
Théodicée ?

sur ce fondement qu'elle est incompatible avec sa justice *a*.

Quelque hardie que soit cette idée, la métaphysique s'y prête merveilleusement. Selon ses principes, il n'est pas possible que Dieu prévoie les choses qui dépendent de la détermination des causes libres, parce que ce qui n'est point arrivé n'est point et, par conséquent, ne peut être connu : car le rien, qui n'a point de propriétés, ne peut être aperçu. Dieu *b* ne peut pas lire dans une volonté qui n'est point, et voir dans l'âme une chose qui n'existe point en elle : car, jusques à ce qu'elle soit déterminée, cette action qui la détermine n'est point en elle.

L'âme est l'ouvrière de sa détermination; mais il y a des occasions où elle est tellement indéterminée qu'elle ne sait pas même de quel côté se déterminer [1]. Souvent même elle ne le fait que pour faire usage de sa liberté; de manière que Dieu ne peut voir cette détermination par avance, ni dans l'action de l'âme, ni dans l'action que les objets font sur elle.

Comment *c* Dieu pourrait-il prévoir les choses qui dépendent de la détermination des causes libres? Il ne pourrait les voir que de deux manières : par conjecture; ce qui est contradictoire avec la prescience infinie· ou bien il les verrait comme des effets nécessaires qui suivraient infailliblement d'une cause qui les produirait de même; ce qui est encore plus contradictoire : car l'âme serait libre par la supposition, et, dans le fait, elle ne le serait pas plus qu'une boule de billard n'est libre de se remuer, lorsqu'elle est poussée par une autre.

Ne crois pas pourtant que je veuille *d* borner la science de Dieu. Comme il fait agir les créatures à sa fantaisie [2], il connaît tout ce qu'il veut connaître. Mais, quoiqu'il puisse voir tout, il ne se sert pas toujours de cette faculté : il laisse ordinairement à la créature la faculté d'agir ou de ne pas agir, pour lui laisser celle de mériter ou de démériter;

1. Cf. Descartes (*Méditations*, IV) : « Cette indifférence que je sens, lorsque je ne suis point emporté vers un côté plutôt que vers un autre par le poids d'aucune raison, est le plus bas degré de la liberté. »

2. L'abbé Gaultier s'exclame (*op. cit.*, p. 16) : « En Dieu des fantaisies? Cet homme ne peut ouvrir la bouche qu'il ne blasphème! »

c'est pour lors qu'il renonce au droit qu'il a d'agir sur
elle et de la déterminer. Mais, quand il veut savoir quel-
que chose, il le sait toujours, parce qu'il n'a qu'à vouloir
qu'elle arrive comme il la voit, et déterminer les créatures
conformément à sa volonté. C'est ainsi qu'il tire ce qui doit
arriver du nombre des choses purement possibles, en fixant
par ses décrets les déterminations futures des esprits, et
les privant de la puissance qu'il leur a donnée, d'agir ou
de ne pas agir [1].

Si l'on peut se servir d'une comparaison dans une chose
qui est au-dessus des comparaisons : un monarque ignore
ce que son ambassadeur fera dans une affaire importante;
s'il le veut savoir, il n'a qu'à lui ordonner de se comporter
d'une telle manière, et il pourra assurer que la chose arri-
vera comme il la projette.

L'Alcoran [a] et les livres des Juifs s'élèvent sans cesse
contre le dogme de la prescience absolue [2] : Dieu y paraît
partout ignorer [b] la détermination future des esprits et il
semble que ce soit la première vérité que Moïse ait enseignée
aux hommes.

Dieu met Adam [3] dans le Paradis terrestre, à condi-
tion qu'il ne mangera point d'un certain fruit : précepte

1. C'est la conclusion de Leibniz dans la première partie de la *Théo-
dicée* : par une doctrine de la nécessité hypothétique, il préserve les
avantages philosophiques de la liberté et du déterminisme.

2. Oui peut-être pour le *Coran*, non pour *l'Ancien Testament*, répond
l'abbé Gaultier (*op. cit.*, p. 21) qui cite *Isaïe*, XLII, 25 (« Je vous décou-
vre les événements avant qu'ils arrivent ») et *Deutéronome*, XXXI, 16
(« Je connais leurs pensées et ce qu'ils doivent faire »).

3. L'exemple d'Adam est l'objet en 1664-1665 d'une longue discus-
sion entre Spinoza et Guillaume de Blyenberg (*Correspondance*, Garnier,
1929, p. 177-181). Bayle le reprend dans son *Dictionnaire* à l'article
Jansenius : « Tout se réduit enfin à ceci. Adam a-t-il péché librement ?
Si vous répondez que oui, donc, vous dira-t-on, sa chute n'a pas été
prévue. Si vous répondez que non, donc, vous dira-t-on, il n'est point
coupable. » Leibniz essaie de rompre l'antinomie baylienne dans la
troisième partie de la *Théodicée*. Mais la conclusion fidéiste de Montes-
quieu est d'un disciple de Bayle plus que d'un disciple de Leibniz : « Il
vaut mieux croire et se taire... Il faut captiver son entendement sous
l'obéissance de la foi et ne disputer jamais sur certaines choses...
Il faut humblement reconnaître que toute la philosophie est ici à
bout. » (Article *Pauliciens*).

absurde dans un être qui connaîtrait les déterminations
futures des âmes; car enfin un tel être peut-il mettre des
conditions *a* à ses grâces sans les rendre dérisoires *a*? C'est
comme si un homme qui aurait su la prise de Bagdat
disait *b* à un autre : « Je vous donne cent tomans *c* si Bagdat
n'est pas pris. » Ne ferait-il pas là une bien *d* mauvaise plai-
santerie?

Mon cher Rhédi, pourquoi tant de philosophie? Dieu
est si haut que nous n'apercevons pas même ses nuages.
Nous ne le connaissons bien que dans ses préceptes.
Il est immense, spirituel, infini. Que sa grandeur nous
ramène à notre faiblesse. S'humilier toujours, c'est l'adorer
toujours *e*.

De Paris, le dernier de la lune de Chahban, 1714.

LETTRE LXX *f*

ZÉLIS A USBEK, A PARIS

SOLIMAN, que tu aimes, est désespéré d'un affront qu'il
vient de recevoir. Un jeune étourdi, nommé *Suphis*,
recherchait depuis trois mois sa fille en mariage; il
paraissait content de la figure de la fille, sur le rap-
port et la peinture que lui en avaient faits les femmes
qui l'avaient vue dans son enfance; on était convenu de
la dot, et tout s'était passé sans aucun incident. Hier,
après les premières cérémonies, la fille sortit à cheval,
accompagnée de son eunuque et couverte, selon la cou-
tume, depuis la tête jusques aux pieds [1]. Mais, dès qu'elle
fut arrivée devant la maison de son mari prétendu, il lui

1. Montesquieu a pris les détails de cérémonial du mariage persan
chez Tavernier (*op. cit.*, t. V, 18, p. 718-720) et Chardin (t. I, p. 165-
619). Mais Chardin est plus précis : « Si la fille est de médiocre condi-
tion, on la mène à cheval... Elle est voilée du haut jusques en bas...
Quand elle est à cheval, un eunuque la mène par la bride ». (P. 167.)
« On ne peut pas dire pourtant que les Persans se marient sans savoir
à qui; car la mère et les parentes en font si souvent le portrait qu'on
peut suffisamment juger sur leur rapport. » (P. 168.)

fit fermer la porte, et il jura qu'il ne la recevrait jamais si on n'augmentait la dot. Les parents accoururent, de côté et d'autre, pour accommoder l'affaire, et, après bien de la résistance, Soliman convint[a] de faire un petit présent à son gendre[1]. Les cérémonies du mariage s'accomplirent, et l'on conduisit[b] la fillette dans le lit avec assez de violence; mais, une heure après, cet étourdi se leva furieux, lui coupa le visage en plusieurs endroits, soutenant qu'elle n'était pas vierge, et la renvoya à son père. On ne peut pas être plus frappé qu'il l'est de cette injure. Il y a des personnes qui soutiennent que cette fille est innocente. Les pères sont bien malheureux d'être exposés à de tels affronts. Si ma fille recevait un pareil traitement[c], je crois que j'en mourrais de douleur.

Adieu.

Du sérail de Fatmé, le 9 de la lune de Gemmadi 1, 1714.

LETTRE LXXI[d]

USBEK A ZÉLIS

JE plains Soliman, d'autant plus que le mal est sans remède, et que son gendre n'a fait que se servir de la liberté de la Loi. Je trouve cette loi bien dure d'exposer ainsi l'honneur d'une famille aux caprices d'un fou. On a beau dire que l'on a des indices certains pour connaître la vérité, c'est une vieille erreur dont on est aujourd'hui revenu parmi nous; et[e] nos médecins donnent des raisons invincibles de l'incertitude de ces preuves. Il

1. Cf. Chardin (*op. cit.*, p. 168) : « Il arrive dans les mariages des petites gens quelque chose de fort contraire, car si l'homme a été obligé de promettre un douaire qui excède son bien pour faire consentir les parents de la femme, il ferme la porte du logis lorsqu'on la lui amène et dit qu'il n'en veut point à si haut prix. Il se fait alors un débat entre les parents des deux côtés, et ceux de la femme sont obligés de rabattre quelque chose pour la lui faire prendre parce que ce serait le dernier déshonneur pour eux et pour elle de la ramener à la maison. »

n'y a pas jusqu'aux chrétiens qui ne les regardent comme chimériques, quoiqu'elles soient clairement établies par leurs livres sacrés et que leur ancien législateur en ait fait dépendre l'innocence ou la condamnation de toutes les filles [1][a].

J'apprends avec plaisir le soin que tu te donnes de l'éducation de la tienne. Dieu veuille que son mari la trouve aussi belle et aussi pure que Fatima. Qu'elle ait dix eunuques pour la garder; qu'elle soit l'honneur et l'ornement du sérail où elle est destinée; qu'elle n'ait sur sa tête que des lambris dorés et ne marche que sur des tapis superbes; et, pour comble de souhaits, puissent mes yeux la voir dans toute sa gloire!

De Paris, le 5 de la lune de Chalval, 1714.

LETTRE LXXII

RICA A IBBEN [b], A ***

JE me trouvai l'autre jour dans une compagnie où je vis un homme bien content de lui. Dans un quart d'heure, il décida trois questions de morale, quatre problèmes historiques et cinq points de physique. Je n'ai jamais vu un décisionnaire si universel [2]: son esprit ne fut jamais suspendu par le moindre doute. On laissa les sciences;

1. *Deutéronome*, XXII, 13-21 : « Si un homme qui a pris une femme éprouve ensuite de l'aversion pour sa personne, s'il lui impute des choses criminelles et porte atteinte à sa réputation en disant : « J'ai pris cette femme, je me suis approché d'elle et je ne l'ai pas trouvée vierge », alors le père et la mère de la jeune femme prendront les signes de sa virginité et les produiront devant les anciens de la ville. »

2. Dufresny a peint un décisionnaire dans ses *Amusements* (XI, *op. cit.*, p. 82) : « A peine est-il assis qu'il s'empare de la conversation, parle en même temps à quatre personnes de quatre affaires différentes, interroge l'un, sans attendre la réponse de l'autre, propose une question, la traite et la résout tout seul; il ne se lasse point de parler, on se lasse de l'entendre. » Mais le modèle commun est l'Arrias de LaBruyère (*Caractères*, V, 9).

on parla des nouvelles du temps : il décida sur les nouvelles du temps. Je voulus l'attraper, et je dis en moi-même : « Il faut que je me mette dans mon fort; je vais me réfugier dans mon pays. » Je lui parlai de la Perse. Mais, à peine lui eus-je dit quatre mots, qu'il me donna deux démentis, fondés sur l'autorité de MM. Tavernier et Chardin. « Ah! bon Dieu! dis-je en moi-même, quel homme est-ce là? Il connaîtra tout à l'heure les rues d'Ispahan mieux que moi! » Mon parti fut bientôt pris : je me tus, je le laissai parler, et il décide encore.

De Paris, le 8 de la lune de Zilcadé, 1715.

LETTRE LXXIII

RICA A ***

J'AI ouï parler d'une espèce de tribunal qu'on appelle l'*Académie française*. Il n'y en a point de moins respecté dans le Monde : car on dit qu'aussitôt qu'il a décidé, le Peuple casse ses arrêts et lui impose des lois qu'il est obligé de suivre.

Il y a quelque temps que, pour fixer son autorité, il donna un code de ses jugements. Cet enfant de tant de pères était presque vieux quand il naquit, et, quoiqu'il fût légitime, un bâtard, qui avait déjà paru, l'avait presque étouffé dans sa naissance [1].

Ceux qui le composent n'ont d'autre fonction que de jaser sans cesse; l'éloge va se placer comme de lui-même

1. L'impression du *Dictionnaire* de l'Académie française, commencée en 1678, fut arrêtée en 1692. Ce n'est qu'en 1694 que la 1ere édition parut (cf. Charles Beaulieu, *Histoire de la gestation de la première édition du Dictionnaire*, 1951). Malgré le privilège de l'Académie, Furetière avait été autorisé en 1684 à publier le sien. L'Académie l'attaqua, fit annuler l'autorisation et l'exclut le 22 janvier 1685. Le « bâtard » parut en 1690 à la Haye, deux ans après la mort de l'auteur (Arnout et Reinier Leers, 2 vol. in-folio). Montesquieu le possédait ainsi que le *Recueil des pièces et factums entre Furetière et l'Académie* (cf. Desgraves, *op. cit.*, nos 2482 et 2947).

dans leur babil éternel, et, sitôt qu'ils sont initiés dans ses mystères, la fureur du panégyrique vient les saisir et ne les quitte plus [1].

Ce corps a quarante têtes toutes remplies de figures, de métaphores et d'antithèses; tant de bouches ne parlent que par exclamation; ses oreilles veulent toujours être frappées par la cadence et l'harmonie. Pour les yeux, il n'en est pas question: il semble qu'il soit fait pour parler, et non pas pour voir. Il n'est point ferme sur ses pieds: car le temps, qui est son fléau, l'ébranle à tous les instants et détruit tout ce qu'il a fait. On a dit autrefois que ses mains étaient avides. Je ne t'en dirai rien, et je laisse décider à ceux qui le savent mieux que moi.

Voilà des bizarreries[a], ***, que l'on ne voit point dans notre Perse. Nous n'avons point l'esprit porté à ces établissements singuliers et bizarres; nous cherchons toujours la nature dans nos coutumes simples et nos manières naïves.

De Paris, le 27 de la lune de Zilhagé, 1715.

LETTRE LXXIV

USBEK A RICA [b], A ***

IL y a quelques jours qu'un homme de ma connaissance me dit: « Je vous ai promis de vous produire dans les bonnes maisons de Paris: je vous mène à présent chez un grand seigneur qui est un des hommes du Royaume qui représente le mieux. »

« Que veut dire cela [c], Monsieur? Est-ce qu'il est plus poli, plus affable que les autres? — Non, me dit-il [d]. — Ah! j'entends! il fait sentir à tous les instants la supériorité qu'il a sur tous ceux qui l'approchent. Si cela est, je n'ai que faire d'y aller: je la lui passe tout entière et je prends condamnation [e]. »

1. Allusion aux discours de réception, mais aussi aux *Éloges* des académiciens morts, genre dans lequel devait se distinguer Fontenelle.

Il fallut pourtant marcher, et je vis un petit homme si fier, il prit une prise de tabac avec tant de hauteur, il se moucha si impitoyablement, il cracha avec tant de flegme, il caressa ses chiens d'une manière si offensante pour les hommes, que je ne pouvais me lasser de l'admirer. « Ah! bon Dieu! dis-je en moi-même, si, lorsque j'étais à la cour de Perse, je représentais ainsi, je représentais un grand sot! » Il aurait fallu, Rica *a*, que nous eussions eu un bien mauvais naturel pour aller faire cent petites insultes à des gens qui venaient tous les jours chez nous nous témoigner leur bienveillance : ils savaient bien que nous étions au-dessus d'eux, et, s'ils l'avaient ignoré, nos bienfaits le leur auraient appris chaque jour. N'ayant rien à faire pour nous faire respecter, nous faisions tout pour nous rendre aimables : nous nous communiquions aux plus petits ; au milieu des grandeurs, qui endurcissent toujours, ils nous trouvaient sensibles ; ils ne voyaient que notre cœur au-dessus d'eux : nous descendions jusqu'à leurs besoins. Mais, lorsqu'il fallait soutenir la majesté du prince dans les cérémonies publiques ; lorsqu'il fallait faire respecter la Nation aux étrangers ; lorsque, enfin, dans les occasions périlleuses, il fallait animer les soldats, nous remontions cent fois plus haut que nous n'étions descendus : nous ramenions la fierté sur notre visage, et l'on trouvait quelquefois que nous représentions assez bien.

De Paris, le 10 de la lune de Saphar, 1715.

LETTRE LXXV

USBEK A RHEDI, A VENISE

Il faut que je te l'avoue : je n'ai point remarqué chez les chrétiens cette persuasion vive de leur religion qui se trouve parmi les musulmans [1]. Il y a bien loin chez

1. Chardin remarquait « la dévotion incomparable des » Persans « à laquelle on ne voit assurément rien de pareil ni parmi les Chrétiens, ni dans les autres religions » (*op. cit.*, II, p. 448).

eux de la profession à la croyance, de la croyance à la conviction, de la conviction à la pratique. La religion est moins un sujet de sanctification qu'un sujet de disputes qui appartient à tout le monde : les gens de cour, les gens de guerre, les femmes mêmes s'élèvent contre les ecclésiastiques, et leur demandent de leur prouver ce qu'ils sont résolus de ne pas croire. Ce n'est pas qu'ils se soient déterminés par raison et qu'ils aient pris la peine d'examiner la vérité ou la fausseté de cette religion qu'ils rejettent : ce sont des rebelles qui ont senti le joug et l'ont secoué avant de l'avoir connu. Aussi ne sont-ils pas plus fermes dans leur incrédulité que dans leur foi; ils vivent dans un flux et reflux qui les porte sans cesse de l'un à l'autre. Un d'eux me disait un jour : « Je crois l'immortalité de l'âme par semestre; mes opinions dépendent absolument de la constitution de mon corps : selon que j'ai plus ou moins d'esprits animaux, que mon estomac digère bien ou mal, que l'air que je respire est subtil ou grossier, que les viandes dont je me nourris sont légères ou solides, je suis spinosiste, socinien, catholique, impie ou dévot. Quand le médecin est auprès de mon lit, le confesseur me trouve à mon avantage. Je sais bien empêcher la religion de m'affliger quand je me porte bien; mais je lui permets de me consoler quand je suis malade : lorsque je n'ai plus rien à espérer d'un côté, la religion se présente et me gagne par ses promesses; je veux bien m'y livrer et mourir du côté de l'espérance. »

Il y a longtemps que les princes chrétiens affranchirent tous les esclaves de leurs états, parce que, disaient-ils [a], le christianisme rend tous les hommes égaux. Il est vrai que cet acte de religion leur était très utile : ils abaissaient [b] par là les seigneurs, de la puissance desquels ils retiraient le bas peuple. Ils ont ensuite fait des conquêtes dans des pays où ils ont vu qu'il leur était avantageux d'avoir des esclaves; ils ont permis d'en acheter et d'en vendre, oubliant ce principe de religion qui les touchait tant [1]. Que veux-tu que je te dise? Vérité dans un temps, erreur dans un autre.

1. Montesquieu remarque dans les *Pensées* (II, p. 377) : « On voit, dans la *Nouvelle Relation des îles françaises de l'Amérique*, que Louis XIII

Que ne faisons-nous comme les chrétiens? Nous sommes
bien simples de refuser des établissements et des conquêtes
faciles dans des climats heureux [1], parce que l'eau n'y
est pas assez pure pour nous laver selon les principes du
saint Alcoran!

Je rends grâces au Dieu tout-puissant, qui a envoyé
Hali, son grand prophète, de ce que je professe une reli-
gion qui se fait préférer à tous les intérêts humains, et qui
est pure comme le Ciel, dont elle est descendue.

De Paris, le 13 de la lune de Saphar, 1715.

LETTRE LXXVI

USBEK A SON AMI IBBEN, A SMYRNE

Les lois sont furieuses en Europe contre ceux qui se
tuent eux-mêmes : on les fait mourir, pour ainsi dire,
une seconde fois; ils sont traînés indignement [a] par les rues;
on les note d'infamie; on confisque leurs biens.

Il me paraît, Ibben, que ces lois sont bien injustes.
Quand je suis accablé de douleur, de misère, de mépris,
pourquoi veut-on m'empêcher de mettre fin à mes peines,
et me priver cruellement d'un remède qui est en mes
mains?

Pourquoi veut-on que je travaille pour une société,
dont je consens de n'être plus? que je tienne, malgré
moi, une convention qui s'est faite sans moi? La société
est fondée sur un avantage mutuel. Mais lorsqu'elle me

eut bien de la peine d'établir les lois de l'esclavage pour les nègres
d'Amérique, et que ce ne fut que sur l'espérance qu'on lui donna de
leur conversion qu'il y consentit. » S'il s'agit de l'ouvrage du P. Labat,
il parut en 1722.

1. « Les Mahométans ne se soucient point de prendre Venise, parce
qu'ils n'y trouveraient point d'eau pour leurs purifications. » *(Note
de Montesquieu.)* Même allusion dans la *Lettre* XXXI. La source est
Ricaut *(op. cit.,* III, 12, p. 497).

[manuscrit autographe, en grande partie illisible]

Pag. 16 lig. 14 que sa vue soit affoiblie, lisez, que sa vue en est affoiblie

mê. pag. lig. 18 pour la moustache, lisez, quand à la moustache

pag. ... après le dernier mot de la lettre qui finit par ce mot connoissances, ajoutez cet article cy qui finira la lettre

Toutes les choses que je viens de dire mon cher ... sont des paradoxes, que je crois ne tiendront pas devant le raisonnement que je vais te faire. Depuis que l'être suprême a uni nos ames à nos corps, l'être ... a toujours une horreur ... de la ... des deux ... simples : ce sentiment est ... branche de la loi naturelle ... si les hommes vivent en société ... et que ce sentiment ... les conséquences de la hardiesse de celuy qui maître de sa vie, le droit bientôt ... aller des autres, il deviendra aisément une loy civille. Si les hommes ont une religion, et que ce sentiment marque plus nôtre dépendance du créateur que l'empire que nous prendrons sur nous-mêmes, il sera encore une loy religieuse.

ADDITION AUTOGRAPHE A LA LETTRE LXXVI
qui servira d'ébauche à la Lettre LXXVII
(*Grand Cahier*, p. 41.)

PREMIÈRE RÉDACTION DE LA LETTRE LXXVII.
Écriture de Fitz Patrick et corrections de Montesquieu.
(*Grand Cahier*, p. 39.)

ibben a usbek a paris.

mettés la
Lettre suivante
immediatement
avant cette
qui commence
par Ce mot
Je t'envoy e
la Copie

mon cher ~~Usbek~~ il me semble que pour un vray
musulman les malheurs sont moins des chatimens
que des menaces, ce sont des jours bien precieux
que ceus qui nous portent a expier les offences
cest le temps des prosperités qu'il faudrait abreger qui
servent toutes ces impatiences qu'à faire vois que nous
voudrions estre heureux independamment de celui qui
donne les felicités parce qu'il est la felicité mesme.

Si un estre est Composé de deux estres, et que la
necessité de Conserver l'union marquee plus la
depend sommission aux ordres du Createur on en a
pu faire une loy relligieuse, si Cette necessité de
Conserver l'union est un meilleur garant des actions
des hommes on en a pu faire une loy Civile

De venise le dernier Jour
de la lune de Saphar

LETTRE LXXVII, MANUSCRIT AUTOGRAPHE ORIGINAL,
avec additions du secrétaire Fitz Patrick.

devient onéreuse, qui m'empêche de renoncer? La vie m'a
été donnée comme une faveur; je puis donc la rendre lors-
qu'elle ne l'est plus : la cause cesse; l'effet doit donc cesser
aussi.

Le prince veut-il que je sois son sujet quand je ne retire
point les avantages de la sujétion? Mes concitoyens peu-
vent-ils demander ce partage inique de leur utilité et de
mon désespoir? Dieu, différent de tous les bienfaiteurs,
veut-il me condamner à recevoir des grâces qui m'acca-
blent?

Je suis obligé de suivre les lois, quand je vis sous les
lois. Mais, quand je n'y vis plus, peuvent-elles me lier
encore?

Mais, dira-t-on, vous troublez l'ordre de la Provi-
dence. Dieu a uni votre âme avec votre corps, et vous l'en
séparez. Vous vous opposez donc à ses desseins, et vous
lui résistez.

Que veut dire cela*a*? Troublé-je l'ordre de la Provi-
dence, lorsque je change les modifications de la matière
et que je rends carrée une boule que les premières lois
du mouvement, c'est-à-dire les lois de la création et de la
conservation, avaient faite ronde? Non, sans doute : je ne
fais qu'user du droit qui m'a été donné, et, en ce sens, je
puis troubler à ma fantaisie toute la nature, sans que l'on
puisse dire que je m'oppose à la Providence.

Lorsque mon âme sera séparée de mon corps, y aura-t-il
moins d'ordre et moins d'arrangement dans l'Univers?
Croyez-vous que cette nouvelle combinaison soit moins
parfaite et moins dépendante des lois générales? que le
Monde y ait perdu quelque chose? et que les ouvrages de
Dieu soient moins grands, ou plutôt moins immenses [1]?

1. Dans cette apologie du suicide, qui n'est pas sans sincérité,
puisque nous en trouverons des traces dans la première édition des
Considérations (note du chapitre XII) et dans *l'Esprit des lois* (XIV, 12),
Montesquieu se souvient, semble-t-il, de Spinoza. Dans le fragment du
Traité des devoirs (*Pensées*, I, p. 394), Spinoza est « le grand génie » qui
promet à l'homme de mourir « comme un insecte » : « Il cherche à me
flatter que je ne suis qu'une modification de la matière. » C'est le voca-
bulaire même de la *Lettre* LXXVI : « modifications... arrangement,
combinaison..., lois générales ». Mais le *Traité des devoirs*, lu à l'Aca-

Pensez-vous *a* que mon corps, devenu un épi de blé, un ver, un gazon, soit changé en un ouvrage de la Nature moins digne d'elle ? et que mon âme, dégagée de tout ce qu'elle avait de terrestre, soit devenue moins sublime ?

Toutes ces idées, mon cher Ibben *b*, n'ont d'autre source que notre orgueil : nous ne sentons point notre petitesse, et, malgré qu'on en ait *c*, nous voulons être comptés dans l'Univers, y figurer et y être un objet important. Nous nous imaginons que l'anéantissement d'un être aussi parfait que nous dégraderait toute la nature, et nous ne convenons pas qu'un homme de plus ou de moins *d* dans le monde — que dis-je ? — tous les hommes ensemble, cent millions de têtes *e* comme la nôtre, ne sont qu'un atome subtil et délié, que Dieu n'aperçoit qu'à cause de l'immensité de ses connaissances.

De Paris, le 15 de la lune de Saphar, 1715.

LETTRE LXXVII [1]

IBBEN A USBEK, A PARIS

MON cher Usbek *g*, il me semble que, pour un vrai musulman, les malheurs sont moins des châtiments que des menaces. Ce sont des jours bien précieux que ceux qui nous portent à expier les offenses. C'est le temps des

démie de Bordeaux le 1er mai 1725, s'opposera à cet anéantissement de l'individu dans l'univers : « Je ne sais plus où retrouver ce moi auquel je m'intéressais tant. Je suis plus perdu dans l'étendue qu'une particule d'eau n'est perdue dans la mer. » (Cf. P. Vernière, *Spinoza et la pensée française*, P. U. F., 1954, t. II, p. 541.) A remarquer que Spinoza défendait cet *amor sui* qui ne fait que traduire « la tendance de l'être à persévérer dans l'être » (*Éthique*, livre IV, théorème 20, scholie).

1. Cette *Lettre* est la troisième du supplément de *C*, visiblement destinée à satisfaire l'opinion, gênée par cette paradoxale apologie du suicide. Montesquieu avait songé à faire de cette réfutation un additif à la lettre d'Usbek et non une réponse d'Ibben. Les *Cahiers de corrections* étudiés par Barckhausen contiennent en effet deux essais biffés que nous consignons dans les variantes. C'est la seule Lettre persane dont nous ayons conservé l'autographe.

prospérités qu'il faudrait abréger. Que servent toutes ces impatiences, qu'à faire voir que nous voudrions être heureux indépendamment de Celui qui donne les félicités, parce qu'il est la félicité même?

Si un être est composé de deux êtres, et que la nécessité de conserver l'union marque plus la soumission aux ordres du Créateur, on en a pu faire une loi religieuse. Si cette nécessité de conserver l'union est un meilleur garant des actions des hommes, on en a pu faire une loi civile.

De Smyrne[a], le dernier jour de la lune de Saphar, 1715.

LETTRE LXXVIII

RICA A USBEK, A ***

JE t'envoie la copie d'une lettre qu'un Français qui est en Espagne a écrite ici : je crois que tu seras bien aise de la voir [1].

Je parcours depuis six mois l'Espagne et le Portugal et je vis parmi des peuples qui, méprisant tous les autres, font aux seuls Français l'honneur de les haïr [2].

La gravité est le caractère brillant des deux nations; elle se manifeste principalement de deux manières : par les lunettes et par la moustache.

1. Cette Espagne fantaisiste, comme l'a remarqué Élie Carcassonne, vient de M[me] d'Aulnoy (*Relation du voyage d'Espagne*, Paris, Barbin, 1681, 2e édit., 1699). L'ouvrage n'est pas à la Brède et Montesquieu le corrige ou atténue ses foucades par l'*État présent de l'Espagne* de l'abbé de Vayrac (Paris, Des Hayes, 1718, 4 vol., la Brède, *op. cit.*, n° 3171).

2. Depuis Brantôme et La Mothe Le Vayer (*Discours sur la contrariété d'humeurs entre la nation française et l'espagnole*, 1636), les rodomontades espagnoles sont devenues un thème littéraire. L'*Espion turc* y fait allusion (*op. cit.*, t. II, p. 243 sq, lettre 64, *De l'humeur des Espagnols, de leur orgueil et de leurs rodomontades*). M[me] d'Aulnoy déclare (*op. cit.*, édit. 1699, t. I, p. 183) : « Les Espagnols ont toujours passé pour être fiers et glorieux; cette gloire est mêlée de gravité et ils la poussent si loin qu'on peut l'appeler un orgueil outré. »

Les lunettes font voir démonstrativement que celui
qui les porte est un homme consommé dans les sciences
et enseveli dans de profondes lectures, à un tel point que
sa vue en est affaiblie [a]; et tout nez qui en est orné ou chargé
peut passer, sans contredit, pour le nez d'un savant [1].

Quant à la moustache [b], elle est respectable par elle-
même, et indépendamment des conséquences; quoiqu'on
ne laisse pas quelquefois d'en tirer [c] de grandes utilités pour
le service du Prince et l'honneur de la Nation, comme le fit
bien voir un fameux général portugais dans les Indes [2]:
car, se trouvant avoir besoin d'argent, il coupa [d] une de ses
moustaches et envoya demander aux habitants de Goa
vingt mille pistoles sur ce gage; elles lui furent prêtées
d'abord [e], et, dans la suite, il retira sa moustache avec
honneur.

On conçoit aisément que des peuples graves et fleg-
matiques comme ceux-là peuvent avoir de l'orgueil [f]:
aussi en ont-ils. Ils le [g] fondent ordinairement sur deux

1. La Mothe Le Vayer, dans les *Dialogues d'Orasius Tubero* (Bossard,
1922, p. 202), disait déjà : « Les Espagnols affectent leurs *anteojos* dès
l'adolescence, *per gravedad*, comme ils disent. » Marana (*op. cit.*, t. V,
p. 199) remarquait que « les jeunes et les vieux mettent des lunettes
pour la mode, durant même les repas; et cela pour paraître graves et
réguliers ». On apprend à M^me d'Aulnoy (*op. cit.*, t. II, p. 266) que
« c'était pour la gravité et qu'on ne les mettait pas par besoin, mais
seulement pour s'attirer du respect ». Elle donnait des exemples
cocasses : le marquis d'Astorgas se fait statufier avec des lunettes;
un jeune Dominicain, pour services rendus à son ordre, obtient de son
prieur de porter lunettes; « les grands d'Espagne en portent de larges
comme la main » (*op. cit.*, t. II, p. 269).

2. « Jean de Castro. » *(Note de Montesquieu.)* Camoëns a chanté les
exploits de Joao de Castro (*Lusiades*, chant X) et surtout son héroïque
défense de Diu en 1547. Né à Lisbonne en 1500, gouverneur, puis vice-
roi des Indes orientales, il mourut à Goa dans les bras de saint Fran-
çois Xavier en 1548. Le détail des moustaches n'est ni dans Moreri
ni dans Pierre Du Jarric, *Histoire des choses... advenues es pays de la
découverte des Portugais* (Bordeaux, Millanges, 1610) que possédait
Montesquieu (la Bréde, *op. cit.*, n° 3159). L'information semble venir
de la très complète *Vida de Joam de Castro* de Freire de Andrada (Lis-
bonne, 1651, 2^e édition, 1671, in-folio) où il s'agit d'ailleurs, non de
moustaches, mais de « cabellos de la barba » (*op. cit.*, p. 245-250).
Nous n'avons su découvrir d'intermédiaire entre Andrada et Montes-
quieu.

choses bien considérables. Ceux qui vivent dans le conti-
nent de l'Espagne et du Portugal se sentent le cœur extrê-
mement élevé, lorsqu'ils sont ce qu'ils appellent *des vieux
Chrétiens*[a], c'est-à-dire qu'ils ne sont pas originaires de
ceux à qui l'Inquisition a persuadé dans ces derniers siècles
d'embrasser la religion chrétienne[1]. Ceux qui sont dans les
Indes ne sont pas moins flattés lorsqu'ils considèrent qu'ils
ont le sublime mérite d'être, comme ils disent, *hommes de
chair blanche*[2]. Il n'y a jamais eu, dans le sérail du Grand
Seigneur, de sultane si orgueilleuse de sa beauté que le
plus vieux et le plus vilain mâtin ne l'est de la blancheur
olivâtre de son teint, lorsqu'il est dans une ville du Mexique,
assis sur sa porte, les bras croisés. Un homme de cette
conséquence, une créature si parfaite, ne travaillerait pas
pour tous les trésors du Monde et ne se résoudrait jamais,
par une vile et mécanique industrie, de compromettre
l'honneur et la dignité de sa peau[b].

Car il faut savoir que, lorsqu'un homme a un certain
mérite en Espagne, comme, par exemple, quand il peut
ajouter aux qualités dont je viens de parler celle d'être
le propriétaire d'une grande épée, ou d'avoir appris de
son père l'art de faire jouer une discordante guitare, il ne
travaille plus[3] : son honneur s'intéresse au repos de ses

1. Cf. M^me d'Aulnoy (*op. cit.*, t. III, p. 128) : « Il faut ici, en faisant
ses preuves de noblesse, prouver que l'on descend du côté de père et
de mère de *viejos christianos*, c'est-à-dire d'anciens chrétiens. La tache
que l'on doit craindre est qu'il ne soit entré dans une famille des Juifs
ou des Maures. »

2. Ce détail sur les créoles espagnols vient directement d'Amédée
Frézier, *Relation du voyage de la mer du Sud* (Paris, Nyon, 1716, la Brède,
op. cit., n° 2742, Amsterdam, Humbert, t. II, p. 476) : « Les Indiens
sont robustes et infiniment plus durs au travail que les Espagnols,
qui regardent les travaux du corps comme quelque chose de honteux
à un homme blanc. Être *umbre de cara blanca* (sic) est une dignité qui
dispense les Européens du travail des mains. »

3. Cf. M^me d'Aulnoy (*op. cit.*, t. III, p. 204) : « On ne voit pas un
menuisier, un sellier ou quelqu'autre homme de boutique qui ne soit
habillé de velours ou de satin, comme le roi, ayant la *grande épée*, le
poignard et la *guitarre* attachée dans sa boutique. Ils ne travaillent que
le moins qu'ils peuvent... Il n'y a que l'extrême nécessité qui les oblige
de faire quelque chose. » Tableau concordant dans l'abbé de Vayrac
(*op. cit.*, t. I, p. 71) : « N'est-ce pas une chose digne de pitié de voir un

membres. Celui qui reste assis dix heures par jour obtient précisément la moitié plus de considération qu'un autre qui n'en reste que cinq, parce que c'est sur les chaises que la noblesse s'acquiert.

Mais, quoique ces invincibles ennemis du travail fassent parade d'une tranquillité philosophique, ils ne l'ont pourtant pas dans le cœur : car ils sont toujours amoureux. Ils sont les premiers hommes du monde pour mourir de langueur sous la fenêtre de leurs maîtresses, et tout Espagnol qui n'est pas enrhumé ne saurait passer pour galant [1].

Ils sont premièrement dévots, et secondement jaloux. Ils se garderont bien d'exposer leurs femmes aux entreprises d'un soldat criblé de coups ou d'un magistrat décrépit ; mais ils les enfermeront avec un novice fervent, qui baisse les yeux, ou un robuste Franciscain, qui les élève.

Ils permettent à leurs femmes de paraître avec le sein découvert[a] ; mais ils ne veulent pas qu'on leur voie le talon, et qu'on les surprenne par le bout des pieds [2][b].

On dit partout que les rigueurs de l'amour sont cruelles. Elles le sont encore plus pour les Espagnols : les femmes les guérissent de leurs peines ; mais elles ne font que leur en faire changer, et il leur reste souvent[c] un long et fâcheux souvenir d'une passion éteinte [3].

Ils ont de petites politesses qui, en France, paraîtraient mal placées : par exemple, un capitaine ne bat jamais son

paysan *demeurer assis devant sa porte*, dans une place ou au coin d'une rue, *les bras croisés*, ou bien occupé à toucher une *dissonante guitare*, tandis que des étrangers labourent sa terre... » Par contamination, Montesquieu a appliqué les mots de Vayrac aux créoles du paragraphe précédent.

1. Souvenir de la fable de La Fontaine, *L'âne et le petit chien* (IV, 4), nous signale Pierre Clarac.

2. C'est le mot d'une Espagnole à M^me d'Aulnoy (*op. cit.*, t. II, p. 190) : « Elle me dit qu'elle savait qu'il y avait des gentilshommes avec moi et qu'elle aimerait mieux avoir perdu la vie qu'ils eussent vu ses pieds. »

3. *Ibid.*, (t. III, p. 152-153) : « Les femmes que l'on peut voir sont si dangereuses pour la santé qu'il faut avoir une grande curiosité pour se résoudre de la satisfaire avec de pareils risques... Ce qu'il y a d'effroyable, c'est qu'il y a peu de personnes en ce pays... qui soient exemptes de cette maligne influence. »

soldat sans lui en demander la permission, et l'Inquisition ne fait jamais brûler un Juif sans lui faire ses excuses.

Les Espagnols qu'on ne brûle pas paraissent si attachés à l'Inquisition, qu'il y aurait de la mauvaise humeur de la leur ôter *a*. Je voudrais seulement qu'on en établît une autre, non pas contre les hérétiques, mais contre les hérésiarques qui attribuent à de petites pratiques monacales la même efficacité qu'aux sept sacrements, qui adorent tout ce qu'ils vénèrent, et qui sont si dévots qu'ils sont à peine Chrétiens.

Vous pourrez trouver de l'esprit et du bon sens chez les Espagnols; mais n'en cherchez point dans leurs livres. Voyez une de leurs bibliothèques : les romans, d'un côté, et les scolastiques, de l'autre. Vous diriez que les parties en ont été faites, et le tout rassemblé, par quelque ennemi secret de la raison humaine.

Le seul de leurs livres qui soit bon est celui qui a fait voir le ridicule de tous les autres [1].

Ils ont fait des découvertes immenses dans le nouveau Monde, et ils ne connaissent pas encore leur propre continent : il y a sur leurs rivières tel pont *b* qui n'a pas encore été découvert, et dans leurs montagnes des nations qui leur sont inconnues [2].

Ils disent que le Soleil se lève et se couche dans leur pays [3]; mais il faut dire aussi qu'en faisant sa course, il ne rencontre que des campagnes ruinées et des contrées désertes *c*.

1. Le *Don Quichotte* évidemment.

2. « Les Batuecas. » *(Note de Montesquieu.)* Les Batuecas sont des gorges sauvages entourées de hautes montagnes où coule l'Alagon, affluent du Tage (province de Salamanque). Selon la légende, elles demeurèrent ignorées pendant des siècles et les démons seuls y vivaient. Aucune allusion dans Vayrac ou M^me d'Aulnoy. En ont parlé Alonso Sanchez dans son *De Rebus Hispaniae* (Alcala de Henares, 1633, VII, 5, p. 368) et le Jésuite Eusebio Nieremberg, *les Causes véritables des malheurs présents de l'Espagne* (trad. fr., Lyon, Champion, 1644). Tomas Gonzalez de Manuel leur a consacré sa *Verdadera relacion y manifesto apologetico de la antiquedad de las Batuecas y su descubrimiento* (Madrid, A. de Zafora, 1693).

3. Le mot, fort banal, se retrouve dans *l'Espion turc* (*op. cit.*, t. II, p. 243) et dans M^me d'Aulnoy (*op. cit.*, t. II, p. 97).

Je ne serais pas fâché, Usbek, de voir une lettre écrite
à Madrid par un Espagnol qui voyagerait en France :
je crois qu'il vengerait bien sa nation. Quel vaste champ
pour un homme flegmatique et pensif! Je m'imagine qu'il
commencerait ainsi la description de Paris :

Il y a ici une maison où l'on met les fous. On croirait
d'abord qu'elle est la plus grande de la Ville. Non! Le
remède est bien petit pour le mal. Sans doute que les
Français, extrêmement décriés chez leurs voisins, enferment
quelques fous dans une maison, pour persuader que ceux
qui sont dehors ne le sont pas.

Je laisse là mon Espagnol.
Adieu, mon cher Usbek.

De Paris, le 17 de la lune de Saphar, 1715.

LETTRE LXXIX[a]

LE GRAND EUNUQUE NOIR[b] A USBEK, A PARIS

HIER des Arméniens menèrent au sérail[c] une jeune
esclave de Circassie, qu'ils voulaient vendre [1]. Je la
fis entrer dans les appartements secrets, je la déshabillai,
je l'examinai avec les regards d'un juge, et plus je l'exami-
nai, plus je lui trouvai de grâces. Une pudeur virginale
semblait vouloir les dérober à ma vue : je vis tout ce qu'il
lui en coûtait pour obéir : elle rougissait de se voir nue,
même devant moi, qui, exempt des passions qui peuvent
alarmer la pudeur, suis inanimé sous l'empire de ce sexe,
et qui, ministre de la modestie, dans les actions les plus
libres, ne porte que de chastes regards et ne puis inspirer
que l'innocence.

1. Chardin avait assisté, sur les rives de la mer Noire, à l'achat
d'esclaves circassiennes et avait admiré leur beauté (*op. cit.*, t. I, p. 86) :
« Le prix qu'on donne pour ces femmes les peut faire passer raisonna-
blement pour des vraies Toisons d'or. »

Dès que je l'eus jugée digne de toi, je baissai les yeux;
je lui jetai un manteau d'écarlate; je lui mis au doigt un
anneau d'or; je me prosternai à ses pieds; je l'adorai comme
la reine de ton cœur; je payai les Arméniens; je la dérobai
à tous les yeux. Heureux Usbek! tu possèdes plus de beautés
que n'en enferment tous les palais d'Orient. Quel plaisir
pour toi de trouver, à ton retour, tout ce que la Perse a de
plus ravissant, et de voir dans ton sérail renaître les grâces,
à mesure que le temps et la possession travaillent à les
détruire!

Du sérail de Fatmé, le premier de la lune de Rebiab 1, 1715.

LETTRE LXXX

USBEK A RHÉDI, A VENISE

DEPUIS que je suis en Europe, mon cher Rhedi, j'ai
vu bien des gouvernements : ce n'est pas comme en
Asie, où les règles de la politique se trouvent partout
les mêmes.

J'ai souvent recherché quel était le gouvernement[a]
le plus conforme à la raison. Il m'a semblé que le plus
parfait est celui qui va à son but à moins de frais; de sorte
que[b] celui qui conduit les hommes de la manière qui
convient le plus à leur penchant et à leur inclination est le
plus parfait [1].

Si, dans un gouvernement doux, le peuple est aussi

1. Ronald Grimsley a fort bien décelé cette constante de la pensée de
Montesquieu (*l'Idée de nature dans les Lettres persanes*, in *French Stu-
dies* d'octobre 1951). La raison est la nature des choses et non une vérité
abstraite. Dans *l'Esprit des lois*, le meilleur gouvernement est celui
qui s'adapte le mieux à l'esprit général, lui-même dépendant du climat,
de la géographie et de la religion. C'est ainsi qu'il va « à son but à
moins de frais ». Même idée dans les *Pensées* (I, p. 416) : « Je ne pense
nullement qu'un gouvernement doive dégoûter des autres. Le meil-
leur de tous est ordinairement celui dans lequel on vit; car, comme il
est impossible d'en changer, sans changer de manières et de mœurs, je ne
conçois pas, vu l'extrême brièveté de la vie, de quelle utilité il serait
pour les hommes de quitter à tous les égards le pli qu'ils ont pris. »

soumis que dans un gouvernement sévère, le premier est préférable, puisqu'il est plus conforme à la raison, et que la sévérité est un motif étranger.

Compte, mon cher Rhedi, que dans un état, les peines plus ou moins cruelles ne font pas que l'on obéisse plus aux lois. Dans les pays où les châtiments sont modérés, on les craint comme dans ceux où ils sont tyranniques et affreux.

Soit que le gouvernement soit doux, soit qu'il soit cruel, on punit toujours par degrés : on inflige un châtiment plus ou moins grand à un crime plus ou moins grand. L'imagination se plie d'elle-même aux mœurs du pays où l'on est [a] : huit jours de prison ou une légère amende frappent autant l'esprit d'un Européen, nourri dans un pays de douceur, que la perte d'un bras intimide un Asiatique. Ils attachent un certain degré de crainte à un certain degré de peine, et chacun le partage à sa façon : le désespoir de l'infamie vient désoler un Français condamné [b] à une peine qui n'ôterait pas un quart d'heure de sommeil à un Turc.

D'ailleurs je ne vois pas [c] que la police, la justice et l'équité soient mieux observées en Turquie, en Perse, chez le Mogol, que dans les républiques de Hollande, de Venise, et dans l'Angleterre même ; je ne vois pas qu'on y commette [d] moins de crimes, et que les hommes, intimidés par la grandeur des châtiments, y soient plus soumis aux lois.

Je remarque, au contraire, une source d'injustice et de vexations au milieu de ces mêmes états.

Je trouve même le prince, qui est la loi même [e], moins maître que partout ailleurs [1].

Je vois que, dans ces moments rigoureux, il y a toujours des mouvements tumultueux, où personne n'est le Chef, et que, quand une fois l'autorité violente est méprisée, il n'en reste plus assez à personne pour la faire revenir ;

Que le désespoir même de l'impunité confirme le désordre et le rend plus grand ;

1. Cf. *Pensées* (II, p. 325) : « Personne n'est libre en Turquie, pas même le sultan » ; (II, p. 329) : « Ce n'est point avec des déclamations qu'il faut attaquer le despotisme, mais en faisant voir qu'il tyrannise le despote même. »

Que, dans ces états, il ne se forme point de petite révolte, et qu'il n'y a jamais d'intervalle entre le murmure et la sédition;

Qu'il ne faut point que les grands événements y soient préparés par de grandes causes; au contraire, le moindre accident produit une grande révolution, souvent aussi imprévue *a* de ceux qui la font, que de ceux qui la souffrent.

Lorsqu'Osman, empereur des Turcs, fut déposé, aucun de ceux qui commirent *b* cet attentat ne songeait à le commettre : ils demandaient seulement en suppliant qu'on leur fît justice sur quelque grief; une voix, qu'on n'a jamais connue, sortit de la foule par hasard, le nom de Mustapha fut prononcé, et soudain *c* Mustapha fut empereur [1].

De Paris, le 2 de la lune de Rebiab 1, 1715.

LETTRE LXXXI

NARGUM, ENVOYÉ DE PERSE EN MOSCOVIE,

A USBEK, A PARIS

DE toutes les Nations du monde, mon cher Usbek, il n'y en a pas qui ait surpassé celle des Tartares par la gloire ou par la grandeur *d* des conquêtes. Ce peuple est le vrai dominateur de l'Univers : tous les autres semblent être faits pour le servir; il est également le fondateur et le destructeur des empires; dans tous les temps, il a donné sur la Terre des marques de sa puissance; dans tous les âges, il a été le fléau des nations.

1. Le sultan Osman II fut déposé le 20 mai 1622, après quatre ans de règne. D'après *l'Espion turc* (t. I, p. 27), les janissaires l'étranglèrent sur le soupçon « de vouloir abolir cette milice et changer les constitutions de l'Empire ». Son oncle Mustapha I[er] fut tiré de prison, mis sur le trône et déposé un an plus tard au profit d'Amurat IV, frère d'Osman. C'est le sujet de l'ouvrage d'Antoine Galland, *la Mort du sultan Osman ou le rétablissement de Mustapha sur le trône* (Paris, 1678, la Brède, *op. cit.*, n° 3118).

Les Tartares ont conquis deux fois la Chine, et ils la tiennent encore sous leur obéissance [1].

Ils dominent sur les vastes pays qui forment l'empire du Mogol.

Maître de la Perse, ils sont assis sur le trône de Cyrus et de Gustaspe. Ils ont soumis la Moscovie. Sous le nom de Turcs, ils ont fait des conquêtes immenses dans l'Europe, l'Asie et l'Afrique, et ils dominent sur ces trois parties de l'Univers.

Et, pour parler de temps plus reculés, c'est d'eux que sont sortis quelques-uns des peuples [a] qui ont renversé l'Empire romain.

Qu'est-ce que les conquêtes d'Alexandre, en comparaison de celles de Genghis-Khan [2]?

Il n'a manqué à cette victorieuse nation que des historiens, pour célébrer la mémoire de ses merveilles [3].

Que d'actions immortelles ont été ensevelies dans l'oubli! Que d'empires par eux fondés, dont nous ignorons l'origine! Cette belliqueuse nation, uniquement occupée de sa gloire présente, sûre de vaincre dans tous les temps, ne songeait point à se signaler dans l'avenir par la mémoire de ses conquêtes passées.

De Moscou, le 4 de la lune de Rebiab 1, 1715.

1. Gengis-Khan (1175-1227) établit sa domination en Asie depuis la mer Noire jusqu'en Corée, s'empara de la Chine en 1212 et de la Perse en 1221. C'est en 1644 que le Tartare Xunchi prit Pékin et détrôna les Ming.

2. L'enthousiasme de Montesquieu pour les Tartares venait de la lecture de Palafox (op. cit., cf. Lettre LXI) mais surtout de Pétis de la Croix, Histoire du Grand Genghizkhan (Paris, Jombert, 1710). L'exemplaire de son ami Barbot est toujours à Bordeaux (B. M., H. 14.139). Les termes mêmes de la préface en sont repris : « Si la grandeur et la rapidité des conquêtes, la diversité des événements, la ruine des empires et l'établissement de la plus vaste monarchie qui fut jamais peuvent rendre une histoire recommandable, c'est sans doute celle de Genghizkhan et de ses successeurs; ce prince a jeté les fondements d'une domination plus grande que celles d'Alexandre et d'Auguste » (op. cit., p. 2).

3. Pétis de la Croix (p. 525) citait pourtant ses sources, l'Histoire des Ottomans d'Abulcaïr, les géographes Abulfeda et Marrakeschi, le Livre des dynasties d'Abulfarage et surtout le Jardin du plaisir, de l'historien persan Mirconde dont d'Herbelot avait confié le manuscrit à la Bibliothèque du roi.

LETTRE LXXXII

RICA A IBBEN, A SMYRNE

Q UOIQUE les Français parlent beaucoup, il y a cependant parmi eux une espèce de dervis taciturnes qu'on appelle *Chartreux*. On dit qu'ils se coupent la langue en entrant dans le couvent, et on souhaiterait fort que tous les autres dervis se retranchassent de même tout ce que leur profession leur rend inutile.

A propos de gens taciturnes, il y en a de bien plus singuliers que ceux-là, et qui ont un talent bien extraordinaire [a]. Ce sont ceux qui savent parler sans rien dire, et qui amusent une conversation, pendant deux heures de temps, sans qu'il [b] soit possible de les déceler, d'être leur plagiaire, ni de retenir un mot de ce qu'ils ont dit.

Ces sortes de gens sont adorés des femmes; mais ils ne le sont pas [c] tant que d'autres, qui ont reçu de la Nature l'aimable talent de sourire à propos, c'est-à-dire à chaque instant, et qui portent la grâce d'une joyeuse approbation sur tout ce qu'elles disent.

Mais ils sont au comble de l'esprit lorsqu'ils savent entendre finesse à tout et trouver mille petits traits ingénieux dans les choses les plus communes.

J'en connais d'autres, qui se sont bien trouvés d'introduire dans les conversations des choses [d] inanimées et d'y faire parler leur habit brodé, leur perruque blonde, leur tabatière, leur canne et leurs gants. Il est bon de commencer de la rue à se faire écouter par le bruit du carrosse et du marteau, qui frappe rudement la porte : cet avant-propos prévient pour le reste du discours, et, quand l'exorde est beau, il rend supportables toutes les sottises qui viennent ensuite, mais qui [e], par bonheur, arrivent trop tard.

Je te promets [f] que ces petits talents, dont on ne fait aucun cas chez nous, servent bien ici ceux qui sont assez heureux pour les avoir, et qu'un homme de bon sens ne brille guère devant eux [g].

De Paris, le 6 de la lune de Rebiab 2, 1715.

LETTRE LXXXIII [1]

USBEK A RHÉDI, A VENISE

S'IL y a un Dieu, mon cher Rhédi, il faut nécessairement qu'il soit juste : car, s'il ne l'était pas, il serait le plus mauvais et le plus imparfait de tous les êtres [2].

La Justice est un rapport de convenance, qui se trouve réellement entre deux choses [3]; ce rapport est toujours le même, quelque être qui le considère, soit que ce soit Dieu, soit que ce soit un ange, ou enfin que ce soit un homme [4].

Il est vrai que les hommes ne voient pas toujours ces rapports; souvent même, lorsqu'ils les voient, ils s'en

1. Cette lettre sur le thème de la justice a été commentée par A. S. Crisafulli (*Parallels to ideas in the Lettres persanes*, in P. M. L. A., sept. 1937, p. 773 sq) qui, à l'aide d'heureuses citations, fait valoir l'influence de Leibniz, Shaftesbury et Malebranche sur Montesquieu. Paul Dimoff, dans un article récent (*L'essai de Montesquieu sur les lois naturelles*, in R. H. L., oct.-déc. 1957, p. 481 sq), signale des rapports évidents entre la *Lettre* LXXXIII et l'*Essai touchant les lois naturelles et la distinction du juste et de l'injuste* (édit. Nagel des *Œuvres complètes*, 1955, t. III, p. 179-199) qui serait contemporain ou même antérieur aux *Lettres persanes*.

2. Crisafulli rapproche cet exorde de Shaftesbury, *Lettre sur l'enthousiasme* (*Œuvres*, édition Robertson, 1900, t. I, p. 29) : « If there really was a God, the highest goodness must of necessity belong to him ». Il est peu probable que Montesquieu lisait l'anglais à cette date, mais la *Lettre sur l'enthousiasme* avait été traduite en français en 1709 et déjà en 1708 par Sanson.

3. Cf. Leibniz, *Essais de Théodicée* (in *Œuvres*, édit. Janet, 1866, t. II, p. 147-158) : « Cette justice n'est fondée que dans la convenance, qui demande une certaine satisfaction pour l'expiation d'une mauvaise action... Les sociniens la croient être sans fondements, mais elle est toute fondée dans un rapport de convenance qui contente non seulement l'offensé, mais encore les sages qui le voient. »

4. Cf. Malebranche, *Traité de morale* (édit. Genoude, 1837, t. I, p. 401) : « Il est évident qu'il y a du vrai et du faux, du juste et de l'injuste, et cela à l'égard de toutes les intelligences; *que ce qui est vrai à l'égard de l'homme est vrai à l'égard de l'ange et vrai à l'égard de Dieu même*; que ce qui est injustice ou dérèglement à l'égard de l'homme est aussi tel à l'égard de Dieu même; car tous les esprits contemplant la même substance intelligible y découvrent nécessairement les mêmes rapports de grandeur ou les mêmes vérités spéculatives. »

éloignent; et leur intérêt est toujours ce qu'ils voient le mieux. La Justice élève sa voix; mais elle a peine à se faire entendre dans le tumulte des passions.

Les hommes peuvent faire des injustices, parce qu'ils ont intérêt de les commettre, et qu'ils préfèrent leur propre satisfaction à celle des autres[a]. C'est toujours par un retour sur eux-mêmes qu'ils agissent : nul n'est mauvais gratuitement. Il faut qu'il y ait une raison qui détermine, et cette raison est toujours une raison d'intérêt.

Mais il n'est pas possible que Dieu fasse jamais rien d'injuste; dès qu'on suppose qu'il voit la Justice, il faut nécessairement qu'il la suive, car, comme il n'a besoin de rien, et qu'il se suffit à lui-même, il serait le plus méchant de tous les êtres, puisqu'il le serait sans intérêt [1].

Ainsi, quand il n'y aurait pas de Dieu, nous devrions toujours aimer la Justice; c'est-à-dire faire nos efforts pour ressembler à cet être dont nous avons une si belle idée, et qui, s'il existait, serait nécessairement juste. Libres que nous serions du joug de la religion, nous ne devrions pas l'être de celui de l'équité.

Voilà, Rhédi, ce qui m'a fait penser que la Justice est éternelle et ne dépend point des conventions humaines; et, quand elle en dépendrait, ce serait une vérité terrible, qu'il faudrait se dérober à soi-même [2].

1. Crisafulli fait valoir (*article cité*, p. 777) cette phrase de Shaftesbury dans sa *Lettre sur l'enthousiasme* (édit. Robertson, I, p. 28) : « There can be no malice but where interests are opposed. A universal being can have no interest opposite, and therefore can have no malice. » L'argument est d'une telle étrangeté que l'influence semble fort probable.

2. Montesquieu reprendra cet exposé de la loi naturelle dans le *Traité des devoirs*, lu à l'Académie de Bordeaux le 1er mai 1725. L'analyse, qui en a été conservée, précise l'adversaire visé, Hobbes : « L'auteur, dans les chapitres IV et V, fait voir que la justice n'est pas dépendante des lois humaines, qu'elle est fondée sur l'existence et la sociabilité des êtres raisonnables et non pas sur des dispositions ou volontés particulières de ces êtres. Cette question conduit l'auteur à la réfutation des principes de Hobbes sur la morale. » (Nagel, 1955, t. III, p. 160.) Cicéron, dans le *De Legibus* (I, 6), avait exposé la doctrine des stoïciens sur la loi naturelle, « summa lex quae saeclis omnibus ante nata est quam scripta lex ulla aut quam omnino civitas constituta ». Shaftesbury utilise Cicéron contre Hobbes et la même influence

Nous sommes entourés d'hommes plus forts que nous; ils peuvent nous nuire de mille manières différentes; les trois quarts du temps ils peuvent le faire impunément. Quel repos pour nous de savoir qu'il y a dans le cœur de tous ces hommes un principe intérieur qui combat en notre faveur et nous met à couvert de leurs entreprises!

Sans cela nous devrions être dans une frayeur continuelle; nous passerions devant les hommes comme devant les lions, et nous ne serions jamais assurés un moment de notre bien, de notre honneur et de notre vie [1 a].

Toutes ces pensées m'animent contre ces docteurs qui représentent Dieu comme un être qui fait un exercice tyrannique de sa puissance; qui le font agir d'une manière dont nous ne voudrions pas agir nous-mêmes, de peur de l'offenser; qui le chargent de toutes les imperfections qu'il punit en nous, et, dans leurs opinions contradictoires, le représentent tantôt comme un être mauvais, tantôt comme un être qui hait le mal et le punit.

Quand un homme s'examine, quelle satisfaction pour lui de trouver qu'il a le cœur juste [2]! Ce plaisir, tout sévère qu'il est, doit le ravir : il voit son être autant au-dessus de ceux qui ne l'ont pas, qu'il se voit au-dessus des tigres et des ours. Oui, Rhédi, si j'étais sûr de suivre toujours

a été décelée par Paul Dimoff sur Montesquieu (*Cicéron, Hobbes et Montesquieu*, in *Annales universitatis Saraviensis*, 1952, nᵒ 1).

1. Rapport évident avec le *Traité des devoirs;* si Hobbes prétend que « la justice n'est rien en elle-même, qu'elle n'est autre chose que ce que les lois des empires ordonnent ou défendent », Montesquieu répond : « J'en suis fâché, car étant obligé de vivre avec les hommes, j'aurais été très aise qu'il y eût dans leur cœur un principe intérieur qui me rassurât contre eux » (Fragments, in *Pensées*, t. I, p. 395). Mais deux passages de l'*Essai sur les lois naturelles*, sans citer Hobbes, sont plus nets encore : « La terre ne serait plus qu'un repaire de tigres et de lions qui joindraient à la cruauté toutes les finesses imaginables » (Nagel, t. III, p. 183); « Non seulement les hommes perdraient tous les fruits de la société, mais elle leur serait aussi très pernicieuse... Dans la société, je ne me défie de rien et cette sécurité me devient fatale; j'ai affaire à des ennemis cachés qui m'environnent et dont les coups sont d'autant plus sûrs qu'ils sont tirés de près et à bout portant. » (*Ibid.*, p. 197, cf. Dimoff, *art. cit.*, p. 488.)

2. « Stulto placet qui sibi placet », répond ironiquement l'abbé Gaultier (*op. cit.*, p. 39).

HÔTEL DES INVALIDES (Lettre LXXXIV, p. 177.)
Gravure de Poilly.

inviolablement cette équité que j'ai devant les yeux, je me croirais le premier des hommes.

De Paris, le premier de la lune de Gemmadi 1, 1715.

LETTRE LXXXIV

RICA A ***

J<small>E</small> fus hier aux Invalides [1]. J'aimerais autant avoir fait cet établissement, si j'étais prince, que d'avoir gagné trois batailles : on y trouve partout la main d'un grand monarque. Je crois que c'est le lieu le plus respectable de la Terre.

Quel spectacle de voir rassemblées dans un même lieu[a] toutes ces victimes de la Patrie, qui ne respirent que pour la défendre, et qui, se sentant le même cœur, et non pas la même force, ne se plaignent que de l'impuissance où elles sont de se sacrifier encore pour elle !

Quoi de plus admirable que de voir ces guerriers débiles, dans cette retraite, observer une discipline aussi exacte que s'ils y étaient contraints par la présence d'un ennemi, chercher leur dernière satisfaction dans cette image de la guerre, et partager leur cœur et leur esprit entre les devoirs de la religion et ceux de l'art militaire !

Je voudrais que les noms de ceux qui meurent pour la Patrie fussent conservés dans les temples[b], et écrits dans des registres qui fussent comme la source de la gloire et de la noblesse.

A Paris, le 15 de la lune de Gemmadi 1, 1715.

1. L'hôtel des Invalides fut fondé par Louis XIV par l'édit d'avril 1674. Le plan était de Bruant et fut respecté en partie par Mansard. Le dôme, commencé en 1675, fut terminé en 1735 seulement.

LETTRE LXXXV

USBEK A MIRZA, A ISPAHAN

Tu sais, Mirza, que quelques ministres de Chah Soliman avaient formé le dessein d'obliger tous les Arméniens de Perse de quitter le royaume ou de se faire Mahométans, dans la pensée que notre empire serait toujours pollué tandis qu'il garderait dans son sein ces infidèles.

C'était fait de la grandeur persane, si, dans cette occasion, l'aveugle dévotion avait été écoutée.

On ne sait comment la chose manqua [1] : ni ceux qui firent la proposition, ni ceux qui la rejetèrent, n'en connurent les conséquences; le hasard fit l'office de la raison et de la politique et sauva l'Empire d'un péril plus grand que celui qu'il aurait pu courir de la perte d'une bataille [a] et de la prise de deux villes.

En proscrivant les Arméniens, on pensa détruire en un seul jour tous les négociants et presque tous les artisans du royaume. Je suis sûr que le grand Chah Abas aurait mieux aimé se faire couper les deux bras [b] que de signer un ordre pareil, et qu'en envoyant au Mogol et aux autres rois des Indes ses sujets les plus industrieux il aurait cru leur donner la moitié de ses états [2].

1. Allusion à un épisode du règne du shah Soliman (1666-1694) rapporté par Tavernier (*op. cit.*, V, chap. VIII, p. 641) : Le favori Ali Couli Khan, piqué contre les Arméniens qui avaient refusé un emprunt, « les mit si mal dans l'esprit du roi qu'il résolut de les obliger à se faire mahométans ». Puis jugeant par là qu'il n'en tirerait aucun avantage, « il se contenta de leur en donner la peur, ce qui fut suffisant pour obliger les Arméniens à se venir jeter à ses pieds et de le prier de faire en sorte par son crédit que le roi n'en vînt pas à cette fâcheuse extrémité. Pour obtenir cette grâce, il fallut faire présent de 10.000 tomans au roi et en donner 4 ou 5.000 à son favori. » Cette opération financière n'a rien à voir avec « l'aveugle dévotion », comme le laisserait entendre Montesquieu qui cherche un parallèle avec la Révocation de l'Édit de Nantes.

2. Nouveau parallèle entre Louis le Grand et le Grand Shah Abbas, mort en 1629, le plus célèbre des Séfévides.

Les persécutions que nos Mahométans zélés ont faites aux Guèbres les ont obligés de passer en foule dans les Indes et ont privé la Perse de cette nation *a* si appliquée au labourage, et qui seule, par son travail, était en état de vaincre la stérilité de nos terres [1].

Il ne restait à la dévotion qu'un second coup à faire; c'était de ruiner l'industrie : moyennant quoi l'Empire tombait de lui-même, et, avec lui, par une suite nécessaire, cette même religion qu'on voulait rendre si florissante.

S'il faut raisonner sans prévention, je ne sais pas, Mirza, s'il n'est pas bon que dans un état il y ait plusieurs religions [2].

On remarque que ceux qui vivent dans des religions tolérées se rendent ordinairement plus utiles à leur patrie que ceux qui vivent dans la religion dominante; parce que, éloignés des honneurs, ne pouvant se distinguer que par leur opulence et leurs richesses, ils sont portés à acquérir par leur travail et à embrasser les emplois de la Société les plus pénibles.

D'ailleurs, comme toutes les religions contiennent des préceptes utiles à la Société, il est bon qu'elles soient observées avec zèle. Or qu'y a-t-il de plus capable d'animer ce zèle que leur multiplicité?

Ce sont des rivales qui ne se pardonnent rien. La jalousie descend jusqu'aux particuliers : chacun se tient sur ses gardes et craint de faire des choses qui déshonoreraient

1. Ces détails viennent de Chardin (*op. cit.*, III, p. 127 sq) : « Lorsque les Arabes envahirent la Perse, sous Omar, ceux qui ne voulurent pas vivre sous leur oppression furent obligés de se retirer vers les parties désertes de leur empire... Comme ils y furent attaqués, ils passèrent au delà de (l'Indus) chez les Indiens, qui les reçurent et qui les ont soufferts depuis. » « Ils regardent l'Agriculture non seulement comme une profession belle et innocente, mais aussi comme méritoire et noble... Ils se faisaient une religion de l'Agriculture et croyaient que c'était servir Dieu que de labourer. »

2. C'était pour Montesquieu la raison de « l'esprit de tolérance qui régnait dans le monde païen » : « On avait garde de se persécuter et de se déchirer les uns les autres; toutes les religions, toutes les théologies y étaient également bonnes; les hérésies, les guerres et les disputes de religion y étaient inconnues » (*la Politique des Romains dans la religion*, 18 juin 1716, in *Œuvres complètes*, édition Nagel, t. III, p. 45).

son parti et l'exposeraient aux mépris et aux censures impardonnables du parti contraire [1].

Aussi a-t-on toujours remarqué qu'une secte nouvelle introduite dans un état était le moyen le plus sûr pour corriger tous les abus de l'ancienne.

On a beau dire qu'il n'est pas de l'intérêt du prince de souffrir plusieurs religions dans son état. Quand toutes les sectes du monde viendraient s'y rassembler, cela ne lui porterait aucun préjudice, parce qu'il n'y en a aucune qui ne prescrive l'obéissance et ne prêche la soumission.

J'avoue que les histoires sont remplies de guerres [a] de religion. Mais, qu'on y prenne bien garde : ce n'est point la multiplicité des religions qui a produit ces guerres, c'est l'esprit d'intolérance, qui animait celle qui se croyait la dominante; c'est cet esprit de prosélytisme que les Juifs ont pris des Égyptiens [2], et qui, d'eux, est passé, comme une maladie épidémique et populaire, aux Mahométans et aux Chrétiens; c'est, enfin, cet esprit de vertige, dont les progrès ne peuvent être regardés que comme une éclipse entière de la raison humaine.

Car, enfin, quand il n'y aurait pas de l'inhumanité à

1. Cf. Bayle, *Critique générale de l'histoire du calvinisme du P. Maimbourg* (in *Œuvres*, 1737, t. II, p. 148, lettre XXX, 6) : « La religion dominante calomnie les autres sur la fidélité due au souverain », et *Commentaire philosophique sur le Compelle intrare* (*ibid.*, p. 415) : « Si la multiplicité de religions nuit à un État, c'est uniquement parce que l'une ne veut pas tolérer l'autre, mais l'engloutir par la voie des persécutions. *Hinc prima mali labes.* C'est là l'origine du mal. Si chacun avait la tolérance que je soutiens, il y aurait la même concorde dans un État divisé en dix religions que dans une ville où les diverses espèces d'artisan s'entre supportent mutuellement. » Même idée sur l'utilité du pluralisme religieux : « Ce serait une honnête émulation à qui se signalerait en piété, en bonnes mœurs, en science. Chacun se piquerait de prouver qu'elle est la plus amie de Dieu, en témoignant un plus fort attachement à la pratique des bonnes œuvres. » Voltaire reprendra cette thèse dans les *Lettres philosophiques* à propos de l'Angleterre (édition Lanson, t. I, p. 74, lettre VI).

2. Cf. *la Politique des Romains* (*op. cit.*, t. III, p. 46) : « La religion égyptienne fut toujours proscrite à Rome. C'est qu'elle était intolérante, qu'elle voulait régner seule et s'établir sur les débris des autres. » « Les Romains confondirent les Juifs avec les Égyptiens... Les mêmes arrêts qui abolirent à Rome les cérémonies égyptiennes mettent toujours les cérémonies juives avec celles-ci. »

LE PALAIS DE JUSTICE (Lettre LXXXVI, p. 181.)
Gravure de Boisseau.

affliger la conscience des autres; quand il n'en résulte-
rait aucun des mauvais effets qui en germent à milliers :
il faudrait être fou pour s'en aviser. Celui qui veut me faire
changer de religion ne le fait sans doute que parce qu'il ne
changerait pas la sienne, quand on voudrait l'y forcer :
il trouve donc étrange que je ne fasse pas une chose qu'il
ne ferait pas lui-même peut-être pour l'empire du monde.

De Paris, le 25 de la lune de Gemmadi 1, 1715.

LETTRE LXXXVI

RICA A ***

Il semble ici que les familles se gouvernent toutes
seules. Le mari n'a qu'une ombre d'autorité sur sa
femme; le père, sur ses enfants; le maître, sur ses esclaves.
La justice se mêle de tous leurs différends *a*, et sois sûr
qu'elle est toujours contre le mari jaloux, le père chagrin,
le maître incommode.

J'allai l'autre jour dans le lieu où se rend la justice.
Avant d'y arriver *b*, il faut passer sous les armes d'un
nombre infini de jeunes marchandes, qui vous appellent
d'une voix trompeuse. Ce spectacle, d'abord, est assez
riant; mais il devient lugubre lorsqu'on entre dans les
grandes salles, où l'on ne voit que des gens dont l'habit
est encore plus grave que la figure. Enfin, on entre dans le
lieu sacré où se révèlent tous les secrets des familles, et où
les actions les plus cachées sont mises au grand jour [1].

1. La description du Palais de Justice vient sans doute de l'*Amusement*
IV de Dufresny (*op. cit.*, p. 15) qui marquait le contraste des mar-
chandes et des hommes de loi : « Dans cette boutique on vend un ruban,
dans l'autre boutique on vend une terre par décret. Vous entendez à
droite la voix argentine d'une jolie marchande qui vous invite d'aller
à elle, et à gauche la voix rauque d'un huissier qui fait ses criées...
Pendant que le voyageur fait ses réflexions sur cette bizarrerie, il est
épouvanté par la lugubre apparition d'une multitude de têtes noires
et cornues, qui forment en se réunissant un monstre épouvantable
qu'on appelle chicane. Et ce monstre mugit un langage si pernicieux
qu'un seul mot suffit pour désoler des familles entières. »

Là, une fille modeste vient avouer les tourments d'une virginité trop longtemps gardée, ses combats et sa douloureuse résistance. Elle est si peu fière de sa victoire, qu'elle menace toujours d'une défaite prochaine, et, pour que son père n'ignore plus ses besoins, elle les expose à tout le peuple.

Une femme effrontée vient, ensuite, exposer les outrages qu'elle a faits à son époux comme une raison d'en être séparée.

Avec une modestie pareille, une autre vient dire qu'elle est lasse de porter le titre de femme sans en jouir : elle vient révéler les mystères cachés dans la nuit du mariage; elle veut qu'on la livre aux regards des experts les plus habiles, et qu'une sentence la rétablisse dans tous les droits de la virginité. Il y en a même qui osent défier leurs maris et leur demander en public un combat que les témoins rendent si difficiles : épreuve aussi flétrissante pour la femme qui la soutient, que pour le mari qui y succombe [1].

Un nombre infini de filles ravies ou séduites font les hommes beaucoup plus mauvais qu'ils ne sont. L'amour fait retentir ce tribunal. On n'y entend parler que de pères irrités, de filles abusées, d'amants infidèles et de maris chagrins.

Par la loi qui y est observée, tout enfant né pendant le mariage est censé d'être au mari [2]. Il a beau avoir[a] de bonnes raisons pour ne pas le croire : la loi le croit pour lui et le soulage de l'examen et des scrupules.

Dans ce tribunal, on prend les voix à la majeure; mais on dit qu'on a reconnu[b], par expérience, qu'il vaudrait

1. Montesquieu dans les *Pensées* (*op. cit.*, II, p. 386) s'est moqué de « l'absurde et infâme congrès »; cette antique procédure avait été abolie en 1677; mais le procès pour impuissance de la marquise de Gesvres contre son mari avait ému l'opinion. Montesquieu, en tant que juriste, avait étudié l'affaire et noté dans le *Spicilège* les arguments des deux parties (*op. cit.*, p. 63-64). « Le marquis de Gesvres, dit Saint-Simon, prétendit n'être point impuissant et comme c'était chose de fait, il fut ordonné qu'il serait visité par des chirurgiens et elle par des matrones, nommés par l'officialité pour y faire leur rapport. » (Édit. Boişlisle, t. XXIII, p. 66.)

2. « Is pater est quem justae nuptiae denuntiant ».

mieux les recueillir à la mineure. Et cela est assez naturel[a] :
car il y a très peu d'esprits justes, et tout le monde convient
qu'il y en a une infinité de faux.

De Paris, le premier de la lune de Gemmadi 2, 1715.

LETTRE LXXXVII

RICA A ***

O^N dit que l'homme est un animal sociable. Sur ce
pied-là, il me paraît qu'un Français[b] est plus homme
qu'un autre; c'est l'homme par excellence, car il semble
être fait uniquement pour la société.

Mais j'ai remarqué parmi eux des gens qui non seule-
ment sont sociables, mais sont eux-mêmes la Société uni-
verselle. Ils se multiplient dans tous les coins; ils peuplent[e]
en un moment[d] les quatre quartiers d'une ville. Cent
hommes de cette espèce abondent plus que deux mille
citoyens; ils pourraient réparer aux yeux des étrangers les
ravages de la peste ou de la famine. On demande dans les
écoles si un corps peut être en un instant en plusieurs
lieux; ils sont une preuve de ce que les philosophes mettent
en question.

Ils sont toujours empressés, parce qu'ils ont l'affaire
importante de demander à tous ceux qu'ils voient, où ils
vont, et d'où ils viennent.

On ne leur ôterait jamais de la tête qu'il est de la bien-
séance de visiter chaque jour le public en détail, sans comp-
ter les visites qu'ils font en gros dans les lieux où l'on
s'assemble. Mais, comme la voie en est trop abrégée, elles
sont comptées pour rien dans les règles de leur cérémonial.

Ils fatiguent plus les portes des maisons à coups de mar-
teau, que les vents et les tempêtes. Si l'on allait examiner
la liste de tous les portiers, on y trouverait chaque jour
leur nom estropié de mille manières en caractères suisses.
Ils passent leur vie à la suite d'un enterrement, dans des
compliments de condoléances ou dans des félicitations[e]
de mariage. Le roi ne fait point de gratification à quelqu'un

de ses sujets qu'il ne leur en coûte une voiture, pour lui en
aller témoigner leur joie. Enfin, ils reviennent chez eux,
bien fatigués, se reposer pour pouvoir reprendre le lende-
main leurs pénibles fonctions.

Un d'eux mourut l'autre jour de lassitude, et on mit cette
épitaphe sur son tombeau : « C'est ici que repose celui qui
ne s'est jamais reposé. Il s'est promené à cinq cent trente
enterrements. Il s'est réjoui de la naissance de deux mille
six cent quatre-vingts enfants. Les pensions dont il a félicité
ses amis, toujours en des termes différents, montent à
deux millions six cent mille livres; le chemin qu'il a fait
sur le pavé à neuf mille six cents stades; celui qu'il a fait
dans la campagne à trente-six. Sa conversation était amu-
sante : il avait un fonds tout fait de trois cent soixante-
cinq contes; il possédait, d'ailleurs, depuis son jeune
âge, cent dix-huit apophtegmes tirés des Anciens qu'il
employait dans les occasions brillantes. Il est mort enfin
à la soixantième année de son âge. Je me tais, Voyageur.
Car comment pourrais-je achever de te dire ce qu'il a fait
et ce qu'il a vu? »

De Paris, le 3 de la lune de Gemmadi 2, 1715.

LETTRE LXXXVIII

USBEK A RHÉDI, A VENISE

A Paris règnent la liberté et l'égalité. La naissance, la
vertu, le mérite même de la guerre, quelque brillant
qu'il soit, ne sauve pas un homme de la foule dans laquelle
il est confondu. La jalousie des rangs y est inconnue. On
dit que le premier de Paris est celui qui a les meilleurs che-
vaux à son carrosse.

Un grand seigneur est un homme qui voit le roi, qui
parle aux ministres, qui a des ancêtres, des dettes et des
pensions. S'il peut, avec cela, cacher son oisiveté par un
air empressé ou par un feint attachement pour les plaisirs,
il croit être le plus heureux de tous les hommes.

En Perse, il n'y a de grand*a* que ceux à qui le Monarque

donne quelque part au gouvernement [1]. Ici, il y a des gens qui sont grands par leur naissance; mais ils sont sans crédit. Les rois font comme ces ouvriers habiles qui, pour exécuter leurs ouvrages, se servent toujours des machines les plus simples.

La faveur est la grande divinité des Français. Le ministre est le grand-prêtre, qui lui offre bien des victimes. Ceux qui l'entourent ne sont point habillés de blanc; tantôt sacrificateurs et tantôt sacrifiés, ils se dévouent eux-mêmes à leur idole avec tout le peuple.

De Paris, le 9 de la lune de Gemmadi 2, 1715.

LETTRE LXXXIX

USBEK A IBBEN, A SMYRNE

L E désir de la gloire n'est point différent de cet instinct que toutes les créatures ont pour leur conservation. Il semble que nous augmentons notre être lorsque nous pouvons le porter dans la mémoire des autres : c'est une nouvelle vie que nous acquérons, et qui nous devient aussi précieuse que celle que nous avons reçue du Ciel.

Mais, comme tous les hommes ne sont pas également attachés à la vie, ils ne sont pas aussi également sensibles à la gloire. Cette noble passion est bien toujours gravée dans leur cœur; mais l'imagination et l'éducation la modifient de mille manières.

Cette différence, qui se trouve d'homme à homme, se fait encore plus sentir de peuple à peuple.

On peut poser pour maxime que, dans chaque état, le désir de la gloire croît avec la liberté des sujets et diminue avec elle : la gloire n'est jamais compagne de la servitude.

Un homme de bon sens me disait l'autre jour :

« On est, en France, à bien des égards, plus libre qu'en Perse; aussi y aime-t-on plus la gloire. Cette heureuse fan-

1. Cf. Chardin, *op. cit.* (II, 3, p. 224) : « Il n'y a point de noblesse en Perse, non plus que dans tout l'Orient, et l'on n'y porte de respect qu'aux charges... »

taisie fait faire à un Français avec plaisir et avec goût
ce que votre sultan n'obtient de ses sujets qu'en leur mettant
sans cesse devant les yeux les supplices et les récompenses.

« Aussi, parmi nous, le prince est-il jaloux de l'honneur
du dernier de ses sujets. Il y a pour le maintenir des tri-
bunaux respectables[1] : c'est le trésor sacré de la Nation, et
le seul dont le souverain n'est pas le maître, parce qu'il ne
peut l'être, sans choquer ses intérêts. Ainsi, si un sujet se
trouve blessé dans son honneur par son prince, soit par
quelque préférence, soit par la moindre marque de mépris,
il quitte sur-le-champ sa cour, son emploi, son service, et
se retire chez lui.

« La différence qu'il y a des troupes françaises aux vôtres,
c'est que les unes, composées d'esclaves, naturellement
lâches, ne surmontent la crainte de la mort que par celle du
châtiment : ce qui produit dans l'âme un nouveau genre
de terreur qui la rend comme stupide ; au lieu que les autres
se présentent aux coups avec délice et bannissent la crainte
par une satisfaction qui lui est supérieure.

« Mais le sanctuaire de l'honneur, de la réputation et
de la vertu, semble être établi dans les républiques et
dans les pays où l'on peut prononcer le mot de *Patrie*.
A Rome, à Athènes, à Lacédémone, l'honneur payait seul
les services les plus signalés. Une couronne de chêne ou
de laurier, une statue, un éloge, était une récompense
immense pour une bataille gagnée ou une ville prise.

« Là, un homme qui avait fait une belle action se trou-
vait suffisamment récompensé par cette action même.
Il ne pouvait voir un de ses compatriotes qu'il ne ressentît [a]
le plaisir d'être son bienfaiteur ; il comptait le nombre de
ses services par celui de ses concitoyens. Tout homme est
capable de faire du bien à un homme ; mais c'est ressembler
aux dieux que de contribuer au bonheur d'une société
entière.

1. Le tribunal des maréchaux, par exemple, juge des affaires d'hon-
neur. Il siégeait chez le plus ancien en grade et un maître des requêtes
était chargé d'y rapporter les causes (cf. Marcel Marion, *Dictionnaire
des Institutions de la France*, Picard, 1923, p. 543, *sub verbo :* « Tribunal du
point d'honneur »).

« Or cette noble émulation[a] ne doit-elle point être
entièrement éteinte dans le cœur de vos Persans, chez
qui les emplois et les dignités ne sont que des attributs
de la fantaisie du souverain? La réputation et la vertu
y sont regardées comme imaginaires si elles ne sont accom-
pagnées de la faveur du prince, avec laquelle elles naissent
et meurent de même. Un homme qui a pour lui l'estime
publique n'est jamais sûr de ne pas être déshonoré demain :
le voilà aujourd'hui général d'armée; peut-être que le prince
le va faire son cuisinier, et qu'il ne lui laissera plus espérer[b]
d'autre éloge que celui d'avoir fait un bon ragoût[1]. »

De Paris, le 15 de la lune de Gemmadi 2, 1715.

LETTRE XC

USBEK AU MÊME, A SMYRNE

D E cette passion générale que la nation française a
pour la gloire, il s'est formé dans l'esprit des parti-
culiers un certain je ne sais quoi, qu'on appelle *point
d'honneur*. C'est proprement le caractère de chaque pro-
fession; mais il est plus marqué chez les gens de guerre,
et c'est le point d'honneur par excellence. Il me serait bien
difficile de te faire sentir ce que c'est : car nous n'en avons
point précisément d'idée.

Autrefois, les Français, surtout les nobles, ne suivaient
guère d'autres lois que celles de ce point d'honneur : elles
réglaient toute la conduite de leur vie et elles étaient si

1. Paragraphe influencé par Ricaut (*op. cit.*, I, p. 11) : « Quand je
considère qu'il se trouve parmi eux si peu de récompense pour la vertu
et tant d'impunité pour les vices..., de quelle manière les hommes y
sont élevés tout d'un coup par la flatterie, par le hasard et par la seule
faveur du sultan aux plus grandes, aux plus importantes et aux plus
honorables charges de l'Empire, sans avoir ni naissance, ni mérite,
ni aucune expérience des affaires du monde; quand je considère com-
bien ils restent peu dans des postes si éminents que le Prince les fait
mourir d'un seul clin d'œil... je ne puis que je n'admire la longue durée
de ce grand empire. »

sévères qu'on ne pouvait sans une peine plus cruelle que la mort, je ne dis pas les enfreindre, mais en éluder la plus petite disposition.

Quand il s'agissait de régler les différends, elles ne prescrivaient guère qu'une manière de décision, qui était le duel, qui tranchait toutes les difficultés [1]. Mais ce qu'il y avait de mal, c'est que souvent le jugement se rendait entre d'autres parties que celles qui y étaient intéressées.

Pour peu qu'un homme fût connu d'un autre, il fallait qu'il entrât dans la dispute, et qu'il payât de sa personne, comme s'il avait été lui-même en colère. Il se sentait toujours honoré d'un tel choix et d'une préférence si flatteuse; et tel qui n'aurait pas voulu donner quatre pistoles à un homme pour le sauver de la potence, lui et toute sa famille, ne faisait aucune difficulté d'aller risquer pour lui mille fois sa vie.

Cette manière de décider était assez mal imaginée: car, de ce qu'un homme était plus adroit ou plus fort qu'un autre, il ne s'ensuivait pas qu'il eût de meilleures raisons.

Aussi les rois l'ont-ils défendue sous des peines très sévères [2]; mais c'est en vain: l'Honneur, qui veut toujours régner, se révolte, et il ne reconnaît point de lois.

Ainsi les Français sont dans un état bien violent: car les mêmes lois de l'honneur obligent un honnête homme de se venger quand il a été offensé; mais, d'un autre côté, la justice le punit des plus cruelles peines lorsqu'il se venge. Si l'on suit les lois de l'honneur, on périt sur un échafaud; si l'on suit celles de la justice, on est banni pour jamais de la société des hommes. Il n'y a donc que cette cruelle alternative, ou de mourir, ou d'être indigne de vivre.

De Paris, le 18 de la lune de Gemmadi 2, 1715.

1. Au XVIIe siècle, prédicateurs et moralistes condamnaient le duel au nom de la morale et de la religion. La Bruyère n'y voyait que « le triomphe de la mode » (*Caractères*, XIII, 3). Montesquieu, sociologue et juriste, en connaît l'origine : le duel est pour les anciennes lois germaniques « le jugement de Dieu ». Cette page prélude à un remarquable chapitre de *l'Esprit des lois* (XXVIII, 20).

2. L'édit de Louis XIV (1679) qui punissait les duellistes de mort fut renouvelé en 1725 par Louis XV.

« Il paraît ici un personnage, travesti en ambassadeur de Perse... » (Lettre XCI, p. 189.)
Estampe du temps.

Musée Carnavalet.

LETTRE XCI[a]

USBEK A RUSTAN, A ISPAHAN

IL paraît ici un personnage, travesti en ambassadeur
de Perse, qui se joue insolemment des deux plus grands
rois du monde [1]. Il apporte au monarque des Français
des présents que le nôtre ne saurait donner à un roi d'Iri-
mette ou de Géorgie, et, par sa lâche avarice, il a flétri
la majesté des deux empires [2].

1. Grâce à Maurice Herbette (*Une ambassade persane sous Louis XIV*,
Paris, Perrin, 1907), nous sommes bien informés sur Méhémet Riza
Beg, qui n'était pas un imposteur. Il était simple *Kalender*, c'est-à-dire
percepteur d'impôts, pour le compte du gouvernement d'Érivan, et
régulièrement muni par le roi de Perse de lettres de créance. Arrivé à
Marseille le 23 octobre 1714, il fit son entrée solennelle à Paris le
7 février 1715 et fut reçu par Louis XIV à Versailles le 19 février. Sa
bizarrerie, sa ladrerie, son irritabilité firent douter de son caractère
officiel. Madame, duchesse d'Orléans, s'étonne « qu'on ne voulût
pas convenir que l'ambassadeur de Perse eût été un fourbe » (*Corres-
pondance*, Paris, 1857, t. I, p. 324, lettre du 1er octobre 1717). Saint-
Simon, dans une note au *Journal* de Dangeau (Paris, 1854, t. XV, p. 273)
prétend qu'il contrefit l'ambassadeur et que « Pontchartrain, dont cette
ambassade regardait le département, ne voulut pas dévoiler la fripon-
nerie pour amuser le roi et lui faire sa cour en lui faisant croire que le
sophy lui envoyait un ambassadeur ». De fait, Méhémet Riza Beg
amusa Paris pendant plusieurs mois. J.-F. Bernard, dans la 3e édition
de ses *Réflexions morales* (1716, p. 308) exploite l'événement. « J'ai vu
l'entrée, déclare son Persan, de celui que le seigneur des rois de l'Orient
a envoyé pour communiquer son amitié à l'Empereur qui tient sa
cour à Versailles. L'esclave du souverain qui dicte des yeux ses volontés
a été reçu comme triomphant. Rends grâce à Dieu qui donne aux Infi-
dèles l'admiration et la crainte. »
 2. On attendait avec curiosité les présents de l'ambassadeur. A la
stupéfaction de tous, on ne trouva dans le coffre apporté à Versailles
que « cent six petites perles, deux cent quatre-vingts turquoises et deux
boîtes d'or remplies de baume de Mumie. Cet onguent avait, il est
vrai, en Perse, une réputation particulière... Il guérissait les blessures
et conservait la santé et la vigueur. Méhémet Riza Beg était dès lors
convaincu que son maître avait envoyé au roi de France quelque chose
d'inestimable. Il soutint seul son opinion, car on s'indigna à la cour et
dans le public d'une ladrerie qu'on attribua à l'ambassadeur lui-
même. » (Herbette, *op. cit.*, p. 182.)

Il s'est rendu ridicule devant un peuple qui prétend être le plus poli de l'Europe, et il a fait dire en Occident que le roi des rois ne domine que sur des barbares [1].

Il a reçu des honneurs qu'il semblait avoir voulu se faire refuser lui-même, et, comme si la cour de France avait eu plus à cœur la grandeur persane que lui, elle l'a fait paraître avec dignité devant un peuple dont il est le mépris [2].

Ne dis point ceci à Ispahan : épargne la tête d'un malheureux [3]. Je ne veux pas que nos ministres le punissent de leur propre imprudence et de l'indigne choix qu'ils ont fait.

De Paris, le dernier de la lune de Gemmadi 2, 1715.

LETTRE XCII

USBEK A RHÉDI, A VENISE

LE monarque qui a si longtemps régné n'est plus. Il a bien fait parler des gens pendant sa vie; tout le monde s'est tu à sa mort. Ferme et courageux dans ce dernier moment, il a paru ne céder qu'au destin [4]. Ainsi mourut

1. Les excentricités de l'ambassadeur dépassèrent la mesure : rigidité coranique, ablutions, bains, rixes avec les mousquetaires, exercices à cheval sur les remparts, entretien d'une « sultane », M^me d'Épinay, et finirent par révolter l'opinion.

2. La réception du 19 février 1715 fut d'une magnificence exceptionnelle (cf. Herbette, *op. cit.*, p. 114-186).

3. Méhémet Riza Beg s'embarqua au Havre le 12 septembre 1715 et regagna la Perse par la Moscovie. Il touchait Érivan en mai 1717. Terrifié par le retard mis à rendre compte de sa mission et par la perte de presque tous les présents du roi de France qu'il avait vendus en route, il s'empoisonna. D'après le consul Gardanne, il avait devancé le sort qui l'attendait à Ispahan (Herbette, *op. cit.*, p. 327).

4. *L'Espion turc* avait consacré trois lettres à la mort de Louis XIII (*op. cit.*, t. II, lettres 25-26-27). Joseph Bonnet contait de même la mort de Louis XIV dans sa 2^e *Lettre à Musala* (*op. cit.*, p. 248) et quelques-uns de ses termes pourraient avoir été repris par Montesquieu : « Louis le Grand n'est plus; ce prince qui a fait durant tant d'années l'attention de tout l'univers... va devenir le partage des vers... La mort qu'il a vu approcher n'a pas été capable de le troubler. »

le grand Chah Abas, après avoir rempli toute la Terre de son nom.

Ne crois pas que ce grand événement n'ait fait faire ici que des réflexions morales. Chacun a pensé à ses affaires et à prendre ses avantages dans ce changement. Le roi, arrière-petit-fils du monarque défunt, n'ayant que cinq ans, un prince, son oncle, a été déclaré régent du royaume.

Le feu roi avait fait un testament qui bornait l'autorité du régent. Ce prince habile a été au Parlement, et, y exposant tous les droits de sa naissance, il a fait casser la disposition du monarque [1], qui, voulant se survivre à lui-même, semblait avoir prétendu régner encore après sa mort.

Les parlements ressemblent à ces ruines que l'on foule aux pieds, mais qui rappellent toujours l'idée de quelque temple fameux par l'ancienne religion des peuples. Ils ne se mêlent guère plus que de rendre la justice, et leur autorité est toujours languissante, à moins que quelque conjoncture imprévue ne vienne lui rendre la force et la vie. Ces grands corps ont suivi le destin des choses humaines : ils ont cédé au temps, qui détruit tout, à la corruption des mœurs, qui a tout affaibli, à l'autorité suprême, qui a tout abattu.

Mais le régent, qui a voulu se rendre agréable au peuple, a paru d'abord respecter cette image de la liberté publique; et, comme s'il avait pensé à relever de terre le temple et l'idole, il a voulu qu'on les regardât comme l'appui de la Monarchie et le fondement de toute autorité légitime [2].

De Paris, le 4 de la lune de Rhegeb, 1715.

1. Louis XIV mourut le 1er septembre 1715. La séance du Parlement où le Régent, Philippe d'Orléans, vint demander la cassation du testament eut lieu le lendemain. Montesquieu avait conservé dans son *Spicilège* (mss., p. 220-222) le discours du Régent.

2. Montesquieu, parlementaire, est toujours demeuré fidèle à la doctrine de son corps (*Esprit des lois*, II, 4) : les Parlements ne sont pas seulement des corps judiciaires, mais les dépositaires des lois fondamentales du royaume et, par là, les conseillers naturels du prince. Louis XIV avait supprimé leur droit de remontrance, le Régent le rétablit le 15 septembre 1715. Le *Spicilège* de Montesquieu conserve une longue bibliographie sur le sujet (mss., p. 266, édit. Masson, p. 85).

LETTRE XCIII

JE m'humilie devant toi, sacré Santon, et je me prosterne;
je regarde les vestiges de tes pieds comme la prunelle de
mes yeux. Ta sainteté est si grande qu'il semble que tu
aies le cœur de notre saint prophète; tes austérités étonnent
le ciel même; les anges t'ont regardé du sommet de la gloire
et ont dit: « Comment est-il encore sur la terre, puisque
son esprit est avec nous et vole autour du trône qui est
soutenu par les nuées ? »

Et comment ne t'honorerais-je pas, moi qui ai appris
de nos docteurs que les dervis, même infidèles, ont toujours
un caractère de sainteté, qui les rend respectables aux vrais
croyants, et que Dieu s'est choisi, dans tous les coins de la
terre, des âmes plus pures que les autres, qu'il a séparées
du monde impie, afin que leurs mortifications et leurs
prières ferventes suspendissent sa colère prête à tomber sur
tant de peuples rebelles?

Les chrétiens disent des merveilles de leurs premiers
santons, qui se réfugièrent à milliers dans les déserts
affreux de la Thébaïde et eurent pour chefs Paul, Antoine
et Pacôme [2]. Si ce qu'ils en disent est vrai, leurs vies sont

1. Montesquieu a appris, par Ricaut (*op. cit.*, livre II, chap. XIII,
p. 334), l'existence dans l'Islam d'ordres religieux ou *dervis* : « Ces
religieux, à l'imitation des Chrétiens qui vivaient il y a mille ans, font
profession d'une vie austère et retirée du mépris des honneurs et des
plaisirs du monde et d'une application toute entière aux choses divines.
Mais on peut dire que ce sont de méchantes copies d'excellents ori-
ginaux. » Ricaut ne distingue pas *dervis* et *santon* (*ibid.*, p. 352) et signale
leurs monastères « dans les plus considérables endroits de l'Empire
ottoman » (*ibid.*, p. 343). Tavernier (*op. cit.*, p. 68) et Chardin (*op. cit.*,
I, p. 196) décrivent Casbin, ville persane à égale distance d'Ispahan et
de Tauris, mais ne parlent d'aucun monastère.
2. La science de Montesquieu sur les cénobites de la Thébaïde doit
venir de *l'Histoire ecclésiastique* de l'abbé de Choisy (Paris, 1703, t. I,
p. 341, 399, t. II, p. 43, 117. Cf. la Brède, *op. cit.*, n° 189, et *Spicilège,
op. cit.*, p. 81).

aussi pleines de prodiges que celles de nos plus sacrés immaums. Ils passaient quelquefois dix ans entiers sans voir un seul homme, mais ils habitaient la nuit et le jour avec des démons; ils étaient sans cesse tourmentés par ces esprits malins : ils les trouvaient au lit; ils les trouvaient à table; jamais d'asile contre eux. Si tout ceci est vrai, Santon vénérable, il faudrait avouer que personne n'aurait jamais vécu en plus mauvaise compagnie.

Les chrétiens sensés regardent toutes ces histoires comme une allégorie bien naturelle, qui nous peut servir[a] à nous faire sentir le malheur de la condition humaine. En vain cherchons-nous dans le désert un état tranquille : les tentations nous suivent toujours; nos passions, figurées par les démons, ne nous quittent point encore; ces monstres du cœur, ces illusions de l'esprit, ces vains fantômes de l'erreur et du mensonge, se montrent toujours à nous pour nous séduire et nous attaquent jusques dans les jeûnes et les cilices, c'est-à-dire jusque dans notre force même.

Pour moi, Santon vénérable, je sais que l'envoyé de Dieu a enchaîné Satan et l'a précipité dans les abîmes; il a purifié la terre, autrefois pleine de son empire, et l'a rendue digne du séjour des anges et des prophètes.

De Paris, le 9 de la lune de Chahban, 1715.

LETTRE XCIV

USBEK A RHÉDI, A VENISE

Je n'ai jamais ouï parler du droit public qu'on n'ait commencé par rechercher soigneusement quelle est l'origine des sociétés, ce qui me paraît ridicule. Si les hommes n'en formaient point, s'ils se quittaient et se fuyaient les uns les autres, il faudrait en demander la raison et chercher pourquoi ils se tiennent séparés. Mais ils naissent tous liés les uns aux autres; un fils est né auprès

de son père, et il s'y tient : voilà la société et la cause de la société [1].

Le droit public est plus connu en Europe qu'en Asie ; cependant on peut dire que les passions des princes, la patience des peuples, la flatterie des écrivains, en ont corrompu tous les principes.

Ce droit, tel qu'il est aujourd'hui, est une science qui apprend aux princes jusqu'à quel point ils peuvent violer la justice sans choquer leurs intérêts. Quel dessein, Rhédi, de vouloir, pour endurcir leur conscience, mettre l'iniquité en système, d'en donner des règles, d'en former des principes et d'en tirer des conséquences [2]!

1. Montesquieu demeurera fidèle à cette conception anticontractualiste du droit. Pour lui, la société ne s'oppose pas à l'état de nature (Grotius, Hobbes, Locke et plus tard Rousseau), mais dérive de la nature : l'instinct de sociabilité est pour lui aussi fort que la soif, la faim ou l'instinct sexuel. D'après Crisafulli (*Parallels to ideas in the Lettres persanes*, P. M. L. A., sept. 1937, p. 773 sq), l'origine de cette opinion serait à chercher dans Shaftesbury : « If any appetite or sense be natural, the sense of fellowship is the same. If there be anything of nature in that affection which is between the sexes, the affection is certainly as natural the consequent offspring ; and so again between the offspring themselves, as kindred and companions, bred under the same discipline and economy. And thus a clan or tribe is gradually formed. A public is recognized... How the wit of man should so puzzle this cause as to make civil government and society appear a kind of invention and creature of art, I know not. » (*Essay on the freedom of wit and humour*, édit. Robertson, Londres, 1900, t. I, p. 74.) Même idée dans la *Lettre* CIV. Développement identique dans les *Pensées* (*op. cit.*, t. I, p. 397) : « En considérant les hommes avant l'établissement des sociétés, on trouve qu'ils étaient soumis à une puissance que la nature avait établie : car l'enfance étant l'état de la plus grande faiblesse qui se puisse concevoir, il a fallu que les enfants fussent dans la dépendance de leurs pères, qui leur avaient donné la vie et qui leur donnaient encore les moyens de la conserver ».

2. Fragment essentiel de ce qu'on peut appeler l'*Antimachiavel* de Montesquieu. A-t-il lu Machiavel? D'après M. Bertière (*Actes du Congrès Montesquieu*, Bordeaux, Delmas, 1956, p. 141 sq), Montesquieu aurait médité et utilisé l'*Apologie pour Machiavelle* du chanoine Machon, rédigée à la demande de Richelieu vers 1640. Même indignation dans le *Traité des devoirs* contre la fausseté du réalisme politique. L'allusion nous semble évidente. Machiavel dédie son *Prince* à Laurent de Médicis et Machon son *Apologie* à Richelieu : « Il est nécessaire qu'un prince qui veut se maintenir apprenne à pouvoir n'être pas honnête, et à user ou à n'user point de malhonnêteté, selon les circonstances »

La puissance illimitée de nos sublimes sultans, qui n'a d'autre règle qu'elle-même, ne produit pas plus de monstres que cet art indigne qui veut faire plier la justice, tout inflexible qu'elle est.

On dirait, Rhédi, qu'il y a deux justices toutes différentes : l'une qui règle les affaires des particuliers, qui règne dans le droit civil; l'autre qui règle les différends qui surviennent de peuple à peuple, qui tyrannise dans le droit public[a] : comme si le droit public n'était pas lui-même un droit civil, non pas à la vérité d'un pays particulier, mais du monde.

Je t'expliquerai dans une autre lettre mes pensées là-dessus.

De Paris, le premier de la lune de Zilhagé, 1716.

LETTRE XCV

USBEK AU MÊME

LES magistrats doivent rendre la justice de citoyen à citoyen. Chaque peuple la doit rendre lui-même de lui à un autre peuple. Dans cette seconde distribution de justice, on ne peut employer d'autres maximes que dans la première.

De peuple à peuple, il est rarement besoin de tiers pour juger, parce que les sujets de disputes sont presque toujours clairs et faciles à terminer. Les intérêts de deux nations sont ordinairement si séparés qu'il ne faut qu'aimer la justice pour la trouver; on ne peut guère se prévenir dans sa propre cause.

Il n'en est pas de même des différends qui arrivent entre particuliers. Comme ils vivent en société, leurs intérêts sont si mêlés et si confondus, il y en a de tant de sortes

(*Prince,* chap. xv). « Il est indispensable qu'un prince sache agir aussi bien en bête qu'en homme. » (*Ibid.,* chap. xviii.) « Un prince ne peut pas observer toutes ces qualités qui font tenir les hommes pour vertueux, car il est souvent obligé, pour garder son État, d'agir contre la loyauté, la charité, l'humanité, la religion. » (*Ibid.,* xviii).

différentes, qu'il est nécessaire qu'un tiers débrouille ce que la cupidité des parties cherche à obscurcir.

Il n'y a que deux sortes de guerre justes : les unes qui se font pour repousser un ennemi qui attaque; les autres, pour secourir un allié qui est attaqué.

Il n'y aurait point de justice de faire la guerre pour des querelles particulières du prince, à moins que le cas ne fût si grave qu'il méritât la mort du prince ou du peuple qui l'a commis. Ainsi un prince ne peut faire la guerre parce qu'on lui a refusé un honneur qui lui est dû, ou parce qu'on aura eu quelque procédé peu convenable à l'égard de ses ambassadeurs, et autres choses pareilles [1]; non plus qu'un particulier ne peut tuer celui qui lui refuse la préséance [a]. La raison en est que, comme la déclaration de guerre doit être un acte de justice, dans laquelle il faut toujours que la peine soit proportionnée à la faute, il faut voir si celui à qui on déclare la guerre mérite la mort : car faire la guerre à quelqu'un, c'est vouloir le punir de mort.

Dans le droit public, l'acte de justice le plus sévère, c'est la guerre; puisqu'elle peut avoir l'effet de détruire la Société [b].

Les représailles sont du second degré. C'est une loi que les tribunaux n'ont pu empêcher d'observer, de mesurer la peine par le crime.

Un troisième acte de justice est de priver [c] un prince des avantages qu'il peut tirer de nous, proportionnant toujours la peine à l'offense.

Le quatrième acte de justice, qui doit être le plus fréquent, est la renonciation à l'alliance du peuple dont on

1. Allusion à la politique des préséances sous Louis XIV. L'ambassadeur d'Espagne à Londres ayant refusé de céder le pas devant l'ambassadeur de France, le comte d'Estrades (octobre 1661), Louis XIV expulsa le représentant de l'Espagne à Paris, exigea des excuses officielles et les reçut le 24 mars 1662 au cours d'une audience humiliante. En août 1662, l'affaire des gardes corses qui tirèrent sur le palais Farnèse, séjour de notre ambassadeur à Rome, le duc de Créqui, faillit provoquer une guerre avec le Saint-Siège. Le pape Alexandre VII dut s'humilier et renvoyer la garde corse. Cette allusion est précisée par un fragment des *Pensées* (*op. cit.*, t. I, p. 369) : « Louis semblait n'avoir de puissance que pour l'ostentation. Tout était fanfaron, jusqu'à sa politique. »

a à se plaindre. Cette peine répond à celle du bannissement, que les tribunaux ont établie pour retrancher *a* les coupables de la Société. Ainsi un prince à l'alliance duquel nous renonçons est retranché de notre Société et n'est plus un des membres qui la composent *b*.

On ne peut pas faire de plus grand affront à un prince que de renoncer à son alliance, ni lui faire de plus grand honneur que de la contracter. Il n'y a rien parmi les hommes qui leur soit plus glorieux et même plus utile que d'en voir d'autres toujours attentifs à leur conservation.

Mais, pour que l'alliance nous lie, il faut qu'elle soit juste : ainsi une alliance faite entre deux nations pour en opprimer une troisième n'est pas légitime, et on peut la violer sans crime.

Il n'est pas même de l'honneur et de la dignité du prince de s'allier avec un tyran. On dit qu'un monarque d'Égypte fit avertir le roi de Samos de sa cruauté et de sa tyrannie, et le somma de s'en corriger. Comme il ne le fit pas, il lui envoya dire qu'il renonçait à son amitié et à son alliance [1].

[La conquête ne donne point un droit par elle-même : lorsque le peuple subsiste, elle est un gage de la paix et de la réparation du tort; et, si le peuple est détruit ou dispersé, elle est le monument d'une tyrannie.

Les traités de paix sont si sacrés parmi les hommes qu'il semble qu'ils soient la voix de la nature, qui réclame ses droits. Ils sont tous légitimes lorsque les conditions en sont telles que les deux peuples peuvent se conserver; sans quoi, celle des deux sociétés qui doit périr, privée de sa défense naturelle par la paix, la peut chercher dans la guerre.

Car la Nature, qui a établi les différents degrés de force et de faiblesse parmi les hommes, a encore souvent égalé la faiblesse à la force par le désespoir] *c*.

Voilà, cher Rhédi, ce que j'appelle le droit public. Voilà le droit des gens, ou plutôt celui de la raison.

De Paris, le 4 de la lune de Zilhagé, 1716.

1. Il s'agit du roi Amasis, d'après Diodore de Sicile (*Bibliothèque historique*, I, 95, Didot, 1855, p. 76); Montesquieu traduit exactement la lettre à Polycrate, tyran de Samos : οὐ προσέχοντος δ'αὐτοῦ τοῖς λόγοις, εἰς ἐπιστολὴν γράψαι τὴν φιλίαν καὶ τὴν ξενίαν τὴν πρὸς αὐτὸν διαλυόμενον.

LETTRE XCVI

LE PREMIER EUNUQUE A USBEK, A PARIS

IL est arrivé beaucoup de femmes jaunes du royaume de Visapour [1]; j'en ai acheté une pour ton frère le gouverneur de Mazendéran [2], qui m'envoya il y a un mois son commandement sublime et cent tomans.

Je me connais en femmes d'autant mieux qu'elles ne me surprennent pas, et qu'en moi les yeux ne sont point troublés par les mouvements du cœur.

Je n'ai jamais vu de beauté si régulière et si parfaite : ses yeux brillants portent la vie sur son visage et relèvent l'éclat d'une couleur qui pourrait effacer tous les charmes de la Circassie.

Le premier eunuque d'un négociant d'Ispahan la marchandait avec moi; mais elle se dérobait dédaigneusement à ses regards et semblait chercher les miens, comme si elle avait voulu me dire qu'un vil marchand n'était pas digne d'elle, et qu'elle était destinée à un plus illustre époux.

Je te l'avoue, je sens en moi-même une joie secrète quand je pense aux charmes de cette belle personne; il me semble que je la vois entrer dans le sérail de ton frère; je me plais à prévoir l'étonnement de toutes ses [a] femmes : la douleur impérieuse des unes; l'affliction muette, mais plus douloureuse, des autres; la consolation maligne de celles qui n'espèrent plus rien; et l'ambition irritée de celles qui espèrent encore.

Je vais, d'un bout du royaume à l'autre, faire changer

1. Le royaume de Visapour (actuellement Bedjapur, province de Bombay), royaume indépendant de l'Hindoustan occidental, fut conquis en 1686 par le Grand Mogol Aureng Zeb. C'est Tavernier qui apprend à Montesquieu que les femmes basanées des harems de Perse « sortent des terres du roi de Golconda et du roi de Misapour » (*op. cit.*, t. V, p. 704).
2. Le Mazendéran, l'ancienne Hyrcanie, province persane sur les rives méridionales de la Caspienne. Chardin en décrit le climat et les ressources (*op. cit.*, t. II, p. 7).

tout un sérail de face. Que de passions je vais émouvoir!
Que de craintes et de peines je prépare!

Cependant, dans le trouble du dedans, le dehors ne
sera pas moins tranquille : les grandes révolutions seront
cachées dans le fond du cœur; les chagrins seront dévorés
et les joies, contenues; l'obéissance ne sera pas moins
exacte, et la règle moins inflexible [a]; la douceur, toujours
contrainte de paraître, sortira du fond même du déses-
poir.

Nous remarquons que, plus nous avons de femmes
sous nos yeux, moins elles nous donnent d'embarras.
Une plus grande nécessité de plaire, moins de facilité
de s'unir, plus d'exemples de soumission : tout cela leur
forme des chaînes. Les unes sont sans cesse attentives
sur les démarches des autres; il semble que, de concert
avec nous, elles travaillent à se rendre plus dépendantes;
elles font une partie de notre ouvrage [b] et nous ouvrent
les yeux quand nous les fermons. Que dis-je? Elles irritent
sans cesse le maître contre leurs rivales, et elles ne voient
pas combien elles se trouvent près de celles qu'on punit.

Mais tout cela, magnifique seigneur, tout cela n'est
rien sans la présence du maître. Que pouvons-nous faire
avec ce vain fantôme d'une autorité qui ne se communique
jamais tout entière? Nous ne représentons que faiblement
la moitié de toi-même : nous ne pouvons que leur montrer
une odieuse sévérité. Toi, tu tempères la crainte par les
espérances; plus absolu quand tu caresses, que tu ne l'es
quand tu menaces.

Reviens donc, magnifique seigneur, reviens dans ces
lieux porter partout les marques de ton empire. Viens
adoucir des passions désespérées; viens ôter tout prétexte
de faillir; viens apaiser l'amour qui murmure, et rendre le
devoir même aimable; viens, enfin, soulager tes fidèles
eunuques d'un fardeau qui s'appesantit chaque jour.

Du sérail d'Ispahan, le 8 de la lune de Zilhagé, 1716.

LETTRE XCVII

O toi, sage Dervis, dont l'esprit curieux brille de tant
de connaissances, écoute ce que je vais te dire[a].

Il y a ici des philosophes qui, à la vérité, n'ont point
atteint jusqu'au faîte de la sagesse orientale : ils n'ont point
été ravis jusqu'au trône lumineux; ils n'ont ni entendu les
paroles ineffables[2] dont les concerts des anges retentissent,
ni senti les formidables accès d'une fureur divine; mais,
laissés à eux-mêmes, privés des saintes merveilles, ils sui-
vent dans le silence les traces de la raison humaine.

Tu ne saurais croire jusqu'où ce guide les a conduits.
Ils ont débrouillé le Chaos et ont expliqué, par une méca-
nique simple, l'ordre de l'architecture divine. L'auteur de
la nature a donné du mouvement à la matière : il n'en a pas
fallu davantage pour produire cette prodigieuse variété
d'effets que nous voyons dans l'Univers[3].

Que les législateurs ordinaires nous proposent des
lois pour régler les sociétés des hommes; des lois aussi
sujettes au changement que l'esprit de ceux qui les pro-
posent, et des peuples qui les observent! Ceux-ci ne nous
parlent que des lois générales, immuables, éternelles, qui

1. Dans la *Lettre* XV, Jaron était un eunuque noir. En fait, Montes-
quieu avait utilisé le nom d'une ville de Perse visitée par Chardin le
28 février 1674 (*op. cit.*, t. III, p. 150) : cette bourgade, à cinq jours de
caravane au sud de Chiraz, est célèbre par sa « montagne »; « la plus
rude et la plus dangereuse à passer que j'ai vue en Perse », déclare
Chardin.

2. Souvenir, trop précis pour n'être pas malicieux, des paroles mêmes
de saint Paul (*II Corinthiens*, XII, 2-4) : « Je connais un homme qui a
été ravi jusqu'au troisième ciel et qui a entendu des paroles ineffables
qu'il n'est pas permis de rapporter. »

3. Exposition de la mécanique cartésienne d'après les *Principes de
la philosophie* (II, 36, *Œuvres*, édit. Cousin. t. II, p. 151) : « Dieu a créé
la matière avec le mouvement et le repos de ses parties et conserve
maintenant en l'Univers, par son concours ordinaire, autant de mouve-
ment et de repos qu'il y en a mis en le créant. »

s'observent sans aucune exception avec un ordre, une régularité et une promptitude infinie, dans l'immensité des espaces [1].

Et que crois-tu, homme divin, que soient ces lois? Tu t'imagines peut-être qu'entrant dans le conseil de l'Éternel tu vas être étonné par la sublimité des mystères; tu renonces par avance à comprendre, tu ne te proposes que d'admirer.

Mais tu changeras bientôt de pensée : elles n'éblouissent point par un faux respect; leur simplicité les a fait longtemps méconnaître, et ce n'est qu'après bien des réflexions qu'on en a vu [a] toute la fécondité et toute l'étendue.

La première est que tout corps tend à décrire une ligne droite, à moins qu'il ne rencontre quelque obstacle qui l'en détourne; et la seconde, qui n'en est qu'une suite, c'est que tout corps qui tourne autour d'un centre tend à s'en éloigner, parce que, plus il en est loin, plus la ligne qu'il décrit approche de la ligne droite [2].

Voilà, sublime dervis, la clef de la nature; voilà des principes féconds, dont on tire des conséquences à perte de vue [b].

La connaissance de cinq ou six vérités a rendu leur philosophie pleine de miracles et leur a fait faire presque autant de prodiges [c] et de merveilles que tout ce qu'on nous raconte de nos saints prophètes [3].

Car, enfin, je suis persuadé qu'il n'y a aucun de nos

1. L'application de cette mécanique aux mouvements des astres vient de la IIIe partie des *Principes* (*Du monde visible, ibid.*, p. 182). Mais c'est Malebranche qui insistera le plus vivement sur l'immutabilité des lois naturelles (*Méditations chrétiennes*, VII, *Traité de la nature et de la grâce*, Elzevier, 1680, p. 35).

2. Résumé des thèses cartésiennes tirées des *Principes* : « Tout corps qui se meut tend à continuer son mouvement en ligne droite » (II, 39). « Un corps qui se meut se détourne aisément par la rencontre d'un autre corps. » (III, 65.) « Les lois de la nature sont telles que tous les corps qui se meuvent en rond doivent continuellement faire quelque effort pour s'éloigner des centres autour desquels ils se meuvent. » (III, 54.) Descartes expose alors l'exemple de la fronde et étend à l'univers sa théorie des tourbillons (III, 58-60).

3. Commentaire pertinent de l'abbé Gaultier (*op. cit.*, p. 49) : « C'est-à-dire que Descartes, Newton et les philosophes modernes ont raisonné mieux que Moïse sur la structure de l'Univers, d'où l'auteur laisse à penser que la raison humaine est un guide plus sûr que la Révélation. »

docteurs qui n'eût été embarrassé si on lui eût dit de peser dans une balance tout l'air qui est autour de la terre, ou de mesurer toute l'eau qui tombe chaque année sur sa surface, et qui n'eût pensé plus de quatre fois avant de dire combien de lieues le son fait dans une heure, quel temps [a] un rayon de lumière emploie à venir du soleil à nous; combien de toises il y a d'ici à Saturne; quelle est la courbe selon laquelle un vaisseau doit être taillé pour être le meilleur voilier qu'il soit possible [1].

Peut-être que, si quelque homme divin avait orné les ouvrages de ces philosophes de paroles hautes et sublimes; s'il y avait mêlé des figures hardies et des allégories mystérieuses : il aurait fait un bel ouvrage, qui n'aurait cédé qu'au saint Alcoran.

Cependant, s'il faut te dire ce que je pense, je ne m'accommode guère du style figuré [2]. Il y a dans notre Alcoran

1. Montesquieu réunit ici quelques-uns des problèmes posés par la science de son temps, mais le choix n'en est pas arbitraire. Les travaux sur la pesanteur et l'épaisseur de l'atmosphère terrestre se multiplient à la suite de Boyle, Hooke et surtout Mariotte (*Discours de la nature de l'air*, 1679) qui fixe à 30.000 pieds la limite de l'air raréfié. Les premières mesures des chutes de pluie sont dues aux Anglais Towneley (1677) et Hooke (1695) dont l'appareil sert toujours actuellement à Gresham College (cf. *Philosophical transactions*, 1677, t. XIX, p. 357). Diverses mesures de la vitesse du son ont été données par Gassendi et Mersenne vers 1636, Borelli en 1656, puis Cassini, Römer et Huygens à Paris. La vitesse de la lumière était infinie pour Descartes : Olav Römer en 1672-76, étudiant à Paris, à propos des éclipses des satellites de Jupiter, des irrégularités entre l'heure calculée et l'heure observée, reconnut que ces erreurs s'expliquaient par la vitesse de propagation de la lumière : environ 48.000 lieues à la seconde. La lumière du soleil devait nous parvenir en 8 minutes 13 secondes (cf. *Histoire de l'Académie des Sciences*, Paris, 1733, anno 1676). C'est Edmond Halley qui constata le premier certaines erreurs sur la situation des planètes Jupiter et Saturne et les rectifia dans son *Catalogue* de 1679. Avant les traités de construction navale de Bouguer (1746) et de Duhamel (1752) le meilleur ouvrage était l'*Architecture navale* (1677 et 1695) de Dassié. Bon nombre de ces questions, de science pure ou de technologie, ont été évoquées à l'Académie de Bordeaux (cf. Pierre Barrière, *l'Académie de Bordeaux*, Bière, Bordeaux, 1951, p. 169 sq).

2. Cette critique du style figuré du *Coran* pourrait s'étendre à la *Bible*, si l'on en croit Spinoza et Richard Simon. Le style poétique et la verve orientale doivent-ils excuser les erreurs de physique et les

un grand nombre de petites choses [a] qui me paraissent toujours telles, quoiqu'elles soient relevées par la force et la vie de l'expression. Il semble d'abord que les livres inspirés ne sont que les idées divines rendues en langage humain. Au contraire, dans notre Alcoran [b], on trouve souvent le langage de Dieu et les idées des hommes, comme si, par un admirable caprice, Dieu y avait dicté les paroles, et que l'homme eût fourni les pensées.

Tu diras peut-être que je parle trop librement de ce qu'il y a de plus saint parmi nous; tu croiras que c'est le fruit de l'indépendance où l'on vit dans ce pays. Non, grâce au Ciel, l'esprit n'a pas corrompu le cœur, et, tandis que je vivrai, Hali sera mon prophète [1].

De Paris, le 10 de la lune de Chahban, 1716.

LETTRE XCVIII

USBEK A IBBEN, A SMYRNE

IL n'y a point de pays au monde où la fortune soit si inconstante que dans celui-ci. Il arrive tous les dix ans des révolutions qui précipitent le riche dans la misère et enlèvent le pauvre, avec des ailes rapides, au comble des richesses. Celui-ci est étonné de sa pauvreté; celui-là l'est

contradictions morales ? C'est ce qu'avait mis en valeur Valentin Faydit dans ses *Remarques sur Virgile et Homère et sur le style poétique de l'Écriture Sainte* (Paris, 1705, cf. P. Vernière, *Spinoza en France, op. cit.*, t. I, p. 172 et 179).

1. L'abbé Gaultier ne décolère pas contre cette lettre (*op. cit.*, p. 44-57) : « L'auteur feint d'en vouloir à Hali, à Mahomet et à l'*Alcoran*. C'est saint Paul, les prophètes et les livres saints qu'il attaque... Mahomet et Hali ne sont ici que les hommes de paille. » Quant au style de l'*Alcoran*, « son intention est assez développée pour sentir qu'il en veut au style sublime des Prophètes ». « L'auteur veut que l'on croie qu'il est encore chrétien et qu'il le sera toujours, nonobstant ses discours pleins d'impiété. Il nous assure que chez lui l'esprit n'a pas corrompu le cœur. Mais pour penser comme il le fait, il faut que le cœur ait bien corrompu l'esprit. *Dixit insipiens in corde suo : non est Deus.* » La malice de l'abbé est perspicace; mais en 1751, il est un peu tard pour confondre athée et déiste.

de son abondance. Le nouveau riche admire la sagesse de la Providence ; le pauvre, l'aveugle fatalité du destin.

Ceux qui lèvent les tributs nagent au milieu des trésors : parmi eux, il y a peu de Tantales. Ils commencent pourtant ce métier par la dernière misère ; ils sont méprisés comme de la boue pendant qu'ils sont pauvres ; quand ils sont riches, on les estime assez : aussi ne négligent-ils rien pour acquérir de l'estime.

Ils sont à présent dans une situation bien terrible. On vient d'établir une chambre qu'on appelle *de Justice* parce qu'elle va leur ravir tout leur bien [1]. Ils ne peuvent ni détourner ni cacher leurs effets : car on les oblige de les déclarer au juste, sous peine de vie. Ainsi on les fait passer par un défilé bien étroit : je veux dire entre la vie et leur argent. Pour comble d'infortune [a], il y a un ministre, connu par son esprit, qui les honore de ses plaisanteries et badine sur toutes les délibérations du Conseil [2]... On ne trouve pas tous les jours des ministres disposés à faire rire le peuple, et l'on doit savoir bon gré à celui-ci de l'avoir entrepris.

Le corps des laquais est plus respectable en France qu'ailleurs ; c'est un séminaire de grands seigneurs [3] : il remplit le vide des autres états. Ceux qui le composent prennent la place des grands malheureux, des magistrats ruinés, des gentilshommes tués dans les fureurs de la guerre ; et, quand ils ne peuvent pas suppléer par

1. L'édit du Régent créant une *Chambre de justice* (14 mars 1716) fut promulgué à la demande du duc de Noailles et de son conseiller financier Rouillé. Lamoignon et Portail présidèrent ce tribunal de finances qui taxa de près de 200 millions les traitants et les prévaricateurs. Un ami de Montesquieu, Berthelot de Pléneuf, dut s'enfuir en Italie (Saint-Simon, *Mémoires*, édition Boislisle, t. XXIX, p. 157).

2. D'après les éditeurs du XVIIIe siècle, ce ministre serait Adrien Maurice, duc de Noailles, président du conseil des finances de 1715 à 1718. D'après les deux portraits de Saint-Simon (*op. cit.*, t. XXII, p. 192-199, et XXVI, p. 355-359) c'était un homme « gaillard, amusant, plaisant de la bonne et fine plaisanterie qui ne peut offenser, fécond en saillies charmantes ». Mais en 1715 Noailles est devenu « le serpent qui tenta Ève... avec toutes sortes de ressources dans l'esprit mais toutes pour le mal. Voilà le démon, voilà l'homme. »

3. Dans son chapitre *Des Biens de fortune* (VI, 15, 19, 20, 21), La Bruyère rappelait avec complaisance l'origine servile de Sosie, de Sylvain et de Périandre.

eux-mêmes, ils relèvent toutes les grandes maisons par le moyen de leurs filles, qui sont comme une espèce de fumier qui engraisse les terres montagneuses et arides.

Je trouve, Ibben, la Providence admirable dans la manière dont elle a distribué les richesses : si elle ne les avait accordées qu'aux gens de bien, on ne les aurait pas assez distinguées de la vertu, et on n'en aurait plus senti tout le néant [a]. Mais, quand on examine qui sont les gens [b] qui en sont les plus chargés, à force de mépriser les riches, on vient enfin à mépriser les richesses.

De Paris, le 26 de la lune de Maharram, 1717.

LETTRE XCIX

RICA A RHÉDI, A VENISE

JE trouve les caprices de la mode, chez les Français, étonnants [1]. Ils ont oublié comment ils étaient habillés cet été; ils ignorent encore plus comment ils le seront cet hiver. Mais, surtout [c], on ne saurait croire combien il en coûte à un mari pour mettre sa femme à la mode.

Que me servirait de te [d] faire une description exacte de leur habillement et de leurs parures? Une mode nouvelle viendrait détruire tout mon ouvrage, comme celui de leurs ouvriers, et [e], avant que tu eusses [f] reçu ma lettre, tout serait changé.

Une femme qui quitte Paris pour aller passer six mois [g] à la campagne en revient aussi antique que si elle s'y était

1. C'est un lieu commun des moralistes et des journalistes de vitupérer la mode. Pour La Bruyère, c'est « une chose folle qui découvre bien notre petitesse » (*De la mode*, chap. XIII, 1). Chardin avait surpris en signalant que « les habits des Orientaux ne sont point sujets à la mode » et que l'habit de Tamerlan, conservé au trésor d'Ispahan, était taillé « tout comme ceux qu'on fait aujourd'hui » (*op. cit.*, II, p. 50). Tous les prédécesseurs de Montesquieu utiliseront la remarque : J.-F. Bernard dans le chapitre IX de ses *Réflexions* (édit. 1716, p. 160-171), Cotolendi dans sa *Lettre d'un Sicilien* (*Saint-Évremoniana*, édit. 1710, p. 378-379).

oubliée trente ans. Le fils méconnaît le portrait de sa mère,
tant l'habit avec lequel elle est peinte lui paraît étranger;
il s'imagine que c'est quelque Américaine qui y est repré-
sentée, ou que le peintre a voulu exprimer quelqu'une de
ses fantaisies.

Quelquefois, les coiffures montent insensiblement,
et une révolution les fait descendre tout à coup [1]. Il a été
un temps que leur hauteur immense mettait le visage d'une
femme au milieu d'elle-même. Dans un autre, c'étaient [a]
les pieds qui occupaient cette place : les talons faisaient
un piédestal qui les tenait en l'air. Qui pourrait le croire ?
Les architectes ont été souvent obligés de hausser, de bais-
ser et d'élargir leurs portes [b], selon que les parures des
femmes exigeaient d'eux ce changement, et les règles de
leur art ont été asservies à ces caprices [c]. On voit quelque-
fois sur un visage une quantité prodigieuse de mouches,
et elles disparaissent toutes le lendemain. Autrefois, les
femmes avaient de la taille et des dents; aujourd'hui, il
n'en est pas question. Dans cette changeante nation, quoi
qu'en disent les mauvais plaisants [d], les filles se trouvent
autrement faites que leurs mères.

Il en est des manières et de la façon de vivre comme
des modes : les Français changent de mœurs selon l'âge
de leur roi. Le monarque pourrait même parvenir [e] à rendre

1. Les coiffures relevées sur le sommet de la tête avaient été mises
à la mode par Mlle de Fontanges. La Bruyère s'en moquait (*De la mode*,
XIII, 12) : « L'on condamne la mode qui fait de la tête des femmes la
base d'un édifice à plusieurs étages, dont l'ordre et la structure change
selon leurs caprices, qui éloigne les cheveux du visage bien qu'ils ne
croissent que pour l'accompagner... » Tous les satiriques y font
allusion : Boileau (*Satire* X, vers 194), mais aussi Bayle en 1699 (*Dic-
tionnaire*, article *Conecte*, note E); J.-F. Bernard (*op. cit.*, p. 171)
parle « d'un édifice bizarre qui ne sert nullement à garantir les femmes
des injures de l'air »; Dufresny *(Amusement* VI), d'étranges oiseaux
qui « touchent les nues de leurs superbes huppes » (rééd. 1921, Bossard,
p. 91). Puis les fontanges s'écroulèrent en 1714; ce fut, comme dit
Montesquieu, « une révolution ». Montesquieu semble se souvenir
d'une anecdote de Bayle où Louis XIV d'un mot aurait réformé la
mode (*op. cit.*, édit. 1734, t. II, p. 515) : « Si les têtes couronnées
connaissaient leurs forces à cet égard-là, elles feraient plus avec un
mot que tous les prédicateurs et les confesseurs avec une infinité de
paroles. »

la nation grave, s'il l'avait entrepris. Le Prince imprime le caractère de son esprit à la Cour; la Cour, à la Ville; la Ville, aux provinces. L'âme du souverain est un moule qui donne la forme à toutes les autres.

De Paris, le 8 de la lune de Saphar, 1717.

LETTRE C

RICA AU MÊME

JE te parlais l'autre jour de l'inconstance prodigieuse des Français sur leurs modes. Cependant il est inconcevable à quel point ils en sont entêtés : ils y rappellent tout [a]; c'est la règle avec laquelle ils jugent de tout ce qui se fait chez les autres nations [b] : ce qui est étranger leur paraît toujours ridicule. Je t'avoue que je ne saurais guère ajuster [c] cette fureur pour leurs coutumes avec l'inconstance avec laquelle ils en changent tous les jours.

Quand je te dis qu'ils méprisent tout ce qui est étranger, je ne parle [d] que des bagatelles : car, sur les choses importantes, ils semblent s'être méfiés d'eux-mêmes jusqu'à se dégrader. Ils avouent de bon cœur que les autres peuples sont plus sages, pourvu qu'on convienne qu'ils sont mieux vêtus. Ils veulent bien s'assujettir aux lois d'une nation rivale [1], pourvu que les perruquiers français décident en législateurs sur la forme des perruques étrangères. Rien ne leur paraît si beau que de voir le goût de leurs cuisiniers régner du septentrion au midi, et les ordonnances de leurs coiffeuses portées dans toutes les toilettes de l'Europe.

Avec ces nobles avantages, que leur importe que le bon sens leur vienne d'ailleurs et qu'ils aient pris de leurs voisins tout ce qui concerne le gouvernement politique et civil?

Qui peut penser qu'un royaume, le plus ancien et le

1. Serait-ce une allusion à la politique de vassalité à l'égard de l'Angleterre menée à bien par Dubois? Le traité de La Haye est signé le 25 février 1717 et notre lettre date du 12 avril.

plus puissant de l'Europe, soit gouverné, depuis plus
de dix siècles, par des lois qui ne sont pas faites pour
lui [1]? Si les Français avaient été conquis, ceci ne serait
pas difficile à comprendre; mais ils sont les conquérants [2].

Ils ont abandonné les lois anciennes, faites par leurs
premiers rois dans les assemblées générales de la nation [3];
et ce qu'il y a de singulier, c'est que les lois romaines, qu'ils
ont prises à la place, étaient en partie faites et en partie
rédigées par des empereurs contemporains de leurs légis-
lateurs.

Et, afin que l'acquisition fût entière, et que tout le
bon sens leur vînt d'ailleurs, ils ont adopté toutes les
constitutions des Papes et en ont fait une nouvelle partie
de leur droit [4] : nouveau genre de servitude.

Il est vrai que, dans les derniers temps, on a rédigé

1. Comme l'a remarqué André Masson, la source principale de cette
lettre serait dans Claude de Ferrière, *Histoire du droit romain* (Paris,
Warin, 1718). Mais le livre de chevet de Montesquieu est le traité du
même, les *Institutes du droit français contenant l'application du droit fran-
çais aux Institutes du droit romain* (Paris, Cochart, 1687, la Brède, n^os 717,
741 et 781). Il est curieux qu'en cette matière professionnelle, Montes-
quieu s'oppose aux romanistes et à Claude de Ferrière lui-même pour
qui le droit romain n'est pas le code d'un empire étranger, mais « la
raison écrite, tirée du droit naturel et du droit des gens..., le droit
commun de toutes les nations » (*op. cit.*, p. 285).
2. Montesquieu, suivant la thèse féodale de Boulainvilliers, confond
les Francs et les Français et semble réprouver le libéralisme des conqué-
rants germaniques : « Après que les Français eurent vaincu les peuples
qui suivaient le droit romain, ils leur laissèrent la liberté de s'en ser-
vir » (cf. Ferrière, *op. cit.*, p. 286).
3. Ces lois anciennes sont les *leges barbarorum* rédigées vers la fin
du V^e siècle, lois saliques, ripuaires et loi Gombette des Burgondes.
Les lois romaines contemporaines sont le *Digeste* et les *Institutes* colli-
gées à partir de 533 sous l'impulsion de Justinien, empereur d'Orient.
Mais ce n'est qu'au XII^e siècle que Placentin vint enseigner le droit
romain à Montpellier, selon la méthode des glossateurs (1160-1192).
On ne saurait donc parler d'une dénaturalisation du droit français
depuis dix siècles. En fait droit écrit et droit coutumier coexistent géo-
graphiquement et s'interpénètrent sur leurs frontières.
4. Le droit canonique s'est constitué lentement du XI^e au XII^e siècle
jusqu'à la *Constitution* de Gratien (vers 1150). Ce sont les *Décrétales*
qui, sous l'ancien régime, réglaient les problèmes juridiques intéressant
la discipline et la morale catholiques.

par écrit quelques statuts des villes et des provinces [1];
mais ils sont presque tous pris du droit romain.

Cette abondance de lois adoptées et, pour ainsi dire,
naturalisées, est si grande qu'elle accable également la
justice et les juges. Mais ces volumes de lois ne sont rien en
comparaison de cette armée effroyable de glossateurs, de
commentateurs, de compilateurs : gens aussi faibles par le
peu de justesse de leur esprit qu'ils sont forts par leur
nombre prodigieux [2].

Ce n'est pas tout. Ces lois étrangères ont introduit
des formalités dont l'excès est la honte [a] de la raison
humaine. Il serait assez difficile de décider si la forme
s'est rendue plus pernicieuse lorsqu'elle est entrée dans
la jurisprudence, ou lorsqu'elle s'est logée dans la méde-
cine; si elle a fait plus de ravages sous la robe d'un juris-
consulte que sous le large chapeau d'un médecin; et si,
dans l'une, elle a plus ruiné de gens qu'elle n'en a tué dans
l'autre.

De Paris, le 12 de la lune de Saphar, 1717.

LETTRE CI

USBEK A ***

ON parle toujours ici de la Constitution [3][b]. J'entrai
l'autre jour dans une maison où je vis d'abord un

1. Ce n'est pas dans « les derniers temps », mais dès le Moyen Age
que furent rédigées les *Coutumes* provinciales : Jean d'Ableiges compose
le *Grand coutumier de France* à la fin du XIVe siècle. Selon Olivier Mar-
tin (*Histoire du droit français*, 1948, p. 424) et contrairement à ce que dit
Montesquieu, la rédaction des coutumes enraya de façon décisive, en
France coutumière, les progrès du droit romain.
2. Cette revendication en faveur de l'unité et de la simplification du
droit français va dans le même sens que la réforme humaniste de Cujas
et que la campagne de Rabelais contre les glossateurs médiévaux,
depuis Accurse et Bartole jusqu'à Balde et Jason. A l'époque même de
Montesquieu, c'est le programme du chancelier d'Aguesseau.
3. C'est le 8 septembre 1713 que Clément XI condamna, par la
constitution ou bulle *Unigenitus* cent une propositions extraites des

gros homme avec un teint vermeil, qui disait d'une voix
forte : « J'ai donné mon mandement [1]; je n'irai point
répondre à tout ce que vous dites; mais lisez-le, ce mande-
ment, et vous verrez que j'y ai résolu tous vos doutes.
J'ai bien sué [a] pour le faire, dit-il en portant la main sur le
front : j'ai eu besoin de toute ma doctrine, et il m'a fallu
lire bien des auteurs latins. — Je le crois, dit un homme qui
se trouva là : car c'est un bel ouvrage, et je défierais bien [b]
ce Jésuite qui vient si souvent vous voir d'en faire un meil-
leur. — Lisez-le [c] donc, reprit-il, et vous serez plus instruit
sur ces matières dans un quart d'heure que si je vous en
avais parlé toute la journée [d]. » Voilà comment il évitait
d'entrer en conversation et de commettre sa suffisance. Mais,
comme il se vit pressé, il fut obligé de sortir de ses retran-
chements [e], et il commença à dire théologiquement force
sottises, soutenu d'un dervis qui les lui rendait très respec-
tueusement. Quand deux hommes qui étaient là lui niaient
quelque principe, il disait d'abord : « Cela est certain :
nous l'avons jugé ainsi, et nous sommes des juges infailli-
bles. — Et comment, lui dis-je alors [f], êtes-vous des juges

Réflexions sur le Nouveau Testament du Père Quesnel, l'un des chefs du
parti janséniste. Le 15 février 1714, la bulle est enregistrée par le Parle-
ment, sous la pression de Louis XIV, magré le chancelier d'Agues-
seau et l'archevêque de Paris, le cardinal de Noailles. Après la mort de
Louis XIV, le cardinal prit la direction du « Conseil de conscience »
et la querelle se réveilla : la Sorbonne déclara la bulle « enregistrée
mais non acceptée »; quatre évêques en appelèrent du Pape au futur
concile œcuménique. Par déclaration du 7 octobre 1717, le Régent
imposa le silence et l'arrêt des libelles tant aux « appelants » qu'aux
« acceptants ».

1. Ce gros homme au teint vermeil fait penser à l'évêque de Fréjus,
Fleury. Son mandement contre la bulle *Unigenitus*, daté du 6 mai 1714,
est un monument de science théologique de 32 pages : on y prouve
que les passages contestés du P. Quesnel reproduisent les erreurs
anciennes de Baïus. Le succès en fut grand; Quesnel le réfuta sur le
mode ironique; les malveillants lui en contestèrent la paternité. Or,
en 1717, date de la *Lettre* CI, Fleury, nommé précepteur du Dauphin,
une semaine avant la mort de Louis XIV, entre réellement en charge;
il passe pour ami des Jésuites, mais on ignore encore ses ambitions.
Montesquieu, ancien élève des Oratoriens et parlementaire, n'est pas
sans sympathie, à cette date, pour l'opposition janséniste. Qui sait
si cette lettre, lors de sa candidature à l'Académie en 1727, n'explique
pas l'hostilité de Fleury à son égard?

infaillibles? — Ne voyez-vous pas, reprit-il, que le Saint-Esprit nous éclaire? — Cela est heureux, lui répondis-je : car, de la manière dont vous avez parlé aujourd'hui, je reconnais que vous avez grand besoin d'être éclairé. »

De Paris, le 18 de la lune de Rebiab 1, 1717.

LETTRE CII

USBEK A IBBEN, A SMYRNE

L ES plus puissants états de l'Europe sont ceux de l'Empereur, des rois de France, d'Espagne et d'Angleterre. L'Italie et une grande partie de l'Allemagne sont partagées en un nombre infini de petits états *a*, dont les princes sont, à proprement parler, les martyrs de la souveraineté. Nos glorieux sultans ont plus de femmes que quelques-uns *b* de ces princes n'ont de sujets. Ceux d'Italie, qui ne sont pas si unis, sont plus à plaindre : leurs états sont ouverts comme des caravansérails, où ils sont obligés de loger les premiers qui viennent; il faut donc qu'ils s'attachent aux grands princes et leur fassent part de leur frayeur plutôt que de leur amitié.

La plupart des gouvernements d'Europe sont monarchiques, ou plutôt sont ainsi appelés : car je ne sais pas s'il y en a jamais eu véritablement de tels; au moins est-il difficile *c* qu'ils aient subsisté longtemps dans leur pureté *d*. C'est un état violent, qui dégénère toujours en despotisme ou en république [1] : la puissance ne peut jamais être également partagée entre le peuple et le prince; l'équilibre est trop difficile à garder. Il faut que le pouvoir diminue d'un côté, pendant qu'il augmente de l'autre; mais l'avantage

1. A. Adam cite une note des *Pensées* où s'exprime la même idée : « La monarchie dégénère ordinairement dans le despotisme d'un seul » (*ap. cit.*, t. I, p. 114). Mais cette note, qui dans le manuscrit porte le numéro 1893, ne saurait être antérieure à la composition de *l'Esprit des lois* (cf. R. Shackleton, R. H. L., 1952, p. 426). Nous sommes ici à l'origine des spéculations qui mèneront au livre VIII de *l'Esprit des lois* (*De la corruption des principes des trois gouvernements*).

est ordinairement du côté du prince, qui est à la tête des armées.

Aussi le pouvoir des rois d'Europe est-il bien grand, et on peut dire qu'ils l'ont tel qu'ils le veulent. Mais ils ne l'exercent point avec tant d'étendue que nos sultans : premièrement, parce qu'ils ne veulent point choquer les mœurs et la religion des peuples ; secondement, parce qu'il n'est pas de leur intérêt de le porter si loin.

Rien ne rapproche plus nos *a* princes de la condition de leurs sujets que cet immense pouvoir qu'ils exercent sur eux ; rien ne les soumet plus aux revers et aux caprices de la fortune.

L'usage où ils sont de faire mourir tous ceux qui leur déplaisent, au moindre signe qu'ils font [1], renverse la proportion qui doit être entre les fautes et les peines, qui est comme l'âme des États et l'harmonie des Empires ; et cette proportion, scrupuleusement gardée par les princes chrétiens, leur donne un avantage infini sur nos sultans.

Un Persan, qui par imprudence ou par malheur, s'est attiré la disgrâce du prince est sûr de mourir : la moindre faute ou le moindre caprice le met dans cette nécessité. Mais, s'il avait attenté à la vie de son souverain, s'il avait voulu livrer ses places aux ennemis, il en serait quitte aussi pour perdre la vie. Il ne court donc pas plus de risque dans ce dernier cas que dans le premier *b*.

Aussi, dans la moindre disgrâce, voyant la mort certaine, et ne voyant rien de pis, il se porte naturellement à troubler l'État et à conspirer contre le souverain : seule ressource qui lui reste [2].

1. Cf. Chardin (*op. cit.*, II, p. 211) : « Il n'y a assurément aucun souverain au monde si absolu que le roi de Perse... Rien ne met à couvert de *l'extravagance de leur caprice*, ni probité, ni mérite, ni zèle, ni service rendu ; un mouvement de leur fantaisie, marqué par un mot de la bouche ou un *signe des yeux*, renverse à l'instant les gens les mieux établis, les prive des biens et de la vie ; et cela, sans aucune forme et sans prendre aucun soin de vérifier le crime imputé. »

2. Dans un brouillon de *lettre persane* conservé dans les *Pensées* (*op. cit.*, I, III) Montesquieu donnait plus d'audace à son personnage : « Nos princes ont jusqu'ici exercé le pouvoir avec si peu de retenue, ils se sont si fort joués de la nature humaine que je ne m'étonne pas que

Il n'en est pas de même des grands d'Europe, à qui la disgrâce n'ôte rien que la bienveillance et la faveur. Ils se retirent de la Cour et ne songent qu'à jouir d'une vie tranquille et des avantages de leur naissance. Comme on ne les fait guère périr que pour le crime de lèse-majesté, ils craignent d'y tomber, par la considération de ce qu'ils ont à perdre et du peu qu'ils ont à gagner : ce qui fait qu'on voit peu de révoltes et peu de princes qui périssent *a* d'une mort violente.

Si, dans cette autorité illimitée qu'ont nos princes, ils n'apportaient pas tant de précaution pour mettre leur vie en sûreté, ils ne vivraient pas un jour; et, s'ils n'avaient à leur solde un nombre innombrable de troupes pour tyranniser le reste de leurs sujets, leur empire ne subsisterait pas un mois.

Il n'y a que quatre ou cinq siècles qu'un roi de France prit des gardes, contre l'usage de ce temps-là, pour se garantir des assassins qu'un petit prince d'Asie avait envoyés pour le faire périr [1] : jusque-là, les rois avaient vécu tranquilles au milieu de leurs sujets, comme des pères au milieu de leurs enfants.

Bien loin que les rois de France puissent, de leur propre mouvement, ôter la vie à un de leurs sujets, comme nos sultans, ils portent, au contraire, toujours avec eux la grâce de tous les criminels. Il suffit qu'un homme ait été

Dieu permette que les peuples se lassent et secouent un joug trop appesanti. » Le Persan faisait allusion à la révolte de Mir-Weiss en 1719. Une note sur les mêmes événements est conservée dans le *Spicilège* (*op. cit.*, p. 80).

1. Anecdote tirée des *Gesta Philippi Augusti* du moine Rigord. Philippe Auguste ayant quitté la Terre Sainte, son compagnon de croisade Richard Cœur de Lion aurait en 1192 soudoyé des Haschichin, fidèles du vieux de la Montagne, pour venir l'assassiner à Paris. Le roi prit des précautions : « Misit nuncios ad Vetulum Arsacidarum regem, ut per ipsum rei veritatem diligentius et plenius cognosceret. Interim tamen instituit rex ad majorem cautelam custodes corporis sui. » (*Op. cit.*, Renouard, 1882, p. 120.) Mais Montesquieu a probablement utilisé un intermédiaire, Nicolas Baudot de Juilly et son *Histoire de Philippe Auguste* (Paris, Brunet, 1702, t. I, p. 207). La Bibliothèque de Bordeaux conserve l'exemplaire de son ami le Président Barbot (H. 8479).

assez heureux pour voir l'auguste visage de son prince,
pour qu'il cesse d'être indigne de vivre. Ces monarques
sont comme le soleil, qui porte partout la chaleur et la vie.

De Paris, le 8 de la lune de Rebiab 2, 1717.

LETTRE CIII

USBEK AU MÊME

POUR suivre l'idée de ma dernière lettre, voici à peu
près ce que me disait, l'autre jour, un Européen assez
sensé.

« Le plus mauvais parti que les princes d'Asie aient
pu prendre, c'est de se cacher comme ils font. Ils veulent se
rendre plus respectables ; mais ils font respecter la Royauté,
et non pas le Roi, et attachent l'esprit des sujets à un certain
trône, et non pas à une certaine personne.

« Cette puissance invisible qui gouverne est toujours
la même pour le Peuple. Quoique dix rois, qu'il ne con-
naît que de nom, se soient égorgés l'un après l'autre,
il ne sent aucune différence ; c'est comme s'il avait été gou-
verné successivement par des esprits.

« Si le détestable parricide de notre grand roi Henri IV
avait porté ce coup sur un roi des Indes, maître du sceau
royal et d'un trésor immense, qui aurait semblé amassé
pour lui, il aurait pris tranquillement les rênes de l'Empire
sans qu'un seul homme eût pensé à réclamer son roi, sa
famille et ses enfants [1].

1. Montesquieu pense-t-il à un événement réel ? L'allusion à un « roi
des Indes » justifierait le rapprochement d'A. Adam avec une note du
Spicilège (*op. cit.*, p. 81) : des lettres d'Ispahan, datées du 30 juin 1719,
annonçaient une révolution aux Indes ; le Grand Mogol, à la suite
d'un mariage avec une Hindoue, venait d'être assassiné par son entou-
rage et remplacé par un enfant : « Cette révolution s'est faite en cinq
heures de temps, sans causer aucune émotion. » L'utilisation de ces
nouvelles par Montesquieu permettrait de dater de 1720 environ la
rédaction de la *lettre* CIII. Mais on trouve aussi dans la bibliothèque
de la Brède l'ouvrage d'Antoine Galland, *la Mort du sultan Osman*
(Paris, 1768, *op. cit.*, nº 3118) qui fournirait un épisode comparable
(cf. *Lettre* LXXX).

« On s'étonne de ce qu'il n'y a presque jamais de changement dans les gouvernements des princes d'Orient. D'où *a* vient cela, si ce n'est qu'il est tyrannique et affreux ?

« Les changements ne peuvent être faits que par le Prince ou par le Peuple. Mais, là, les princes n'ont garde d'en faire, parce que, dans un si haut degré de puissance, ils ont tout ce qu'ils peuvent avoir ; s'ils changeaient quelque chose, ce ne pourrait être qu'à leur préjudice.

« Quant aux sujets, si quelqu'un d'eux forme quelque résolution, il ne saurait l'exécuter sur l'État : il faudrait qu'il contre-balançât tout à coup une puissance redoutable et toujours unique ; le temps lui manque, comme les moyens ; mais il n'a qu'à aller à la source de ce pouvoir, et il ne lui faut qu'un bras et qu'un instant.

« Le meurtrier monte sur le trône, pendant que le monarque en descend, tombe et va expirer à ses pieds.

« Un mécontent, en Europe, songe à entretenir quelque intelligence secrète, à se jeter chez les ennemis, à se saisir de quelque place, à exciter quelques vains murmures parmi les sujets. Un mécontent, en Asie, va droit au prince, étonne, frappe, renverse ; il en efface jusqu'à l'idée : dans un instant, l'esclave et le maître ; dans un instant, usurpateur et légitime.

« Malheureux le roi qui n'a qu'une tête ! Il semble ne réunir sur elle toute sa puissance que pour indiquer au premier ambitieux l'endroit où il la trouvera tout entière. »

De Paris, le 17 de la lune de Rebiab 2, 1717.

LETTRE CIV

USBEK *b* AU MÊME

Tous les peuples d'Europe ne sont pas également soumis à leurs princes : par exemple, l'humeur impatiente des Anglais ne laisse guère à leur roi le temps d'appesantir son autorité ; la soumission et l'obéissance sont les vertus dont ils se piquent le moins. Ils disent là-dessus des choses bien extraordinaires. Selon eux, il n'y a qu'un

lien qui puisse attacher les hommes, qui est celui de la gratitude : un mari, une femme, un père et un fils ne sont liés entre eux que par l'amour qu'ils se portent, ou par les bienfaits qu'ils se procurent, et ces motifs divers de reconnaissance sont l'origine de tous les royaumes et de toutes les sociétés [1].

Mais, si un prince, bien loin de faire vivre ses sujets heureux, veut les accabler et les détruire, le fondement de l'obéissance cesse : rien ne les lie, rien ne les attache à lui; et ils rentrent dans leur liberté naturelle. Ils soutiennent que tout pouvoir sans bornes ne saurait être légitime, parce qu'il n'a jamais pu avoir d'origine légitime. Car nous ne pouvons pas, disent-ils, donner à un autre plus de pouvoir sur nous que nous n'en avons nous-mêmes. Or nous n'avons pas sur nous-mêmes un pouvoir sans bornes : par exemple, nous ne pouvons pas nous ôter la vie. Personne n'a donc, concluent-ils, sur la terre un tel pouvoir [2].

Le crime de lèse-majesté n'est autre chose, selon eux, que le crime que le plus faible commet contre le plus fort en lui désobéissant, de quelque manière qu'il lui désobéisse. Aussi le peuple d'Angleterre qui se trouva le plus fort

1. Cette interprétation psychologique des causes de la liberté politique anglaise est encore fort confuse. Montesquieu ne connaît pas encore l'Angleterre et les Anglais et ne fait pas cas des théoriciens insulaires du contrat social, qu'il s'agisse de Locke ou de Hobbes. D'après Crisafulli (*article cité*, p. 775), il faut y déceler la même influence que sur la *Lettre* XCIV, celle de Shaftesbury (cf. *Essay on the freedom of wit and humour*, Robertson, 1900, I, p. 74). Deux traductions avaient été données de l'*Essay* en 1710 par Pierre Coste et par J. Van Effen.

2. Une telle page est essentielle pour retracer l'origine historique des idées démocratiques en Europe. Le fait, c'est Cromwell et la Révolution de 1648; les tenants de Cromwell firent voir dans l'attitude de Charles I[er] une rupture de contrat; le 3 janvier 1648, Ireton déclarait à la Chambre des Communes : « Le roi a refusé à son peuple sûreté et protection. C'est uniquement en retour de sa protection que l'obéissance lui est due. Puisqu'il nous retire sa protection, c'est à nous de lui retirer l'obéissance et de régler l'État sans lui. » La Révolution de 1688 et l'accession au trône de Guillaume d'Orange donnèrent plus de poids à cette doctrine défendue en ces termes par Jean Leclerc (*Bibliothèque universelle*, XIII, 138 sq) : « Les particuliers renoncent à leur liberté naturelle en faveur d'un prince, mais s'il vient à violer son contrat juré, ils reprennent leur liberté, veillent eux-mêmes à leur propre conservation ou délèguent un autre prince. »

contre un de leurs rois, déclara-t-il que c'était un crime *a*
de lèse-majesté à un prince de faire la guerre à ses sujets [1].
Ils ont donc grande raison quand ils disent que le précepte
de leur Alcoran qui ordonne de se soumettre aux puissances [2]
n'est pas bien difficile à suivre, puisqu'il leur est impossible
de ne le pas observer; d'autant que ce n'est pas au plus
vertueux qu'on les oblige de se soumettre, mais à celui
qui est le plus fort.

Les Anglais disent qu'un de leurs rois, ayant vaincu et
fait prisonnier un prince qui lui disputait la couronne,
voulut *b* lui reprocher son infidélité et sa perfidie : « Il n'y
a qu'un moment, dit le prince infortuné, qu'il vient d'être
décidé lequel de nous deux est le traître [3]. »

Un usurpateur déclare rebelles tous ceux qui n'ont
point opprimé la Patrie comme lui, et, croyant qu'il n'y
a pas de lois là où il ne voit point de juges, il fait révérer
comme des arrêts du Ciel les caprices du hasard et de la
fortune [4].

De Paris, le 20 de la lune de Rebiab 2, 1717.

1. Avant même le procès de Charles I[er] devant la Haute Cour diri-
gée par Bradshaw, la Chambre des Communes déclara le I[er] janvier
1649 qu' « un roi pouvait se rendre coupable de lèse-majesté envers
son peuple ». Montesquieu a-t-il lu les détails du procès dans la tra-
duction française de Clarendon (*Histoire des guerres civiles d'Angleterre*,
La Haye, 1704-1709, 6 vol.) qu'il possède à la Brède (*op. cit.*, n° 3198)?
A-t-il connu, dès les *Lettres persanes*, le *Discours sur le gouvernement*
d'Algernon Sidney (trad. Samson, La Haye, 1702) qu'il citera plus
tard (cf. *Pensées*, t. II, p. 275) et l'admirable *Traité du pouvoir des rois
de la Grande-Bretagne* (Amsterdam, 1714), d'auteur inconnu, mais loué
et commenté par le *Journal littéraire de La Haye* (t. V, p. 333-346) qu'il
lit assidûment (cf. la Brède, *op. cit.*, n° 2563)?
2. Allusion à l'Épître de saint Paul aux Romains (XIII, 1) : « Que toute
personne soit soumise aux puissances supérieures. »
3. Selon Barckhausen, il s'agirait d'un épisode de la guerre des
Deux-Roses et d'une réponse du prince Édouard, fils de Henri VI, à
Édouard IV, vainqueur à la bataille de Tewkesbury, le 4 mai 1471.
Nous n'avons retrouvé l'anecdote ni dans Moreri, ni dans l'*Histoire
d'Angleterre* d'Isaac de Larrey (1697-1698, 4 vol., in-folio).
4. La limite des sympathies de Montesquieu pour les mouvements
populaires est donnée par une citation de Cicéron (*Lettres à Atticus*,
XIV) qu'il copiera dans son *Catalogue* de la Brède au chapitre des histo-
riens anglais (*op. cit.*, p. 234) : « Non una cum libertate respublica recu-
perata, interfecto rege, liberi non sumus. »

LETTRE CV

RHÉDI A USBEK, A PARIS

Tu m'as beaucoup parlé, dans une de tes lettres, des sciences et des arts cultivés en Occident. Tu me vas regarder comme un barbare; mais je ne sais si l'utilité que l'on en retire dédommage les hommes du mauvais usage que l'on en fait tous les jours.

J'ai ouï dire que la seule invention des bombes avait ôté la liberté à tous les peuples de l'Europe *a*. Les princes, ne pouvant plus confier la garde des places aux bourgeois, qui, à la première bombe, se seraient rendus, ont eu un prétexte pour entretenir de gros corps de troupes réglées, avec lesquelles ils ont, dans la suite, opprimé leurs sujets.

Tu sais que, depuis l'invention de la poudre, il n'y a plus de places imprenables *b*; c'est-à-dire, Usbek, qu'il n'y a plus d'asile sur la terre contre l'injustice et la violence.

Je tremble toujours qu'on ne parvienne à la fin à découvrir quelque secret qui fournisse une voie plus abrégée pour faire périr les hommes, détruire les peuples et les nations entières.

Tu as lu les historiens; fais-y bien attention : presque toutes les monarchies n'ont été fondées que sur l'ignorance des arts et n'ont été détruites que parce qu'on les a trop cultivés [1]. L'ancien empire de Perse peut nous en fournir un exemple domestique.

Il n'y a pas longtemps que je suis en Europe; mais j'ai ouï parler à des gens sensés des ravages de la chimie [2] : il semble que ce soit un quatrième fléau qui ruine les hommes et les détruit en détail, mais continuellement; tandis que

1. *Pensées* (*op. cit.*, I, p. 114) : « Presque toutes les nations du monde roulent dans ce cercle; d'abord elles sont barbares; elles conquièrent et elles deviennent des nations policées; cette police les agrandit et elles deviennent des nations polies. La politesse les affaiblit; elles sont conquises et redeviennent barbares.»

2. Cf. *Pensées* (I, p. 378) : « Si la physique n'avait d'autres inventions que celles de la poudre et du feu grégeois, on ferait fort bien de la bannir comme la magie. »

la guerre, la peste, la famine, les détruisent en gros, mais par intervalles.

Que nous a servi l'invention de la boussole et la découverte de tant de peuples, qu'à nous communiquer leurs maladies [1], plutôt que leurs richesses? L'or et l'argent avaient été établis, par une convention générale, pour être le prix de toutes les marchandises et un gage de leur valeur, par la raison que ces métaux étaient rares et inutiles à tout autre usage. Qu'importait-il [a] donc qu'ils devinssent plus communs, et que, pour marquer la valeur d'une denrée, nous eussions deux ou trois signes au lieu d'un? Cela n'en était que plus incommode.

Mais, d'un autre côté, cette invention a été bien pernicieuse aux pays qui ont été découverts. Les nations entières ont été détruites, et les hommes qui ont échappé à la mort ont été réduits à une servitude si rude que le récit en fait [b] frémir les musulmans [2].

Heureuse l'ignorance des enfants de Mahomet! Aimable simplicité, si chérie de notre saint Prophète, vous me rappelez toujours la naïveté des anciens temps et la tranquillité qui régnait dans le cœur de nos premiers pères!

De Venise, le 5ᵉ de la lune de Rhamazan, 1717.

1. Cf. *Pensées* (I, p. 183) : « La grande communication des peuples a répandu et répand tous les jours des maladies destructrices » et (I, p. 495) : « Nous avons apporté aux Caraïbes le mal de Siam. Je crois que nous leur avons apporté la petite vérole... Ces pays nous ont rendu le pion... Avec les richesses de tous les climats nous avons les maladies de tous les climats. »

2. C'était en effet l'indignation de l'Espion turc (*op. cit.*, t. II, p. 92) : « C'est un sujet suffisant pour animer contre les Espagnols tous les princes du monde. Je prends seulement le parti de la justice. » Montesquieu résumait les crimes de la colonisation espagnole dans le *Traité des devoirs* (in *Pensées*, I, p. 389 sq et 399 sq) : « Je ne saurais soutenir la lecture de ces histoires teintes de sang. »

LETTRE CVI

USBEK A RHÉDI, A VENISE

Ou tu ne penses pas ce que tu dis, ou bien tu fais mieux que tu ne penses. Tu as quitté ta patrie pour t'instruire, et tu méprises toute instruction. Tu viens pour te former dans un pays où l'on cultive les beaux-arts, et tu les regardes comme pernicieux. Te le dirai-je, Rhédi? Je suis plus d'accord avec toi que tu ne l'es avec toi-même.

As-tu bien réfléchi à l'état barbare et malheureux où nous entraînerait la perte des arts? Il n'est pas nécessaire de se l'imaginer: on peut le voir. Il y a encore des peuples sur la terre chez lesquels un singe passablement instruit pourrait vivre avec honneur: il s'y trouverait à peu près à la portée des autres habitants; on ne lui trouverait point l'esprit singulier, ni le caractère bizarre; il passerait tout comme un autre et serait même distingué *a* par sa gentillesse.

Tu dis que les fondateurs des empires ont presque tous ignoré les arts. Je ne te nie pas que des peuples barbares n'aient pu, comme des torrents impétueux, se répandre sur la terre et couvrir de leurs armées féroces les royaumes les mieux policés. Mais, prends-y garde, ils ont appris les arts ou les ont fait exercer aux peuples vaincus; sans cela, leur puissance aurait passé comme le bruit du tonnerre et des tempêtes.

Tu crains, dis-tu, que l'on n'invente quelque manière de destruction plus cruelle que celle qui est en usage. Non. Si une si fatale invention venait à se découvrir, elle serait bientôt prohibée par le droit des gens; et le consentement unanime des nations ensevelirait cette découverte. Il n'est point de l'intérêt des princes de faire des conquêtes par de pareilles voies: ils doivent chercher *b* des sujets, et non pas des terres.

Tu te plains de l'invention de la poudre et des bombes; tu trouves étrange qu'il n'y ait plus de place imprenable: c'est-à-dire que tu trouves étrange que les guerres soient

aujourd'hui terminées plus tôt qu'elles ne l'étaient autre-
fois.

Tu dois avoir remarqué, en lisant les histoires, que,
depuis l'invention de la poudre, les batailles sont beaucoup
moins sanglantes qu'elles ne l'étaient, parce qu'il n'y a
presque plus de mêlée.

Et quand il se serait trouvé quelque cas particulier
où un art aurait été préjudiciable, doit-on pour cela le
rejeter ? Penses-tu, Rhédi, que la religion que notre saint
Prophète a apportée du Ciel soit pernicieuse parce qu'elle
servira un jour *a* à confondre les perfides chrétiens ?

Tu crois que les arts amollissent les peuples et, par
là, sont cause de la chute des empires ? Tu parles de la
ruine de celui des anciens Perses, qui fut l'effet de leur
mollesse. Mais il s'en faut bien que cet exemple décide,
puisque les Grecs, qui les vainquirent *b* tant de fois et les
subjuguèrent, cultivaient les arts avec infiniment plus de
soin qu'eux.

Quand on dit que les arts rendent les hommes efféminés,
on ne parle pas du moins de gens qui s'y appliquent, puis-
qu'ils ne sont jamais dans l'oisiveté, qui, de tous les vices,
est celui qui amollit le plus le courage.

Il n'est donc question que de ceux qui en jouissent.
Mais, comme, dans un pays policé, ceux qui jouissent
des commodités d'un art sont obligés d'en cultiver un
autre, à moins de *c* se voir réduits à une pauvreté hon-
teuse, il suit *d* que l'oisiveté et la mollesse sont incompa-
tibles avec les arts.

Paris est peut-être la ville du monde la plus sensuelle,
et où l'on raffine le plus sur les plaisirs ; mais c'est peut-
être celle où l'on mène une vie plus dure. Pour qu'un
homme vive délicieusement, il faut que cent autres tra-
vaillent sans relâche. Une femme s'est mis dans la tête
qu'elle devait paraître à une assemblée avec une certaine
parure ; il faut que, dès ce moment, cinquante artisans ne
dorment plus et n'aient plus le loisir de boire et de manger :
elle commande, et elle est obéie plus promptement que ne
serait notre monarque *e*, parce que l'intérêt est le plus grand
monarque de la terre.

Cette ardeur pour le travail, cette passion de s'enrichir,

passe de condition en condition, depuis les artisans jus-
ques aux grands. Personne n'aime à être plus pauvre que
celui qu'il vient de voir immédiatement au-dessous de lui.
Vous voyez à Paris un homme qui a de quoi vivre jusqu'au
jour du jugement, qui travaille sans cesse *a* et court risque
d'accourcir ses jours, pour amasser, dit-il, de quoi vivre.

Le même esprit gagne la nation : on n'y voit que tra-
vail et qu'industrie. Où est donc ce peuple efféminé dont tu
parles tant ?

Je suppose, Rhédi, qu'on ne souffrît dans un royaume
que les arts *b* absolument nécessaires à la culture des terres,
qui sont pourtant en grand nombre, et qu'on en bannît
tous ceux qui ne servent qu'à la volupté ou à la fantaisie;
je le soutiens : cet état serait un des plus misérables *c* qu'il y
eût au monde.

Quand les habitants auraient assez de courage pour se
passer de tant de choses qu'ils doivent à leurs besoins, le
peuple dépérirait tous les jours, et l'État deviendrait si
faible qu'il n'y aurait si petite puissance qui ne pût *d* le
conquérir.

Il me serait aisé d'entrer dans un long détail et de te
faire voir que les revenus des particuliers cesseraient
presque absolument, et, par conséquent, ceux du prince.
Il n'y aurait presque plus de relation de facultés entre les
citoyens; on verrait finir cette circulation de richesses et
cette progression *e* de revenus qui vient de la dépendance
où sont les arts les uns des autres : chaque particulier vivrait
de sa terre et n'en retirerait que ce qu'il lui faut précisé-
ment *f* pour ne pas mourir de faim. Mais, comme ce n'est
pas quelquefois la vingtième partie des revenus d'un état *g*,
il faudrait que le nombre des habitants diminuât à propor-
tion, et qu'il n'en restât que la vingtième *h* partie.

Fais bien attention jusqu'où vont les revenus de l'in-
dustrie. Un fonds ne produit annuellement à son maître
que la vingtième partie de sa valeur; mais, avec une pistole
de couleur *i*, un peintre fera un tableau qui lui en vaudra
cinquante. On en peut dire de même des orfèvres, des
ouvriers en laine, en soie, et de toutes sortes d'artisans [1].

1. Dans cette réponse d'Usbek à Rhédi s'exprime la véritable opi-

De tout ceci, on doit [a] conclure, Rhédi, que, pour qu'un prince soit puissant, il faut que ses sujets vivent dans les délices; il faut qu'il travaille à leur procurer toutes sortes de superfluités, avec autant d'attention que les nécessités de la vie [1].

De Paris, le 14 de la lune de Chalval, 1717.

LETTRE CVII

RICA A IBBEN, A SMYRNE

J'AI vu le jeune Monarque. Sa vie est bien précieuse à ses sujets. Elle ne l'est pas moins à toute l'Europe, par les grands troubles que sa mort pourrait produire [2]. Mais les Rois sont comme les Dieux, et, pendant qu'ils vivent, on doit les croire immortels. Sa physionomie est majestueuse, mais charmante; une belle éducation semble concourir avec un heureux naturel et promet déjà un grand prince.

nion de Montesquieu sur l'utilité sociale des arts, des sciences et même du luxe (cf. André Morize, *l'Apologie du luxe au XVIIIᵉ siècle*, *Le Mondain et ses sources*, Paris, Didier, 1909). Il insistera dans les *Pensées* (II, p. 403) sur la stagnation de toute économie exclusivement rurale : « Pour qu'un homme cultive au delà du nécessaire, il faut lui donner envie d'avoir le superflu. Or il n'y a que les artisans qui le donnent. » Toute la lettre annonce les célèbres chapitres du livre VII de *l'Esprit des lois* (chap. 1 à 7).

1. Cf. *Pensées* (II, 405) : « J'entrerai volontiers dans les idées de celui qui a fait la fable des Abeilles et je demanderai qu'on me montre de grands citoyens dans aucun pays, qui y fassent autant de bien qu'en font, à de certaines nations commerçantes, leurs petits-maîtres. » Faut-il en déduire que Montesquieu connaissait déjà en 1721 Mandeville et la *Fable des Abeilles* ? L'ouvrage avait paru en anglais en 1706, mais la traduction française est de 1740 (Londres, Nourse, 4 vol.).

2. En cas de mort du jeune Louis XV, dont la santé inspirait des alarmes, des troubles étaient à prévoir; malgré sa renonciation au trône de France, Philippe V, roi d'Espagne, était le dernier descendant légitime de Louis XIV et intriguait auprès des bâtards, notamment du duc du Maine. La maison d'Orléans, issue du frère de Louis XIV, pouvait prétendre au trône. L'Europe déjà se divisait, prête à participer à la curée.

On dit que l'on ne peut jamais connaître le caractère des rois d'Occident jusques à ce qu'ils aient passé par les deux grandes épreuves de leur maîtresse et de leur confesseur. On verra bientôt l'un et l'autre travailler à se saisir de l'esprit de celui-ci, et il se livrera pour cela de grands combats : car, sous un jeune prince, ces deux puissances sont toujours rivales; mais elles se concilient et réunissent sous un vieux. Sous un jeune prince, le dervis a un rôle bien difficile à soutenir : la force du roi fait sa faiblesse; mais l'autre triomphe également de sa faiblesse et de sa force.

Lorsque j'arrivai en France, je trouvai le feu Roi absolument gouverné par les femmes, et, cependant, dans l'âge où il était, je crois que c'était le monarque de la Terre qui en avait le moins besoin [a]. J'entendis un jour une femme qui disait : « Il faut que l'on fasse quelque chose pour ce jeune colonel : sa valeur m'est connue; j'en parlerai au ministre. » Une autre disait : « Il est surprenant que ce jeune abbé ait été oublié; il faut qu'il soit évêque : il est homme de naissance, et je pourrais répondre de ses mœurs. » Il ne faut pas pourtant que tu t'imagines que celles qui tenaient ces discours fussent des favorites du Prince; elles ne lui avaient peut-être pas parlé deux fois en leur vie : chose pourtant très facile à faire chez les princes européens. Mais c'est qu'il n'y a personne qui ait quelque emploi à la Cour, dans Paris ou dans les provinces, qui n'ait une femme par les mains de laquelle passent toutes les grâces et quelquefois les injustices qu'il peut faire. Ces femmes ont toutes des relations les unes avec les autres et forment une espèce de république dont les membres toujours actifs se secourent et se servent mutuellement : c'est comme un nouvel État dans l'État; et celui qui est à la Cour, à Paris, dans les provinces, qui voit agir des ministres, des magistrats, des prélats, s'il ne connaît les femmes qui les gouvernent, est comme un homme qui [b] voit bien une machine qui joue, mais qui n'en connaît point les ressorts.

Crois-tu, Ibben, qu'une femme s'avise d'être la maîtresse d'un ministre pour coucher avec lui? Quelle idée! C'est pour lui présenter cinq ou six placets tous les matins, et la bonté de leur naturel paraît dans l'empressement qu'elles

ont de faire du bien à une infinité de gens malheureux qui leur procurent cent mille livres de rente.

On se plaint, en Perse, de ce que le royaume est gouverné par deux ou trois femmes. C'est bien pis en France, où les femmes en général gouvernent, et non seulement prennent *ᵃ* en gros, mais même se partagent en détail toute l'autorité.

De Paris, le dernier de la lune de Chalval, 1717.

LETTRE CVIII

USBEK A ***

I<small>L</small> y a une espèce de livres que nous ne connaissons point en Perse, et qui me paraissent ici fort à la mode : ce sont les journaux. La paresse se sent flattée en les lisant : on est ravi de pouvoir parcourir trente volumes en un quart d'heure [1].

Dans la plupart des livres, l'auteur n'a pas fait les compliments ordinaires que les lecteurs sont aux abois : il les fait entrer à demi morts dans une matière noyée au milieu d'une mer de paroles. Celui-ci veut s'immortaliser par un *in-douze ;* celui-là, par un *in-quarto ;* un autre, qui a de plus belles inclinations, vise à l'*in-folio.* Il faut donc qu'il étende son sujet à proportion ; ce qu'il fait sans pitié, comptant pour rien la peine du pauvre lecteur, qui se tue à réduire ce que l'auteur a pris tant de peine à amplifier.

1. D'après la bibliothèque de la Brède, nous connaissons les journaux reçus et lus par Montesquieu et qui flattaient sa « paresse » : à côté des *Nouvelles de la République des Lettres* de Bayle (nᵒ 2568), la *Bibliothèque universelle* et la *Bibliothèque choisie* de Jean Le Clerc (nᵒˢ 2569 et 2570), les *Mémoires* de Trévoux (nᵒ 2572), l'*Histoire des ouvrages des savants* de Basnage de Beauval (nᵒ 2588), l'*Histoire critique de la République des Lettres* (nᵒ 2589), le *Journal littéraire de La Haye* de Sallengre, Saint-Hyacinthe et Van Effen (nᵒ 2563), la *Bibliothèque anglaise* de Michel de la Roche (nᵒ 2574), c'est-à-dire la presque totalité de la presse littéraire européenne. D'après les notes du *Spicilège,* nous le voyons lire la *Gazette de France,* la *Gazette de Hollande* et la *Gazette d'Amsterdam.* Il s'agit ici seulement de la presse littéraire qui jouait alors le rôle des revues modernes et se bornait à rendre compte des ouvrages récents.

Je ne sais, ***, quel mérite il y a à faire de pareils ouvrages :
j'en ferais bien autant si je voulais ruiner ma santé et
un libraire.

Le grand tort qu'ont les journalistes, c'est qu'ils ne
parlent que des livres nouveaux; comme si la vérité était
jamais nouvelle. Il me semble que, jusqu'à ce qu'un homme
ait lu tous les livres anciens, il n'a aucune raison de leur
préférer les nouveaux.

Mais, lorsqu'ils s'imposent la loi de ne parler que des
ouvrages encore tout chauds de la forge, ils s'en imposent
une autre, qui est d'être très ennuyeux. Ils n'ont garde de
critiquer les livres dont ils font les extraits, quelque raison
qu'ils en aient; et, en effet, quel est l'homme assez hardi
pour vouloir se faire dix ou douze ennemis tous les mois ?

La plupart des auteurs ressemblent aux poètes, qui
souffriront une volée de coups de bâton sans se plaindre;
mais qui, peu jaloux de leurs épaules, le sont si fort de leurs
ouvrages qu'ils ne sauraient soutenir la moindre critique.
Il faut donc bien se donner de garde de les attaquer par un
endroit si sensible, et les journalistes le savent bien. Ils font
donc tout le contraire. Ils commencent par louer la matière
qui est traitée : première fadeur. De là, ils passent aux
louanges de l'auteur; louanges forcées : car ils ont affaire
à des gens qui sont encore en haleine, tout prêts à se faire
faire raison et à foudroyer à coups de plume un téméraire
journaliste.

De Paris, le 5 de la lune de Zilcadé, 1718.

LETTRE CIX

RICA A ***

L'Université de Paris est la fille aînée des rois de
France et très aînée : car elle a plus de neuf cents ans [1];
aussi rêve-t-elle quelquefois.

1. Montesquieu suit une légende qui faisait remonter la fondation
de l'Université de Paris à Charlemagne. En fait les premiers documents
sûrs datent de Philippe Auguste.

On m'a confié qu'elle eut, il y a quelque temps, un grand démêlé avec quelques docteurs à l'occasion de la lettre *Q*, qu'elle voulait que l'on prononçât comme un *K* [1]. La dispute s'échauffa si fort que quelques-uns furent dépouillés de leurs biens. Il fallut que le Parlement terminât le différend, et il accorda la permission, par un arrêt solennel, à tous les sujets du roi de France de prononcer cette lettre à leur fantaisie. Il faisait beau voir les deux corps de l'Europe les plus respectables occupés à décider du sort d'une lettre de l'alphabet.

Il semble, mon cher ***, que les têtes des plus grands hommes s'étrécissent lorsqu'elles sont assemblées, et que, là où il y a plus de sages, il y ait aussi moins de sagesse. Les grands corps s'attachent toujours si fort aux minuties [a], aux vains usages, que l'essentiel ne va jamais qu'après. J'ai ouï dire qu'un roi d'Aragon [2], ayant assemblé les états d'Aragon et de Catalogne, les premières séances s'employè-

1. « Il veut parler de la querelle de Ramus. » *(Note de Montesquieu.)* L'anecdote provient de Bayle (*Dictionnaire hist.*, article *Ramus*, édit. 1735, t. IV, p. 837, note G) qui cite la *Vita Rami* de Freigius (p. 24). François de la Ramée, dit Ramus, professeur au Collège de France en 1551 et adversaire d'Aristote, se vit en butte aux attaques de la Sorbonne : « Ses ennemis prirent pour une matière de procès en crime d'innovation la manière dont lui et ses collègues prononçaient la lettre Q... Quelques ecclésiastiques suivirent cette réforme... Mais un bénéficier se trouva fort mal d'avoir déplu là-dessus à la Sorbonne; elle le fit dépouiller de ses revenus; il se pourvut au Parlement et comme les professeurs royaux craignirent qu'il ne succombât, ils se crurent obligés de le secourir; ils allèrent donc à l'audience et représentèrent si vivement à la Cour l'indignité d'un tel procès que l'accusé fut absous. » D'après Freigius, le Parlement garantit l'impunité grammaticale, « tacito assentu impunitatem de grammatica pronunciatione disputandi ».

2. « C'était en 1610. » *(Note de Montesquieu.)* L'anecdote est consignée dans le *Spicilège* (*op. cit.*, p. 39) : « Ferdinand, roi d'Aragon, assemblait les États d'Aragon et de Catalogne quand il entreprenait quelque guerre importante ... L'an 1510, les États de ces deux provinces étant assemblés dans une ville limitrophe, les préliminaires furent en quelle langue serait conçue la délibération et cette difficulté dura plusieurs jours. Enfin on convint que la demande se ferait en langage catalan et la réponse en aragonais. » Notons l'erreur de Montesquieu qui indique 1610 et non 1510. Mais cette partie du *Spicilège* se borne à transcrire un recueil compilé par le Père Desmolets, bibliothécaire de l'Oratoire et grand ami de Montesquieu. D'où Desmolets tirait-il cette histoire ?

rent à décider en quelle langue les délibérations seraient
conçues; la dispute était vive, et les états se seraient rom-
pus mille fois, si l'on n'avait imaginé un expédient, qui
était que la demande serait faite en langage catalan et la
réponse en aragonais.

De Paris, le 25 de la lune de Zilhagé, 1718.

LETTRE CX

RICA A ***

LE rôle d'une jolie femme est beaucoup plus grave
que l'on ne pense : il n'y a rien de plus sérieux que ce
qui se passe le matin à sa toilette, au milieu de ses domes-
tiques; un général d'armée n'emploie pas plus d'attention
à placer sa droite ou son corps de réserve, qu'elle en met
à poster une mouche[a], qui peut manquer, mais dont elle
espère ou prévoit le succès.

Quelle gêne d'esprit, quelle attention pour concilier
sans cesse les intérêts de deux rivaux, pour paraître neutre
à tous les deux pendant qu'elle est livrée à l'un et à l'autre,
et se rendre médiatrice sur tous les sujets de plainte qu'elle
leur donne!

Quelle occupation pour faire succéder et renaître les
parties de plaisir[b] et prévenir tous les accidents qui pour-
raient les rompre!

Avec tout cela, la plus grande peine n'est pas de se
divertir; c'est de le paraître : ennuyez-les tant que vous
voudrez, elles vous le pardonneront, pourvu que l'on
puisse croire qu'elles se sont réjouies[c].

Je fus, il y a quelques jours, d'un souper que des femmes
firent à la campagne. Dans le chemin, elles disaient sans
cesse : « Au moins, il faudra bien nous divertir[d]. »

Nous nous trouvâmes assez mal assortis et, par consé-

Probablement des *Anales de la corona de Aragon* de Geronimo Zurita
et Blasco de Lanuza (Saragosse, 1610 et 1622, 9 vol.).

quent, assez sérieux. « Il faut avouer, dit une de ces femmes, que nous nous divertissons bien : il n'y a pas aujourd'hui dans Paris une partie si gaie que la nôtre. » Comme l'ennui me gagnait, une femme me secoua et me dit : « Eh bien ! ne sommes-nous pas de bonne humeur ? — Oui, lui répondis-je en bâillant ; je crois que je crèverai à force de rire. » Cependant la tristesse triomphait toujours des réflexions, et, quant à moi, je me sentis conduit de bâillements en bâillements dans un sommeil léthargique, qui finit tous mes plaisirs.

De Paris, le 11 de la lune de Maharram, 1718.

LETTRE CXI [a]

USBEK [b] A ****

L E règne du feu Roi a été si long que la fin en avait fait oublier le commencement. C'est aujourd'hui la mode de ne s'occuper que des événements arrivés dans sa minorité, et on ne lit plus que les mémoires de ces temps-là [1].

Voici le discours qu'un des généraux de la ville de Paris prononça dans un conseil de guerre, et j'avoue que je n'y comprends pas grand-chose [2].

1. Comme l'a fort bien décelé A. Adam, Montesquieu a rédigé cette lettre sous l'impression d'une lecture précise, celle des *Mémoires* du cardinal de Retz. La première édition est de 1717, mais à la Brède Montesquieu disposait d'une des cinq éditions hollandaises de 1718 (*op. cit.*, p. 218, n° 3040). Tous les contemporains se laissèrent tenter par le parallèle entre les deux Régences et les deux minorités : « Ce livre, disait Brossette à J.-B. Rousseau (28 février 1718), me rend ligueur, frondeur et presque séditieux par contagion ». Montesquieu, féodal et parlementaire de Bordeaux, où la Fronde avait été fort populaire, tempère d'humour son hostilité à Mazarin. Sa curiosité pour l'époque est attestée à la Brède par les *Mémoires de Rochefort* par Courtilz de Sandraz (Cologne, 1692-n° 3044), de Guy Joly (Rotterdam, 1718, n° 2972), de Montrésor (Cologne, 1723, n° 3018), de La Rochefoucauld (1710, n° 2979), mais surtout par le très précieux *Journal du Parlement de Paris* des années 1648-49 (Paris, 1649, 4 vol. n⁰ˢ 4973-76).

2. Ce discours en conseil de guerre — qui dans l'édition B était une

Messieurs, quoique nos troupes aient été repoussées avec perte, je crois qu'il nous sera facile de réparer cet échec[a]*. J'ai six couplets de chanson tout prêts à mettre au jour, qui, je m'assure, remettront toutes choses dans l'équilibre. J'ai fait choix de quelques voix très nettes, qui, sortant de la cavité de certaines poitrines très fortes, émouvront merveilleusement le Peuple*[b]*. Ils sont sur un air qui a fait, jusqu'à présent, un effet tout particulier.*

Si cela ne suffit pas, nous ferons paraître[c] *une estampe qui fera voir Mazarin pendu*[d]*.*

Par bonheur pour nous, il ne parle pas bien français, et il l'écorche tellement qu'il n'est pas possible que ses affaires ne déclinent. Nous ne manquons pas de faire bien remarquer au Peuple le ton ridicule dont il prononce[e]*.*

Nous relevâmes, il y a quelques jours, une faute de grammaire si grossière qu'on en fit des farces par tous les carrefours[1]*.*

lettre à un ami — d'un des généraux de la ville de Paris est une synthèse humoristique des événements de la première Fronde (janvier-avril 1649), nullement un document réel. Après la fuite de la cour à Saint-Germain, un directoire militaire avait pris le pouvoir; sous le prince de Conti, généralissime, trois lieutenants généraux commandaient tour à tour, le duc d'Elbeuf, le duc de Bouillon et le maréchal de la Mothe-Houdancourt. Mais l'échec des frondeurs fait allusion à un événement précis, omis par Retz mais conté par Guy Joly (Paris, Foucault, 1825, p. 52) : Le coadjuteur avait levé un régiment de « Corinthiens » (Retz était archevêque de Corinthe); chargé d'escorter des vivres, il subit un rude échec au pont Antony, dans la nuit du 27 au 28 janvier 1649; cette défaite, appelée par la cour « la première aux Corinthiens », fut minimisée par le coadjuteur en séance du Parlement le 29 au matin. C'est Retz qui parle dans la lettre de Montesquieu; c'est lui qui organise la campagne des chansonniers, qui écrit ou suscite les « Mazarinades » : « Il ne se passait pas de jour, déclare Guy Joly, qu'il ne se fît quelque chanson nouvelle contre le cardinal Mazarin, la plupart fort spirituelles... Cette licence de parler était une des choses qui contribuait le plus à entretenir l'animosité du peuple. » (*Op. cit.*, p. 53.)

1. Dans l'édition *B* des *Lettres persanes*, Montesquieu parle d'un frondeur, « un certain gouverneur de Normandie » : il s'agit du duc de Longueville qui, au dire de Retz, « avait été de quatre ou cinq guerres civiles », trublion qui « ne pouvait s'empêcher de traitailler » (édition Hachette, t. II, p. 451 et 454). Dans une note de la même édition, Montesquieu rappelait l'anecdote de Mazarin prononçant *Arrêt d'oignon* au lieu d'*Arrêt d'union*. Un arrêt du Parlement du 13 mai 1648, dit *Arrêt d'union*, organisait l'assemblée des députés des quatre

J'espère qu'avant qu'il soit huit jours le Peuple fera [a] *du nom de Mazarin un mot générique pour exprimer toutes les bêtes de somme et celles qui servent à tirer* [1].

Depuis notre défaite [b], *notre musique l'a si furieusement vexé sur le péché originel que, pour ne pas voir ses partisans réduits à la moitié, il a été obligé de renvoyer tous ses pages* [2].

Ranimez-vous donc ; reprenez courage, et soyez sûrs que nous lui ferons repasser les monts à coups de sifflets [c] [3].

De Paris, le 4 de la lune de Chahban, 1717 [d].

cours souveraines de Paris pour délibérer « sur le soulagement des peuples et le bien de l'État » ; l'arrêt fut cassé le 12 juin par le conseil d'En-haut, mais au cours de conférences tenues au Luxembourg du 21 au 27 juin, Mazarin céda ; c'est là qu'il commit cette erreur de langue dont les chansonniers s'emparèrent. L'anecdote date donc de six mois et non de « quelques jours ».

1. Cf. Guy Joly (*op. cit.*, p. 35) : « Ce nom même tomba dans une telle horreur que le menu peuple s'en servait comme d'une espèce d'imprécation et il était assez ordinaire d'entendre les charretiers dans les rues, en frappant leurs chevaux les traiter de bougres de mazarins. »

2. Le « péché originel » serait-il le péché d'origine de Mazarin, Sicilien et ancien sujet du roi d'Espagne ? Le Parlement faisait valoir un ancien arrêt, postérieur à la mort de Concini, qui interdisait à tout étranger de « posséder office ou bénéfice dans le royaume » (cf. Retz, *op. cit.*, t. V, p. 449). Mais l'allusion aux « pages » serait pour Maurice Tourneux *(op. cit.)* révélatrice d'un autre vice de Mazarin. Le valet de chambre de Louis XIV, La Porte, plaisante dans ses *Mémoires* sur les goûts antiphysiques du cardinal.

3. Quand Montesquieu parle d'un délai de « huit jours », il reprend l'arrêt du Parlement du 8 janvier 1649 qui mettait Mazarin hors la loi et lui enjoignait « de se retirer de la cour dans ce jour et dans la huitaine hors du royaume ».

LETTRE CXII

RHÉDI A USBEK, A PARIS [1]

Pendant le séjour que je fais en Europe, je lis les historiens anciens et modernes : je compare tous les temps; j'ai du plaisir à les voir passer, pour ainsi dire, devant moi, et j'arrête surtout mon esprit à ces grands changements qui ont rendu les âges si différents des âges, et la Terre si peu semblable à elle-même.

Tu n'as peut-être pas fait attention à une chose qui cause tous les jours ma surprise. Comment le Monde est-il si peu peuplé en comparaison de ce qu'il était autrefois ? Comment la nature a-t-elle pu perdre cette prodigieuse fécondité des premiers temps ? Serait-elle déjà dans sa vieillesse, et tomberait-elle de langueur [2] ?

1. Dans une série de onze lettres (CXII à CXXII), Montesquieu se refuse au dosage des sujets qui faisait la variété des *Lettres persanes* et peut-être leur charme. Il s'agit ici d'un véritable essai sur les causes de la dépopulation dans le monde et sur les moyens d'enrayer cette crise générale de l'humanité. A. Adam a fait valoir (*op. cit.*, p. 300 et 309) deux variantes caractéristiques, dans les *Lettres* CXVIII et CXXI (« raisons que *nous* avons déjà dites... Ce nombre de nègres dont *nous* avons parlé »), corrigées par Montesquieu, qui se rend compte que le singulier convient mieux sous la plume d'Usbek; il est très probable que Montesquieu avait rédigé une dissertation sur la dépopulation et qu'il résolut de l'inclure, par un savant découpage, dans les *Lettres persanes*, à un moment ou sa verve commençait à tarir. L'ensemble prélude curieusement à la méthode ultérieure de *l'Esprit des lois* ainsi qu'au sujet du livre XXIII *(Des lois, dans le rapport qu'elles ont avec le nombre des habitants)* : après avoir exposé la thèse (*Lettre* CXII), il recherche les causes physiques (*Lettre* CXIII), religieuses et sociologiques (*Lettres* CXIV-CXV-CXVI-CXVII), économiques et politiques (*Lettres* CXVIII-CXX-CXXI) et présente quelques remèdes, d'ordre religieux ou politique (*Lettres* CXIX et CXXII). Deux ouvrages permettent d'éclairer et de rectifier la thèse de Montesquieu : A. Puvilland, *les Doctrines de la population en France au XVIII⁰ siècle* (Lyon, 1912) et Joseph J. Spengler, *Économie et population, les doctrines françaises avant 1800* (Presses universitaires, 1954).

2. L'idée de dépopulation universelle, fondée sur le mythe de l'âge d'or, remonte à l'Antiquité. Mais l'Antiquité elle-même parut un âge d'or aux penseurs de la Renaissance et aux premiers voyageurs qui

J'ai resté plus d'un an en Italie, où je n'ai vu que le débris de cette ancienne Italie si fameuse autrefois. Quoique tout le monde habite les villes, elles sont entièrement désertes et dépeuplées : il semble qu'elles ne subsistent encore que pour marquer le lieu où étaient ces cités puissantes dont l'histoire a tant parlé.

Il y a des gens qui prétendent que la seule ville de Rome contenait autrefois plus de peuple qu'un grand[a] royaume de l'Europe n'en a aujourd'hui. Il y a eu tel citoyen romain qui avait dix et même vingt mille esclaves, sans compter ceux qui travaillaient dans les maisons de campagne ; et, comme on y comptait quatre ou cinq cent mille citoyens, on ne peut fixer le nombre de ses habitants sans que l'imagination ne se révolte [1].

Il y avait autrefois dans la Sicile de puissants royaumes

parcoururent l'Europe et l'Orient. A la fin du XVIIe siècle, l'opinion se renforce que l'Europe se dépeuple, à la suite des guerres civiles ou nationales et des persécutions religieuses. L'année même de la Révocation de l'Édit de Nantes, Vossius dans son *Variarum observationum liber* soutient que l'Europe n'a plus que 30 millions d'habitants et la France 5 millions. Bayle commente Vossius la même année (*Œuvres diverses*, 1737, I, p. 212-214) et trouve ses conclusions excessives. Vauban dans la *Dîme royale* (1707, Alcan, 1933, p. 203) le réfute et propose 19 millions d'habitants pour la France. Montesquieu ne semble pas avoir possédé Vossius, mais lit Bayle et Vauban (la Brède, *op. cit.*, nos 2568 et 2442). La politique de peuplement, à la suite des rapports des intendants de Louis XIV (1698-1700) qui marquaient la décadence agricole du pays, est prônée par Fénelon, Boisguillebert (*le Détail de la France*, 1695 et *Dissertation sur la nature des richesses*, 1707) et Vauban (1707) ; Montesquieu a pu avoir connaissance des manuscrits de Boulainvilliers (*État de la France*, 1727, cf. *Correspondance*, t. I, p. 26) et de Bélesbat (cf. Schatz, *Revue des études politiques*, XX, 1906, et Spengler, *op. cit.*, p. 47).

1. L'idée vient de Vossius, relayé probablement par Bayle. Vossius avait inclus dans le *Variarum observationum liber* un traité de la grandeur de l'ancienne Rome (*op. cit.*, p. 26, chap VI : *Quando Roma fuerit maxima et hominum in Roma multitudo*) ; en l'an 667 de sa fondation, le dénombrement de Rome donnait 460.000 citoyens : « Si la proportion des esclaves aux citoyens était la même à Rome qu'à Athènes où pour 20.000 bourgeois on comptait 400.000 esclaves, il s'ensuivrait qu'il y aurait eu à Rome 8 millions d'esclaves, nombre plus grand que celui des hommes qui vivent dans quelque royaume d'Europe que ce soit, à ce que dit M. Vossius » (*Nouvelles de la République des Lettres*, janv. 1685, in *Œuvres diverses*, *op. cit.*, p. 32-33).

et des peuples nombreux, qui en ont disparu depuis : cette île n'a plus rien de considérable que ses volcans.

La Grèce est si déserte qu'elle ne contient pas la centième partie *a* de ses anciens habitants [1].

L'Espagne, autrefois si remplie, ne fait voir aujourd'hui que des campagnes inhabitées ; et la France n'est rien en comparaison de cette ancienne Gaule dont parle César [2].

Les pays du Nord sont fort dégarnis, et il s'en faut bien que les peuples y soient, comme autrefois, obligés de se partager et d'envoyer dehors, comme des essaims, des colonies et des nations entières chercher de nouvelles demeures.

La Pologne et la Turquie en Europe n'ont presque plus de peuples.

On ne saurait trouver dans l'Amérique la cinquantième partie *b* des hommes qui y formaient *c* de si grands empires.

L'Asie n'est guère en meilleur état. Cette Asie Mineure [3], qui contenait tant de puissantes monarchies et un nombre si prodigieux de grandes villes, n'en a plus que deux ou trois. Quant à la grande Asie, celle qui est soumise au Turc n'est pas plus peuplée *d* ; et, pour celle qui est sous la domination de nos rois, si on la compare à l'état florissant où elle était autrefois, on verra qu'elle n'a qu'une petite partie des habitants qui y étaient sans nombre du temps des Xerxès et des Darius [4].

1. L'ordre même des nations considérées, Italie, Sicile et Grèce, suppose la lecture de Vossius ou tout au moins de Bayle *(loc. cit.)* qui ralliait sur ce point les conclusions du *Variarum observationum liber*. Dans les *Pensées* (t. II, p. 351), Montesquieu reviendra sur les causes de la dépopulation de la Sicile, l'ancien « grenier de Rome ».

2. Montesquieu lisait dans Puffendorf (*Pensées*, t. I, p. 183) que la France sous Charles IX comptait 20 millions d'habitants ; sans aller jusqu'aux 5 millions de Vossius, il penchait pour 14 millions *(ibid.)*. Les évaluations de Vauban (19 millions en 1700) et de l'abbé Expilly (22 millions en 1765) semblent mieux fondées.

3. Paul Lucas (*Voyages*, 1717, t. I, p. 157) disait de l'Asie Mineure : « Ce pays autrefois si florissant est aujourd'hui presque abandonné. » Mais Montesquieu ne possède que l'édition de 1728 (la Brède, *op. cit.*, n° 2749).

4. Chardin est encore une fois la vraie source de Montesquieu :

Quant aux petits États qui sont autour de ces grands empires, ils sont réellement déserts : tels sont les royaumes d'Irimette, de Circassie et de Guriel. Ces princes, avec de vastes états, comptent à peine cinquante mille sujets [1].

L'Égypte n'a pas moins manqué que les autres pays.

Enfin, je parcours la Terre, et je n'y trouve que des délabrements [a] : je crois la voir sortir des ravages de la peste et de la famine.

L'Afrique a toujours été si inconnue qu'on ne peut en parler si [b] précisément que des autres parties du Monde; mais, à ne faire attention qu'aux côtes de la Méditerranée, connues de tout temps, on voit qu'elle a extrêmement déchu de ce qu'elle était sous les Carthaginois et les Romains [c]. Aujourd'hui ses princes sont si faibles que ce sont les plus petites puissances du Monde.

Après un calcul aussi exact qu'il peut l'être dans ces sortes de choses, j'ai trouvé qu'il y a à peine sur la Terre la dixième partie [d] des hommes qui y étaient dans les anciens temps [e]. Ce qu'il y a d'étonnant, c'est qu'elle se dépeuple tous les jours, et, si cela continue, dans dix siècles elle ne sera qu'un désert.

Voilà, mon cher Usbek, la plus terrible catastrophe qui soit jamais arrivée dans le Monde; mais à peine s'en est-on aperçu, parce qu'elle est arrivée insensiblement et dans le cours d'un grand nombre de siècles; ce qui marque

« Le manque de peuple dans la Perse ne vient pas de sa stérilité, mais c'est le manque de peuple qui fait qu'elle est stérile; de la même manière que la plupart des pays de l'empire ottoman... vous les voyez secs comme des landes, faute de peuple » (*op. cit.*, t. II, p. 6). Mais Tavernier disait au roi de Perse (*op. cit.*, IV, 18, p. 549) que « la plupart des provinces de Turquie étaient désertes » et que « depuis Smyrne jusqu'à Erzeroum, la caravane avait été vingt-deux jours sans trouver une âme dans les villages qui sont sur le grand chemin ». Ailleurs (t. III, p. 128), Chardin s'étonne, en « considérant la sécheresse et la stérilité de la Perse, combien elle est peu peuplée », en se souvenant « de ce que les anciennes histoires racontent de sa puissance, de sa fertilité et de son grand peuple ».

1. Chardin avait parcouru ces trois royaumes de septembre 1672 à janvier 1673 (*op. cit.*, t. I, p. 40 et 81) : la Circassie est le pays des Tcherkesses, au sud-est du Kouban; Guriel et Imirette sont deux principautés caucasiennes vassales des Turcs, entre la mer Noire et la Géorgie. Chardin ne donne aucun chiffre de population.

un vice intérieur, un venin secret et caché, une maladie
de langueur qui afflige la Nature humaine.

De Venise, le 10 de la lune de R hegeb, 1718.

LETTRE CXIII

USBEK A RHÉDI, A VENISE

L E Monde, mon cher Rhédi, n'est point incorrup-
tible [1]; les Cieux mêmes ne le sont pas : les astro-
nomes sont des témoins oculaires de leurs changements [a],
qui sont des effets bien naturels du mouvement universel
de la matière.

La Terre est soumise, comme les autres planètes, aux
lois [b] des mouvements; elle souffre au dedans d'elle un
combat perpétuel de ses principes : la Mer et le Continent
semblent être dans une guerre éternelle; chaque instant
produit de nouvelles combinaisons.

Les hommes, dans une demeure si sujette aux chan-
gements, sont dans un état aussi incertain : cent mille causes
peuvent agir, capables de [c] les détruire et, à plus forte rai-
son, d'augmenter ou de diminuer [d] leur nombre.

Je ne te parlerai pas de ces catastrophes particulières
si communes chez les historiens, qui ont détruit des villes
et des royaumes entiers; il y en a de générales, qui ont mis
bien des fois le Genre humain à deux doigts de sa perte [2].

1. En 1719, Montesquieu rédigeait, pour le compte de l'Académie
de Bordeaux, le prospectus d'une *Histoire de la terre ancienne et moderne*
(cf. *Œuvres*, édit. Laboulaye, t. VIII, p. 24, et P. Barrière, *l'Académie
de Bordeaux*, *op. cit.*, p. 208 sq).

2. Cette théorie « catastrophique » de l'univers vient très probable-
ment du curieux ouvrage de Thomas Burnet, *Telluris theoria sacra
originem et mutationes generales orbis nostri complectens*, que Montesquieu
possédait à la Brède (Londres, 1681, la Brède, nº 1415) et appréciait
dès 1713 (cf. Louis Desgraves, *Notes de Montesquieu sur la Chine*, in
Revue hist. de Bordeaux, 1958, p. 219 et 201). Selon Burnet (*op. cit.*, I,
4, p. 17), le monde n'est pas éternel et rien n'est éternel sous le ciel;
notre terre sort du chaos, c'est-à-dire d'une matière indifférenciée et
fluide; l'eau et les terres se séparèrent pour mettre au jour notre monde,

Les histoires sont pleines de ces pestes universelles qui ont tour à tour désolé l'Univers. Elles parlent d'une, entre autres [1], qui fut si violente qu'elle brûla jusques à la racine des plantes et se fit sentir dans tout le monde connu, jusques à l'empire du Catay; un degré de plus de corruption aurait peut-être, dans un seul jour, détruit toute la Nature humaine.

Il n'y a pas deux siècles que la plus honteuse de toutes les maladies se fit sentir en Europe, en Asie et en Afrique [2]; elle fit, dans très peu de temps, des effets prodigieux : c'était fait des hommes si elle avait continué ses progrès avec la même furie. Accablés de maux dès leur naissance, incapables de soutenir le poids des charges de la Société, ils auraient péri misérablement.

Qu'aurait-ce été si le venin eût été un peu plus exalté ? Et il le serait devenu sans doute si l'on n'avait été assez heureux pour trouver un remède aussi puissant que celui qu'on a découvert. Peut-être que cette maladie, attaquant les parties de la génération, aurait attaqué la génération même.

Mais pourquoi parler de la destruction qui aurait pu arriver au Genre humain ? N'est-elle pas arrivée, en effet, et le Déluge ne le réduisit-il pas à une seule famille ?

[Il y a des philosophes qui distinguent deux créations : celle des choses et celle de l'homme. Ils ne peuvent [a] comprendre] que la matière et les choses créées n'aient que six mille ans; que Dieu ait différé pendant toute l'éternité ses ouvrages et n'ait usé que d'hier de sa puissance créatrice. Serait-ce parce qu'il ne l'aurait pas pu, ou parce qu'il ne l'aurait pas voulu ? Mais, s'il ne l'a pas pu dans un temps,

« globus montuosus et terraqueus ». Puis le Déluge remet tout en question et le monde postdiluvien n'est qu'un amas de ruines : « Fractus orbis collapsus est et nos habitamus ipsius ruinas » (*ibid.*, p. 63).

1. Allusion possible à la peste noire de 1348.

2. Cf. *Pensées* (I, p. 490) : « Le *Novus orbis* dit qu'en 1605 la vérole ravagea le pays de Calicut, que cette maladie auparavant inconnue y avait été apportée par les Portugais, dix-sept ans auparavant; ce qui cadre fort avec la découverte des Indes. » Il s'agit du *Novus orbis regionum ac insularum veteribus incognitarum* (Bâle, 1532, in folio, la Brède, *op. cit.*, n° 2637).

il ne l'a pas pu dans l'autre. C'est donc parce qu'il ne l'a pas voulu. Mais, comme il n'y a point de succession dans Dieu, si l'on admet qu'il ait voulu quelque chose une fois, il l'a voulue toujours et dès le commencement [1] [a].

Cependant tous les historiens nous parlent d'un premier père. Ils nous font voir la Nature humaine naissante.

1. Imitation directe de Marana (*op. cit.*, t. III, p. 27, lettre 5) : « Peu s'en faut que je ne devienne Pythagoricien, que je ne croye que le monde est éternel. Et où en serait l'absurdité ? Dieu a la même puissance infinie de toute éternité, la même sagesse et la même bonté qu'il a eue depuis cinq ou six mille ans. Qui a donc dû l'empêcher d'exercer plus tôt ses divins attributs ? Quelle raison a-t-il pu avoir pour tirer si tard cette glorieuse fabrique du sein du néant ? » Mais à côté de ce dogme de l'éternité du monde ou plutôt de la coéternité du monde et de Dieu que l'on retrouve dans l'averroïsme et dans l'*Éthique* de Spinoza, Marana développe l'hypothèse de la *double création* (*op. cit.*, t. III, lettre 26, p. 123) : « J'ai eu des conversations avec divers rabbins et docteurs chrétiens... Ils croyent que la matière première est plus ancienne qu'Adam de cinq jours... Cependant il est dit qu'à Dieu un jour est mille ans... Suivant cette explication, Adam ne fut créé que plus de cinq mille ans après le commencement du monde. » (*Ibid.*, p. 127): ‹Les cinq jours que Moïse compte avant la création d'Adam pourraient bien être des millions d'années. » Quels sont ces « docteurs chrétiens » de Marana, ces « philosophes » de Montesquieu ? Pour Virgile Pinot (*la Chine et la formation de l'esprit philosophique en France*, Geuthner, 1932, p. 242, note 105), Montesquieu suivrait ici La Peyrère (*Preadamitae*, 1655, p. 13-14) « en libertin qui se sert du préadamisme moins par fidélité à La Peyrère que pour le plaisir de faire échec à Moïse ». De fait, le texte initial de 1721 critique nettement les six mille ans de l'histoire mosaïque et la prudence de Montesquieu est fort tardive. La Peyrère se jugeait incapable de concilier la *Bible* et la chronologie des anciens peuples païens. Le monde, selon lui, existerait avant Adam, ce qui inclut une double création ; mais l'idée n'est pas explicite. A notre avis, Montesquieu n'a pas lu La Peyrère, mais il peut connaître ses thèses par Vossius (*De aetate mundi*, La Haye, 1659, p. 4), et par Bayle (*Dict. hist. et critique*, article *Caïn*, note A); il emprunte de nombreuses expressions à Marana; mais la variante de 1758 sur la *double création* vient de Burnet, qui voit dans le récit mosaïque un exposé théologique et populaire : « Constat autem haec cosmopoeia *duabus partibus* quarum prima, massas generales atque rerum condendarum statum exhibet, sequiturque eadem principia et eumdem ordinem quem Antiqui usque retinuerunt. » Dès 1713, Montesquieu affrontait la querelle des chronologistes (cf. Desgraves, *article cité*, p. 218) et l'on comprend son mot de lassitude (variante ABC) : « Il ne faut pas compter les années du monde. » Comme toute science assimilée de longue date, celle de Montesquieu défie l'érudition.

N'est-il pas naturel de penser [a] qu'Adam fut sauvé d'un
malheur commun, comme Noé le fut du Déluge, et que
ces grands événements ont été fréquents sur la Terre depuis
la création du Monde ?

[Mais toutes les destructions ne sont pas violentes :
nous voyons plusieurs parties de la Terre se lasser de
fournir à la subsistance des hommes. Que savons-nous
si la Terre entière n'a pas des causes générales, lentes et
imperceptibles, de lassitude [b] ?]

J'ai été bien aise de te donner ces idées générales avant
de répondre plus particulièrement à la lettre sur la dimi-
nution des peuples arrivée depuis dix-sept à dix-huit siè-
cles. Je te ferai voir, dans une lettre suivante, qu'indépen-
damment des causes physiques il y en a de morales qui ont
produit cet effet.

De Paris, le 8 de la lune de Chahban, 1718.

LETTRE CXIV

USBEK AU MÊME

Tu cherches la raison pourquoi la Terre est moins
peuplée qu'elle ne l'était autrefois, et, si tu y fais
bien attention, tu verras que la grande différence vient
de celle qui est arrivée dans les mœurs.

Depuis que la religion chrétienne et la mahométane
ont partagé le Monde romain, les choses sont bien chan-
gées : il s'en faut de beaucoup [c] que ces deux religions
soient aussi favorables à la propagation de l'Espèce que
celle de ces maîtres de l'Univers.

Dans cette dernière, la polygamie était défendue;
et, en cela, elle avait un très grand avantage sur la religion
mahométane. Le divorce y était permis; ce qui lui en don-
nait un autre, non moins considérable, sur la chrétienne.

Je ne trouve rien de si contradictoire que cette plura-
lité des femmes [d] permises par le saint Alcoran, et l'ordre
de les satisfaire donné dans [e] le même livre.

« Voyez vos femmes, dit le Prophète, parce que vous
leur êtes nécessaires comme leurs vêtements, et qu'elles

vous sont nécessaires comme vos vêtements [1]. » Voilà
un précepte qui rend la vie d'un véritable Musulman bien
laborieuse. Celui qui a les quatre femmes établies par la
Loi [2], ou seulement autant de concubines ou d'esclaves [a],
ne doit-il pas être accablé de tant de vêtements ?

« Vos femmes sont vos labourages, dit encore le Pro-
phète. Approchez-vous donc de vos labourages, faites
du bien pour vos âmes, et vous le trouverez un jour [3]. »

Je regarde un bon Musulman comme un athlète destiné
à combattre sans relâche; mais qui, bientôt faible et acca-
blé de ses premières fatigues, languit dans le champ même
de la victoire et se trouve, pour ainsi dire, enseveli sous
ses propres triomphes.

La Nature agit toujours avec lenteur, et pour ainsi
dire, avec épargne : ses opérations ne sont jamais violentes;
jusque dans ses productions, elle veut de la tempérance;
elle ne va jamais qu'avec règle et mesure; si on la précipite,
elle tombe bientôt dans la langueur; elle emploie toute la
force qui lui reste à se conserver, perdant absolument
sa vertu productrice et sa puissance générative.

C'est dans cet état de défaillance que nous met toujours
ce grand nombre de femmes plus propre [b] à nous épuiser
qu'à nous satisfaire. Il est très ordinaire parmi nous de voir
un homme dans un sérail prodigieux avec un très petit
nombre d'enfants. Ces enfants mêmes sont, la plupart du
temps, faibles et malsains et se sentent de la langueur de
leur père [4].

Ce n'est pas tout : ces femmes obligées à une conti-

1. Montesquieu lisait le *Coran* dans la traduction de Du Ryer (*op.
cit.*, p. 21) : « Elles vous sont nécessaires comme vos vêtements et
vous leur êtes nécessaires comme leurs vêtements » (II, 183).

2. *Coran* (IV, 3) : « Épousez celles qui vous agréeront, ou deux, ou
trois, ou quatre. » Mais Chardin disait : « Cependant on n'en épouse
guère qu'une » (*op. cit.*, t. I, p. 166).

3. *Coran* (IV, 223, Du Ryer, p. 27) : « Vos femmes sont vos labou-
rages; approchez de votre labourage à votre volonté et faites du bien
pour vos âmes, vous le trouverez un jour. »

4. Ricaut (*op. cit.*, II, p. 367) reconnaît que la polygamie visait à
« la propagation du genre humain », mais constate que la pluralité
des femmes produit l'effet contraire chez les Turcs. Cf. *ibid.*, I, p. 203 :
« On a remarqué que les Turcs n'engendrent pas tant d'enfants, quoique

nence forcée ont besoin d'avoir des gens pour les garder, qui ne peuvent être que des eunuques : la Religion, la jalousie même ne permettent pas d'en laisser approcher d'autres. Ces gardiens doivent être en grand nombre, soit afin de maintenir la tranquillité au dedans, parmi les guerres que ces femmes se font sans cesse, soit [a] pour empêcher les entreprises du dehors. Ainsi un homme qui a dix femmes ou concubines n'a pas trop d'autant d'eunuques pour les garder. Mais quelle perte pour la Société que ce grand nombre d'hommes morts dès leur naissance ! Quelle dépopulation ne doit-il pas s'en suivre [b] !

Les filles esclaves qui sont dans le sérail, pour servir avec les eunuques ce grand nombre de femmes, y vieillissent presque toujours dans une affligeante virginité : elles ne peuvent pas se marier pendant qu'elles y restent, et leurs maîtresses, une fois accoutumées à elles, ne s'en défont presque jamais.

Voilà comment un seul homme occupe à ses plaisirs tant de sujets de l'un et de l'autre sexe [c], les fait mourir pour l'État, et les rend inutiles à la propagation de l'Espèce.

Constantinople et Ispahan sont les capitales des deux plus grands empires du Monde : c'est là que tout doit aboutir, et que les peuples, attirés de mille manières, se rendent de toutes parts. Cependant elles périssent d'elles-mêmes, et elles seraient bientôt détruites, si les souverains n'y faisaient venir, presque à chaque siècle, des nations entières pour les repeupler [1]. J'épuiserai ce sujet dans une autre lettre.

De Paris, le 13 de la lune de Chahban, 1718.

la polygamie et l'usage de plusieurs femmes leur soit permis, que ceux qui s'attachent aux chastes embrassements d'une seule femme. » Chardin est encore la vraie source (*op. cit.*, II, p. 6) : « Les hommes commencent trop jeunes à voir les femmes et avec tant d'excès que, quoiqu'ils en aient plusieurs, ils n'en ont pas pour cela plus d'enfants. »

1. C'est ce qu'indiquait Ricaut (*op. cit.*, I, 18) dans son chapitre : *Que les différents moyens dont se servent les Turcs pour augmenter leurs peuples est une politique essentielle.* Mêmes faits rapportés dans Tournefort, *op. cit.*, t. I, p. 474. Montesquieu reprend l'idée dans ses *Pensées* (I, 151) : « La plus déplorable situation est lorsque la capitale qui attire tout le monde des provinces se détruit de son côté. Constantinople est dans ce cas... On a beau y amener des colonies, la ville n'augmente pas. » Penserait-il à Paris ?

LETTRE CXV

USBEK AU MÊME

LES Romains n'avaient pas moins d'esclaves que nous; ils en avaient même plus; mais ils en faisaient un meilleur usage [1].

Bien loin d'empêcher, par des voies forcées, la multiplication de ces esclaves, ils la favorisaient au contraire de tout leur pouvoir : ils les associaient le plus qu'ils pouvaient par des espèces de mariages. Par ce moyen, ils remplissaient leurs maisons de domestiques de tous les sexes, de tous les âges, et l'État d'un peuple innombrable.

Ces enfants, qui faisaient à la longue la richesse d'un maître, naissaient sans nombre autour de lui; il était seul chargé de leur nourriture et de leur éducation; les pères, libres de ce fardeau, suivaient uniquement le penchant de la nature et multipliaient sans craindre une trop nombreuse famille.

Je t'ai dit que, parmi nous, tous les esclaves sont occupés à garder nos femmes et à rien de plus; qu'ils sont à l'égard de l'État, dans une perpétuelle léthargie; de manière qu'il faut restreindre à quelques hommes libres, à quelques chefs de famille, la culture des arts et des terres, lesquels même s'y donnent le moins qu'ils peuvent.

Il n'en était pas de même chez les Romains : la République se servait avec un avantage infini de ce peuple d'esclaves. Chacun d'eux avait son pécule, qu'il possédait aux conditions que son maître lui imposait; avec ce pécule, il travaillait et se tournait du côté où le portait son industrie. Celui-ci faisait valoir la banque, celui-là se donnait au commerce de la mer; l'un vendait des marchandises en détail; l'autre s'appliquait à quelque art mécanique ou bien affermait et faisait valoir des terres. Mais il n'y en avait

1. Montesquieu dans ses *Pensées* (I, p. 89) reviendra sur cette opinion et marquera la cruauté de l'esclavage antique : « Guerre servile, la plus juste qui ait été entreprise! » (Cf. *ibid.*, II, 374-377.)

aucun qui ne s'attachât de tout son pouvoir à faire profiter
ce pécule, qui lui procurait, en même temps, l'aisance dans
la servitude présente et l'espérance d'une liberté future.
Cela faisait un peuple laborieux, animait les arts et l'indus-
trie.

Ces esclaves, devenus riches par leurs soins et leur
travail, se faisaient affranchir et devenaient citoyens.
La République se réparait sans cesse et recevait dans son
sein de nouvelles familles, à mesure que les anciennes se
détruisaient.

J'aurai peut-être, dans mes lettres suivantes, occasion
de te prouver que plus il y a d'hommes dans un état,
plus le commerce y fleurit; je prouverai aussi facilement
que plus le commerce y fleurit, plus le nombre des hommes
y augmente : ces deux choses s'entraident et se favorisent
nécessairement.

Si cela est, combien ce nombre prodigieux d'esclaves,
toujours laborieux, devait-il s'accroître et s'augmenter!
L'industrie et l'abondance les faisaient naître, et eux, de
leur côté, faisaient naître l'abondance et l'industrie.

De Paris, le 16 de la lune de Chahban, 1718.

LETTRE CXVI

USBEK AU MÊME

Nous avons, jusques ici, parlé des pays mahométans
et cherché la raison pourquoi ils sont [a] moins peuplés
que ceux qui étaient soumis à la domination des Romains.
Examinons à présent ce qui a produit cet effet chez les Chré-
tiens.

Le divorce était permis dans la religion païenne, et il
fut défendu aux Chrétiens. Ce changement, qui parut
d'abord de si petite conséquence, eut insensiblement des
suites terribles, et telles qu'on peut à peine les croire.

On ôta non seulement toute la douceur du mariage,
mais aussi l'on donna atteinte à sa fin : en voulant resserrer
ses nœuds, on les relâcha; et, au lieu d'unir les cœurs,
comme on le prétendait, on les sépara pour jamais.

Dans une action si libre, et où le cœur doit avoir tant
de part, on mit la gêne, la nécessité et la fatalité du Destin
même. On compta pour rien les dégoûts, les caprices et
l'insociabilité des humeurs; on voulut fixer le cœur, c'est-
à-dire ce qu'il y a de plus variable et de plus inconstant dans
la nature; on attacha sans retour et sans espérance des gens
accablés l'un de l'autre et presque toujours mal assortis;
et l'on fit comme ces tyrans, qui faisaient lier des hommes
vivants à des corps morts.

Rien ne contribuait plus à l'attachement mutuel que
la faculté du divorce : un mari et une femme étaient portés
à soutenir patiemment les peines domestiques, sachant
qu'ils étaient maîtres de les faire finir, et ils gardaient sou-
vent ce pouvoir en mains toute leur vie sans en user,
par cette seule considération qu'ils étaient libres de le
faire.

Il n'en est pas de même des Chrétiens, que leurs peines
présentes désespèrent pour l'avenir : ils ne voient dans les
désagréments du mariage que leur durée et, pour ainsi dire,
leur éternité. De là viennent les dégoûts, les discordes, les
mépris, et c'est autant de perdu pour la postérité. A peine
a-t-on trois ans de mariage qu'on en néglige l'essentiel [1]; on
passe ensemble trente ans de froideur; il se forme des sépa-
rations intestines aussi fortes et peut-être plus perni-
cieuses que si elles étaient publiques; chacun vit et reste
de son côté; et tout cela au préjudice des races futures.
Bientôt un homme dégoûté d'une femme éternelle se
livrera aux filles de joie : commerce honteux et si contraire
à la Société, lequel sans remplir l'objet du mariage, n'en
représente tout au plus que les plaisirs.

Si, de deux personnes ainsi liées, il y en a une qui n'est
pas propre au dessein de la Nature et à la propagation
de l'Espèce, soit par son tempérament, soit par son âge,

1. Pierre Barrière aurait-il tort de voir là une confidence de Montes-
quieu? (Cf. *Éléments personnels dans les Lettres persanes*, R. H. L.,
1951, p. 26-27). Son mariage est de 1715 et la *Lettre* CXVI de 1718 :
« A peine a-t-on trois ans de mariage qu'on en néglige l'essentiel. »
Mais la crise libertine de Montesquieu semble postérieure aux *Lettres
persanes*.

elle ensevelit l'autre avec elle et la rend aussi inutile qu'elle l'est elle-même.

Il ne faut donc pas s'étonner si l'on voit chez les Chrétiens tant de mariages fournir un si petit nombre de citoyens. Le divorce est aboli; les mariages mal assortis ne se raccommodent plus; les femmes ne passent plus, comme chez les Romains, successivement dans les mains de plusieurs maris, qui en tiraient, dans le chemin *ª*, le meilleur parti qu'il était possible.

J'ose le dire : si, dans une république comme Lacédémone, où les citoyens étaient sans cesse gênés par des lois singulières et subtiles, et dans laquelle il n'y avait qu'une famille, qui était la République, il avait été établi que les maris changeassent de femmes tous les ans, il en serait né un peuple innombrable.

Il est assez difficile de faire bien comprendre la raison qui a porté les Chrétiens à abolir le divorce. Le mariage, chez toutes les nations du Monde, est un contrat susceptible de toutes les conventions, et on n'en a dû bannir que celles qui auraient pu en affaiblir l'objet. Mais les Chrétiens ne le regardent pas dans ce point de vue; aussi ont-ils bien de la peine à dire ce que c'est. Ils ne le font pas consister dans le plaisir des sens; au contraire, comme je te l'ai déjà dit, il semble qu'ils veulent l'en bannir autant qu'ils peuvent; mais c'est une image, une figure et quelque chose de mystérieux que je ne comprends point [1].

De Paris, le 19 de la lune de Chabban, 1718.

1. « Qu'attendre d'un homme, dira l'abbé Gaultier (*op. cit.*, p. 82), qui n'a ni religion ni pudeur? » « Sont-ce des hommes qui forment de pareils vœux? Ces âmes de boue ne sauraient s'élever au-dessus de la terre. Ils ne parlent que de propagation de l'espèce et de ce qui tend à peupler un État. Ils voudraient que les hommes fussent métamorphosés en étalons. » (*Ibid.*, p. 80.)

LETTRE CXVII

L A prohibition du divorce n'est pas la seule cause de
la dépopulation des pays chrétiens. Le grand nombre
d'eunuques qu'ils ont parmi eux n'en est pas une moins
considérable.

Je parle des prêtres et des dervis de l'un et de l'autre
sexe, qui se vouent à une continence éternelle : c'est chez
les Chrétiens la vertu par excellence; en quoi je ne les
comprends pas, ne sachant ce que c'est qu'une vertu dont
il ne résulte rien [1].

Je trouve que leurs docteurs se contredisent mani-
festement, quand ils disent que le mariage est saint, et
que le célibat, qui lui est opposé, l'est encore davantage;
sans compter qu'en fait de préceptes et de dogmes fonda-
mentaux, le bien est toujours le mieux.

Le nombre de gens faisant profession de célibat est
prodigieux [2]. Les pères y condamnaient autrefois les enfants
dès le berceau; aujourd'hui ils s'y vouent eux-mêmes dès

1. Les dangers sociaux du célibat des ecclésiastiques sont alors
relevés par la plupart des écrivains réformateurs. Vauban voudrait
interdire les vœux religieux au-dessous de vingt-cinq ou de trente ans
(cf. *Journal des Économistes*, XVIII, 1882, p. 329-330). Boulainviller,
Saint-Simon, Belesbat recommandaient la diminution du nombre des
religieux (cf. Spengler, *op. cit.*, p. 45 et 49), dans la ligne de l'édit
de Colbert de 1666 qui réglementait la fondation de nouvelles com-
munautés religieuses. Mais l'ironie d'Usbek sur la continence annonce
l'usage polémique que les philosophes feront de ce thème un peu
facile. L'abbé Gaultier commente (*op. cit.*, p. 82) : « Un homme qui
met la vertu à changer de femme tous les ans doit trouver bien étrange
une religion qui élève la virginité au-dessus du mariage. Il demande ce
que c'est qu'une vertu dont il ne résulte rien. C'est que, dans les
principes de l'auteur, la société est la fin de l'homme. » On ne saurait
mieux dire.

2. On comptait 270.000 religieux en France en 1667 et 200.000 seu-
lement en 1776. Cf. J. M. Mathorez, *les Étrangers en France sous l'Ancien
régime*, Paris, 1919, t. I, p. 46-48.

l'âge de quatorze ans [1]; ce qui revient à peu près à la même chose.

Ce métier de continence a anéanti plus d'hommes que les pestes et les guerres les plus sanglantes n'ont jamais fait. On voit dans chaque maison religieuse une famille éternelle, où il ne naît personne, et qui s'entretient aux dépens de toutes les autres. Ces maisons sont toujours ouvertes comme autant de gouffres où s'ensevelissent les races futures.

Cette politique est bien différente de celle des Romains, qui établissaient des lois pénales contre ceux qui se refusaient aux lois du mariage et voulaient jouir d'une liberté si contraire à l'utilité publique [2].

Je ne te parle ici que des pays catholiques. Dans la religion protestante, tout le monde est en droit de faire des enfants; elle ne souffre ni prêtres ni dervis [3]; et si, dans l'établissement de cette religion, qui ramenait tout aux premiers temps, ses fondateurs n'avaient été accusés sans cesse d'intempérance, il ne faut pas douter qu'après avoir rendu la pratique du mariage universelle, ils n'en eussent encore adouci le joug et achevé d'ôter toute la barrière qui sépare, en ce point, le Nazaréen et Mahomet.

Mais, quoi qu'il en soit, il est certain que la Religion donne aux Protestants un avantage infini sur les Catholiques.

J'ose le dire : dans l'état présent où est l'Europe, il n'est pas possible que la religion catholique y subsiste cinq cents ans.

1. Selon l'ordonnance de Blois, article 28, de mai 1579 et les canons du Concile de Trente, l'âge fixé est de seize ans. Ce n'est qu'en 1768 que Choiseul fit élever l'âge des vœux solennels à dix-huit ans pour les femmes et vingt-cinq ans pour les hommes.

2. L'empereur Auguste promulgua les lois *Julia* et *Pappia Poppaea* pour enrayer à Rome une crise de la natalité : le *jus trium liberorum* donnait des honneurs aux pères de trois enfants, et les célibataires étaient frappés d'incapacités civiles.

3. Une telle attitude est curieuse de la part de Montesquieu : quatre de ses oncles furent d'Église, sa sœur Thérèse était religieuse et nous verrons le Président solliciter pour son frère Joseph l'abbaye de Faize (cf. *Correspondance*, *op. cit.*, t. I, p. 52-53) en attendant le doyenné de Saint-Seurin de Bordeaux.

Avant l'abaissement de la puissance d'Espagne, les Catholiques étaient beaucoup plus forts que les Protestants. Ces derniers sont peu à peu parvenus à un équilibre. Les Protestants deviendront tous les jours plus riches [a] et plus puissants, et les Catholiques, plus faibles.

Les pays protestants doient être et sont réellement plus peuplés que les catholiques. D'où il suit, premièrement, que les tributs y sont plus considérables, parce qu'ils augmentent à proportion du nombre [b] de ceux qui les payent; secondement, que les terres y sont mieux cultivées; enfin, que le commerce y fleurit davantage, parce qu'il y a plus de gens qui ont une fortune à faire, et qu'avec plus de besoins on y a plus de ressources pour les remplir. Quand il n'y a que le nombre de gens suffisants pour la culture des terres, il faut que le commerce périsse et, lorsqu'il n'y a que celui qui est nécessaire pour entretenir le commerce, il faut que la culture des terres manque; c'est-à-dire : il faut que tous les deux tombent en même temps, parce que l'on ne s'attache jamais à l'un que ce ne soit aux dépens de l'autre [1].

Quant aux pays catholiques, non seulement la culture des terres y est abandonnée, mais même l'industrie y est pernicieuse : elle ne consiste qu'à apprendre cinq ou six mots d'une langue morte. Dès qu'un homme a cette provision par-devers lui, il ne doit plus s'embarrasser de sa fortune : il trouve dans le cloître une vie tranquille, qui, dans le monde, lui aurait coûté des sueurs et des peines.

Ce n'est pas tout : les dervis ont en leurs mains presque toutes les richesses de l'État; c'est une société de gens avares, qui prennent toujours et ne rendent jamais; ils accumulent sans cesse des revenus pour acquérir des capitaux [2]. Tant de richesses tombent, pour ainsi dire, en para-

1. « Est-ce la politique et l'intérêt temporel d'un État qui doit être la boussole du Chrétien ? Que lui servirait-il de gagner le monde entier s'il perdait son âme ? » répond l'abbé Gaultier (*op. cit.*, p. 86).

2. Dans le *Spicilège* (*op. cit.*, p. 128), Montesquieu reconnaît plus justement que « la main-morte est gênée en France par un gros amortissement dû au roi et par un droit de fief très considérable, dû au seigneur, lequel droit de fief est quelquefois le tiers et souvent celui d'amortissement d'un autre tiers ».

lysie : plus de circulation, plus de commerce, plus d'arts, plus de manufactures.

Il n'y a point de prince protestant qui ne lève sur ses peuples beaucoup plus [a] d'impôts que le Pape n'en lève sur ses sujets ; cependant ces derniers sont pauvres, pendant que les autres vivent dans l'opulence. Le commerce ranime tout chez les uns, et le monachisme porte la mort partout chez les autres.

De Paris, le 26 de la lune de Chahban, 1718.

LETTRE CXVIII

USBEK AU MÊME

Nous n'avons plus rien à dire de l'Asie et de l'Europe. Passons à l'Afrique. On ne peut guère parler que de ses côtes, parce qu'on ne connaît pas l'intérieur.

Celles de Barbarie, où la religion mahométane est établie, ne sont plus si peuplées qu'elles étaient du temps des Romains, par les raisons que je t'ai [b] déjà dites. Quant aux côtes de Guinée, elles doivent être furieusement dégarnies depuis deux cents ans que les petits rois ou chefs des villages vendent leurs sujets aux princes de l'Europe [c] pour les porter dans leurs colonies en Amérique.

Ce qu'il y a de singulier, c'est que cette Amérique, qui reçoit tous les ans de nouveaux habitants, est elle-même déserte et ne profite point des pertes continuelles de l'Afrique. Ces esclaves, qu'on transporte dans un autre climat, y périssent à milliers, et les travaux des mines, où l'on occupe sans cesse et les naturels du pays et les étrangers, les exhalaisons malignes qui en sortent, le vif-argent, dont il faut faire un continuel usage, les détruisent sans ressource [1].

1. Le traitement des minerais d'or par l'amalgame de mercure était un procédé récent, inventé par Fernandez de Velasco et inauguré en 1671 au Pérou. Montesquieu tire ces renseignements d'Amédée Frézier, *Relation du voyage de la mer du sud* (Amsterdam, Humbert,

Il n'y a rien de si extravagant que de faire périr un
nombre innombrable d'hommes pour tirer du fond de la
terre l'or et l'argent : ces métaux d'eux-mêmes absolument
inutiles, et qui ne sont des richesses que parce qu'on les a
choisis pour en être les signes [1].

De Paris, le dernier de la lune de Chahban, 1718.

LETTRE CXIX

USBEK AU MÊME

L A fécondité d'un peuple dépend quelquefois des plus
petites circonstances du Monde; de manière qu'il ne
faut souvent qu'un nouveau tour dans son imagination
pour le rendre beaucoup plus nombreux qu'il n'était.

Les Juifs, toujours exterminés et toujours renaissants,
ont réparé leurs pertes et leurs destructions continuelles
par cette seule espérance qu'ont parmi eux toutes les
familles, d'y voir naître un roi puissant qui sera le maître
de la Terre.

Les anciens rois de Perse n'avaient tant de milliers
de sujets qu'à cause de ce dogme de la religion des Mages,

1717, la Brède, *op. cit.*, n° 2742). Il avait annoté Frézier dans ses *Geo-
graphica* (cf. *Pensées*, t. I, p. 188) et le citera dans ses *Voyages* (*op. cit.*,
t. II, p. 258). Même source pour les *Mémoires sur les richesses de l'Es-
pagne* (cf. P. Bonnefon, R. H. L., 1910, p. 287). D'après Frézier, les
exhalaisons malignes donnent ce que les Espagnols appellent « le
Quebrantahuessos, c'est-à-dire qui brise les os » (*op. cit.*, t. I, p. 290).
Sur la dépopulation, cf. *ibid.* (t. II, p. 486) : « Le nombre des habitants
du Pérou a considérablement diminué; le travail des mines y a beau-
coup contribué, parce que dès qu'ils y sont un peu demeuré, le vif-
argent les pénètre de manière que la plupart deviennent tout trem-
blants et meurent hébétés. » A noter l'erreur de Montesquieu : les
Espagnols n'ont jamais utilisé d'esclaves noirs dans les mines.

1. Les mêmes mots seront repris dans les *Mémoires sur les richesses
de l'Espagne* de 1725 (*article cité*, p. 294) : « Je ne saurais assez répéter
qu'on a toujours une idée très fausse du pouvoir de l'or et de l'argent
à qui on attribue, malgré qu'on en ait, une valeur réelle... L'on fait
de ces métaux une cause de la puissance des États, quoiqu'ils n'en
soient que le signe. »

que les actes les plus agréables à Dieu que les hommes pussent faire [a], c'était de faire un enfant, labourer un champ et planter un arbre [1][b].

Si la Chine a dans son sein un peuple si prodigieux, cela ne vient que d'une certaine manière de penser : car, comme les enfants regardent leurs pères comme des Dieux; qu'ils les respectent comme tels dès cette vie; qu'ils les honorent après leur mort par des sacrifices, dans lesquels ils croient que leurs âmes, anéanties dans le Tien, reprennent une nouvelle vie : chacun est porté à augmenter une famille si soumise dans cette vie et si nécessaire dans l'autre [2].

D'un autre côté, les pays des Mahométans deviennent tous les jours déserts à cause d'une opinion, qui, toute

1. Sur la religion des Guèbres, c'est Chardin l'informateur (*op. cit.*, t. III, p. 127) : « Leurs prêtres leur enseignent que la plus vertueuse action, c'est d'engendrer des enfants et après de cultiver une terre qui serait en friche, de planter un arbre soit fruitier, soit autre. »

2. C'est en 1713, à Paris, à la suite de conversations avec le Chinois converti Arcadio Hoang, protégé de Mgr de Lionne, que Montesquieu se passionne pour la Chine. Ses notes de 1713 furent ultérieurement recopiées dans le recueil des *Geographica* (cf. *art. cité, Revue historique de Bordeaux*, 1958, p. 201) : « Les lettrés font des sacrifices aux Anciens. Ils croient que la vapeur du sacrifice réunit la vapeur de l'âme du défunt, ce qui la fait revivre délicieusement pendant ledit sacrifice... Ils croient que l'âme de Confucius était intimement liée au *Tien*, regardant le *Tien* comme l'âme du monde ou le monde même » (*Œuvres*, édit. Masson, t. II, p. 927). A la même date, il annote la *China Illustrata* de Kircher (Amsterdam, 1670, la Brède, n° 3153) et le *Confucius Sinarum philosophus* du Père Couplet (Paris, 1687). Mais alors que les Jésuites, depuis la querelle des cérémonies chinoises (cf. Pères Lecomte et Le Gobien, *Nouveaux Mémoires sur l'état présent de la Chine*, Amsterdam, 1698, t. II, p. 29-30, *Histoire de l'édit de l'empereur de Chine*, Paris, 1698, p. 233), ne voyaient dans le culte des ancêtres que des honneurs purement civils, Montesquieu n'hésite pas à dire que les ancêtres sont adorés « comme des Dieux ». A la Brède, le vieil ouvrage de Dujarric, *Histoire des Indes orientales* (Bordeaux, Millanges, 1610, *op. cit.*, n° 3159) soutenait la même doctrine : « Plusieurs adorent comme Dieux leur père et mère... » (t. II, p. 575). Dans les *Pensées*, à la suite de conversations à Rome avec Fouquet, évêque d'Eleuthéropolis, Montesquieu reviendra sur les conséquences sociales de ce culte (t. I, p. 178, t. II, p. 216) : « A la Chine où le principe fondamental est l'amour des pères, les lois engagent à peupler... Les Chinois peuplent par religion, afin de donner aux ancêtres des gens qui leur puissent rendre un culte. »

sainte qu'elle est, ne laisse pas d'avoir des effets très per-
nicieux lorsqu'elle est enracinée *a* dans les esprits. Nous
nous regardons comme des voyageurs qui ne doivent
penser qu'à une autre patrie : les travaux utiles et durables,
les soins pour assurer la fortune de nos enfants, les projets
qui tendent au-delà d'une vie courte et passagère, nous
paraissent quelque chose d'extravagant. Tranquilles pour
le présent, sans inquiétude pour l'avenir, nous ne prenons
la peine ni de réparer les édifices publics, ni de défricher les
terres incultes, ni de cultiver celles qui sont en état de
recevoir nos soins : nous vivons dans une insensibilité
générale, et nous laissons tout faire à la Providence [1].

C'est un esprit de vanité qui a établi chez les Euro-
péens l'injuste droit d'aînesse, si défavorable à la propaga-
tion, en ce qu'il porte l'attention d'un père sur un seul de
ses enfants et détourne ses yeux de tous les autres; en ce
qu'il l'oblige, pour rendre solide la fortune d'un seul, de
s'opposer à l'établissement de plusieurs; enfin, en ce qu'il
détruit l'égalité des citoyens qui en fait toute l'opulence [2].

De Paris, le 4 de la lune de Rhamazan, 1718.

LETTRE CXX

USBEK AU MÊME

LES pays habités par les Sauvages sont ordinairement
peu peuplés, par l'éloignement qu'ils ont presque
tous pour le travail et la culture de la terre. Cette malheu-

1. Développement de Chardin (*op. cit.,* II, p. 34) : « Les Persans sont
fort philosophes sur les biens et les maux de la vie, sur l'espérance et
sur la crainte de l'avenir... Ils aiment à jouir du présent et ils ne se
refusent rien qu'ils puissent se donner, n'ayant nulle inquiétude de
l'avenir, dont ils se reposent sur la Providence et sur leur destinée. »
2. Bien qu'aîné de famille, Montesquieu conseillera dans les *Pensées*
(*op. cit.,* t. II, p. 394) cette loi pour « rendre une colonie florissante » :
« Tous les enfants seraient partagés également entre les enfants mâles,
sans que les pères et mères puissent avantager que d'un tiers de leurs
biens celui de leurs enfants mâles qu'ils en croient le plus digne. »

reuse aversion est si forte que, lorsqu'ils font quelque imprécation contre quelqu'un de leurs ennemis, ils ne lui souhaitent autre chose que d'être réduit à labourer un champ; croyant qu'il n'y a que la chasse et la pêche qui soit un exercice noble et digne d'eux.

Mais, comme il y a souvent des années où la chasse et la pêche rendent très peu, ils sont désolés par des famines fréquentes; sans compter qu'il n'y a pas de pays si abondant en gibier et en poisson qu'il puisse a donner la subsistance à un grand peuple parce que les animaux fuient toujours les endroits trop habités.

D'ailleurs, les bourgades de Sauvages, au nombre de deux ou trois cents habitants, détachées b les unes des autres, ayant des intérêts aussi séparés que ceux de deux empires, ne peuvent pas se soutenir, parce qu'elles n'ont pas la ressource des grands états, dont toutes les parties se répondent et se secourent mutuellement.

Il y a chez les Sauvages une autre coutume qui n'est pas moins pernicieuse que la première : c'est la cruelle habitude où sont les femmes de se faire avorter, afin que leur grossesse ne les rende pas désagréables à leurs maris [1].

Il y a ici des lois terribles contre ce désordre; elles vont jusques à la fureur. Toute fille qui n'a point été déclarer sa grossesse au Magistrat est punie de mort si son fruit périt [2]; la pudeur et la honte, les accidents mêmes ne l'excusent pas c.

De Paris, le 9 de la lune de Rhamazan, 1718.

1. Montesquieu a pris ce détail dans Étienne de Flacourt, *Histoire de la grande île de Madagascar* (Paris, Pierre Lamy, 1658, chap. XXIX, p. 93, *Des avortements d'enfants*) : « Si la misérable a peur que ses mamelles soient trop grandes, qu'elles soient cause que son galant ne l'aime plus tant, elle se fait avorter ou bien fait incontinent mourir son enfant, ne voulant pas avoir la peine de le nourrir. » Montesquieu possède l'ouvrage (la Brède, *op. cit.*, n° 2741), à défaut des *Voyages* de Jean Struys qui relatent les mêmes faits.

2. La déclaration de grossesse était obligatoire en France depuis le décret de Henri II (février 1556). Il s'agissait moins d'une mesure démographique que d'une injonction religieuse à propos des enfants morts sans baptême.

LETTRE CXXI

L'EFFET ordinaire des colonies est d'affaiblir les pays d'où on les tire, sans peupler ceux où on les envoie.

Il faut que les hommes restent où ils sont : il y a des maladies qui viennent de ce qu'on change un bon air contre un mauvais; d'autres qui viennent précisément *a* de ce qu'on en change.

[L'air se charge, comme les plantes, des particules de la terre de chaque pays. Il agit tellement sur nous que notre tempérament en est fixé. Lorsque nous sommes transportés dans un autre pays, nous devenons malades. Les liquides étant accoutumés à une certaine consistance, les solides, à une certaine disposition, tous les deux, à un certain degré de mouvement, n'en peuvent plus souffrir d'autres, et ils résistent à un nouveau pli [1] *b*.]

Quand un pays est désert, c'est un préjugé de quelque vice particulier dans la nature [du terrain ou] du climat *c*. Ainsi, quand on ôte les hommes d'un ciel heureux pour les envoyer dans un tel pays, on fait précisément le contraire de ce qu'on se propose.

Les Romains savaient cela par expérience : ils reléguaient tous les criminels en Sardaigne, et ils y faisaient passer des Juifs. Il fallut se consoler de leur perte : chose que le mépris qu'ils avaient pour ces misérables rendait très facile.

Le grand Schah Abas, voulant ôter aux Turcs le moyen d'entretenir de grosses armées sur les frontières, transporta presque tous les Arméniens hors de leur pays et en envoya

1. Ce paragraphe sur les maladies dues au changement de climat a été ajouté en 1754. Il vient directement d'un début de dissertation, consigné dans les *Pensées* (*op. cit.*, t. I, p. 483), qui lui aurait été procuré par un médecin de Nérac, Raulin. C'est en 1752 que Raulin avait envoyé un mémoire à l'Académie de Bordeaux sur « les ingrédients de l'air considéré dans l'état naturel et dans un état contre nature comme cause des maladies » (Biblioth. de Bordeaux, ms 828, n° 105, et Pierre Barrière, *l'Académie de Bordeaux, op. cit.*, p. 200-201).

plus de vingt mille familles dans la province de Guilan, qui périrent presque toutes en très peu de temps [1].

Tous les transports de peuple faits à Constantinople n'ont jamais réussi [2]. Ce nombre prodigieux de Nègres dont nous avons parlé n'a point rempli l'Amérique.

Depuis la destruction des Juifs sous Adrien, la Palestine est sans habitants.

Il faut donc avouer que les grandes destructions sont presque irréparables, parce qu'un peuple qui manque à un certain point reste dans le même état; et si, par hasard, il se rétablit, il faut des siècles pour cela.

Que si, dans un état de défaillance, la moindre des circonstances dont je t'ai parlé [a] vient à concourir, non seulement il ne se répare pas, mais il dépérit tous les jours et tend à son anéantissement.

L'expulsion des Maures d'Espagne se fait encore sentir comme le premier jour : bien loin que ce vide se remplisse, il devient tous les jours plus grand.

Depuis la dévastation de l'Amérique, les Espagnols qui ont pris la place de ses anciens habitants n'ont pu la repeupler; au contraire, par une fatalité que je ferais mieux de nommer une justice divine, les destructeurs se détruisent eux-mêmes et se consument tous les jours [3].

1. Chardin rapporte le fait (*op. cit.*, t. II, p. 7) : « Lorsque j'étais en Mazendéran il y a quelque quarante ans, le nombre des Chrétiens était réduit à quatre cents familles, de trente mille qu'il était auparavant. » Tavernier (*op. cit.*, IV, 6, p. 460) donne d'autres chiffres : « Le mauvais air les a fait presque tous périr, de sorte que de vingt-quatre mille qu'on y fit passer, à peine y en a-t-il aujourd'hui cinq ou six mille de reste. » Il parle ailleurs (I, 4, p. 44) de vingt-sept mille familles et du Guilan comme lieu d'exil; c'est donc la source exacte de Montesquieu.

2. Cf. *Lettre* CXIV, p. 241, n. 1.

3. Montesquieu ne possède ni le *Voyage d'Espagne* d'Antoine de Brunel (Paris, 1665) ni le *Journal du voyage d'Espagne* de François Bertaut (Paris 1669) qui expliquent tous deux la dépopulation de l'Espagne par l'expulsion des Maures et l'émigration aux Indes (cf. Brunel, chap. XI, Bertaut, *Revue hispanique*, 1919, t. 47). L'*État présent de l'Espagne* de l'abbé de Vayrac (Paris, 1718, t. I, p. 74, la Brède, *op. cit.*, n° 3171) lui suffisait : « L'expulsion des Mores et des Juifs... rendit presque toute l'Andalousie et les royaumes de Grenade, de Cordoue et de Murcie déserts. Mais ce qui a mis le comble à ce dépeuplement,

Les princes ne doivent donc point songer à repeupler de grands pays par des colonies. Je ne dis pas qu'elles ne réussissent quelquefois : il y a des climats si heureux que l'Espèce s'y multiplie toujours : témoin ces îles qui ont été peuplées par des malades que quelques vaisseaux y avaient abandonnés, et qui y recouvraient aussitôt la santé [1].

Mais, quand ces colonies réussiraient, au lieu d'augmenter la puissance, elles ne feraient que la partager, à moins qu'elles n'eussent très peu d'étendue, comme sont celles que l'on envoie pour occuper quelque place pour le commerce.

Les Carthaginois avaient, comme les Espagnols, découvert l'Amérique ou, au moins, de grandes îles dans lesquelles ils faisaient un commerce prodigieux; mais, quand ils virent le nombre de leurs habitants diminuer, cette sage république défendit à ses sujets ce commerce et cette navigation.

J'ose le dire : au lieu de faire passer les Espagnols dans les Indes, il faudrait faire passer les Indiens et les métis en Espagne [2 a]; il faudrait rendre à cette monarchie tous ses peuples dispersés; et, si la moitié seulement de ces grandes colonies se conservait, l'Espagne deviendrait la puissance de l'Europe la plus redoutable.

On peut comparer les empires à un arbre dont les branches trop étendues ôtent tout le suc du tronc et ne servent qu'à faire de l'ombrage.

Rien n'est plus propre à [b] corriger les princes de la fureur des conquêtes lointaines que l'exemple des Portugais et des Espagnols.

c'est la découverte des Indes... Ils s'y transportèrent par milliers. Les uns périrent en chemin ou y moururent, de sorte que de tous ceux qui y sont allés, il n'en est jamais revenu le quart. »

1. « L'auteur parle peut-être de l'île de Bourbon. » *(Note de Montesquieu.)* L'allusion à l'île Bourbon vient de Flacourt (*op. cit.*, II, chap. XXVIII, p. 259) qui signale l'histoire de douze Français relégués dans l'île, alors déserte, et qui y vécurent trois ans sans aucune maladie : « Quelques-uns d'entre eux y allèrent malades qui incontinent après recouvrèrent la santé ».

2. Idée reprise dans les *Pensées* (*op. cit.*, t. II, p. 249) : « Il aurait fallu que les Espagnols eussent tiré autant d'Indiens pour l'Espagne qu'ils ont envoyé d'Espagnols dans les Indes. »

Ces deux nations, ayant conquis avec une rapidité inconcevable des royaumes immenses, plus étonnées de leurs victoires que les peuples vaincus de leur défaite, songèrent aux moyens de les conserver; et prirent, chacune [a] pour cela, une voie différente.

Les Espagnols, désespérant de retenir les nations vaincues dans la fidélité, prirent le parti de les exterminer et d'y envoyer d'Espagne des peuples fidèles. Jamais dessein horrible ne fut plus ponctuellement exécuté. On vit un peuple aussi nombreux que tous ceux de l'Europe ensemble disparaître de la Terre à l'arrivée de ces barbares, qui semblèrent, en découvrant les Indes, n'avoir pensé qu'à [b] découvrir aux hommes quel était le dernier période de la cruauté [1].

Par cette barbarie, ils conservèrent ce pays sous leur domination. Juge par là combien les conquêtes sont funestes, puisque les effets en sont tels : car enfin, ce remède affreux était unique. Comment auraient-ils pu retenir tant de millions d'hommes dans l'obéissance? Comment soutenir une guerre civile de si loin? Que seraient-ils devenus, s'ils avaient donné le temps à ces peuples de revenir de l'admiration où ils étaient de l'arrivée de ces nouveaux Dieux et de la crainte de leurs foudres?

Quant aux Portugais, ils prirent une voie tout opposée : ils n'employèrent pas les cruautés. Aussi furent-ils bientôt chassés de tous les pays qu'ils avaient découverts. Les Hollandais favorisèrent la rébellion de ces peuples et en profitèrent [2].

1. Cf. *Pensées* (t. II, p. 247) : « On ne peut penser sans indignation aux cruautés que les Espagnols exercèrent contre les Indiens... Bartholomeo de las Casas, témoin oculaire de ces barbaries, en fait un récit horrible... *Des peuples aussi nombreux que ceux de l'Europe disparaissent de la terre. Les Espagnols, en découvrant les Indes, ont montré en même temps quel était le dernier période de la cruauté.* » S'agirait-il d'une ébauche de notre lettre persane? Mais un peu plus loin (p. 248), Montesquieu déclare : « On a fait voir dans les *Lettres persanes* la vanité des prétextes qui avaient forcé les Espagnols à en venir à cette extrémité. » Est-ce alors une utilisation des *Lettres persanes* pour le *Traité des devoirs* de 1725 (cf. *Pensées*, t. I, p. 399-402)?

2. Même allusion à la douceur des Portugais dans les *Pensées* (t. II, p. 248) : « On a prouvé (la vanité des prétextes des Espagnols) *par*

Quel prince envierait le sort de ces conquérants? Qui voudrait de ces conquêtes à ces conditions? Les uns en furent aussitôt chassés; les autres en firent des déserts et rendirent leur propre pays *a* un désert encore.

C'est le destin des héros de se ruiner à conquérir des pays qu'ils perdent soudain, ou à soumettre des nations qu'ils sont obligés eux-mêmes de détruire : comme cet insensé qui se consumait à acheter des statues qu'il jetait dans la mer et des glaces qu'il brisait aussitôt.

De Paris, le 18 de la lune de Rhamazan, 1718.

LETTRE CXXII

USBEK AU MÊME

L A douceur du gouvernement contribue merveilleusement à la propagation de l'Espèce. Toutes les républiques en sont une preuve constante, et, plus que toutes, la Suisse et la Hollande, qui sont les deux plus mauvais pays de l'Europe, si l'on considère la nature du terrain, et qui cependant sont les plus peuplés.

Rien n'attire plus les étrangers que la liberté et l'opulence, qui la suit toujours : l'une se fait rechercher par elle-même, [et nous sommes conduits par nos besoins dans les pays *b*] où l'on trouve l'autre.

L'Espèce se multiplie dans un pays où l'abondance fournit aux enfants, sans rien diminuer de la subsistance des pères.

L'égalité même des citoyens, qui produit ordinairement de l'égalité dans les fortunes, porte l'abondance et la vie dans toutes les parties du corps politique et la répand partout.

Il n'en est pas de même des pays soumis au pouvoir arbitraire : le Prince, les courtisans et quelques particuliers

la conduite opposée des Portugais qui ont été chassés de presque partout. » En fait, les Hollandais profitèrent de l'annexion du Portugal par Philippe II, à la suite de la mort du roi Sébastien.

possèdent toutes les richesses pendant que tous les autres gémissent dans une pauvreté extrême.

Si un homme est mal à son aise, et qu'il sente qu'il fera des enfants plus pauvres que lui, il ne se mariera pas; ou, s'il se marie, il craindra d'avoir un trop grand nombre d'enfants, qui pourraient achever de déranger sa fortune, et qui descendraient de la condition de leur père.

J'avoue que le rustique ou paysan, étant une fois marié, peuplera indifféremment, soit qu'il soit riche, soit qu'il soit pauvre; cette considération ne le touche pas : il a toujours un héritage sûr à laisser à ses enfants, qui est son hoyau, et rien de l'empêche *a* de suivre aveuglément l'instinct de la nature.

Mais à quoi sert *b* dans un état ce nombre d'enfants qui languissent dans la misère? Ils périssent presque tous à mesure qu'ils naissent; ils ne prospèrent jamais; faibles et débiles, ils meurent en détail de mille manières tandis qu'ils sont emportés en gros par les fréquentes maladies populaires que la misère et la mauvaise nourriture produisent toujours; ceux qui en échappent atteignent l'âge viril sans en avoir la force et languissent tout le reste de leur vie.

Les hommes sont comme les plantes, qui ne croissent jamais heureusement si elles ne sont bien cultivées : chez les peuples misérables, l'Espèce perd et même quelquefois dégénère.

La France peut fournir un grand exemple de tout ceci. Dans les guerres passées, la crainte où étaient tous les enfants de famille d'être enrôlés *c* dans la milice les obligeait de se marier [1], et cela dans un âge trop tendre et dans le sein de la pauvreté. De tant de mariages, il naissait bien des enfants, que l'on cherche encore en France, et que la misère, la famine et les maladies en ont fait disparaître.

Que si, dans un ciel aussi heureux, dans un royaume aussi policé que la France, on fait de pareilles remarques, que sera-ce dans les autres états?

De Paris, le 23 de la lune de Rhamazan, 1718.

1. « L'ordonnance du 26 janvier 1701 pour la levée de la milice prescrivait, comme le règlement du 29 novembre 1688, de ne prendre les soldats que parmi les hommes non mariés. » (Barckhausen.)

LETTRE CXXIII

Q<small>UE</small> nous servent les jeûnes des immaums et les cilices
des mollaks ? La main de Dieu s'est deux fois appe-
santie sur les enfants de la Loi : le Soleil s'obscurcit
et semble n'éclairer plus que leurs défaites; leurs armées
s'assemblent, et elles sont dissipées comme la poussière.

L'Empire des Osmanlins est ébranlé par les deux plus
grands échecs qu'il ait jamais reçus : un moufti chrétien
ne le soutient qu'avec peine[a]; le grand vizir d'Allemagne
est le fléau de Dieu, envoyé pour châtier les sectateurs
d'Omar; il porte partout la colère du Ciel irrité contre leur
rébellion et leur perfidie [1].

Esprit sacré des immaums, tu pleures nuit et jour sur
les enfants du Prophète que le détestable Omar a dévoyés;
tes entrailles s'émeuvent à la vue de leurs malheurs, tu
désires leur conversion, et non pas leur perte; tu voudrais
les voir réunis sous l'étendard d'Hali par les larmes des
Saints, et non pas dispersés dans les montagnes et dans les
déserts par la terreur des Infidèles.

De Paris, le premier de la lune de Chalval, 1718.

1. Allusion aux campagnes de l'empereur Charles VI contre les
Turcs. Le Prince Eugène, généralissime autrichien, battit le grand vizir
Ali le 5 août 1716, sous les murs de Peterwardein, puis s'empara de
Temesvar le 13 octobre, après un siège de sept semaines. L'année
suivante, le 16 août 1717, il écrasa sous les murs de Belgrade le grand
vizir Khalil Pacha qui dut abandonner la ville aux Impériaux. Le
« moufti chrétien » serait le cardinal Alberoni, ministre de Philippe V
d'Espagne, qui intrigua à Constantinople, au moment où il préparait
la reconquête de la Sardaigne. Lors de ses voyages en 1728-29, Montes-
quieu eut à cœur de voir le Prince Eugène à Vienne et Alberoni à Rome
et se fit raconter la prise de Belgrade à Munich par le comte Törring
(*Voyages, op. cit.*, t. II, p. 142).

LETTRE CXXIV *a*

USBEK A RHÉDI, A VENISE *b*

Q̇UEL peut être le motif de ces libéralités immenses que les princes versent sur leurs courtisans? Veulent-ils se les attacher? Ils leur sont déjà acquis autant qu'ils peuvent l'être; et, d'ailleurs, s'ils acquièrent quelques-uns de leurs sujets en les achetant, il faut bien, par la même raison, qu'ils en perdent une infinité d'autres en les appauvrissant.

Quand je pense à la situation des princes, toujours entourés d'hommes avides et insatiables, je ne puis que les plaindre, et je les plains encore davantage lorsqu'ils n'ont pas la force de résister à des demandes toujours onéreuses à ceux qui ne demandent rien.

Je n'entends jamais parler de leurs libéralités, des grâces et des pensions qu'ils accordent, que je ne me livre à mille réflexions : une foule d'idées se présente à mon esprit; il me semble *c* que j'entends publier cette ordonnance :

« Le courage infatigable de quelques-uns de nos sujets *d* à nous demander des pensions ayant exercé sans relâche notre magnificence royale, nous avons enfin cédé à la multitude *e* des requêtes, qu'ils nous ont présentées, lesquelles ont fait jusqu'ici la plus grande sollicitude du Trône. Ils nous ont représenté qu'ils n'ont point manqué, depuis notre avènement à la couronne, de se trouver à notre lever; que nous les avons toujours vus sur notre passage immobiles comme des bornes; et qu'ils se sont extrêmement élevés pour regarder, sur les épaules les plus hautes, Notre Sérénité. Nous avons même reçu plusieurs requêtes de la part de quelques personnes du beau sexe, qui nous ont supplié de faire attention qu'il est notoire qu'elles sont d'un entretien très difficile; quelques-unes même, très surannées, nous ont prié, branlant *f* la tête, de faire attention qu'elles ont fait l'ornement de la cour des rois nos prédécesseurs, et que, si les généraux de leurs armées ont rendu l'État redoutable par leurs faits mili-

taires, elles n'ont point *a* rendu la cour moins célèbre par leurs intrigues. Ainsi *b*, désirant traiter les suppliants avec bonté et leur accorder toutes leurs prières nous avons ordonné ce qui suit :

Que tout laboureur ayant cinq enfants retranchera journellement la cinquième partie du pain qu'il leur donne. Enjoignons aux pères de famille de faire la diminution, sur chacun d'eux, aussi juste que faire se pourra.

Défendons expressément à tous ceux qui s'appliquent à la culture de leurs héritages, ou qui les ont donnés à titre de ferme, d'y faire aucune réparation, de quelque espèce qu'elle soit.

Ordonnons que toutes personnes qui s'exercent *c* à des travaux vils et mécaniques, lesquelles n'ont jamais été au lever de Notre Majesté, n'achètent désormais d'habits à eux, à leurs femmes et à leurs enfants, que de quatre ans en quatre ans *d* ; leur interdisons, en outre, très étroitement ces petites réjouissances qu'ils avaient coutume de faire dans leurs familles *e* les principales fêtes de l'année.

Et, d'autant que nous demeurons avertis que la plupart des bourgeois de nos bonnes villes sont entièrement occupés à pourvoir à l'établissement de leurs filles, lesquelles ne se sont rendues recommandables dans notre état que par une triste et ennuyeuse modestie, nous ordonnons qu'ils attendront à les marier jusqu'à ce qu'ayant atteint l'âge limité par les ordonnances elles *f* viennent à les y contraindre. Défendons à nos magistrats *g* de pourvoir à l'éducation de leurs enfants [1]. »

De Paris, le premier de la lune de Chalval, 1718 *h*.

1. Cette critique ironique des courtisans et des pensions royales, la forme même de l'ordonnance, tout nous ramène au règne de Louis XIV. Or, dans l'édition B, cette lettre portait la date du 11 janvier 1715. A. Adam suppose avec vraisemblance que Montesquieu l'a post-datée pour éviter « les commentaires dangereux » (*op. cit.,* p. 315).

« Il ne sera seulement pas permis à une pauvre femme de se brûler quand elle en a envie ! » (Lettre CXXV, p. 263.)
François Bernier, *Voyages* (Amsterdam, Paul Marret, 1709, t. II, p. 113.)

LETTRE CXXV

O<small>N</small> est bien embarrassé, dans toutes les religions, quand il s'agit de donner une idée des plaisirs qui sont destinés à ceux qui ont bien vécu. On épouvante facilement les méchants par une longue suite de peines dont on les menace; mais, pour les gens vertueux, on ne sait que leur promettre. Il semble que la nature des plaisirs soit d'être d'une courte durée; l'imagination a peine à en représenter d'autres.

J'ai vu des descriptions du Paradis capables d'y faire renoncer tous les gens de bon sens : les uns font jouer sans cesse de la flûte ces ombres heureuses; d'autres les condamnent au supplice de se promener éternellement; d'autres, enfin, qui les font rêver là-haut aux maîtresses d'ici-bas, n'ont pas cru que cent millions d'années fussent un terme assez long pour leur ôter le goût de ces inquiétudes amoureuses.

Je me souviens à ce propos d'une histoire que j'ai ouï raconter à un homme qui avait été dans le pays du Mogol; elle fait voir que les prêtres indiens ne sont pas moins stériles que les autres dans les idées qu'ils ont des plaisirs du Paradis.

Une femme qui venait de perdre son mari vint en cérémonie chez le Gouverneur de la Ville lui demander la permission*a* de se brûler; mais, comme dans les pays soumis aux Mahométans, on abolit tant qu'on peut cette cruelle coutume, il la refusa absolument.

Lorsqu'elle vit ses prières impuissantes, elle se jeta dans un furieux emportement. « Voyez, disait-elle, comme on est gêné! Il ne sera seulement pas permis à une pauvre femme de se brûler quand elle en a envie! A-t-on jamais vu rien de pareil? Ma mère, ma tante, mes sœurs, se sont brûlées; et, quand je vais demander permission à ce maudit gouverneur, il se fâche et se met à crier comme un enragé [1]. »

1. É. Carcassonne a décelé le point de départ de cet épisode (*op. cit.*, t. II, p. 203). C'est Tavernier qui remarque qu'au pays du Mogol,

Il se trouva là, par hasard, un jeune bonze. « Homme infidèle, dit le Gouverneur, est-ce toi qui a mis cette fureur dans l'esprit de cette femme *a*? — Non, dit-il, je ne lui ai jamais parlé. Mais, si elle m'en croit, elle consommera son sacrifice : elle fera une action agréable au Dieu Brama. Aussi en sera-t-elle récompensée : car elle retrouvera dans l'autre monde son mari, et elle recommencera avec lui un second mariage. — Que dites-vous ? dit la femme surprise. Je retrouverai mon mari ? Ah ! je ne me brûle pas. Il était jaloux, chagrin et, d'ailleurs, si vieux que, si le Dieu Brama n'a point fait sur lui quelque réforme, sûrement il n'a pas besoin de moi. Me brûler pour lui ?... Pas seulement le bout du doigt pour le retirer du fond des Enfers. Deux vieux bonzes qui me séduisaient, et qui savaient de quelle manière je vivais avec lui, n'avaient garde de me tout dire. Mais, si le Dieu Brama n'a que ce présent à me faire, je renonce à cette béatitude. Monsieur le Gouverneur, je me fais mahométane. Et pour vous, dit-elle en regardant le bonze, vous pouvez, si vous voulez, aller dire à mon mari que je me porte fort *b* bien. »

De Paris, le 2 de la lune de Chalval, 1718.

« une femme ne se peut brûler avec le corps de son mari sans en avoir permission du gouverneur du lieu où elle habite, et ces gouverneurs, qui sont mahométans et qui ont en horreur cette exécrable coutume, ... ne le leur permettent pas facilement » (*Voyages aux Indes*, édit. 1810, t. IV, p. 198-199). Mais Bernier n'est pas moins précis (*Voyages*, édit. 1709, t. II, p. 106-107) : « Les Mahométans qui tiennent à présent le gouvernement sont ennemis de cette barbare coutume et l'empêchent tant qu'ils peuvent... Ils obligent les femmes qui se veulent brûler à en aller demander la permission aux gouverneurs qui les font venir devant eux, leur font des remontrances et des promesses et ne leur donnent jamais cette permission que quand ils ont tenté les voyes de la douceur et qu'ils les voyent absolument fixées dans leur folie. » Bernier raconte d'ailleurs comment il dissuada de se brûler la femme de son ami Bendidas, écrivain de la cour du Mogol (*ibid.*, p. 108-110).

LETTRE CXXVI

RICA A USBEK, A ***

JE t'attends ici demain; cependant je t'envoie tes lettres d'Ispahan. Les miennes portent que l'ambassadeur du Grand Mogol a reçu ordre de sortir du royaume. On ajoute qu'on a fait arrêter le prince, oncle du Roi, qui est chargé de son éducation; qu'on l'a fait conduire dans un château, où il est très étroitement gardé, et qu'on l'a privé de tous ses honneurs [1]. Je suis touché du sort de ce prince, et je le plains.

Je te l'avoue, Usbek, je n'ai jamais vu couler les larmes de personne sans en être attendri : je sens de l'humanité pour les malheureux, comme s'il n'y avait qu'eux qui fussent hommes, et les grands mêmes, pour lesquels je trouve dans mon cœur de la dureté quand ils sont élevés, je les aime sitôt qu'ils tombent.

En effet, qu'ont-ils à faire, dans la prospérité, d'une inutile tendresse? Elle approche trop de l'égalité; ils aiment bien mieux du respect, qui ne demande point de retour. Mais sitôt qu'ils sont déchus de leur grandeur, il n'y a que nos plaintes qui puissent leur en rappeler l'idée.

Je trouve quelque chose de bien naïf et même de bien grand dans les paroles d'un prince qui, près de tomber entre les mains de ses ennemis, voyant ses courtisans autour de lui qui pleuraient : « Je sens, leur dit-il, à vos larmes, que je suis encore votre roi [2] ».

De Paris, le 3 de la lune de Chalval, 1718.

1. Transposition prudente de la conspiration de Cellamare. Le prince de Cellamare, ambassadeur d'Espagne à Paris, complotait contre le Régent au nom de Philippe V, candidat au trône de France en cas de mort du jeune Louis XV. Arrêté le 9 décembre 1718, il était reconduit à la frontière. Son complice le duc du Maine, bâtard de Louis XIV et de la Montespan, surintendant de l'éducation du jeune roi par testament de son père, fut arrêté à son tour le 29 décembre 1718 et enfermé au château de Doullens.

2. Le mot est attribué par Quinte-Curce (*De gestis Alexandri*, V, 8) à Darius Codoman, le vaincu d'Arbèles, ému par ses derniers fidèles : « Fides vestra et constantia ut regem me esse credam facit. »

LETTRE CXXVII

RICA A IBBEN, A SMYRNE

TU as ouï parler mille fois du fameux roi de Suède.
Il assiégeait une place dans un royaume qu'on nomme
la Norvège; comme il visitait la tranchée, seul avec un
ingénieur, il a reçu un coup dans la tête, dont il est mort.
On a fait sur-le-champ arrêter son premier ministre; les
États se sont assemblés et l'ont condamné à perdre la
tête [1].

Il était accusé d'un grand crime : c'était d'avoir calomnié
la Nation et de lui avoir fait perdre la confiance de son roi;
forfait qui, selon moi, mérite mille morts [2].

Car, enfin, si c'est une mauvaise action de noircir dans
l'esprit du prince le dernier de ses sujets, qu'est-ce lorsque
l'on noircit[a] la Nation entière, et qu'on lui ôte la bienveil-
lance de celui que la Providence a établi pour faire son
bonheur ?

Je voudrais que les hommes parlassent aux Rois comme
les Anges parlent à notre saint Prophète.

Tu sais que, dans les banquets sacrés où le Seigneur
des Seigneurs descend du plus sublime trône du Monde
pour se communiquer à ses esclaves, je me suis fait une loi
sévère de captiver une langue indocile. On ne m'a jamais

1. A la date de cette lettre, 27 avril 1719, Montesquieu n'était informé
sur les événements de Suède que par les gazettes. D'où l'imprécision
des détails sur la mort de Charles XII, demeurée mystérieuse. Le Roi
assiégeait Fredrikshald en Norvège; le 30 novembre 1718 (ancien style,
11 décembre), il visitait la tranchée, accompagné de son aide de camp
Siquier et de l'ingénieur français Mégret, lorsqu'il fut atteint par une
balle à la tempe. Son ministre favori, le baron Henri de Görtz, fut
arrêté et condamné par le Sénat de Stockholm à avoir la tête tranchée
au pied de la potence de la ville : l'exécution eut lieu le 2 mars 1719.
Montesquieu, avant Voltaire, se passionna pour le héros suédois et le
comparait, dans un essai inachevé, à Charles le Téméraire (cf. *Mélanges
inédits*, Bordeaux, 1892, p. 171 sq).

2. Görtz passait pour le mauvais génie financier de Charles XII.
Montesquieu voudrait-il suggérer le sort qui attend Law ? C'est l'avis
d'Alan Boase (*The French Mind*, Oxford, Clarendon, 1952, p. 162).

vu abandonner un seule parole qui pût être amère au
dernier de ses sujets. Quand il m'a fallu cesser d'être sobre,
je n'ai point cessé d'être honnête homme ^a, et, dans cette
épreuve de notre fidélité, j'ai risqué ma vie, et jamais ma
vertu.

Je ne sais comment il arrive qu'il n'y a presque jamais
de prince si méchant que son ministre ne le soit encore
davantage. S'il fait quelque action mauvaise, elle a presque
toujours été suggérée; de manière que l'ambition des princes
n'est jamais si dangereuse que la bassesse d'âme de ses
conseillers. Mais comprends-tu qu'un homme qui n'est
que d'hier dans le ministère, qui peut-être n'y sera pas
demain, puisse devenir dans un moment l'ennemi de lui-
même, de sa famille, de sa patrie et du peuple qui naîtra
à jamais de celui qu'il va faire opprimer?

Un prince a des passions; le ministre les remue. C'est
de ce côté-là qu'il dirige son ministère; il n'a point d'autre
but, ni n'en veut connaître. Les courtisans le séduisent
par leurs louanges, et lui le flatte plus dangereusement par
ses conseils, par les desseins qu'il lui inspire, et par les
maximes qu'il lui propose.

De Paris, le 25 de la lune de Saphar, 1719.

LETTRE CXXVIII

RICA A USBEK, A ***

JE passais l'autre jour sur le Pont-Neuf avec un de
mes amis : il rencontra un homme de sa connaissance
qu'il me dit être un géomètre, et il n'y avait rien qui
n'y parût : car il était dans une rêverie ^b profonde [1]. Il fallut
que mon ami le tirât longtemps par la manche et le secouât
pour le faire descendre jusques à lui, tant il était occupé
d'une courbe, qui le tourmentait peut-être depuis plus de
huit jours. Ils se firent tous deux beaucoup d'honnêtetés

1. C'est Pascal qui a décelé le premier, à propos de Descartes, les
mérites et les limites de l'esprit de géométrie. Montesquieu donne
ici le portrait du « géomètre », auquel La Bruyère n'a pas pensé.

et s'apprirent réciproquement quelques nouvelles litté-
raires. Ces discours les menèrent jusque sur la porte d'un
café, où j'entrai avec eux.

Je remarquai que notre géomètre y fut reçu de tout
le monde avec empressement, et que les garçons du café
en faisaient beaucoup plus de cas que de deux mousque-
taires qui étaient dans un coin. Pour lui, il parut qu'il se
trouvait dans un lieu agréable : car il dérida un peu son
visage et se mit à rire comme s'il n'avait pas eu la moindre
teinture de géométrie.

Cependant son esprit régulier toisait tout ce qui se
disait dans la conversation. Il ressemblait à celui qui,
dans un jardin, coupait avec son épée la tête des fleurs qui
s'élevaient au-dessus des autres [1] : martyr de sa justesse,
il était offensé d'une saillie comme une vue délicate est
offensée par une lumière trop vive. Rien pour lui n'était
indifférent, pourvu qu'il fût vrai. Aussi sa conversation
était-elle singulière. Il était arrivé ce jour-là de la campagne
avec un homme qui avait vu un château superbe et des
jardins magnifiques, et il n'avait vu, lui, qu'un bâtiment
de soixante pieds de long sur trente-cinq de large et un
bosquet barlong de dix arpents. Il aurait fort souhaité
que les règles de la perspective eussent été tellement obser-
vées que les allées des avenues eussent paru partout de
même largeur, et il aurait donné pour cela une méthode
infaillible. Il parut fort satisfait d'un cadran qu'il y avait
démêlé, d'une structure fort singulière, et il s'échauffa fort
contre un savant qui était auprès de moi, qui malheureu-
sement lui demanda si ce cadran marquait les heures baby-
loniennes [2]. Un nouvelliste parla du bombardement du
château de Fontarabie [3] : et il nous donna soudain les pro-

1. Tarquin le Superbe décapitait les pavots les plus élevés pour
indiquer à son fils Sextus qu'il devait exécuter les notables de Gabies,
« summa papaverum capita dicitur baculo decussisse » (Tite-Live, I, 54).

2. Grecs et Romains avaient pris à la science babylonienne la divi-
sion du jour en douze heures, depuis le lever jusqu'au coucher du
soleil, six heures *ante meridiem*, six *post meridiem*. Leur durée variait
évidemment avec la saison. Les anciens cadrans solaires marquaient
« les heures babyloniennes »

3. La citadelle de Fontarabie, assiégée par le maréchal de Berwick,
se rendit après un rude bombardement le 18 juin 1719.

priétés de la ligne que les bombes avaient décrite en l'air, et, charmé de savoir cela, il voulut en ignorer entièrement le succès. Un homme se plaignait d'avoir été ruiné l'hiver auparavant par une inondation. « Ce que vous me dites là m'est fort agréable, dit alors le géomètre : je vois que je ne me suis pas trompé dans l'observation que j'ai faite, et qu'il est au moins tombé sur la Terre deux pouces d'eau plus que l'année passée. »

Un moment après, il sortit, et nous le suivîmes. Comme il allait assez vite, et qu'il négligeait de regarder devant lui, il fut rencontré directement par un autre homme. Ils se choquèrent rudement, et de ce coup ils rejaillirent, chacun de leur côté, en raison réciproque de leur vitesse et de leurs masses [1]. Quand ils furent un peu revenus de leur étourdissement, cet homme, portant la main sur son front, dit au géomètre : « Je suis bien aise que vous m'ayez heurté, car j'ai une grande nouvelle à vous apprendre : je viens de donner Horace au public. — Comment! dit le géomètre, il y a deux mille ans qu'il y est. — Vous ne m'entendez pas, reprit l'autre : c'est une traduction de cet ancien auteur que je viens de mettre au jour; il y a vingt ans que je m'occupe à faire des traductions. — Quoi! Monsieur, dit le géomètre, il y a vingt ans que vous ne pensez pas? Vous parlez pour les autres, et ils pensent pour vous? — Monsieur, dit le savant, croyez-vous que je n'aie pas rendu un grand service au public, de lui rendre la lecture des bons auteurs familière? — Je ne dis pas tout à fait cela : j'estime autant qu'un autre les sublimes génies que vous travestissez. Mais vous ne leur ressemblerez point : car, si vous traduisez toujours, on ne vous traduira jamais. Les traductions sont comme ces monnaies de cuivre qui ont bien la même valeur qu'une pièce d'or, et même sont d'un plus grand usage pour le peuple; mais elles sont toujours faibles et de mauvais aloi [2]. Vous voulez, dites-vous, faire renaître parmi nous

1. Selon la formule *mv* de la mécanique cartésienne. Rica et Montesquieu n'ont pas encore étudié Newton.

2. Montesquieu aurait-il en vue un traducteur d'Horace, Dacier (1681) ou l'abbé Pellegrin (Paris, Witte, 1715)? Les deux Dacier étaient les plus redoutables traducteurs du temps. L'attaque de Mon-

ces illustres morts, et j'avoue que vous leur donnez bien un corps; mais vous ne leur rendez pas la vie : il y manque toujours un esprit pour les animer. Que ne vous appliquez-vous plutôt à la recherche de tant de belles vérités qu'un calcul facile nous fait découvrir tous les jours ? »

Après ce petit conseil, ils se séparèrent, je crois, très mécontents l'un de l'autre.

De Paris, le dernier de la lune de Rebiab 2, 1719.

LETTRE CXXIX [a]

USBEK A RHÉDI, A VENISE

L A plupart des législateurs ont été des hommes bornés, que le hasard a mis à la tête des autres, et qui n'ont presque consulté que leurs préjugés et leurs fantaisies [1].

Il semble qu'ils aient méconnu la grandeur et la dignité même de leur ouvrage : ils se sont amusés à faire des institutions puériles, avec lesquelles ils se sont à la vérité conformés aux petits esprits, mais décrédités auprès des gens de bon sens.

Ils se sont jetés dans des détails inutiles; ils ont donné dans les cas particuliers, ce qui marque un génie étroit qui ne voit les choses par par parties et n'embrasse rien d'une vue générale.

Quelques-uns ont affecté de se servir d'une autre langue que la vulgaire : chose absurde pour un faiseur de lois. Comment peut-on les observer, si elles ne sont pas connues ?

tesquieu fait écho à celle de l'abbé Du Bos (*Réflexions critiques sur la poésie et la peinture*, 1719, II, xxxv) : « Une traduction est une estampe où rien ne demeure du tableau original que l'ordonnance et l'attitude des figures. Encore y est-elle altérée. »

1. M. Roddier (*art. cit.*, R. H. L., 1952, p. 445) rapproche cette lettre du livre XXVI de *l'Esprit des lois*. L'analogie est plus évidente avec le livre XXIX (cf. chap. 19, *Des législateurs :* « Les lois rencontrent toujours les passions et les préjugés du législateur. Quelquefois elles passent au travers et s'y teignent; quelquefois elles y restent et s'y incorporent. »)

Ils ont souvent aboli sans nécessité celles qu'ils ont trouvées établies; c'est-à-dire qu'ils ont jeté les peuples dans les désordres inséparables des changements [1].

Il est vrai que, par une bizarrerie qui vient plutôt de la nature que de l'esprit des hommes, il est quelquefois nécessaire de changer certaines lois. Mais le cas est rare, et, lorsqu'il arrive, il n'y faut toucher que d'une main tremblante : on y doit observer tant de solennités et apporter tant de précautions que le peuple en conclut naturellement que les lois sont bien saintes, puisqu'il faut tant de formalités pour les abroger.

Souvent ils les ont faites trop subtiles et ont suivi des idées logiciennes plutôt que l'équité naturelle. Dans la suite, elles ont été trouvées trop dures, et, par un esprit d'équité, on a cru devoir s'en écarter; mais ce remède était un nouveau mal. Quelles que soient les lois, il faut toujours les suivre et les regarder comme la conscience publique, à laquelle celle des particuliers doit se conformer toujours[a].

Il faut pourtant avouer que quelques-uns d'entre eux ont eu une attention qui marque beaucoup de sagesse : c'est qu'ils ont donné aux pères une grande autorité sur leurs enfants. Rien ne soulage plus les magistrats; rien ne dégarnit plus les tribunaux; rien, enfin, ne répand plus de tranquillité dans un état, où les mœurs font toujours de meilleurs citoyens que les lois.

C'est, de toutes les puissances, celle dont on abuse le moins; c'est la plus sacrée de toutes les magistratures; c'est la seule qui ne dépend pas des conventions, et qui les a même précédées [2].

On remarque que, dans les pays où l'on met dans les mains paternelles plus de récompenses et de punitions,

1. Dans les *Pensées* (*op. cit.*, t. II, p. 364), Montesquieu déclare suivre sur ce point l'opinion de Machiavel et ajoute que tout changement autorise « la fantaisie de celui qui voudra bouleverser tout, en ôtant le respect qu'on doit avoir pour les choses établies. »

2. Dans le traité *Des Devoirs* de 1725 (in *Pensées*, t. I, p. 397-398), la puissance paternelle apparaît comme le modèle naturel de toute législation, comme la famille le modèle naturel de toute société. Toute cette argumentation est implicitement dirigée contre Hobbes et sa conception barbare du droit naturel.

les familles sont mieux réglées : les pères sont l'image du Créateur de l'Univers, qui, quoiqu'il puisse conduire les hommes par son amour, ne laisse pas de se les attacher encore par les motifs de l'espérance et de la crainte.

Je ne finirai pas cette lettre sans te faire remarquer la bizarrerie de l'esprit des Français. On dit qu'ils ont retenu des lois romaines un nombre infini de choses inutiles et même pis, et ils n'ont pas pris d'elles la puissance paternelle, qu'elles ont établie comme la première autorité légitime.

De Paris, le 4 de la lune de Gemmadi 2, 1719ª.

LETTRE CXXX

RICA A ***

Je te parlerai dans cette lettre d'une certaine nation qu'on appelle *les Nouvellistes*, qui s'assemble dans un jardin magnifique¹, où leur oisiveté est toujours occupée. Ils sont très inutiles à l'État, et leurs discours de cinquante ans n'ont pas un effet différent de celui qu'aurait pu produire un silence aussi long. Cependant ils se croient considérables, parce qu'ils s'entretiennent de projets magnifiques et traitent de grands intérêts.

La base de leurs conversations est une curiosité frivole et ridicule : il n'y a point de cabinet si mystérieux qu'ils ne prétendent pénétrer ; ils ne sauraient consentir à ignorer quelque chose ; ils savent combien ᵇ notre auguste sultan a de femmes, combien il fait d'enfants toutes les années ;

1. La Bruyère avait peint les nouvellistes Démophile et Basilide (*Caractères*, X, 11), sans insister sur leur lieu de réunion favori, les Tuileries. Dufresny (*op. cit.*, *Amusement* VI, p. 91) les trouvait à la promenade aussi incommodes que « des mouches ou des cousins ». Mais il faut consulter l'ouvrage très vivant de Franz Funck-Brentano, *les Nouvellistes* (Hachette, 1905), pour apprécier leur importance à Paris et pour mesurer, au contraire de Montesquieu, le sérieux de leurs assises. Au xviiie siècle, les *Mémoires secrets* et les *Nouvelles à la main* seront l'expression clandestine de leurs successeurs, les Bachaumont et les Métra.

« ... *une certaine nation qu'on appelle* les Nouvellistes,
qui s'assemble dans un jardin magnifique... » (Lettre CXXX, p. 272.)
Gravure anonyme du début du XVIII^e siècle.

et, quoiqu'ils ne fassent aucune dépense en espions, ils sont instruits des mesures qu'il prend pour humilier l'empereur des Turcs et des Mogols.

A peine ont-ils épuisé le présent qu'ils se précipitent dans l'avenir, et, marchant au-devant de la Providence, ils *a* la préviennent sur toutes les démarches des hommes. Ils conduisent un général par la main, et, après l'avoir loué de mille sottises qu'il n'a pas faites, ils lui en préparent mille autres qu'il ne fera pas.

Ils font voler les armées comme les grues et tomber les murailles comme des cartons; ils ont des ponts sur toutes les rivières, des routes secrètes dans toutes les montagnes, des magasins immenses dans les sables brûlants; il ne leur manque que le bon sens.

Il y a un homme avec qui je loge, qui reçut cette lettre d'un nouvelliste. Comme elle m'a paru singulière, je la gardai. La voici :

MONSIEUR,

Je me trompe rarement dans mes conjectures sur les affaires du temps.

Le 1^{er} janvier 1711, je prédis que l'empereur Joseph mourrait dans le cours de l'année. Il est vrai que, comme il se portait fort bien, je crus que je me ferais moquer de moi si je m'expliquais d'une manière bien claire : ce qui fit que je me servis de termes un peu énigmatiques ; mais les gens qui savent raisonner m'entendirent bien. Le 17 avril de la même année, il mourut de la petite vérole.

Dès que la guerre fut déclarée entre l'Empereur et les Turcs, j'allai chercher nos messieurs dans tous les coins des Tuileries ; je les assemblai près du bassin et leur prédis qu'on ferait le siège de Belgrade, et qu'il serait pris. J'ai été assez heureux pour que ma prédiction ait été accomplie. Il est vrai que, vers le milieu du siège, je pariai cent pistoles qu'il serait pris le 18 août ; il ne fut pris que le lendemain. Peut-on perdre à si beau jeu ?

Lorsque je vis que la flotte d'Espagne débarquait en Sardaigne, je jugeai qu'elle en ferait la conquête ; je le dis, et cela se trouva vrai. Enflé de ce succès, j'ajoutai que cette flotte victorieuse irait débarquer à Final, pour faire la conquête du Milanais. Comme je trouvai de la résistance à faire recevoir cette idée, je voulus la

*soutenir glorieusement : je pariai cinquante pistoles, et je les perdis
encore : car ce diable d'Alberoni, malgré la foi des traités, envoya
sa flotte en Sicile et trompa tout à la fois deux grands politiques,
le duc de Savoie et moi* [1].

 *Tout cela, Monsieur, me déroute si fort que j'ai résolu de
prédire toujours et de ne parier jamais. Autrefois nous ne connais-
sions point aux Tuileries l'usage des paris, et feu M. le comte de
L...* [2a] *ne les souffrait guère. Mais, depuis qu'une troupe de
petits-maîtres s'est mêlée parmi nous, nous ne savons plus où
nous en sommes : à peine ouvrons-nous la bouche pour dire une
nouvelle, qu'un de ces jeunes gens propose de parier contre.*

 *L'autre jour, comme j'ouvrais mon manuscrit et accommodais
mes lunettes sur mon nez, un de ces fanfarons, saisissant
justement l'intervalle du premier mot au second, me dit : « Je
parie cent pistoles que non. » Je fis semblant de n'avoir pas fait
d'attention à cette extravagance, et, reprenant la parole d'une voix
plus forte, je dis : « M. le Maréchal de... ayant appris... — Cela*

1. Le Prince Eugène, généralissime de l'empereur Charles VI,
entra en campagne contre les Turcs en juillet 1716. Alberoni lança
un corps expéditionnaire en Sardaigne qui débarqua le 20 août 1717.
Neuf mille Espagnols s'emparèrent de l'île en moins de deux mois.
Puis il attaqua la Sicile le 1er juillet 1718. Finale, petit port à quinze
milles à l'ouest de Savone, appartenait alors à l'Empereur : porte
d'accès du Milanais, il fut vendu aux Génois qui le démantelèrent
(cf. Montesquieu, *Voyages, op. cit.*, t. II, p. 197). Le duc de Savoie,
Victor-Amédée II, fut le seul perdant de la guerre austro-espagnole :
il dut céder la Sicile à Philippe V.

2. Barckhausen a cru, sur la foi de Saint-Simon (édit. Boislisle,
t. XII, p. 41), qu'il s'agissait du fils du ministre de Louis XIV, Hugues
de Lionne. Saint-Simon se trompait, comme l'a démontré Funck-
Brentano (*op. cit.*, p. 89). Le nouvelliste est le comte Joachim de
Lionne, cousin des précédents, « premier écuyer de la grande Écurie »,
ancien militaire fixé à Paris depuis 1671. Lorsqu'il mourut le 31 mars
1716, le *Mercure* fit son éloge : « Les plus grands politiques et les plus
vieux nouvellistes des Tuileries le reconnaissaient pour leur chef
souverain et le regardaient comme un prodige » (avril 1716, p. 181).
Le comte de Lionne avait des correspondants aux armées, dans les
ports de mer, dans les cours étrangères. Saint-Évremond lui envoyait
de Londres des bulletins politiques. Funck-Brentano signale ses amis,
ses informateurs masqués sous les pseudonymes de « Roi des barbets »,
« Major », « Patriarche » (*op. cit.*, p. 97). Ses papiers conservés à la Biblio-
thèque nationale (ms. français, n° 22817) prouvent, non une activité
de maniaque, mais une organisation qui préfigure celle de la presse
moderne.

est faux, me dit-il. Vous avez des nouvelles extravagantes, il
n'y a pas le sens commun à tout cela. »

Je vous prie, Monsieur, de me faire le plaisir de me prêter
trente pistoles : car je vous avoue que ces paris m'ont fort dérangé.
Je vous envoie la copie de deux lettres que j'ai écrites au Ministre.

Je suis, etc.

Lettres d'un nouvelliste au ministre.

MONSEIGNEUR,

Je suis le sujet le plus zélé que le Roi ait jamais eu. C'est
moi qui obligeai un de mes amis d'exécuter le projet que j'avais
formé d'un livre pour démontrer que Louis le Grand était le
plus grand de tous les princes[a] *qui ont mérité le nom de Grand.*
Je travaille depuis longtemps à un autre ouvrage qui fera encore
plus d'honneur à notre nation, si Votre Grandeur veut m'accor-
der un privilège : mon dessein est de prouver que, depuis le commen-
cement de la Monarchie, les Français n'ont jamais été battus, et
que ce que les historiens ont dit jusqu'ici de nos désavantages sont
de véritables impostures. Je suis obligé de les redresser en bien
des occasions, et j'ose me flatter que je brille surtout dans la cri-
tique.

Je suis, Monseigneur, etc.

MONSEIGNEUR,

Depuis la perte que nous avons faite de M. le comte de L...,
nous vous supplions d'avoir la bonté de nous permettre d'élire
un président. Le désordre se met dans nos conférences, et les
affaires d'État n'y sont pas traitées avec la même discussion
que par le passé : nos jeunes gens vivent absolument sans égard
pour les anciens et, entre eux, sans discipline ; c'est le véritable
conseil de Roboam, où les jeunes imposent aux vieillards [1].
Nous avons beau leur représenter que nous étions paisibles pos-
sesseurs des Tuileries vingt ans avant qu'ils fussent[b] *au Monde ; je*

1. Cf. I *Rois*, XII, 8 : « Mais Roboam laissa le conseil que les vieil-
lards lui avaient donné et consulta les jeunes gens qui avaient été
nourris avec lui. »

*crois qu'ils nous en chasseront à la fin, et qu'obligés de quitter
ces lieux où nous avons tant de fois évoqué les ombres de nos héros
français, il faudra que nous allions tenir nos conférences au Jar-
din du Roi [1] ou dans quelque lieu plus écarté.*

Je suis, etc.

De Paris, le 7 de la lune de Gemmadi 2, 1719.

LETTRE CXXXI

RHÉDI A RICA, A PARIS

UNE des choses qui a le plus exercé ma curiosité en
arrivant en Europe, c'est l'histoire et l'origine des
républiques. Tu sais que la plupart des Asiatiques n'ont
pas seulement d'idée de cette sorte de gouvernement,
et que l'imagination ne les a pas servis jusques à leur faire
comprendre qu'il puisse y en avoir sur la Terre d'autre
que le despotique [2].

Les premiers gouvernements que nous connaissons
étaient[a] monarchiques : ce ne fut que par hasard et par la
succession des siècles que les républiques se formèrent.

La Grèce ayant été abîmée par un déluge, de nouveaux
habitants vinrent la peupler. Elle tira presque toutes ses
colonies d'Égypte et des contrées de l'Asie les plus voi-
sines, et, comme ces pays étaient gouvernés par des rois,
les peuples qui en sortirent furent gouvernés de même.
Mais, la tyrannie de ces princes devenant trop pesante,
on secoua le joug, et du débris de tant de royaumes s'éle-
vèrent ces républiques qui firent si fort fleurir la Grèce,
seule polie, au milieu des Barbares.

1. L'actuel jardin des Plantes.
2. L'idée vient de Chardin (*op. cit.*, t. I, p. 256) : « Le gouvernement
républicain est inconnu en Perse. On n'y connaît que le gouvernement
despotique et on n'y saurait concevoir ni l'admiration de la souveraine
puissance par plusieurs hommes égaux ni même cette sainte et heu-
reuse autorité des lois qui sert de barrière contre la tyrannie. » Taver-
nier, lors d'une réception à la cour de Perse, signale l'étonnement
de Shah Soliman devant le gouvernement des Hollandais (*op. cit.*,
IV, 18, p. 554).

L'amour de la liberté, la haine des rois, conserva long-
temps la Grèce dans l'indépendance et étendit au loin le
gouvernement républicain. Les villes grecques trouvèrent
des alliés dans l'Asie Mineure; elles y envoyèrent des colo-
nies aussi libres qu'elles, qui leur servirent de remparts
contre les entreprises des rois de Perse. Ce n'est pas tout :
la Grèce peupla l'Italie; l'Italie, l'Espagne, et peut-être
les Gaules. On sait que cette grande Hespérie, si fameuse
chez les Anciens, était au commencement la Grèce, que ses
voisins regardaient comme un séjour de félicité. Les Grecs,
qui ne trouvaient point chez eux ce pays heureux, l'allèrent
chercher en Italie; ceux de l'Italie, en Espagne; ceux d'Es-
pagne, dans la Bétique ou le Portugal : de manière que
toutes ces régions portèrent ce nom chez les Anciens.
Ces colonies grecques apportèrent avec elles un esprit de
liberté qu'elles avaient pris dans ce doux pays. Ainsi on ne
voit guère, dans ces temps reculés, de monarchies dans
l'Italie, l'Espagne, les Gaules. Tu verras *a* bientôt que les
peuples du Nord et d'Allemagne n'étaient pas moins libres;
et, si l'on trouve des vestiges de quelque royauté parmi
eux, c'est qu'on a pris pour des rois les chefs des armées
ou des républiques [1].

Tout ceci se passait en Europe; car, pour l'Asie et
l'Afrique, elles ont toujours été accablées sous le despo-
tisme, si vous en exceptez quelques villes de l'Asie Mineure
dont nous avons parlé, et la république de Carthage en
Afrique.

Le Monde fut partagé entre deux puissantes républiques :
celle de Rome et celle de Carthage. Il n'y a rien de si connu
que les commencements de la République romaine, et rien
qui le soit si peu que l'origine de celle de Carthage. On
ignore absolument la suite des princes africains depuis
Didon, et comment ils perdirent leur puissance. C'eût été
un grand bonheur pour le Monde que l'agrandissement

1. Cette rapide esquisse politique de l'histoire universelle prélude
aux recherches des *Considérations* sur l'évolution de la république
romaine et à celles de *l'Esprit des lois* sur le passage des royautés
germaniques à l'état féodal et aux monarchies modernes (livres XI,
8, XXVIII, XXX et XXXI).

prodigieux de la République romaine, s'il n'y avait pas eu
cette différence injuste entre les citoyens romains et les
peuples vaincus; si l'on avait donné aux gouverneurs
des provinces une autorité moins grande; si les lois si
saintes pour empêcher leur tyrannie avaient été observées;
et s'ils ne s'étaient pas servis, pour les faire taire, des
mêmes trésors que leur injustice avait amassés [a].

César opprima la République romaine, et la soumit
à un pouvoir arbitraire.

L'Europe gémit longtemps sous un gouvernement
militaire et violent, et la douceur romaine fut changée
en une cruelle oppression.

Cependant une infinité de nations inconnues sortirent
du Nord, se répandirent comme des torrents dans les pro-
vinces romaines, et, trouvant autant de facilité à faire des
conquêtes qu'à exercer leurs pirateries, elles démembrèrent
l'Empire et fondèrent [b] des royaumes. Ces peuples étaient
libres, et ils bornaient si fort l'autorité de leurs rois qu'ils
n'étaient proprement que des chefs ou des généraux. Ainsi
ces royaumes, quoique fondés par la force, ne sentirent
point le joug du vainqueur. Lorsque les peuples d'Asie,
comme les Turcs et les Tartares, firent des conquêtes,
soumis à la volonté d'un seul, ils ne songèrent qu'à lui
donner de nouveaux sujets et à établir par les armes son
autorité violente. Mais les peuples du Nord, libres dans
leurs pays, s'emparant des provinces romaines, ne donnè-
rent point à leurs chefs une grande autorité. Quelques-uns
même de ces peuples, comme les Vandales en Afrique, les
Goths en Espagne, déposaient leurs rois dès qu'ils n'en
étaient pas satisfaits [1], et, chez les autres, l'autorité du prince
était bornée de mille manières différentes : un grand nombre

1. Barckhausen signale la déposition de Hilderick par les Vandales
en 530, celle de Suintila, Tulga et Wamba par les Goths en 631, 642
et 680 (*op. cit.*, t. II, p. 69). L'érudition de Montesquieu était sur ce
point étonnante : il avait fait des extraits de la *Guerre des Goths* de
Procope (*Pensées*, I, p. 214, note) et connaissait la *Vie de Wamba* (*ibid.*,
t. II, p. 513). Une note du *Spicilège* (p. 181) signale : « J'ai lu sur le
Bas-Empire romain Jornandès, Procope, Agathias et non pas Luit-
prand, Paul Diacre et Flavius Blondus ». Sur les Vandales, Montes-

de seigneurs la partageaient avec lui; les guerres n'étaient entreprises que de leur consentement; les dépouilles étaient partagées entre le chef et les soldats; aucun impôt en faveur du prince; les lois étaient faites dans les assemblées de la Nation [1]. Voilà le principe fondamental de tous ces états qui se formèrent des débris de l'Empire romain.

De Venise, le 20 de la lune de Rhegeb, 1719.

LETTRE CXXXII

RICA A ***

JE fus, il y a cinq ou six mois, dans un café; j'y remarquai un gentilhomme assez bien mis, qui se faisait écouter : il parlait du plaisir qu'il y avait de vivre à Paris; il déplorait[a] sa situation d'être obligé d'aller languir[b] dans la Province. « J'ai, dit-il, quinze mille livres de rente en fonds de terre, et je me croirais plus heureux si j'avais le quart de ce bien-là en argent et en effets portables partout. J'ai beau presser mes fermiers et les accabler de frais de justice, je ne fais que les rendre plus insolvables; je n'ai jamais pu voir cent pistoles à la fois. Si je devais dix mille francs, on me ferait saisir toutes mes terres, et je serais à l'Hôpital. »

Je sortis sans avoir fait grande attention à tout ce discours; mais, me trouvant hier dans ce quartier, j'entrai dans la même maison, et j'y vis un homme grave, d'un visage pâle et allongé, qui, au milieu de cinq ou six discoureurs, paraissait morne et pensif jusques à ce que, prenant brusquement la parole : « Oui, Messieurs, dit-il, en haussant la

quieu lisait, non Victor de Vita, mais Procope encore (*Guerre des Vandales*, cf. *Esprit des lois*, XXX, 7, note *f*).

1. Même erreur dans *l'Esprit des lois*, XI, 8 (cf. édition Brethe de la Gressaye, Belles-Lettres, 1955, t. II, p. 351, note 71). Les rois mérovingiens exerçaient seuls le pouvoir législatif et les plaids *(placita)* consultatifs « n'avaient rien des assemblées de tribus décrites par Tacite ».

voix, je suis ruiné; je n'ai plus de quoi vivre; car j'ai actuel-
lement chez moi deux cent mille livres en billets de banque
et cent mille écus d'argent. Je me trouve dans une situation
affreuse : je me suis cru riche, et me voilà à l'Hôpital. Au
moins, si j'avais seulement une petite terre où je pusse[a]
me retirer, je serais sûr d'avoir de quoi vivre; mais je n'ai
pas grand comme ce chapeau de fonds de terre [1 b]. »

Je tournai par hasard la tête d'un autre côté, et je vis
un autre homme qui faisait des grimaces de possédé. « A
qui se fier désormais? s'écriait-il. Il y a un traître que je
croyais si fort de mes amis que je lui avais prêté mon argent;
et il me l'a rendu. Quelle perfidie horrible! Il a beau faire :
dans mon esprit, il sera toujours déshonoré [2]. »

Tout près de là était un homme très mal vêtu, qui,
élevant les yeux au Ciel, disait : « Dieu bénisse les projets
de nos ministres! Puissé-je voir les actions à deux mille,
et tous les laquais de Paris plus riches que leurs maîtres! »
J'eus la curiosité de demander son nom. « C'est un homme
extrêmement pauvre, me dit-on; aussi a-t-il un pauvre
métier : il est généalogiste, et il espère que son art rendra
si les fortunes continuent, et que tous ces nouveaux riches
auront besoin de lui pour reformer leur nom, décrasser leurs
ancêtres et orner leurs carrosses. Il s'imagine qu'il va

1. Montesquieu décrit ici deux moments de la crise financière déclen-
chée par le système de Law; dans le premier, la hausse vertigineuse des
actions du Mississippi fait perdre toute valeur à la rente des terres;
dans la seconde, la vente des actions et la méfiance du public fait
renchérir la propriété foncière, considérée comme valeur-refuge.
Si notre lettre est datée du 19 novembre 1719, faut-il croire Barckhau-
sen et dire que Montesquieu anticipe sur la débâcle de Law (*op. cit.*,
t. II, p. 69)? Faut-il suivre A. Adam qui décèle dès septembre des
signes de méfiance chez les correspondants de la marquise de Balleroy
(*op. cit.*, p. 338)? Un seul élément est sûr : le cours des actions. Or
l'action de 500 livres monte à 12.000 en décembre, à 18.000 en janvier
1720. L'assemblée générale du 30 décembre accordait un dividende
de 40 %, ce qui représentait 2 % au cours de 10.000. Ce n'est vrai-
ment qu'au début de 1720 que le système chancela. Le 5 janvier,
lorsque Law fut nommé contrôleur général, en marque l'apogée.

2. Les débiteurs se hâtaient de payer leurs dettes en billets dépréciés,
d'autant plus qu'un édit du 11 mars 1720 interdisait d'effectuer en or
les paiements de plus de cent livres : l'escroquerie est morale, mais non
légale.

faire autant de gens de qualité qu'il voudra, et il tressaillit de joie de voir multiplier ses pratiques. »

Enfin je vis entrer un vieillard pâle et sec, que je reconnus pour nouvelliste avant qu'il se fût assis. Il n'était pas du nombre de ceux qui ont une assurance victorieuse contre tous les revers et présagent toujours les victoires et les trophées; c'était, au contraire, un de ces trembleurs qui n'ont que des nouvelles tristes [1]. « Les affaires vont bien mal du côté d'Espagne, dit-il : nous n'avons point de cavalerie sur la frontière, et il est à craindre que le prince Pio, qui en a un gros corps, ne fasse contribuer tout le Languedoc [2]. »

Il y avait vis-à-vis de moi un philosophe assez mal en ordre, qui prenait le nouvelliste en pitié et haussait les épaules à mesure que l'autre haussait la voix. Je m'approchai de lui, et il me dit à l'oreille : « Vous voyez que ce fat nous entretient, il y a une heure, de sa frayeur pour le Languedoc, et moi, j'aperçus hier au soir une tache dans le Soleil, qui, si elle augmentait, pourrait faire tomber toute la nature en engourdissement, et je n'ai pas dit un seul[a] mot. »

De Paris, le 17 de la lune de Rhamazan, 1719.

LETTRE CXXXIII

RICA A ***

J'ALLAI l'autre jour voir une grande bibliothèque dans un couvent de dervis, qui en sont comme les dépositaires, mais qui sont obligés d'y laisser entrer tout le monde à certaines heures [3].

1. Souvenir encore de La Bruyère qui oppose l'optimiste Basilide et le pessimiste Démophile (*Caractères*, X, 11).

2. Pendant que Berwick en juin 1719 prenait Fontarabie et Pasajes, le prince Pio de Savoie, au service de l'Espagne, concentrait des troupes en Catalogne et menaçait d'envahir le Languedoc. La paix fut signée en mai 1720.

3. La tradition voit dans cette bibliothèque celle de l'abbaye de Saint-Victor. Enrichie par les testaments de Du Bouchet de Bournonville

En entrant je vis un homme grave qui se promenait au milieu d'un nombre innombrable de volumes qui l'entouraient. J'allai à lui et le priai de me dire quels étaient quelques-uns de ces livres que je voyais mieux reliés que les autres. « Monsieur, me*a* dit-il, j'habite ici une terre étrangère : je n'y connais personne. Bien des gens font de pareilles questions; mais*b* vous voyez bien que je n'irai pas lire tous ces livres pour les satisfaire. J'ai*c* mon bibliothécaire qui vous donnera satisfaction : car il s'occupe nuit et jour à déchiffrer tout ce que vous voyez là; c'est un homme qui n'est bon à rien, et qui nous est très à charge, parce qu'il ne travaille point pour le couvent. Mais j'entends l'heure du réfectoire qui sonne. Ceux qui, comme moi, sont à la tête d'une communauté, doivent être les premiers à tous les exercices. » En disant cela, le moine me poussa dehors, ferma la porte, et comme s'il eût volé, disparut à mes yeux [1].

De Paris, le 21 de la lune de Rhamazan, 1719.

et du président Cousin, elle était devenue publique en 1707 et « régulièrement ouverte tous les lundis, mercredis et samedis, excepté depuis le 15 août jusqu'au 18 octobre » (la France littéraire, Paris, Duchesne, 1784, t. IV, p. 33). Il existait à Paris d'autres bibliothèques sises dans des couvents, notamment celle des chanoines de Sainte-Geneviève et celle des bénédictins de Saint-Germain-des-Prés; mais, bien qu'ouvertes aux savants, elles n'étaient pas publiques « de droit » (ibid., p. 36). M. Roddier a pensé à la bibliothèque de l'Oratoire, rue Saint-Honoré, qu'allait diriger en septembre 1721 le Père Desmolets, maître et ami de Montesquieu, (cf. R. H. L., 1952, p. 442), et dont le catalogue par matières était célèbre. Mais le séminaire des Oratoriens est à Saint-Magloire et l'Oratoire n'est pas un ordre de réguliers : c'est une libre association de prêtres séculiers. On ne saurait donc parler d'un « couvent de dervis » (cf. A. Franklin, Histoire de la bibliothèque de Saint-Victor, Paris, 1865).

1. L'abbé de Saint-Victor en 1719 était le cardinal Philippe Antoine Gualterio, ancien légat d'Avignon, ancien nonce en France. C'est en mars 1716 qu'il obtint l'abbaye qui lui fut remise par le procurateur N. Tamisier (Gallia christiana, t. VII, p. 693). A sa mort en 1728, son successeur fut le jeune François de Fitz-James, fils du maréchal de Berwick, l'un et l'autre liés à Montesquieu. Il ne semble pas qu'il s'agisse du cardinal ici, mais plutôt du procurateur, chef de la communauté depuis la suppression des prieurs-vicaires perpétuels.

LETTRE CXXXIV

JE retournai le lendemain à cette bibliothèque [1], où je
trouvai tout un autre homme que celui que j'avais vu
la première fois : son air était simple; sa physionomie,
spirituelle; et son abord, très affable. Dès que je lui eus fait
connaître ma curiosité, il se mit en devoir de la satisfaire
et même, en qualité d'étranger, de m'instruire.

« Mon père, lui dis-je, quels sont ces gros volumes
qui tiennent tout ce côté de bibliothèque?

— Ce sont, me dit-il, les interprètes de l'Écriture [2].

— Il y en a un grand nombre! lui repartis-je. Il faut
que l'Écriture fût bien obscure autrefois et bien claire à
présent. Reste-t-il encore quelques doutes? Peut-il y avoir
des points contestés? — S'il y en a, bon Dieu! s'il y en a!
me répondit-il. Il y en a presque autant que de lignes. —
Oui? lui dis-je. Et qu'ont donc fait tous ces auteurs? —
Ces auteurs, me repartit-il, n'ont point cherché dans l'Écri-
ture ce qu'il faut croire, mais ce qu'ils croient eux-mêmes;

1. Nous ne saurions comprendre cette digression sur les bibliothè-
ques (*Lettres* CXXXIII à CXXXVI) si nous l'interprétons comme
une visite réelle, à Saint-Victor ou à Saint-Honoré, sous la conduite
du Père Desmolets. On sait que les bibliothèques sont rangées par
format et que le classement par matières, inauguré à l'Oratoire, est
un ordre de catalogue, généralement adopté vers la fin du XVIIe siè-
cle. Nous soumettons ici une hypothèse : ce catalogue est un résumé
des richesses de la Brède, au moment même où Montesquieu commence
à en faire l'inventaire, avec l'aide de l'abbé Bottereau-Duval, entré à
son service vers 1720 (cf. L. Desgraves, *Catalogue de la bibliothèque de
Montesquieu*, Droz, 1954, p. XVII). Bon nombre de commentaires
ne se comprennent que par les ouvrages possédés par Montesquieu
et seraient confirmés par les devises latines qu'il place en tête des divi-
sions de son catalogue.

2. Dans le catalogue de la Brède, après les *Biblia sacra* viennent les
Interpretes critici et commentatores, groupés en *Judaei*, *Catholici*, et *Pro-
testantes* (*op. cit.*, p. 6-12). C'est à leur propos qu'il citera (*ibid.*, p. 36)
le Psaume XXII : « Diviserunt sibi vestimenta mea et super vestem
meam miserunt sortem » et le vers d'Horace (*Épîtres*, I, 2) :
« Iliacos intra muros peccatur et extra. »

ils ne l'ont point regardée comme un livre où étaient
contenus les dogmes qu'ils devaient recevoir, mais comme
un ouvrage qui pourrait donner de l'autorité à leurs propres
idées. C'est pour cela qu'ils en ont corrompu tous les sens
et ont donné la torture à tous les passages. C'est un pays
où les hommes de toutes les sectes font des descentes et
vont comme au pillage; c'est un champ de bataille où les
nations ennemies qui se rencontrent livrent bien des com-
bats, où l'on s'attaque, où l'on s'escarmouche[a] de bien des
manières.

« Tout près de là, voyez les livres ascétiques ou de dévo-
tion; ensuite, les livres de morale, bien plus utiles; ceux de
théologie, doublement inintelligibles, et par la matière
qui y est traitée, et par la manière de la traiter; les ouvrages
des mystiques, c'est-à-dire des dévots qui ont le cœur
tendre[1]. — Ah! mon Père, lui dis-je, un moment. N'allez
pas si vite. Parlez-moi de ces mystiques. — Monsieur, me
dit-il, la dévotion échauffe un cœur disposé à la tendresse et
lui fait envoyer des esprits au cerveau, qui l'échauffent de
même : d'où naissent les extases et les ravissements. Cet
état est le délire de la dévotion. Souvent il se perfectionne
ou plutôt dégénère en Quiétisme : vous savez qu'un Quié-
tiste n'est autre chose qu'un homme fou, dévot et libertin.

« Voyez les casuistes, qui mettent au jour les secrets
de la nuit[2], qui forment dans leur imagination tous les
monstres que le Démon d'Amour peut produire, les
rassemblent, les comparent et en font l'objet éternel de
leurs pensées : heureux si le cœur ne se met pas de la partie
et ne devient pas même complice de tant d'égarements si
naïvement décrits et si nûment peints!

« Vous voyez, Monsieur, que je pense librement, et
que je vous dis tout ce que je pense. Je suis naturellement
naïf et plus encore avec vous qui êtes un étranger, qui vou-
lez savoir les choses, et les savoir telles qu'elles sont. Si je

1. C'est l'ordre habituel : *Ascetici, Morales,* et *Mystici (ibid.,* p. 46-52).
2. Les casuistes font partie des théologiens moraux. Le plus célèbre
ouvrage d'Escobar est la *Theologia moralis* (la Brède, *op. cit.,* n° 404).
Quant à ceux qui découvrent les secrets d'alcôve, comment ne pas
penser avec A. Adam (*op. cit.,* p. 342) aux *Disputationes de matrimonio*
(Lyon, 1637) de Sanchez, citées dans la *Lettre* CXLIII?

voulais, je ne vous parlerais de tout ceci qu'avec admiration, je vous dirais sans cesse : « Cela est divin, cela est respectable; il y a du merveilleux. » Et il en arriverait de deux choses l'une, ou que je vous tromperais, ou que je me déshonorerais dans votre esprit. »

Nous en restâmes là; une affaire qui survint au dervis rompit notre conversation jusques au lendemain.

De Paris, le 23 de la lune de Rhamazan, 1719.

LETTRE CXXXV

RICA AU MÊME [a]

JE revins à l'heure marquée, et mon homme me mena précisément à l'endroit où nous nous étions quittés : Voici, me dit-il, les grammairiens, les glossateurs et les commentateurs. — Mon Père, lui dis-je, tous ces gens-là ne peuvent-ils pas se dispenser d'avoir du bon sens ? — Oui, dit-il; ils le peuvent, et même il n'y paraît pas : leurs ouvrages n'en sont pas plus mauvais; ce qui est très commode pour eux. — Cela est vrai, lui dis-je, et je connais bien des philosophes qui feraient bien de s'appliquer à ces sortes de sciences [b]. »

« Voilà, poursuivit-il, les orateurs, qui ont le talent de persuader indépendamment des raisons, et les géomètres, qui obligent un homme malgré lui d'être persuadé et le convainquent avec tyrannie.

« Voici les livres de métaphysique, qui traitent de si grands intérêts, et dans lesquels l'infini se rencontre partout; les livres de physique, qui ne trouvent pas plus de merveilleux dans l'économie du vaste Univers que dans la machine la plus simple de nos artisans; les livres de médecine, ces monuments de la fragilité de la nature et de la puissance de l'art, qui font trembler quand ils traitent des maladies même les plus légères, tant ils nous rendent la mort présente, mais qui nous mettent dans une sécurité entière quand ils parlent de la vertu des remèdes, comme si nous étions devenus immortels.

« Tout près de là, sont les livres d'anatomie, qui contiennent bien moins la description des parties du corps humain que les noms barbares qu'on leur a donnés[1] : chose qui ne guérit ni le malade de son mal, ni le médecin de son ignorance.

« Voici la chimie, qui habite tantôt l'Hôpital et tantôt les Petites-Maisons, comme des demeures qui lui sont également propres [2].

« Voici les livres de science, ou plutôt d'ignorance occulte : tels sont ceux qui contiennent quelque espèce de diablerie : exécrables, selon la plupart des gens, pitoyables, selon moi. Tels sont encore les livres d'astrologie judiciaire [3]. — Que dites-vous, mon Père ? Les livres d'astrologie judiciaire ! repartis-je avec feu. Et ce sont ceux dont nous faisons le plus de cas [a] en Perse ; ils règlent toutes les actions de notre vie, et nous déterminent dans toutes nos entreprises. Les astrologues sont proprement nos directeurs ; ils font plus : ils entrent dans le Gouvernement de l'État [4]. — Si cela est, me dit-il, vous vivez sous un joug

1. La bibliothèque de la Brède était exceptionnellement riche en ouvrages médicaux : près de deux cent titres (op. cit., p. 77-90). Les Medici étaient suivis, comme dans notre lettre persane, des Anatomici avec quarante-huit titres (op. cit., p. 90-93). La remarque sur les anatomistes viendrait-elle de la Diligens exquisitio nominum quibus partes corporis humani appellari solent de Camerarius (Bâle, 1551, in-folio, la Brède n° 1237) ?

2. C'est à propos des alchimistes que Montesquieu donne la devise (op. cit., p. 100) : « Quorum principium laborare, medium mentiri, finis mendicare ».

3. Montesquieu ne possède qu'un livre d'astrologie judiciaire, celui d'Henri Rantzau, Traité astrologique des jugements des thèmes génétliaques (Paris, Ménard, 1657, la Brède n° 1648). Mais le grand maître de l'astrologie était le comte de Boulainviller que Montesquieu raille dans ses Pensées (op. cit., t. II, p. 164) et dont deux opuscules couraient en manuscrits, l'Histoire du mouvement de l'apogée du soleil et la Pratique abrégée des jugements astronomiques sur les nativités.

4. Chardin consacre tout un chapitre (t. II, p. 116-126) à l'astrologie chez les Persans : « On consulte les astrologues sur toutes les choses importantes et quelquefois le roi les consulte sur les moindres détails, par exemple s'il doit aller en promenade, s'il doit entrer au sérail, s'il est temps de faire servir à manger. » Chardin insiste sur le rôle du grand astrologue à la cour d'Ispahan et reproduit intégralement un almanach persan de 1666 (op. cit., II, p. 127-148).

bien plus dur que celui de la raison. Voilà *a* le plus étrange
de tous les empires. Je plains bien une famille, et encore
plus une nation, qui se laisse si fort dominer par les Pla-
nètes. — Nous nous servons, lui repartis-je, de l'astrologie
comme vous vous servez de l'algèbre. Chaque nation a sa
science, selon laquelle elle règle sa politique; tous les astro-
logues ensemble n'ont jamais fait tant de sottises en notre
Perse qu'un seul de vos algébristes [1] en a fait ici. Croyez-
vous que le concours fortuit des astres ne soit pas une règle
aussi sûre que les beaux raisonnements de votre faiseur
de Système? Si l'on comptait les voix là-dessus en France
et en Perse, ce serait un beau sujet de triomphe pour l'astro-
logie; vous verriez les calculateurs *b* bien humiliés. Quel
accablant corollaire n'en pourrait-on *c* pas tirer contre
eux? »

Notre dispute fut interrompue, et il fallut nous quitter.

De Paris, le 26 de la lune de Rhamazan, 1719.

LETTRE CXXXVI

RICA AU MÊME

Dans l'entrevue suivante, mon savant me mena dans
un cabinet particulier. « Voici les livres d'histoire
moderne, me dit-il. Voyez premièrement les historiens
de l'Église et des Papes [2], livres que je lis pour m'édifier,
et qui font en moi souvent un effet tout contraire.

« Là, ce sont ceux qui ont écrit de la décadence du formi-
dable Empire Romain, qui s'était formé du débris de tant
de monarchies, et sur la chute duquel il s'en forma aussi
tant de nouvelles. Un nombre infini de peuples barbares,
aussi inconnus que les pays qu'ils habitaient, parurent tout
à coup, l'inondèrent, le ravagèrent, le dépecèrent, et fondè-
rent tous les royaumes *d* que vous voyez à présent en Europe.

1. Nouvelle allusion ironique à Law.
2. Titre dans le catalogue de la Brède (*op. cit.*, p. 14) : *Scriptores
historiae ecclesiasticae et pontificum.*

Ces peuples n'étaient point proprement barbares, puisqu'ils étaient libres; mais ils le sont devenus depuis que, soumis pour la plupart à une puissance absolue, ils ont perdu cette douce liberté si conforme à la raison, à l'humanité et à la nature [1].

« Vous voyez ici les historiens de l'Empire d'Allemagne, qui[a] n'est qu'une ombre du premier Empire, mais qui est, je crois la seule puissance qui soit sur la Terre que la division n'a point affaiblie; la seule, je crois encore, qui se fortifie à mesure[b] de ses pertes et qui, lente à profiter des succès, devient indomptable par ses défaites [2].

« Voici les historiens de France, où l'on voit d'abord la puissance des rois se former, mourir deux fois, renaître de même, languir ensuite pendant plusieurs siècles; mais, prenant insensiblement des forces, accrue de toutes parts, monter à son dernier période : semblable à des fleuves qui, dans leur course, perdent leurs eaux ou se cachent sous terre; puis, reparaissant[c] de nouveau, grossis par les rivières qui s'y jettent, entraînent avec rapidité tout ce qui s'oppose à leur passage.

« Là, vous voyez la nation espagnole sortir de quelques montagnes; les princes mahométans subjugués aussi insensiblement qu'ils avaient rapidement conquis; tant de royaumes réunis dans une vaste monarchie, qui devint presque la seule : jusqu'à ce qu'accablée [de sa propre grandeur et] de sa fausse opulence[d], elle perdit sa force et sa réputation même et ne conserva que l'orgueil de sa première puissance [3].

1. Cf. *Pensées* (t. I, p. 31) : « J'ai lu sur le Bas Empire romain : Jornandès, Procope, Agathias ». Montesquieu pense déjà aux *Considérations ;* mais dès 1720, les thèses sur l'origine franque de la noblesse française et sur les libertés germaniques détruites par le pouvoir central lui sont familières (cf. *Lettre* CXXXI, p. 279, n. 1).
2. Cette revue d'histoire européenne vient peut-être de Puffendorf, *Introduction à l'histoire des principaux royaumes et États de l'Europe* (Leyde, 1710, la Brède, n⁰ 2709) qu'il cite dans les *Pensées* (t. II, p. 291). Son opinion, fort contestable, sur l'Allemagne vient encore de Puffendorf, *De statu germanici imperii* (Leipzig, 1708, la Brède, n⁰ 3107).
3. Esquisse qui reprend le titre de l'abbé de Vayrac, *État présent de l'Espagne, ou l'on voit une géographie historique du pays, l'établisse-*

« Ce sont ici les historiens d'Angleterre, où l'on voit la liberté sortir sans cesse des feux de la discorde et de la sédition; le Prince toujours chancelant sur un trône iné-branlable; une nation impatiente, sage dans sa fureur même, et qui, maîtresse de la Mer (chose inouïe jusqu'alors), mêle *a* le commerce avec l'Empire [1].

« Tout près de là sont les historiens de cette autre reine de la Mer, la République de Hollande, si respectée en Europe et si formidable en Asie, où ses négociants voient tant de rois prosternés devant eux [2].

« Les historiens d'Italie vous représentent une nation autrefois maîtresse du Monde, aujourd'hui esclave de toutes les autres [3]; ses princes divisés et faibles, et sans autre attribut de souveraineté qu'une vaine politique.

« Voilà les historiens des républiques : de la Suisse, qui est l'image de la liberté; de Venise, qui n'a de res-sources qu'en son économie; et de Gênes, qui n'est superbe que par ses bâtiments.

« Voici ceux du Nord et, entre autres, de la Pologne, qui use si mal de sa liberté *b* et du droit qu'elle a d'élire ses rois, qu'il semble qu'elle veuille consoler par là les peuples ses voisins, qui ont perdu l'un et l'autre [4]. »

Là-dessus nous nous séparâmes jusques au lendemain.

De Paris, le 2 de lune de Chalval, 1719.

ment de la monarchie, ses révolutions et sa décadence (Paris, 1718, la Brède, n° 3171).

1. Montesquieu lit la traduction de Clarendon, *Histoire de la rébel-lion et des guerres civiles d'Angleterre* (La Haye, 1704-1709, la Brède, n° 3198) et donne en exergue cette citation d'Ovide (*Métamorphoses*, IV, 690) :
 « ... et latum sub pectore possidet aequor
 Divitiis animosa suis ».
2. Cf. la devise qui accompagne le *Mare liberum* de Grotius (la Brède, n° 2406) : « Ils ne demandaient que la liberté; à présent ils demandent l'empire. »
3. L'*Histoire d'Italie* de Guichardin (Paris, 1658, la Brède, n° 3068) portait en exergue sur le catalogue : « Per servir siempre, o vincitrice o vinta ».
4. Remarque inspirée par l'ouvrage de La Bizardière, *Histoire des diètes de Pologne pour les élections des rois* (Paris, Jombert, 1697, la Brède, n° 3147) et commentée par une citation de Tacite (*Annales*, II, 4) : « Magis sine domino quam in libertate. »

LETTRE CXXXVII

L E lendemain, il me mena dans un autre cabinet. « Ce
sont ici les poètes, me dit-il, c'est-à-dire ces auteurs
dont le métier est de mettre des entraves au bon sens et
d'accabler la raison sous les agréments [1], comme on ense-
velissait autrefois les femmes sous leurs ornements et leurs
parures [a]. Vous les connaissez; ils ne sont pas rares chez les
Orientaux, où le Soleil, plus ardent, semble échauffer les
imaginations mêmes [2].

« Voilà les poèmes épiques. — Eh! qu'est-ce que les
poèmes épiques? — En vérité, me dit-il, je n'en sais rien;
les connaisseurs disent qu'on n'en a jamais fait que deux,
et que les autres qu'on donne sous ce nom ne le sont point;
c'est aussi ce que je ne sais pas. Ils disent de plus qu'il est
impossible d'en faire de nouveaux, et cela est encore plus
surprenant [3].

« Voici les poètes dramatiques, qui, selon moi, sont les
poètes par excellence et les maîtres des passions. Il y en a

1. Montesquieu se montre ici partisan résolu des modernes dont
les chefs, Fontenelle et Houdar de la Motte, appliquent délibérément
le cartésianisme à la critique littéraire. Dans son *Discours sur Homère*
de 1714 qui répond à la *Préface de l'Iliade* de M^me Dacier, La Motte
voit dans Homère « un plaisir d'illusion et de prévention fondé sur
l'autorité des suffrages : tout cela n'est point la Raison et cependant
c'est à elle seule qu'il appartient d'apprécier toute chose ».

2. L'idée, fort naturelle chez un Persan, vient pourtant de M^me Da-
cier, *Des causes de la corruption du goût* (Paris, Rigaud, 1714, p. 18-19) :
« Il y a des nations si heureusement situées et que le soleil regarde si
favorablement qu'elles ont été capables d'imaginer et d'inventer elles-
mêmes... et d'autres qui, ensevelies d'un air plus épais, n'ont jamais
pu... se tirer de la grossièreté et de la barbarie. Et telles sont toutes
les nations occidentales par comparaison à celles qui sont à l'Orient.
Ces dernières ont beaucoup plus de vivacité, d'imagination et de fleur
d'esprit. »

3. Allusion à la querelle d'Homère où intervinrent La Motte et
M^me Dacier, mais aussi, en 1715-1716, le Père Buffier, l'abbé Terrasson,
J. Boivin et le Père Hardouin. Dans une curieuse note des *Pensées*
(*op. cit.*, t. II, p. 30), Montesquieu les renvoie tous dos à dos.

de deux sortes : les comiques, qui nous remuent si douce-
ment, et les tragiques, qui nous troublent et nous agitent
avec tant de violence.

« Voici les lyriques, que je méprise autant que j'estime
les autres *a*, et qui font de leur art une harmonieuse extra-
vagance.

« On voit ensuite les auteurs des idylles et des églogues,
qui plaisent même aux gens de Cour par l'idée qu'ils leur
donnent d'une certaine tranquillité qu'ils n'ont pas, et
qu'ils leur montrent dans la condition des bergers [1].

« De tous les auteurs que nous avons vus, voici les
plus dangereux : ce sont ceux qui aiguisent les épigrammes,
qui sont de petites flèches déliées qui font une plaie profonde
et inaccessible aux remèdes.

« Vous voyez ici les romans, dont les auteurs sont
des espèces de poètes et qui *b* outrent également le langage
de l'esprit et celui du cœur : ils passent *c* leur vie à chercher
la nature et la manquent toujours, et leurs héros *d* y sont
aussi étrangers que les dragons ailés et les hippocentaures. »

« J'ai vu, lui dis-je, quelques-uns de vos romans, et,
si vous voyiez les nôtres, vous en seriez encore plus cho-
qué. Ils sont aussi peu naturels et, d'ailleurs, extrêmement
gênés par nos mœurs : il faut dix années de passion avant
qu'un amant ait pu voir seulement le visage de sa maî-
tresse. Cependant les auteurs sont forcés de faire passer
les lecteurs dans ces ennuyeux préliminaires. Or il est
impossible que les incidents soient variés. On recourt à un

1. Souvenir de Fontenelle, dans le *Discours sur la nature de l'églogue*,
publié en 1688 à la suite de ses *Poésies pastorales* (2ᵉ édition, Paris, Brunet,
1698, p. 149-150) : « La poésie pastorale n'a pas de grands charmes si
elle est aussi grossière que le naturel. Entendre parler de brebis et de
chèvres... n'a rien par soi-même qui puisse plaire. Ce qui plaît, c'est
l'idée de tranquillité attachée à la vie de ceux qui prennent soin des bre-
bis et des chèvres... Car les hommes veulent être heureux et ils vou-
draient l'être à peu de frais. Le plaisir et le *plaisir tranquille* est
l'objet commun de toutes leurs passions. » Intermédiaire possible,
les *Dissertations sur la poésie pastorale* de l'abbé Genest (Paris, Coignard,
1707, p. 156) : « L'innocence, la douceur et la *tranquillité* de la vie
pastorale se font sentir malgré la force des habitudes contraires et
plaisent du moins en peinture et en éloignement » (exemplaire Bar-
bot, B. M. de Bordeaux, B. 4181).

artifice pire que le mal même qu'on veut guérir : c'est aux
prodiges. Je suis sûr que vous ne trouverez pas bon qu'une
magicienne fasse sortir une armée de dessous terre, qu'un
héros, lui seul, en détruise une de cent mille hommes.
Cependant voilà nos romans. Ces aventures froides et sou-
vent répétées nous font languir, et ces prodiges extrava-
gants nous révoltent [1]. »

<div align="right">De Paris, le 6 de la lune de Chalval, 1719.</div>

LETTRE CXXXVIII

<div align="center">RICA A IBBEN, A SMYRNE</div>

L ES ministres se succèdent et se détruisent ici comme
 les saisons : depuis trois ans, j'ai vu changer quatre
fois de système sur les finances [2]. On lève aujourd'hui les
tributs, en Turquie et en Perse, comme les levaient les
fondateurs de ces empires [a]; il s'en faut bien qu'il en soit
ici de même. Il est vrai que nous n'y mettons pas tant d'es-
prit que les Occidentaux : nous croyons qu'il n'y a pas plus
de différence entre l'administration des revenus du prince
et celle des biens d'un particulier [b], qu'il y en a entre compter

1. Montesquieu possédait à Paris les *Mille et une nuits* traduites par
Galland (*op. cit.*, n° 28) et cite les *Mille et un jours*, contes persans tra-
duits par Pétis de la Croix (cf. *Pensées, op. cit.*, t. II, p. 523). Mais le
merveilleux était poussé jusqu'à l'extravagance dans les pastiches de
Gueulette, de Montcrif ou de l'abbé Bignon (*Aventures d'Abdalla
fils d'Hanif*, 2 vol., 1712-1714).

2. Les commentateurs, de Barckhausen à Antoine Adam, se sont
ingéniés à préciser ces allusions aux écarts financiers de la Régence.
De 1717 à 1720, nous distinguons fort bien trois politiques, celle du
maréchal de Noailles, président du conseil de finances jusqu'à sa
démission (28 janvier 1718), celle de son successeur René d'Argenson,
peu à peu supplanté par Law nommé contrôleur général des finances le
5 janvier 1720. Mais si notre lettre persane doit être fixée au 1er jan-
vier 1720, nous ne distinguons pas ce que peut être la quatrième poli-
tique. La liquidation du système de Law s'étage sur toute l'année 1720,
empirique et sans vue d'ensemble d'ailleurs. Dans une note du *Spi-
cilège* (*op. cit.*, p. 200-202), rédigée en 1734, Montesquieu semble résu-
mer en termes techniques cette lettre persane.

MONSIEUR LAW CONSEILLER DU ROY EN TOUS SES CONSEILS CONTROLLEUR GENERAL DES FINANCES, INSPECTEUR GENERAL DE LA BANQUE ET DE LA COMPAGNIE DES INDES.

F. Hubert pinxit *J. Langlois Sculpsit*

PORTRAIT DE LAW PAR HUBERT (Lettre CXXXVIII, p. 293.)
Gravé par J. Langlois.

Portrait de Lady Ann Hamilton (Tome CXLXVIII, p. 204).
Chez J. Clifford.

cent mille tomans ou en compter cent. Mais il y a ici bien plus de finesse et de mystère. Il faut que de grands génies travaillent nuit et jour, qu'ils enfantent sans cesse et avec douleur de nouveaux projets; qu'ils écoutent les avis d'une infinité de gens qui travaillent pour eux sans en être priés, qu'ils se retirent et vivent dans le fond d'un cabinet impénétrable aux grands et sacré aux petits, qu'ils aient toujours la tête remplie de secrets importants, de desseins miraculeux, de systèmes nouveaux, et qu'absorbés dans les méditations, ils soient privés de l'usage de la parole et quelquefois même *a* de celui de la politesse.

Dès que le feu Roi eut fermé les yeux, on pensa à établir une nouvelle administration. On sentait qu'on était mal, mais on ne savait comment faire pour être mieux. On ne s'était pas bien trouvé *b* de l'autorité sans bornes des ministres précédents; on la voulut partager. On créa pour cet effet six ou sept conseils, et ce ministère est peut-être celui de tous qui a gouverné la France avec plus de sens. La durée en fut courte, aussi bien que celle du bien qu'il *c* produisit [1].

La France, à la mort du feu Roi, était un corps accablé de mille maux. N... [2] prit le fer à la main, retrancha les chairs inutiles, et appliqua quelques remèdes topiques. Mais il restait toujours un vice intérieur à guérir. Un étranger est venu [3], qui a entrepris cette cure. Après bien des remèdes violents, il a cru lui avoir rendu son embonpoint, et il l'a seulement rendue bouffie.

Tous ceux qui étaient riches il y a six mois sont à présent dans la pauvreté, et ceux qui n'avaient pas de pain regorgent de richesses. Jamais ces deux extrémités ne se sont touchées de si près. L'Étranger a tourné l'État comme un fripier tourne un habit : il fait paraître dessus ce qui était dessous; et, ce qui était dessus *d*, il le met à l'envers. Quelles fortunes inespérées, incroyables même à ceux qui les ont faites! Dieu ne tire pas plus rapidement les hommes du néant. Que de

1. Le Régent abolit le système polysynodique par un arrêt du 24 septembre 1718. Les conseils étaient au nombre de sept.

2. Le maréchal de Noailles (cf. *Lettre* XCVIII).

3. L'Écossais John Law.

valets servis par leurs camarades et peut-être demain par leurs maîtres!

Tout ceci produit souvent des choses bizarres. Les laquais qui avaient fait fortune sous le règne passé vantent aujourd'hui leur naissance; ils rendent à ceux qui viennent de quitter leur livrée dans une certaine rue [1], tout le mépris qu'on avait pour eux il y a six mois; ils crient de toute leur force : « La noblesse est ruinée! Quel désordre dans l'État! Quelle confusion dans les rangs! On ne voit que des inconnus faire fortune! » Je te promets [a] que ceux-ci prendront bien leur revanche sur ceux qui viendront après eux, et que, dans trente ans, ces gens de qualité feront bien du bruit.

De Paris, le premier de la lune de Zilcadé, 1720.

LETTRE CXXXIX

RICA AU MÊME

VOICI un grand exemple de la tendresse conjugale, non seulement dans une femme, mais dans une reine. La reine de Suède, voulant à toute force associer le prince son époux à la couronne, pour aplanir toutes les difficultés, a envoyé aux États, une déclaration par laquelle elle se désiste de la régence au cas qu'il soit élu [2].

Il y a soixante et quelques années qu'une autre reine, nommée *Christine*, abdiqua la couronne pour se donner

1. La rue Quincampoix.
2. La *Lettre* CXXXIX étant datée du 27 mars 1720, Montesquieu ne peut être renseigné que par les gazettes. L'ouvrage de l'abbé de Vertot, *Histoire de la révolution de Suède*, ne paraîtra qu'en 1722 (cf. la Brède, *op. cit.*, n° 3212). Ulrique Éléonore, sœur de Charles XII, fut élue librement par les états de Suède le 13 janvier 1719, puis renonça au pouvoir en faveur de son époux, le landgrave Frédéric de Hesse-Cassel (24 mars 1720). L'explication sentimentale de Montesquieu fut reprise par Voltaire (*Histoire de Charles XII*, édit. Pomeau, la Pléiade, 1958, p. 275) : « Elle sacrifia depuis la jalousie de la royauté *à la tendresse conjugale*, en cédant la couronne à son mari. »

La rue Quincampoix en 1720 (Lettre CXXXVIII, p. 294.)
Gravure de Humblot.

tout entière à la philosophie. Je ne sais lequel de ces deux exemples nous devons admirer davantage.

Quoique j'approuve assez que chacun se tienne ferme dans le poste où la Nature l'a mis, et que je ne puisse louer la faiblesse de ceux qui, se trouvant au-dessous de leur état, le quittent comme par une espèce de désertion, je suis cependant frappé de la grandeur d'âme de ces deux princesses et de voir l'esprit de l'une et le cœur de l'autre supérieurs à leur fortune. Christine a songé à connaître dans le temps que les autres ne songent qu'à jouir, et l'autre ne veut jouir que pour mettre tout son bonheur entre les mains de son auguste époux.

De Paris, le 27 de la lune de Maharram, 1720.

LETTRE CXL

RICA A USBEK, A ***

L E parlement de Paris vient d'être relégué dans une petite ville qu'on appelle *Pontoise* [1]. Le Conseil lui a envoyé enregistrer ou approuver une déclaration qui le déshonore, et il l'a enregistrée d'une manière qui déshonore le Conseil.

On menace d'un pareil traitement quelques parlements du royaume.

Ces compagnies sont toujours odieuses : elles n'approchent des rois que pour leur dire de tristes vérités, et, pendant qu'une foule de courtisans leur représentent sans cesse un peuple heureux sous leur gouvernement, elles viennent démentir la flatterie, et apporter aux pieds du trône les gémissements et les larmes dont elles sont dépositaires.

1. Vers la mi-juillet 1720, un édit royal imposait à la Compagnie des Indes l'obligation d'absorber en douze mois une somme de 600 millions en billets. Le but était de résorber 1.200 millions de papier. Le Parlement se refusa à enregistrer l'arrêt et fut exilé à Pontoise le 20 juillet 1720. La date de notre lettre CXL est donc d'une exactitude absolue, si le 21 Gemmadi I correspond au 21 juillet.

C'est un pesant fardeau, mon cher Usbek, que celui
de la vérité, lorsqu'il faut la porter jusques aux princes.
Ils doivent bien penser que ceux qui s'y déterminent *a*
y sont contraints, et qu'ils ne se résoudraient jamais à
faire des démarches si tristes et si affligeantes pour ceux
qui les font, s'ils n'y étaient forcés par leur devoir, leur
respect, et même leur amour.

De Paris, le 21 de la lune de Gemmadi 1, 1720.

LETTRE CXLI

RICA AU MÊME *b*

J'IRAI te voir sur la fin de la semaine. Que les jours cou-
leront agréablement avec toi !

Je fus présenté, il y a quelques jours, à une dame de
la Cour qui avait quelque envie de voir ma figure étrangère.
Je la trouvai belle, digne des regards de notre monarque
et d'un rang auguste dans le lieu sacré où son cœur repose.

Elle me fit mille questions sur les mœurs des Persans,
et sur la manière de vivre des Persanes. Il me parut que la
vie du sérail n'était pas de son goût, et qu'elle trouvait
de la répugnance à voir un homme partagé entre dix ou
douze femmes. Elle ne put voir sans envie le bonheur de
l'un et sans pitié la condition des autres. Comme elle aime
la lecture, surtout celle des poètes et des romans, elle
souhaita que je lui parlasse des nôtres. Ce que je lui en dis
redoubla sa curiosité ; elle me pria de lui faire traduire un
fragment de quelques-uns de ceux que j'ai apportés. Je le
fis et je lui envoyai quelques jours après un conte Persan.
Peut-être seras-tu bien aise de le voir travesti.

Du temps de Cheik-Ali-khan [1], il y avait en Perse une
femme nommée *Zulema* : elle savait par cœur tout le saint

1. C'est dans la deuxième année de son règne (1668) que le shah
Soliman III prit pour grand vizir Cheik Ali Can, qui, au dire de Char-
din, était « homme d'un grand sens, et fort renommé pour sa justice

Alcoran; il n'y avait point de dervis qui entendît mieux qu'elle les traditions des saints Prophètes; les docteurs arabes n'avaient rien de si mystérieux qu'elle n'en comprît tous les sens; et elle joignait à tant de connaissances un certain caractère d'esprit enjoué qui laissait à peine deviner si elle voulait amuser ceux à qui elle parlait, ou les instruire.

Un jour qu'elle était avec ses compagnes dans une des salles du sérail, une d'elles lui demanda ce qu'elle pensait de l'autre vie, et si elle ajoutait foi à cette ancienne tradition de nos docteurs, que le Paradis n'est fait que pour les hommes [1].

C'est le sentiment commun, leur dit-elle; il n'y a rien que l'on n'ait fait pour dégrader notre sexe. Il y a même une nation répandue par toute la Perse, qu'on appelle la *Nation Juive*, qui soutient, par l'autorité de ses livres sacrés, que nous n'avons point d'âme.

Ces opinions si injurieuses n'ont d'autre origine que l'orgueil des hommes, qui veulent porter leur supériorité au-delà même de leur vie et ne pensent pas que, dans le Grand Jour, toutes les créatures paraîtront devant Dieu comme le néant, sans qu'il y ait entre elles de prérogatives que celles que la vertu y aura mises.

Dieu ne se bornera point dans ses récompenses; et

et pour sa vertu » (*op. cit.*, t. II, p. 126). En 1680, lorsque Chardin revint en Europe, le grand vizir était toujours au pouvoir. Tavernier, qui fit son dernier voyage en 1663-65, n'a pu le connaître.

1. A. Adam rapproche fort justement cette opinion de Chardin (*op. cit.*, t. II, p. 328-329) : « On dit communément que les Mahométans excluent les femmes du paradis. Il est vrai qu'il les en excluent, mais c'est seulement en ce sens qu'elles ne doivent pas être en même lieu avec les hommes, pour qui il y a des femmes célestes plus belles que les femmes de ce monde ne seront dans la résurrection; et qu'à l'égard des femmes ressuscitées, qui seront rendues bienheureuses, elles passeront, disent-ils, dans un lieu de délices et y jouiront comme les bienheureux en leur lieu, de toutes sortes de voluptés. » Cette question amusa Bayle qui déclara dans son article *Mahomet* (*Dict. hist. et critique*, édit. 1735, t. IV, p. 34, note Q) : « Les habiles Mahométans ne disent point que les femmes seront exclues du Paradis » et renvoie à l'article *Hali-Beigh* (*ibid.*, t. III, p. 230, note C) : ce drogman d'origine portugaise réfutait l'opinion traditionnelle de Ricaut : « Ricautum refellit docuitque mulieres Turcicas omnino sperare se aliquando aeque ac viros in Paradisum receptum iri ».

comme les hommes qui auront vécu et bien usé de l'empire qu'ils ont ici-bas sur nous, seront dans un paradis plein de beautés célestes et ravissantes, et telles que, si un mortel les avait vues, il se donnerait aussitôt la mort dans l'impatience d'en jouir, aussi les femmes vertueuses iront dans un lieu de délices, où elles seront enivrées d'un torrent de voluptés avec des hommes divins qui leur seront soumis : chacune d'elles aura un sérail dans lequel ils seront enfermés, et des eunuques encore plus fidèles que les nôtres, pour les garder.

J'ai lu, ajouta-t-elle, dans un livre arabe, qu'un homme nommé *Ibrahim* était d'une jalousie insupportable. Il avait douze femmes extrêmement belles, qu'il traitait d'une manière très dure; il ne se fiait plus à ses eunuques ni aux murs de son sérail; il les tenait presque toujours sous la clef, enfermées dans leur chambre, sans qu'elles pussent se voir ni se parler : car il était même jaloux d'une amitié innocente. Toutes ses actions prenaient la teinture de sa brutalité naturelle; jamais une douce parole ne sortit de sa bouche, et jamais il ne fit le moindre [a] signe qui n'ajoutât quelque chose à la rigueur de leur esclavage.

Un jour qu'il les avait toutes assemblées dans une salle de son sérail, une d'entre elles, plus hardie que les autres, lui reprocha son mauvais naturel. « Quand on cherche si fort les moyens de se faire craindre, lui dit-elle, on trouve toujours auparavant ceux de se faire haïr. Nous sommes si malheureuses que nous ne pouvons nous empêcher de désirer un changement. D'autres, à ma place, souhaiteraient votre mort, je ne souhaite que la mienne; et, ne pouvant espérer d'être séparée de vous que par là, il me sera encore bien doux d'en être séparée. » Ce discours, qui aurait dû le toucher, le fit entrer dans une furieuse colère; il tira son poignard et le lui plongea dans le sein. « Mes chères compagnes, dit-elle d'une voix mourante, si le Ciel a pitié de ma vertu, vous serez vengées. » A ces mots, elle quitta cette vie infortunée pour aller dans le séjour des délices où les femmes qui ont bien vécu jouissent d'un bonheur qui se renouvelle toujours.

D'abord elle vit une prairie riante, dont la verdure était relevée par les peintures des fleurs les plus vives;

un ruisseau, dont les eaux étaient plus pures que le cristal, y faisait un nombre infini de détours. Elle entra ensuite dans des bocages charmants, dont le silence n'était interrompu que par le doux chant des oiseaux. De magnifiques jardins se présentèrent ensuite : la Nature les avait ornés avec sa simplicité et toute sa magnificence. Elle trouva enfin un palais superbe, préparé pour elle et rempli d'hommes célestes destinés à ses plaisirs.

Deux d'entre eux se présentèrent aussitôt pour la déshabiller ; d'autres la mirent dans le bain et la parfumèrent des plus délicieuses essences. On lui donna ensuite des habits infiniment plus riches que les siens. Après quoi, on la mena dans une grande salle, où elle trouva un feu fait avec des bois odoriférants et une table couverte des mets les plus exquis. Tout semblait concourir au ravissement de ses sens : elle entendait, d'un côté, une musique d'autant plus divine qu'elle était plus tendre ; de l'autre, elle ne voyait que des danses de ces hommes divins, uniquement occupés à lui plaire. Cependant tant de plaisirs ne devaient servir qu'à la conduire insensiblement à des plaisirs plus grands. On la mena dans sa chambre, et, après l'avoir encore une fois déshabillée, on la porta dans un lit superbe, où deux hommes d'une beauté charmante la reçurent dans leurs bras. C'est pour lors qu'elle fut enivrée, et que ses ravissements passèrent même ses désirs. « Je suis toute hors de moi, leur disait-elle ; je croirais mourir, si je n'étais sûre de mon immortalité. C'en est trop ; laissez-moi : je succombe sous la violence des plaisirs[1]. Oui, vous rendez un peu le calme à mes sens, je commence à respirer et à revenir à moi-même. D'où vient que l'on a ôté les

1. Nous avons vérifié l'hypothèse d'A. Adam qui rapproche l'aventure d'Anaïs et celle de la jeune Octavie de l'*Aloysia Sigea* de Nicolas Chorier (B. M. Bordeaux, s. l. n. d., B. 9167, *Colloquium VI*, t. II, p. 11). Le parallélisme est évident. Octavie aux prises avec Lampridius et Rangonius raconte ses émois dans un latin dont la verdeur brave l'honnêteté : « Gaudeo, gaudeo, morior... e coelo venit haec voluptas » (p. 11). « Video caelos, dicebam amens, video coelos apertos. » (P. 16). L'exemplaire de Bordeaux porte le titre factice de *Joannis Meursii elegantiae latini sermonis ;* aucune trace cependant dans la bibliothèque de la Brède.

flambeaux? Que ne puis-je à présent considérer votre
beauté divine? Que ne puis-je voir?... Mais pourquoi
voir? Vous me faites rentrer dans mes premiers transports.
O Dieux! que ces ténèbres sont aimables! Quoi! je serai
immortelle et immortelle avec vous? Je serai?... Non,
je vous demande grâce : car je vois bien que vous êtes
gens à n'en demander jamais. »

Après plusieurs commandements réitérés, elle fut
obéie; mais elle ne le fut que lorsqu'elle voulut l'être bien
sérieusement. Elle se reposa languissamment et s'endormit
dans leurs bras. Deux moments de sommeil réparèrent sa
lassitude; elle reçut deux baisers qui l'enflammèrent sou-
dain et lui firent ouvrir les yeux. « Je suis inquiète, dit-elle :
je crains que vous ne m'aimiez plus. » C'était un doute
dans lequel elle ne voulait pas rester longtemps; aussi
eut-elle avec eux tous les éclaircissements qu'elle pouvait
désirer. « Je suis désabusée, s'écria-t-elle. Pardon, pardon!
Je suis sûre de vous. Vous ne me dites rien, mais vous
prouvez mieux que tout ce que vous me pourriez dire.
Oui, oui! je vous le confesse : on n'a jamais tant aimé.
Mais quoi! vous vous disputez tous deux l'honneur de me
persuader? Ah! si vous vous disputez, si vous joignez
l'ambition au plaisir de ma défaite, je suis perdue : vous
serez tous deux vainqueurs; il n'y aura que moi de vaincue!
mais je vous vendrai bien cher la victoire. »

Tout ceci ne fut interrompu que par le jour. Ses fidèles
et aimables domestiques entrèrent dans sa chambre, et
firent lever ces deux jeunes hommes, que deux vieillards
ramenèrent dans les lieux où ils étaient gardés pour ses
plaisirs [a]. Elle se leva ensuite et parut d'abord à cette cour
idolâtre dans les charmes d'un déshabillé simple et ensuite
couverte des plus somptueux ornements. Cette nuit l'avait
embellie : elle avait donné de la vie à son teint et de l'ex-
pression à ses grâces. Ce ne fut pendant tout le jour que
danses, que concerts, que festins, que jeux, que prome-
nades, et l'on remarquait qu'Anaïs se dérobait de temps
en temps et volait vers ses deux jeunes héros. Après quelques
précieux instants d'entrevue, elle revenait vers la troupe
qu'elle avait quittée, toujours avec un visage plus serein.
Enfin, sur le soir, on la perdit tout à fait : elle alla s'en-

fermer dans le sérail, où elle voulait, disait-elle, faire
connaissance avec ces captifs immortels qui devaient à
jamais vivre avec elle. Elle visita donc les appartements
de ces lieux les plus reculés et les plus charmants, où elle
compta cinquante esclaves d'une beauté miraculeuse : elle
erra toute la nuit de chambre en chambre, recevant partout
des hommages toujours différents et toujours les mêmes [1].

Voilà comment l'immortelle Anaïs passait sa vie, tantôt
dans des plaisirs éclatants, tantôt dans des plaisirs soli-
taires; admirée d'une troupe brillante, ou bien aimée
d'un amant éperdu. Souvent elle quittait le palais enchanté
pour aller dans une grotte champêtre; les fleurs semblaient
naître sous ses pas, et les jeux se présentaient en foule
au-devant d'elle.

Il y avait plus de huit jours qu'elle était dans cette
demeure heureuse, que, toujours hors d'elle-même, elle
n'avait pas fait une seule réflexion : elle avait joui de son
bonheur sans le connaître et sans avoir eu un seul de ces
moments tranquilles où l'âme se rend, pour ainsi dire,
compte à elle-même et s'écoute dans le silence des passions.

Les bienheureux ont des plaisirs si vifs qu'ils peuvent
rarement jouir de cette liberté d'esprit. C'est pour cela
qu'attachés invinciblement aux objets présents ils perdent
entièrement la mémoire des choses passées et n'ont plus
aucun souci de ce qu'ils ont connu ou aimé dans l'autre vie.

Mais Anaïs, dont l'esprit était vraiment philosophe,
avait passé presque toute sa vie à méditer; elle avait poussé
ses réflexions beaucoup plus loin qu'on n'aurait dû l'at-
tendre d'une femme laissée à elle-même. La retraite austère
que son mari lui avait fait garder ne lui avait laissé que cet

1. A. Adam se demande si l'idée de ce conte, qui prélude aux audaces
de Crébillon fils, ne vient pas de la traduction de Reland par David
Durand, *la Religion des Mahométans* (La Haye, Isaac Vaillant, 1721).
Dans l'*Éclaircissement XVIII* (p. 171), Durand disserte sur le para-
dis des femmes, rapporte la citation de Chardin et ajoute ironique-
ment : « Monsieur Chardin ne dit pas s'il y aura des hommes, formés
exprès pour ces mahométanes si avantageusement séquestrées. Appa-
remment l'Imposteur a laissé la chose indécise. » Mais il est très peu
probable que l'ouvrage ait pu influencer la *Lettre* CXLI. Montesquieu
d'ailleurs l'achètera (la Brède, *op. cit.*, nº 3126).

avantage. C'est cette force d'esprit qui lui avait fait mépriser la crainte, dont ses compagnes étaient frappées, et la mort, qui devait être la fin de ses peines et le commencement de sa félicité.

Ainsi elle sortit peu à peu de l'ivresse des plaisirs et s'enferma seule dans un appartement de son palais. Elle se laissa aller à des réflexions bien douces sur sa condition passée et sur sa félicité présente; elle ne put s'empêcher de s'attendrir sur le malheur de ses compagnes : on est sensible à des tourments que l'on a partagés. Anaïs ne se tint pas dans les simples bornes de la compassion : plus tendre envers ces infortunées, elle se sentit portée à les secourir.

Elle donna ordre à un de ces jeunes hommes qui étaient auprès d'elle, de prendre la figure de son mari [1], d'aller dans son sérail, de s'en rendre maître, de l'en chasser, et d'y rester à sa place jusqu'à ce qu'elle le rappelât.

L'exécution fut prompte : il fendit les airs, arriva à la porte du sérail d'Ibrahim, qui n'y était pas. Il frappe; tout lui est ouvert : les eunuques tombent à ses pieds; il vole vers les appartements où les femmes d'Ibrahim étaient enfermées : il avait, en passant, pris les clefs dans le poche de ce jaloux, à qui il s'était rendu invisible. Il entre et les surprend d'abord par son air doux et affable, et, bientôt après, il les surprend davantage par ses empressements et par la rapidité de ses entreprises. Toutes eurent leur part de l'étonnement, et elles l'auraient pris pour un songe s'il y eût eu moins de réalité.

Pendant que ces nouvelles scènes se jouent dans le sérail, Ibrahim heurte, se nomme, tempête et crie. Après avoir essuyé bien des difficultés, il entre et jette les eunuques dans un désordre extrême. Il marche à grands pas; mais il recule en arrière et tombe comme des nues quand il voit le faux Ibrahim, sa véritable image, dans toutes les libertés

1. La substitution du faux Ibrahim au vrai viendrait de l'un des contes persans des *Mille et un jours* traduits par Pétis de la Croix (1710 sq-1766, t. I, p. 177-198 : *Histoire du jeune roi de Thibet et de la princesse des Naïmans*, cf. M. L. Dufrénoy, *l'Orient romanesque en France*, Montréal, 1946, t. I, p. 166).

d'un maître. Il crie au secours : il veut que les eunuques
lui aident à tuer cet imposteur; mais il n'est pas obéi.
Il n'a plus qu'une bien faible ressource : c'est de s'en rap-
porter au jugement de ses femmes. Dans une heure, le
faux Ibrahim avait séduit tous ses juges. L'autre est chassé [a]
et traîné indignement hors du sérail, et il aurait reçu la
mort mille fois si son rival n'avait ordonné qu'on lui
sauvât la vie. Enfin le nouvel Ibrahim, resté maître du
champ de bataille, se montra de plus en plus digne d'un
tel choix et se signala par des miracles jusqu'alors inconnus.

« Vous ne ressemblez pas à Ibrahim, disaient ces femmes.
— Dites, dites plutôt que cet imposteur ne me ressemble
pas, disait le triomphant Ibrahim. Comment faut-il faire
pour être votre époux, si ce que je fais ne suffit pas ? —
Ah! nous n'avons garde de douter, dirent les femmes. Si
vous n'êtes pas Ibrahim, il nous suffit que vous ayez si
bien mérité de l'être; vous êtes plus Ibrahim en un jour
qu'il ne l'a été dans le cours de dix années. — Vous me
promettez donc, reprit-il, que vous vous déclarerez en
ma faveur contre cet imposteur? — N'en doutez pas,
dirent-elles d'une commune voix : nous vous jurons une
fidélité éternelle; nous n'avons été que trop longtemps
abusées : le traître ne soupçonnait point notre vertu ;
il ne soupçonnait que sa faiblesse. Nous voyons bien
que les hommes ne sont point faits comme lui; c'est à
vous sans doute qu'ils ressemblent. Si vous saviez combien
vous nous le faites haïr! — Ah! je vous donnerai souvent
de nouveaux sujets de haine, reprit le faux Ibrahim : vous
ne connaissez point encore tout le tort qu'il vous a fait.
— Nous jugeons de son injustice par la grandeur de votre [b]
vengeance, reprirent-elles. — Oui, vous avez raison, dit
l'homme divin : j'ai mesuré l'expiation au crime; je suis
bien aise que vous soyez contentes de ma manière de
punir. — Mais, dirent ces femmes, si cet imposteur revient,
que ferons-nous ? — Il lui serait, je crois, difficile de vous
tromper, répondit-il; dans la place que j'occupe auprès
de vous, on ne se soutient guère par la ruse, et, d'ailleurs,
je l'enverrai si loin, que vous n'entendrez plus parler de
lui. Pour lors, je prendrai sur moi le soin de votre bonheur :
je ne serai point jaloux; je saurai m'assurer de vous sans

vous gêner; j'ai assez bonne opinion de mon mérite pour croire que vous me serez fidèles. Si vous n'étiez pas vertueuses avec moi, avec qui le seriez-vous? »

Cette conversation dura longtemps entre lui et ces femmes, qui, plus frappées de la différence des deux Ibrahim que de leur ressemblance, ne songeaient pas même à se faire éclaircir de tant de merveilles. Enfin le mari désespéré revint *a* encore les troubler : il trouva toute sa maison dans la joie et ses femmes *b* plus incrédules que jamais. La place n'était pas tenable pour un jaloux : il sortit furieux, et un instant après le faux Ibrahim le suivit, le prit, le transporta dans les airs, et le laissa à deux mille lieues *c* de là.

O Dieux! dans quelle désolation se trouvèrent ces femmes dans l'absence de leur cher Ibrahim! Déjà leurs eunuques avaient repris leur sévérité naturelle; toute la maison était en larmes; elles s'imaginaient quelquefois que tout ce qui leur était arrivé n'était qu'un songe; elles se regardaient toutes les unes les autres et se rappelaient les moindres circonstances de ces étranges aventures. Enfin le céleste Ibrahim *d* revint, toujours plus aimable; il leur parut que son voyage n'avait pas été pénible. Le nouveau maître prit une conduite si opposée à celle de l'autre qu'elle surprit tous les voisins. Il congédia les eunuques, rendit sa maison accessible à tout le monde; il ne voulut pas même souffrir que ses femmes se voilassent. C'était une chose singulière *e* de les voir dans les festins parmi des hommes aussi libres qu'eux. Ibrahim crut avec raison que les coutumes du pays n'étaient pas faites pour des citoyens comme lui. Cependant il ne se refusait aucune dépense; il dissipa avec une immense profusion les biens du jaloux, qui, de retour trois ans après des pays lointains où il avait été transporté, ne trouva plus que ses femmes et trente-six *f* enfants.

*De Paris, le 26 de la lune de Gemmadi *g*, 1720.*

LETTRE CXLII

RICA A USBEK, A ***

Voici une lettre que je reçus hier d'un savant [1]; elle te paraîtra singulière :

MONSIEUR,

Il y a six mois que j'ai recueilli la succession d'un oncle très riche, qui m'a laissé cinq ou six cent mille livres et une maison superbement meublée. Il y a plaisir d'avoir du bien, lorsqu'on en sait faire un bon usage. Je n'ai point d'ambition ni de goût pour les plaisirs : je suis presque toujours enfermé dans un cabinet, où je mène la vie d'un savant ; c'est dans ce lieu que l'on trouve un curieux amateur de la vénérable antiquité.

Lorsque mon oncle eut fermé les yeux, j'aurais fort souhaité de le faire enterrer avec les cérémonies observées par les anciens Grecs et Romains ; mais je n'avais pour lors ni lacrymatoires, ni urnes, ni lampes antiques.

Mais depuis je me suis bien pourvu de ces précieuses raretés. Il y a quelques jours que je vendis ma vaisselle d'argent pour acheter une lampe de terre qui avait servi à un philosophe stoïcien. Je me suis défait de toutes les glaces dont mon oncle avait couvert presque tous les murs de ses appartements, pour avoir un petit miroir, un peu fêlé, qui fut autrefois à l'usage de Virgile : je suis charmé d'y voir ma figure représentée au lieu de celle du Cygne de Mantoue. Ce n'est pas tout : j'ai acheté cent louis d'or cinq ou six pièces d'une monnaie [a] de cuivre qui avait cours il y a deux mille ans. Je ne sache pas avoir à présent dans ma maison un seul meuble qui n'ait été fait avant la décadence de l'Empire. J'ai un

1. Ce « curieux amateur de la vénérable antiquité » aurait-il un modèle réel ? « Vous êtes tous des charlatans, Messieurs les antiquaires », dira-t-il, trente ans après les *Lettres persanes*, à son ami l'abbé de Guasco (*Corresp.*, 1914, t. II, p. 400. Lettre du 9 novembre 1751). On penserait volontiers au plus célèbre anticomane du siècle, le comte de Caylus, reçu à l'Académie de peinture en 1731. Né en 1692, Caylus était l'exact contemporain de Montesquieu et préludait à son étrange et féconde carrière (cf. S. Rocheblave, *Essai sur le comte de Caylus*, Paris, 1887).

petit cabinet de manuscrits fort précieux et fort chers. Quoique je me tue la vue à les lire, j'aime beaucoup mieux m'en servir que des exemplaires imprimés, qui ne sont pas si corrects, et que tout le monde a entre les mains. Quoique je ne sorte presque jamais, je ne laisse pas d'avoir une passion démesurée de connaître tous les anciens chemins qui étaient du temps des Romains. Il y en a un qui est près de chez moi [1]*, qu'un proconsul des Gaules fit faire, il y a environ douze cents ans ; lorsque je vais à ma maison de campagne, je ne manque jamais d'y passer, quoiqu'il soit très incommode, et qu'il m'allonge de plus d'une lieue. Mais ce qui me fait enrager, c'est qu'on y a mis des poteaux de bois de distance en distance pour marquer l'éloignement des villes voisines : je suis désespéré de voir ces misérables indices, au lieu des colonnes milliaires qui y étaient autrefois ; je ne doute pas que je ne les fasse rétablir par mes héritiers, et que je ne les engage à cette dépense par mon testament. Si vous avez, Monsieur, quelque manuscrit persan, vous me ferez plaisir de m'en accommoder ; je vous le paierai tout ce que vous voudrez, et je vous donnerai par-dessus le marché quelques ouvrages de ma façon, par lesquels vous verrez que je ne suis point un membre inutile de la République des Lettres. Vous y remarquerez entre autres une dissertation où je fais voir* [a] *que la couronne dont on se servait autrefois dans les triomphes était de chêne, et non pas de laurier. Vous en admirerez une autre où je prouve, par de doctes conjectures tirées des plus graves auteurs grecs, que Cambyse fut blessé à la jambe gauche, et non pas à la droite ; une autre où je démontre* [b] *qu'un petit front était une beauté très recherchée par les Romains. Je vous enverrai encore un volume in-quarto, en forme d'explication d'un vers du sixième livre de l'Enéide de Virgile. Vous ne recevrez tout ceci que dans quelques jours ; et, quant à présent, je me contente de vous envoyer ce fragment d'un ancien mythologiste grec qui n'avait point paru jusques ici, et que j'ai découvert dans la poussière d'une bibliothèque. Je vous quitte pour une affaire importante que j'ai sur les bras :*

1. Pierre Barrière a fait remarquer (R. H. L., *article cité*, 1951, p. 33) que près de la Brède passe une voie romaine, de même que la Brède serait l'antique Bresetum des *Itinéraires*. Montesquieu se moquerait-il ici de lui-même ? Nous le verrons plus tard dresser, non pas des pierres milliaires, mais des stèles sur son domaine et composer pour elles des inscriptions latines (*Pensées, loc. cit.*, t. I, p. 24-26).

il s'agit de restituer un beau passage de Pline le Naturaliste [a],
que les copistes du cinquième siècle ont étrangement défiguré.
Je suis, etc.

FRAGMENT D'UN ANCIEN MYTHOLOGISTE [1]

Dans une île près des Orcades, il naquit un enfant qui avait
pour père Éole, Dieu des Vents, et pour mère une nymphe de
Calédonie [2]. On dit de lui qu'il apprit tout seul à compter avec
ses doigts, et que, dès l'âge de quatre ans, il distinguait si parfai-
tement les métaux que, sa mère ayant voulu lui donner une bague
de laiton au lieu d'une d'or, il reconnut la tromperie et la jeta par
terre.

Dès qu'il fut grand, son père lui apprit le secret d'enfermer
les vents dans des outres [b], qu'il vendait ensuite à tous les voya-
geurs. Mais, comme la marchandise n'était pas fort prisée dans
son pays, il le quitta et se mit à courir le Monde en compagnie de
l'aveugle Dieu du Hasard.

Il apprit dans ses voyages que, dans la Bétique, l'or reluisait
de toutes parts ; cela fit qu'il y précipita ses pas. Il y fut fort mal
reçu de Saturne, qui régnait pour lors [3]. Mais ce Dieu ayant quitté
la Terre, il s'avisa d'aller dans tous les carrefours, où il criait
sans cesse d'une voix rauque : « Peuples de Bétique, vous croyez
être riches parce que vous avez de l'or et de l'argent. Votre erreur
me fait pitié. Croyez-moi, quittez le pays des vils métaux ; venez

1. C'est l'histoire de Law, mais la Bétique de Fénelon est évidem-
ment la France. Le pastiche du *Télémaque*, comme dans l'apologue des
Troglodytes, est ici fort sensible.

2. John Law est en fait né à Edimburg, en avril 1671, d'un père
orfèvre et banquier et d'une mère noble du clan des Campbell. Le
premier répertoire sur Law et le système est celui de Du Hautchamp
(*Histoire du système*, La Haye, 1739, 6 vol.), le dernier celui de Paul
Harsin (*Étude critique sur la bibliographie de Jean Law*, Liège, 1928).

3. Après un premier séjour en France en 1699-1700, Law y revint
en 1706 et s'y lia avec les ministres Chamillard et Desmarets. Au cours
des années suivantes, il visita l'Italie, l'Allemagne, revint plusieurs fois
à Paris, bref attendit son heure. C'est en 1714 qu'il s'établit à Paris,
avant même que Saturne-Louis XIV ne fût mort. Il est certain que la
mort de Louis XIV et la retraite de Desmarets ont retardé plutôt que
hâté le triomphe de ses vues, la création d'un institut bancaire (cf.
P. Harsin, *les Doctrines monétaires et financières du XVI[e] au XVIII[e] siè-*
cle, Alcan, 1928, p. 141).

dans l'Empire de l'Imagination ; et je vous promets des richesses qui vous étonneront vous-mêmes. » Aussitôt il ouvrit une grande partie des outres qu'il avait apportées, et il distribua de sa marchandise à qui en voulut.

Le lendemain, il revint dans les mêmes carrefours, et il s'écria : « Peuples de Bétique, voulez-vous être riches ? Imaginez-vous que je le suis beaucoup, et que vous l'êtes beaucoup aussi ; mettez-vous tous les matins dans l'esprit que votre fortune a doublé pendant la nuit ; levez-vous ensuite ; et, si vous avez des créanciers, allez les payer de ce que vous aurez imaginé, et dites-leur d'imaginer à leur tour. »

Il reparut quelques jours après, et il parla ainsi : « Peuples de Bétique, je vois bien que votre imagination n'est pas si vive que les premiers jours. Laissez-vous conduire à la mienne. Je mettrai tous les matins devant vos yeux un écriteau qui sera pour vous la source des richesses ; vous n'y verrez que quatre paroles, mais elles seront bien significatives : car elles régleront la dot de vos femmes, la légitime de vos enfants, le nombre de vos domestiques. Et quant à vous, dit-il à ceux de la troupe qui étaient le plus près de lui, quant à vous, mes chers enfants (je puis vous appeler de ce nom : car vous avez reçu de moi une seconde naissance), mon écriteau décidera de la magnificence de vos équipages, de la somptuosité de vos festins, du nombre et de la pension de vos maîtresses. »

A quelques jours de là, il arriva dans le carrefour tout essoufflé, et, transporté de colère, il s'écria : « Peuples de Bétique, je vous avais conseillé d'imaginer, et je vois que vous ne le faites pas. Eh bien ! à présent, je vous l'ordonne. » Là-dessus il les quitta brusquement ; mais la réflexion le rappela sur ses pas. « J'apprends que quelques-uns de vous sont assez détestables pour conserver leur or et leur argent. Encore passe pour l'argent ; mais pour de l'or... pour de l'or... Ah ! cela me met dans une indignation... Je jure, par mes outres sacrées, que, s'ils ne viennent pas me l'apporter, je les punirai sévèrement [1]. » Puis il ajouta d'un

1. L'édit du 11 mars 1720 est le plus net dans la véritable guerre déclenchée aux espèces métalliques. Par une série de diminutions échelonnées, la valeur du marc d'or et d'argent est réduite des deux tiers. Les louis n'auraient plus cours au 1er mai, les écus d'argent cesseraient d'être acceptés le 1er août. Les billets de banque devaient en tenir lieu (cf. Harsin, *op. cit.*, p. 181-183). Comme A. Adam, nous pensons que cette lettre est postérieure à l'édit du 11 mars.

air tout à fait persuasif : « *Croyez-vous que ce soit pour garder ces misérables métaux que je vous les demande ? Une marque de ma candeur, c'est que, lorsque vous me les apportâtes, il y a quelques jours, je vous en rendis sur-le-champ la moitié.* »

Le lendemain, on l'aperçut de loin, et on le vit s'insinuer avec une voix douce et flatteuse : « *Peuples de Bétique, j'apprends que vous avez une partie de vos trésors dans les pays étrangers. Je vous prie, faites-les-moi venir : vous me ferez plaisir, et je vous en aurai une reconnaissance éternelle* [1]. »

Le fils d'Éole parlait à des gens qui n'avaient pas grande envie de rire ; ils ne purent pourtant s'en empêcher : ce qui fit qu'il s'en retourna bien confus. Mais, reprenant courage, il hasarda encore une petite prière : « *Je sais que vous avez des pierres précieuses. Au nom de Jupiter, défaites-vous-en* [2] *! rien ne vous appauvrit comme ces sortes de choses. Défaites-vous-en, vous dis-je. Si vous ne le pouvez pas par vous-mêmes, je vous donnerai des hommes d'affaires excellents. Que de richesses vont couler chez vous, si vous faites ce que je vous conseille ! Oui, je vous promets tout ce qu'il y a* ᵃ *de plus pur dans mes outres.* »

Enfin, il monta sur un tréteau, et, prenant une voix assurée, il dit : « *Peuples de Bétique, j'ai comparé l'heureux état dans lequel vous êtes, avec celui où je vous trouvai lorsque j'arrivai ici : je vous vois le plus riche peuple de la Terre ; mais, pour achever votre fortune, souffrez que je vous ôte la moitié de vos biens* [3]. » *A ces mots, d'une aile légère, le fils d'Éole disparut et laissa ses auditeurs dans une consternation inexprimable ; ce qui fit qu'il revint le lendemain, et parla ainsi :* « *Je m'aperçus hier que mon discours vous déplut extrêmement. Eh bien ! prenez que je ne vous aie rien dit* [4].

1. Allusion possible à l'ordonnance du 20 juin 1720 qui tendait à rapatrier les fonds placés à l'étranger.

2. Allusion possible, selon Barckhausen, à l'ordonnance du 4 juillet qui proscrivait l'emploi et le port des diamants et des pierres précieuses.

3. L'édit du 21 mai stipulait que les actions verraient leur valeur réduite de 9.000 à 5.000 livres, en sept étapes qui s'échelonneraient du 22 mai au 1ᵉʳ décembre. Les billets de leur côté passeraient de 100 à 50 (cf. Du Hautchamp, *op. cit.*, t. VI, p. 95-101, et Harsin, *op. cit.*, p. 183).

4. Comme le fait remarquer Barckhausen, l'édit du 21 mai fut révoqué, non le lendemain, mais le 27 mai par le Régent, sur la pression probable de d'Argenson. Le 29, Law quittait le contrôle général.

*Il est vrai, la moitié, c'est trop : il n'y a qu'à prendre d'autres
expédients pour arriver au but que je me suis proposé : assemblons
nos richesses dans un même endroit; nous le pouvons facilement :
car elles ne tiennent pas un gros volume.* » *Aussitôt il en disparut
les trois quarts* [1].

De Paris, le 9 de la lune de Chahban, 1720.

LETTRE CXLIII [a]

RICA A NATHANAËL LÉVI, MÉDECIN JUIF, A LIVOURNE [2]

TU me demandes ce que je pense de la vertu des
amulettes et de la puissance des talismans. Pourquoi
t'adresses-tu à moi? Tu es juif, et je suis mahométan;
c'est-à-dire que nous sommes tous deux bien crédules.

Je porte toujours sur moi plus de deux mille passages
du saint Alcoran; j'attache à mes bras un petit paquet où
sont écrits les noms de plus de deux cents dervis; ceux
d'Ali, de Fatmé et de tous les Purs, sont cachés en plus de
vingt endroits de mes habits [3].

1. Allusion très précise, non à l'arrêt du 15 septembre 1720 selon
Barckhausen, mais au *Mémoire au Régent* rédigé par Law au début de
juin 1720 et publié par Harsin (*Étude critique, op. cit.,* IX⁰ annexe),
d'après un manuscrit de l'Arsenal (n⁰ 3857, f. 267-274) : le billet per-
dant, depuis l'arrêt du 29 mai, 50 % contre l'espèce, il faut rétablir
la valeur du billet et « en réduire la quantité *des trois quarts* pour rendre
la proportion favorable au papier ». L'édit du 15 septembre, qui pres-
crit le retrait des sommes déposées en compte courant, sous peine de
les voir réduites au quart de leur valeur, n'est pas dû à Law, mais à
ses adversaires (cf. Harsin, *op. cit.,* p. 187).
2. Rica écrit à Nathanaël Lévi, médecin juif à Livourne, comme
l'Espion turc au Juif de Vienne Nathan Ben Saddi (*op. cit.,* III, p. 175)
et au juif Donaja de Venise (*ibid.,* III, p. 176 et 196).
3. Cf. Chardin (*op. cit.,* t. I, p. 174) : « Il n'y a pas de peuple au monde
plus superstitieux que les Persans... C'est par là qu'ils ont... tant de
croyance aux talismans, tant de confiance aux amulettes. Ils les com-
posent des passages de l'*Alcoran* et des *Hadis* qui sont les dits des pre-
miers successeurs de Mahammed... Ils les portent au cou, à la ceinture,
mais plus communément au bras, entre le coude et l'épaule, en de petits
sacs de soie... On les prendrait d'abord pour de petits pelotons. Il y a

Cependant je ne désapprouve point ceux qui rejettent cette vertu que l'on attribue à de certaines paroles : il nous est bien plus difficile de répondre à leurs raisonnements qu'à eux de répondre à nos expériences.

Je porte tous ces chiffons sacrés par une longue habitude, pour me conformer à une pratique universelle ; je crois que, s'ils n'ont pas plus de vertu que les bagues et les autres ornements dont on se pare, ils n'en ont pas moins. Mais, toi, tu mets toute ta confiance sur quelques lettres mystérieuses [1], et, sans cette sauvegarde, tu serais dans un effroi continuel.

Les hommes sont bien malheureux ! ils flottent sans cesse entre de fausses espérances et des craintes ridicules, et, au lieu de s'appuyer sur la raison, ils se font des monstres qui les intimident, ou des fantômes qui les séduisent.

Quel effet veux-tu que produise l'arrangement de certaines lettres ? Quel effet veux-tu que leur dérangement puisse troubler ? Quelle relation ont-elles avec les vents, pour apaiser les tempêtes ; avec la poudre à canon, pour en vaincre l'effort ; avec ce que les médecins appellent l'*humeur peccante* et la *cause morbifique* [a] des maladies, pour les guérir ?

Ce qu'il y a d'extraordinaire, c'est que ceux qui fatiguent leur raison pour lui faire rapporter de certains événements à des vertus occultes n'ont pas un moindre effort à faire pour s'empêcher d'en voir la véritable cause.

Tu me diras que de certains prestiges ont fait gagner une bataille ; et, moi, je te dirai qu'il faut que tu t'aveugles pour ne pas trouver dans la situation du terrain, dans le nombre ou dans le courage des soldats, dans l'expérience des capitaines, des causes suffisantes pour produire cet effet dont tu veux ignorer la cause.

Je te passe pour un moment qu'il y ait des prestiges. Passe-moi à mon tour, pour un moment [b], qu'il n'y en ait point : car cela n'est pas impossible. Ce que tu m'accordes [c] n'empêche pas que les deux armées ne puissent se

des gens qui portent jusqu'à sept ou huit de ces sachets cousus sur un ruban en bracelet... J'ai vu des gens porter ainsi tout l'*Alcoran*. »

1. Allusion au symbolisme des lettres hébraïques dans la *Cabale*.

battre. Veux-tu que, dans ce cas-là, aucune des deux ne puisse remporter la victoire ? Crois-tu que leur sort restera incertain jusques à ce qu'une puissance *a* invisible vienne le déterminer ; que tous les coups seront perdus, toute la prudence, vaine, et tout le courage, inutile ? Penses-tu que la mort, dans ces occasions, rendue présente de mille manières, ne puisse pas produire dans les esprits ces terreurs paniques que tu as tant de peine à expliquer ? Veux-tu que, dans une armée de cent mille hommes, il ne puisse pas y avoir un seul homme timide ? Crois-tu que le découragement de celui-ci ne puisse pas produire le découragement d'un autre ; que le second, qui quitte un troisième, ne lui fasse pas bientôt abandonner un quatrième ? Il n'en faut pas davantage pour que le désespoir de vaincre saisisse soudain toute une armée et la saisisse d'autant plus facilement qu'elle se trouve plus nombreuse.

Tout le monde sait et tout le monde sent que les hommes, comme toutes les créatures qui tendent à conserver leur être, aiment passionnément la vie. On sait cela en général, et on cherche pourquoi, dans une certaine occasion particulière, ils ont craint de la perdre !

Quoique les livres sacrés de toutes les nations soient remplis de ces terreurs paniques ou surnaturelles, je n'imagine rien de si frivole, parce que, pour s'assurer qu'un effet qui peut être produit par cent mille causes naturelles est surnaturel, il faut avoir auparavant examiné si aucune de ces causes n'a agi ; ce qui est impossible.

Je ne t'en dirai pas davantage, Nathanaël ; il me semble que la matière ne mérite pas d'être si sérieusement traitée.

De Paris, le 20 de la lune de Chahban, 1720.

P.-S. — Comme je finissais, j'ai entendu crier dans la rue une lettre d'un médecin de Province à un médecin de Paris (car ici toutes les bagatelles s'impriment, se publient, et s'achètent) ; j'ai cru que je ferais bien de te l'envoyer, parce qu'elle a du rapport à notre sujet *b*.

LETTRE D'UN MÉDECIN DE PROVINCE
A UN MÉDECIN DE PARIS

Il y avait dans notre ville un malade qui ne dormait point depuis trente-cinq jours. Son médecin lui ordonna l'opium ; mais il ne pouvait se résoudre à le prendre, et il avait la coupe à la main qu'il était plus indéterminé que jamais. Enfin il dit à son médecin : « Monsieur, je vous demande seulement quartier jusqu'à demain : ie connais un homme qui n'exerce pas la médecine, mais qui a chez lui un nombre innombrable de remèdes contre l'insomnie. Souffrez que je l'envoie quérir, et, si je ne dors pas cette nuit, je vous promets que je reviendrai à vous. » Le médecin congédié, le malade fit fermer les rideaux, et dit à un petit laquais : « Tiens, va-t'en chez M. Anis et dis-lui qu'il vienne me parler. » M. Anis arrive. « Mon cher monsieur Anis, je me meurs : je ne puis dormir. N'auriez-vous point dans votre boutique la C. du G.[1] ou bien quelque livre de dévotion, composé par un R. P. J.[2], que vous n'ayez pu vendre[a] ? Car souvent les remèdes les plus gardés sont les meilleurs. — Monsieur, dit le libraire[3], j'ai chez moi la Cour sainte, du père Caussin[4], en six volumes, à votre service ; je vais vous l'envoyer ; ie souhaite que vous vous en trouviez bien. Si vous voulez les œuvres du révérend père Rodriguez[5], Jésuite espagnol[b], ne vous en faites pas faute. Mais, croyez-moi, tenons-nous-en au père Caussin ; j'espère, avec l'aide de Dieu, qu'une période du père Caussin vous

1. *La Connaissance du globe*, disent les éditeurs anciens ; s'agirait-il de l'ouvrage de Pierre Du Val, *Traité de géographie qui donne la connaissance et l'usage du globe et de la carte* (Paris, 1677, la Brède, *op. cit.*, n° 2622) ?

2. Un Révérend Père Jésuite.

3. Dans M. *Anis*, libraire, on reconnaît aisément l'imprimeur d'origine lyonnaise *Jean Anisson* (1640-1721) nommé le 15 janvier 1691 libraire et imprimeur de Paris, puis directeur de l'Imprimerie royale. Il était installé rue de la Harpe à l'enseigne de *la Fleur de lys de Florence*. Comme le suggère Montesquieu, il était spécialisé dans les ouvrages de piété (cf. Ernest Coyecque, *Inventaire de la collection Anisson*, Paris, Leroux, 1900, p. LIII-LVII).

4. Le Père Nicolas Caussin (1583-1651) est l'auteur de la *Cour Sainte ou Institution chrétienne des grands* (Paris, Chappelet, 1625).

5. Le Père Alonso Rodriguez (1526-1616) publia, entre autres ouvrages ascétiques, l'*Exercicio de Perfection*, traduit en français sous le titre *Pratique de la perfection et vertus* (Paris, Chastellain, 1636, la Brède, *op. cit.*, n° 638).

fera autant d'effet qu'un feuillet tout entier de la C. *du* G. » *Là-
dessus* M. *Anis sortit et courut chercher le remède à sa boutique.
La Cour sainte arrive ; on en secoue la poudre ; le fils du malade,
ieune écolier, commence à la lire. Il en sentit le premier l'effet :
à la seconde page, il ne prononçait plus que d'une voix mal arti-
culée, et déjà toute la compagnie se sentait affaiblie* a. *Un instant
après, tout ronfla, excepté le malade, qui, après avoir été longtemps
éprouvé, s'assoupit à la fin.*

*Le médecin arrive de grand matin : « Eh bien ! a-t-on pris
mon opium ? » On ne lui répond rien : la femme, la fille, le petit
garçon, tous transportés de joie, lui montrent le père Caussin. Il
demande ce que c'est. On lui dit : « Vive le père Caussin ! Il
faut l'envoyer relier. Qui l'eût dit ? Qui l'eût cru ? C'est un
miracle ! Tenez, Monsieur, voyez donc le père Caussin ; c'est ce
volume-là qui a fait dormir mon père. » Et là-dessus on lui expli-
qua la chose comme elle s'était passée.*

Le médecin[1] était un homme subtil, rempli des mys-
tères de la Cabale et de la puissance des paroles et des
esprits. Cela le frappa, et, après plusieurs réflexions, il
résolut de changer absolument sa pratique. « Voilà un fait
bien singulier, dit-il. Je tiens une expérience ; il faut la
pousser plus loin. Et pourquoi un esprit ne pourrait-il
pas transmettre à son ouvrage les mêmes qualités qu'il a
lui-même ? Ne le voyons-nous pas tous les jours ? Au moins
cela vaut-il bien la peine de l'essayer. Je suis las des apothi-
caires : leurs sirops, leurs juleps et toutes les drogues galé-
niques ruinent les malades et leur santé. Changeons de
méthode ; éprouvons la vertu des esprits. » Sur cette idée,
il dressa une nouvelle pharmacie, comme vous allez voir
par la description que je vous vais faire des principaux
remèdes qu'il mit en pratique :

Tisane purgative.

« *Prenez trois feuilles de la* Logique *d'Aristote en grec, deux feuilles
d'un traité de théologie scolastique le plus aigu (comme, par exemple, du subtil*

1. Les facéties médicales qui suivent ont été supprimées par Montes-
quieu et reléguées en note par l'édition D.

Scot), quatre de Paracelse, une d'Avicenne, six d'Averroès, trois de Por-
phire, autant de Plotin, autant de Jamblique. Faites infuser le tout pendant
vingt-quatre heures, et prenez-en quatre prises par jour. »

Purgatif plus violent.

« Prenez dix A... du C... concernant la B... et la C... des I... ¹ ; faites-
les distiller au bain-marie ; mortifiez une goutte de l'humeur âcre et piquante
qui en viendra dans un verre d'eau commune ; avalez le tout avec confiance. »

Vomitif.

« Prenez six harangues, une douzaine d'oraisons funèbres indifféremment
(prenant garde pourtant de ne point se servir de celles de M. de N. ²), un
recueil de nouveaux opéras, cinquante romans, trente mémoires nouveaux ;
mettez le tout dans un matras ; laissez-le en digestion pendant deux jours,
puis, faites-le distiller au feu de sable. »

« Et, si tout cela ne suffit pas :

Autre plus puissant.

« Prenez une feuille de papier marbré qui ait servi à couvrir un recueil de
pièces des J. F. ³ ; faites-le infuser l'espace de trois minutes ; faites chauffer
une cuillerée de cette infusion ; et avalez. »

Remède très simple pour guérir de l'asthme.

« Lisez tous les ouvrages du révérend père Maimbourg ⁴, ci-devant jésuite,
prenant garde de ne vous arrêter qu'à la fin de chaque période, et vous sentirez
la faculté de respirer vous revenir peu à peu, sans qu'il soit besoin de réitérer
le remède. »

Pour préserver de la gale, grattelle, tigne,
farcin des chevaux.

« Prenez trois catégories d'Aristote, deux degrés métaphysiques, une
distinction, six vers de Chapelain, une phrase tirée des lettres de M. l'abbé

1. Très probablement : Dix Arrêts du conseil concernant la Banque et la Compagnie des Indes.
2. M. de Nîmes, c'est-à-dire Fléchier, auteur d'oraisons funèbres célèbres, dont celle de Turenne.
3. Un recueil de pièces des *Jeux Floraux.*
4. Le Père Louis Maimbourg (1610-1686), historien abondant et pompeux. Montesquieu possédait son *Histoire des Croisades* (Paris, 1675). Il n'est plus guère connu que par son *Histoire du Calvinisme* réfutée par Bayle en 1682.

de Saint-Cyran; écrivez le tout sur un morceau de papier, que vous plierez, attacherez à un ruban, et porterez au col. »

Miraculum chymicum de violenta fermentatione
cum fumo, igne et flamma

« *Misce Quesnellianam infusionem, cum infusione Lallemaniana* [1]*; fiat fermentatio cum magna vi, impetu et tonitru, acidis pugnantibus et invicem penetrantibus alcalinos sales; fiet evaporatio ardentium spirituum. Pone liquorem fermentatum in alambico : nihil inde extrahes et nihil invenies nisi caput mortuum.* »

Lenitivum.

« *Recipe Molinae anodyni chartas duas; Escobaris relaxativi paginas sex; Vasquii emollientis folium unum; infunde in aquae communis lib. iiij. Ad consumptionem dimidiae partis colentur et exprimantur; et in expressione dissolve Bauni detersivi et Tamburini* [2] *abluentis folia iij.*

« *Fiat clister.* »

In chlorosim, quam vulgus « pallidos colores »
aut « febrim amatoriam » appellat.

« *Recipe Aretini figuras quatuor; R. Thomae Sanchii, De Matrimonio* [3], *folia ij. Infundantur in aquae communis libras quinque.* »

« *Fiat ptisana aperiens.* »

Voilà les drogues que notre médecin mit en pratique avec un succès imaginable. Il ne voulait pas (disait-il), pour ne pas ruiner ses malades, employer des remèdes rares, et qui ne se trouvent presque point; comme, par exemple, une épître dédicatoire qui n'ait fait bâiller personne; une préface trop courte; un mandement fait par un évêque; et l'ouvrage d'un Janséniste méprisé par un Janséniste ou bien admiré par un Jésuite. Il disait que ces sortes de remèdes ne sont propres qu'à entretenir la charlatanerie, contre laquelle il avait une antipathie insurmontable.

1. Le Jésuite Lallemant écrivit contre le fameux Janséniste *le Père Quesnel séditieux dans ses Réflexions sur le Nouveau Testament* (Bruxelles, 1704).

2. Grâce à Pascal on connaît la *Summa theologia moralis* d'Escobar, mais beaucoup moins les casuistes Vasquez, Bauny et Tamburini. Ce dernier fut général des Jésuites.

3. Sur cet ouvrage, cf. *Lettre* CXXXIV, p. 284, n. 2.

LETTRE CXLIV *a*

RICA A USBEK

JE trouvai, il y a quelques jours, dans une maison de
campagne où j'étais allé, deux savants qui ont ici
une grande célébrité. Leur caractère me parut admirable.
La conversation du premier, bien appréciée, se réduisait
à ceci : « Ce que j'ai dit est vrai, parce que je l'ai dit. »
La conversation du second portait sur autre chose : « Ce que
je n'ai pas dit n'est pas vrai, parce que je ne l'ai pas dit. »

J'aimais assez le premier : car qu'un homme soit opi-
niâtre, cela ne me fait absolument rien ; mais qu'il soit
impertinent, cela me fait beaucoup. Le premier défend ses
opinions ; c'est son bien. Le second attaque les opinions
des autres, et c'est le bien de tout le monde.

Oh ! mon cher Usbek, que la vanité sert mal ceux qui
en ont une dose plus forte que celle qui est nécessaire pour
la conservation de la nature ! Ces gens-là veulent être admi-
rés à force de déplaire. Ils cherchent à être supérieurs, et ils
ne sont pas seulement égaux.

Hommes modestes, venez que je vous embrasse : vous
faites la douceur et le charme de la vie. Vous croyez que
vous n'avez rien, et, moi, je vous dis que vous avez tout.
Vous pensez que vous n'humiliez personne, et vous humi-
liez tout le monde. Et, quand je vous compare dans mon
idée avec ces hommes absolus que je vois partout, je les
précipite de leur tribunal, et je les mets à vos pieds.

De Paris, le 22 de la lune de Chahban, 1720.

LETTRE CXLV *b*

USBEK A ***

UN homme d'esprit est ordinairement difficile dans les
sociétés ; il choisit peu de personnes ; il s'ennuie
avec tout le grand nombre de gens qu'il lui plaît appeler

mauvaise compagnie; il est impossible qu'il ne fasse un peu sentir son dégoût. Autant d'ennemis!

Sûr de plaire quand il voudra, il néglige très souvent de le faire.

Il est porté à la critique, parce qu'il voit plus de choses qu'un autre et les sent mieux.

Il ruine presque toujours sa fortune, parce que son esprit lui fournit pour cela un plus grand nombre de moyens.

Il échoue dans ses entreprises parce qu'il hasarde beaucoup. Sa vue, qui se porte[a] toujours loin, lui fait voir des objets qui sont à de trop grandes distances. Sans compter que, dans la naissance d'un projet, il est moins frappé des difficultés, qui viennent de la chose, que des remèdes qui sont de lui, et qu'il tire de son propre fonds.

Il néglige les menus détails, dont dépend cependant la réussite de presque toutes les grandes affaires.

L'homme médiocre, au contraire, cherche à tirer parti de tout : il sent bien qu'il n'a rien à perdre en négligences.

L'approbation universelle est plus ordinairement pour l'homme médiocre. On est charmé de donner à celui-ci; on est enchanté d'ôter à celui-là. Pendant que l'envie fond sur l'un, et qu'on ne lui pardonne rien, on supplée tout en faveur de l'autre : la vanité se déclare pour lui.

Mais, si un homme d'esprit a tant de désavantages, que dirons-nous de la dure condition des savants?

Je n'y pense jamais[b] que je ne me rappelle une lettre d'un d'eux à un de ses amis. La voici :

MONSIEUR,

Je suis un homme qui m'occupe, toutes les nuits, à regarder avec des lunettes de trente pieds, ces grands corps qui roulent sur nos têtes; et, quand je veux me délasser, je prends mes petits microscopes, et j'observe un ciron ou une mite.

Je ne suis point riche, et je n'ai qu'une seule chambre; je n'ose même y faire du feu, parce que j'y tiens mon thermomètre, et que la chaleur étrangère le ferait hausser. L'hiver dernier[c], je pensai mourir de froid, et, quoique mon thermomètre, qui était au plus bas degré, m'avertît que mes mains allaient se geler, je ne me dérangeai point, et j'ai la consolation d'être instruit exactement

des changements de temps les plus insensibles de toute l'année passée [1].

Je me communique fort peu, et, de tous les gens que je vois, je n'en connais aucun. Mais il y a un homme à Stockholm, un autre à Leipsick, un autre à Londres, que je n'ai jamais vus, et que je ne verrai sans doute jamais, avec lesquels j'entretiens une correspondance si exacte, que je ne laisse pas passer un courrier sans leur écrire.

Mais, quoique je ne connaisse personne dans mon quartier, je suis [a] *dans une si mauvaise réputation, que je serai, à la fin, obligé de le quitter. Il y a cinq ans que je fus rudement insulté par une de mes voisines pour avoir fait la dissection d'un chien qu'elle prétendait lui appartenir* [2]. *La femme d'un boucher, qui se trouva là, se mit de la partie, et, pendant que celle-là m'accablait d'injures, celle-ci m'assommait à coups de pierres, conjointement avec le docteur..., qui était avec moi, et qui reçut un coup terrible sur l'os frontal et occipital, dont le siège de sa raison fut très ébranlé.*

Depuis ce temps-là, dès qu'il s'écarte quelque chien au bout de la rue, il est aussitôt décidé qu'il a passé par mes mains. Une bonne bourgeoise qui en avait perdu un petit, qu'elle aimait, disait-elle, plus que ses enfants, vint l'autre jour s'évanouir dans ma chambre, et, ne le trouvant pas, elle me cita devant le Magistrat. Je crois que je ne serai jamais délivré de la malice importune de ces femmes, qui, avec leurs voix glapissantes, m'étourdissent sans cesse de l'oraison funèbre de tous les automates qui sont morts depuis dix ans.

Je suis, etc.

1. L'Académie de Bordeaux se préoccupait beaucoup de météorologie. Le *baromètre* est choisi en 1715 comme sujet de prix; on présenta 14 dissertations et ce fut Dortous de Mairan qui l'emporta. L'abbé Bellet et les deux frères Sarrau multiplient les observations. En 1716, l'abbé de Hautefeuille, membre associé, écrit : « Il faudrait qu'il y eût des observateurs du temps ou historiographes des saisons dans les villes et même dans les principaux bourgs et qu'ils fussent gagés par les souverains » (cf. P. Barrière, *l'Académie de Bordeaux, op. cit.*, p. 172 et 174).

2. Le docteur Grégoire, associé depuis 1714, s'est spécialisé à Bordeaux dans la vivisection des chiens (B. M. Bordeaux, ms n° 828, 46). Vers 1718-19, c'est une véritable mode chez nos académiciens, stimulés par le prix d'anatomie de 300 livres fondé par Montesquieu (cf. P. Barrière, *op. cit.*, p. 198).

Tous les savants étaient autrefois accusés de magie. Je n'en suis point étonné. Chacun disait en lui-même : « J'ai porté les talents naturels aussi loin qu'ils peuvent aller; cependant un certain savant a des avantages sur moi : il faut bien qu'il y ait là quelque diablerie. »

A présent que ces sortes d'accusation sont tombées dans le décri, on a pris un autre tour, et un savant ne saurait guère éviter le reproche d'irréligion ou d'hérésie. Il a beau être absous par le peuple : la plaie est faite; elle ne se fermera jamais bien. C'est toujours pour lui un endroit malade. Un adversaire viendra, trente ans après, lui dire modestement : « A Dieu ne plaise que je dise que ce dont on vous accuse *a* soit vrai! Mais vous avez été obligé de vous défendre. » C'est ainsi qu'on tourne contre lui sa justification même.

S'il écrit quelque histoire, et qu'il ait de la noblesse dans l'esprit et quelque droiture dans le cœur, on lui suscite *b* mille persécutions. On ira contre lui soulever le Magistrat sur un fait qui s'est passé il y a mille ans, et on voudra que sa plume soit captive, si elle n'est pas vénale.

Plus heureux cependant que ces hommes lâches qui abandonnent leur foi pour une médiocre pension; qui, à prendre toutes leurs impostures en détail, ne les vendent pas seulement une obole, qui renversent la constitution de l'Empire *c*, diminuent les droits d'une puissance, augmentent ceux d'une autre, donnent aux princes, ôtent aux peuples, font revivre des droits surannés, flattent les passions qui sont en crédit de leur temps, et les vices qui sont sur le trône; imposant à la postérité d'autant plus indignement qu'elle a moins de moyens de détruire leur témoignage *d*.

Mais ce n'est point assez pour un auteur d'avoir essuyé toutes ces insultes : ce n'est point assez *e* pour lui d'avoir été dans une inquiétude continuelle sur le succès de son ouvrage. Il voit le jour enfin, cet ouvrage qui lui a tant coûté : il lui attire des querelles de toutes parts. Et comment les éviter? Il avait un sentiment; il l'a soutenu par ses écrits; il ne savait pas qu'un homme, à deux cents lieues de lui, avait dit tout le contraire. Voilà cependant la guerre qui se déclare.

Encore s'il pouvait espérer d'obtenir quelque considération! Non. Il n'est tout au plus estimé que de ceux qui se sont appliqués au même genre de science que lui. Un philosophe a un mépris souverain pour un homme qui a la tête chargée de faits, et il est, à son tour, regardé comme un visionnaire par celui qui a une bonne mémoire.

Quant à ceux qui font profession d'une orgueilleuse ignorance, ils voudraient que tout le Genre humain fût enseveli dans l'oubli où ils seront eux-mêmes.

Un homme à qui il manque un talent se dédommage en le méprisant : il ôte cet obstacle qu'il rencontrait entre le mérite et lui, et, par là, se trouve au niveau de celui dont il redoute les travaux.

Enfin, il faut joindre à une réputation équivoque la privation des plaisirs et la perte de la santé.

De Paris, le 22 de la lune de Chahban, 1720 [a].

LETTRE CXLVI

USBEK A RHÉDI, A VENISE

Il y a longtemps que l'on a dit que la bonne foi était l'âme d'un grand ministère [b].

Un particulier peut jouir de l'obscurité où il se trouve : il ne se décrédite que devant quelques gens ; il se tient couvert devant les autres ; mais un ministre qui manque à la probité a autant de témoins, autant de juges, qu'il y a de gens qu'il gouverne.

Oserai-je le dire ? Le plus grand mal que fait un ministre sans probité n'est pas de desservir son prince et de ruiner son peuple ; il y a en un autre, à mon avis, mille fois plus dangereux : c'est le mauvais exemple qu'il donne.

Tu sais que j'ai longtemps voyagé dans les Indes. J'y ai vu une nation, naturellement généreuse, pervertie en un instant, depuis le dernier de ses sujets jusqu'aux plus grands, par le mauvais exemple d'un ministre. J'y ai vu tout un peuple, chez qui la générosité, la probité, la candeur

et la bonne foi ont passé de tous temps pour les qualités naturelles, devenir tout à coup le dernier des peuples; le mal se communiquer et n'épargner pas même les membres les plus sains; les hommes les plus vertueux faire des choses indignes et violer *a* les premiers principes de la justice, sur ce vain prétexte qu'on la leur avait violée.

Ils appelaient des lois odieuses en garantie des actions les plus lâches et nommaient *nécessité* l'injustice et la perfidie.

J'ai vu la foi des contrats bannie, les plus saintes conventions anéanties, toutes les lois des familles renversées. J'ai vu des débiteurs avares, fiers d'une insolente pauvreté, instruments indignes de la fureur des lois et de la rigueur des temps, feindre un paiement au lieu de le faire, et porter le couteau dans le sein de leurs bienfaiteurs.

J'en ai vu d'autres, plus indignes encore, acheter presque pour rien ou plutôt ramasser de terre des feuilles de chêne pour les mettre à la place de la substance des veuves et des orphelins.

J'ai vu naître soudain, dans tous les cœurs, une soif insatiable des richesses. J'ai vu se former en un moment une détestable conjuration de s'enrichir, non par un honnête travail et une généreuse industrie, mais par la ruine du prince, de l'État et des concitoyens.

J'ai vu un honnête citoyen, dans ces temps malheureux, ne se coucher qu'en disant : « J'ai ruiné une famille aujourd'hui; j'en ruinerai une autre demain. »

« Je vais, disait un autre, avec un homme noir qui porte une écritoire à la main et un fer pointu à l'oreille, assassiner tous ceux à qui j'ai de l'obligation. »

Un autre disait : « Je vois que j'accommode mes affaires. Il est vrai que, lorsque j'allai, il y a trois jours, faire un certain paiement, je laissai toute une famille en larmes, que je dissipai la dot de deux honnêtes filles, que j'ôtai l'éducation à un petit garçon. Le père en mourra de douleur, la mère périt de tristesse; mais je n'ai fait que ce qui est permis par la Loi. »

Quel plus grand crime que celui que commet un ministre lorsqu'il corrompt les mœurs de toute une nation, dégrade les âmes les plus généreuses, ternit l'éclat des dignités,

obscurcit la vertu même, et confond la plus haute naissance dans le mépris universel [1].

Que dira la postérité lorsqu'il lui faudra rougir de la honte de ses pères? Que dira le peuple naissant lorsqu'il comparera le fer de ses aïeux avec l'or de ceux à qui il doit immédiatement le jour? Je ne doute pas que les nobles ne retranchent de leurs quartiers un indigne degré de noblesse, qui les déshonore, et ne laissent la génération présente dans l'affreux néant où elle s'est mise.

De Paris, le 11 *de la lune de Rhamazan* [a], 1720.

LETTRE CXLVII

LE GRAND EUNUQUE A USBEK, A PARIS

L ES choses sont venues à un état qui ne se peut plus soutenir : tes femmes se sont imaginées que ton départ leur laissait une impunité entière; il se passe ici des choses horribles. Je tremble moi-même au cruel récit que je vais te faire.

Zélis, allant il y a quelques jours à la Mosquée, laissa tomber son voile et parut presque à visage découvert devant tout le peuple.

J'ai trouvé Zachi couchée avec une de ses esclaves : chose si défendue par les lois du sérail.

1. La controverse est toujours ouverte sur les effets matériels du système de Law; mais son rôle dans la décomposition morale de la société française n'est pas discuté. Montesquieu ne dramatise rien. On vit le duc de Bourbon et le prince de Conti forcer les portes de Law et emporter des millions d'or dans leurs voitures. Le duc d'Estrées accapare le chocolat, le duc d'Antin les étoffes. Le comte de Horn, petit-fils du prince de Ligne, attire un agioteur dans un cabaret et l'assassine pour le voler. De l'autre côté, c'est le tableau tragique de cette maison où l'on trouva, en décembre 1720, « le mari pendu, sa femme et ses trois enfants égorgés et dans la même chambre, six sous en monnaie et 200.000 livres en billets de banque ». Cette lettre, conclusion occidentale des *Lettres persanes*, écrite au moment même où Law, ruiné, fuyait aux Pays-Bas, dément vigoureusement l'interprétation trop souvent frivole de l'ouvrage de Montesquieu.

J'ai surpris, par le plus grand hasard du monde, une lettre que je t'envoie; je n'ai jamais pu découvrir à qui elle était adressée.

Hier au soir, un jeune garçon fut trouvé dans le jardin du sérail, et il se sauva par-dessus les murailles.

Ajoute à cela ce qui n'est pas parvenu à ma connaissance : car sûrement tu es trahi. J'attends tes ordres, et jusques à l'heureux moment que je les recevrai, je vais être dans une situation mortelle. Mais, si tu ne mets toutes ces femmes à ma discrétion, je ne te réponds d'aucune d'elles, et j'aurai tous les jours des nouvelles aussi tristes à te mander.

Du sérail d'Ispahan, le premier de la lune de Rhegeb, 1717.

LETTRE CXLVIII

USBEK AU PREMIER EUNUQUE, AU SÉRAIL D'ISPAHAN

RECEVEZ par cette lettre un pouvoir sans bornes sur tout le sérail : commandez avec autant d'autorité que moi-même. Que la crainte et la terreur marchent avec vous; courez d'appartements en appartements porter les punitions et les châtiments. Que tout vive dans la consternation; que tout fonde en larmes devant vous. Interrogez tout le sérail; commencez par les esclaves. N'épargnez pas mon amour : que tout subisse votre tribunal redoutable. Mettez au jour les secrets les plus cachés. Purifiez ce lieu infâme, et faites-y rentrer la vertu bannie : car, dès ce moment, je mets sur votre tête les moindres fautes qui se commettront. Je soupçonne Zélis d'être celle à qui la lettre que vous avez surprise s'adressait [a]. Examinez cela avec des yeux de lynx.

*De ***, le 11 de la lune de Zilhagé,* 1718.

LETTRE CXLIX

NARSIT A USBEK, A PARIS

L E grand Eunuque vient de mourir, magnifique Seigneur. Comme je suis le plus vieux de tes esclaves, j'ai pris sa place jusques à ce que tu aies fait connaître sur qui tu veux jeter les yeux.

Deux jours après sa mort, on m'apporta une de tes lettres qui lui était adressée; je me suis bien gardé de l'ouvrir : je l'ai enveloppée avec respect et l'ai serrée jusques à ce que tu m'aies fait connaître tes sacrées volontés.

Hier un esclave vint, au milieu de la nuit, me dire qu'il avait trouvé un jeune homme dans le sérail. Je me levai, j'examinai la chose, et je trouvai que c'était une vision.

Je te baise les pieds, sublime Seigneur, et je te prie de compter sur mon zèle, mon expérience et ma vieillesse.

Du sérail d'Ispahan, le 5 de la lune de Gemmadi 1, 1718.

LETTRE CL

USBEK A NARSIT, AU SÉRAIL D'ISPAHAN

M ALHEUREUX que vous êtes ! vous avez dans vos mains des lettres qui contiennent des ordres prompts et violents[a]; le moindre retardement peut me désespérer, et vous demeurez tranquille sous un vain prétexte !

Il se passe des choses horribles : j'ai peut-être la moitié de mes esclaves qui méritent la mort. Je vous envoie la lettre que le premier Eunuque m'écrivit là-dessus avant de mourir. Si vous aviez ouvert le paquet qui lui est adressé, [vous y auriez trouvé des ordres sanglants. Lisez-les donc, ces ordres, et vous périrez si vous ne les exécutez pas [b]].

*De ***, le 25 de la lune de Chalval,* 1718.

LETTRE CLI

SI je gardais plus longtemps le silence, je serais aussi coupable que tous ces criminels que tu as dans le sérail.

J'étais le confident du grand Eunuque, le plus fidèle de tes esclaves. Lorsqu'il se vit près de sa fin, il me fit appeler et me dit ces paroles : « Je me meurs; mais le seul chagrin que j'ai en quittant la vie, c'est que mes derniers regards ont trouvé a les femmes de mon maître criminelles. Le Ciel puisse le garantir de tous les malheurs que je prévois! Puisse, après ma mort, mon ombre menaçante venir avertir ces perfides de leur devoir et les intimider encore! Voilà les clefs des ces redoutables lieux. Va les porter au plus vieux des noirs. Mais si, après ma mort, il manque de vigilance, songe à en avertir ton maître. » En achevant ces mots, il expira dans mes bras.

Je sais b ce qu'il t'écrivit quelque temps avant sa mort, sur la conduite de tes femmes : il y a dans le sérail une lettre qui aurait porté la terreur avec elle, si elle avait été ouverte. Celle que tu as écrite depuis a été surprise à trois lieues d'ici. Je ne sais ce que c'est : tout se tourne malheureusement.

Cependant tes femmes ne gardent plus aucune retenue : depuis la mort du grand Eunuque, il semble que tout leur soit permis c. La seule Roxane est restée dans le devoir et conserve de la modestie. On voit les mœurs se corrompre tous les jours. On ne trouve plus sur le visage de tes femmes cette vertu mâle et sévère qui y régnait autrefois : une joie nouvelle, répandue en ces lieux, est un témoignage infaillible, selon moi, de quelque satisfaction nouvelle; dans les plus petites choses, je remarque des libertés jusqu'alors inconnues. Il règne même parmi tes esclaves une certaine indolence pour leur devoir et pour l'observation des règles, qui me surprend : ils n'ont plus ce zèle ardent pour ton service qui semblait animer tout le sérail.

Tes femmes ont été huit jours à la campagne, à une de tes maisons les plus abandonnées. On dit que l'esclave qui en a soin a été gagné, et qu'un jour avant qu'elles arrivassent [a], il avait fait cacher deux hommes dans un réduit de pierre qui est dans la muraille de la principale chambre, d'où ils sortaient le soir lorsque nous étions retirés. Le vieux eunuque qui est à présent à notre tête est un imbécile, à qui l'on fait croire tout ce qu'on veut.

Je suis agité d'une colère vengeresse contre tant de perfidies, et, si le Ciel voulait, pour le bien de ton service, que tu me jugeasses capable de gouverner, je te promets que, si tes femmes n'étaient pas vertueuses, au moins elles seraient fidèles.

Du sérail d'Ispahan, le 6 de la lune de Rebiab 1, 1719.

LETTRE CLII

NARSIT A USBEK, A PARIS

R OXANE et Zélis ont souhaité d'aller à la campagne; je n'ai pas cru devoir le leur refuser. Heureux Usbek! tu as des femmes fidèles et des esclaves vigilants : je commande en des lieux où la vertu semble s'être choisi un asile. Compte qu'il ne s'y passera rien que tes yeux ne puissent soutenir.

Il est arrivé un malheur qui me met en grande peine. Quelques marchands arméniens, nouvellement arrivés à Ispahan, avaient apporté une de tes lettres pour moi; j'ai envoyé un esclave pour la chercher; il a été volé à son retour, et la lettre est perdue [b]. Écris-moi donc promptement : car je m'imagine que, dans ce changement, tu dois avoir des choses de conséquence à me mander.

Du sérail de Fatmé, le 6 de la lune de Rebiab 1, 1719.

LETTRE CLIII

JE te mets le fer à la main. Je te confie ce que j'ai à présent dans le monde de plus cher, qui est ma vengeance. Entre dans ce nouvel emploi; mais n'y porte ni cœur ni pitié. J'écris à mes femmes de t'obéir aveuglément. Dans la confusion de tant de crimes, elles tomberont devant tes regards. Il faut que je te doive mon bonheur et mon repos. Rends-moi mon sérail comme je l'ai laissé; mais commence par l'expier. Extermine les coupables, et fais trembler ceux qui se proposaient de le devenir. Que ne peux-tu pas espérer de ton maître pour des services si signalés? Il ne tiendra qu'à toi de te mettre au-dessus de ta condition même et de toutes les récompenses que tu as jamais désirées.

De Paris, le 4 de la lune de Chahban, 1719.

LETTRE CLIV

PUISSE cette lettre être comme la foudre qui tombe au milieu des éclairs et des tempêtes! Solim est votre premier eunuque, non pas pour vous garder, mais pour vous punir. Que tout le sérail s'abaisse devant lui! Il doit juger vos actions passées, et, pour l'avenir, il vous fera vivre sous un joug si rigoureux que vous regretterez votre liberté, si vous ne regrettez pas votre vertu.

De Paris, le 4 de la lune de Chahban, 1719.

LETTRE CLV

HEUREUX celui qui, connaissant le prix d'une vie douce et tranquille, repose son cœur au milieu de sa famille et ne connaît d'autre terre que celle qui lui a donné le jour!

Je vis dans un climat barbare, présent à tout ce qui m'importune, absent de tout ce qui m'intéresse. Une tristesse sombre me saisit; je tombe dans un accablement affreux : il me semble que je m'anéantis, et je ne me retrouve moi-même que lorsqu'une sombre jalousie vient s'allumer et enfanter dans mon âme la crainte, les soupçons, la haine et les regrets.

Tu me connais, Nessir : tu as toujours vu dans mon cœur comme dans le tien. Je te ferai pitié si tu savais mon état déplorable. J'attends quelquefois six mois entiers des nouvelles du sérail; je compte tous les instants qui s'écoulent; mon impatience me les allonge toujours; et, lorsque celui qui a été tant attendu est près d'arriver, il se fait dans mon cœur une révolution soudaine : ma main tremble d'ouvrir une lettre fatale. Cette inquiétude qui me désespérait, je la trouve l'état le plus heureux où je puisse être, et je crains d'en sortir par un coup plus cruel pour moi que mille morts.

Mais, quelque raison que j'ai eue de sortir de ma patrie, quoique je doive ma vie à ma retraite, je ne puis plus, Nessir, rester dans cet affreux exil. Eh! ne mourrais-je pas tout de même en proie à mes chagrins? J'ai pressé mille fois Rica de quitter cette terre étrangère; mais il s'oppose à toutes mes résolutions : il m'attache ici par mille prétextes; il semble qu'il ait oublié sa patrie, ou plutôt il semble qu'il m'ait oublié moi-même, tant il est insensible à mes déplaisirs.

Malheureux que je suis! je souhaite de revoir ma patrie, peut-être pour devenir plus malheureux encore! Eh! qu'y ferai-je? Je vais rapporter ma tête à mes ennemis. Ce n'est pas tout : j'entrerai dans le sérail; il faut que j'y demande compte du temps funeste de mon absence. Et si j'y trouve des coupables, que deviendrai-je? Et si la seule idée m'accable de si loin, que sera-ce lorsque ma présence la rendra plus vive? Que sera-ce s'il faut que je voie, s'il faut que j'entende ce que je n'ose imaginer sans frémir? Que sera-ce, enfin, s'il faut que des châtiments que je prononcerai moi-même soient des marques éternelles de ma confusion et de mon désespoir?

J'irai m'enfermer dans des murs plus terribles pour

moi que pour les femmes qui y sont gardées. J'y porterai tous mes soupçons; leurs empressements ne m'en déroberont rien; dans mon lit, dans leurs bras, je ne jouirai que de mes inquiétudes; dans un temps si peu propre aux réflexions, ma jalousie trouvera à en faire. Rebut indigne de la Nature humaine, esclaves vils dont le cœur a été fermé pour jamais à tous les sentiments de l'amour, vous ne gémiriez plus sur votre condition si vous connaissiez le malheur de la mienne.

De Paris, le 4 de la lune de Chabban, 1719.

LETTRE CLVI

ROXANE A USBEK, A PARIS

L'HORREUR, la nuit et l'épouvante règnent dans le sérail : un deuil affreux l'environne. Un tigre y exerce à chaque instant toute sa rage : il a mis dans les supplices deux eunuques blancs qui n'ont avoué que leur innocence; il a vendu une partie de nos esclaves et nous a obligées de changer entre nous celles qui nous restaient. Zachi et Zélis ont reçu dans leur chambre, dans l'obscurité de la nuit, un traitement indigne : le sacrilège n'a pas craint de porter sur elles ses viles mains. Il nous tient enfermées chacune dans notre appartement, et quoique nous y soyons seules, il nous fait vivre sous le voile. Il ne nous est plus permis de nous parler; ce serait un crime de nous écrire; nous n'avons plus rien de libre que les pleurs.

Une troupe de nouveaux eunuques est entrée dans le sérail, où ils nous assiègent nuit et jour : notre sommeil est sans cesse interrompu par leurs méfiances feintes ou véritables. Ce qui me console, c'est que tout ceci ne durera pas longtemps, et que ces peines finiront avec ma vie. Elle ne sera pas longue, cruel Usbek! je ne te donnerai pas le temps de faire cesser tous ces outrages.

Du sérail d'Ispahan, le 2 de la lune de Maharram, 1720.

LETTRE CLVII[a]

ZACHI A USBEK, A PARIS

O Ciel! un barbare m'a outragée jusque dans la manière de me punir. Il m'a infligé ce châtiment qui commence par alarmer la pudeur; ce châtiment qui met dans l'humiliation extrême; ce châtiment qui ramène, pour ainsi dire, à l'enfance.

Mon âme, d'abord anéantie sous la honte, reprenait le sentiment d'elle-même et commençait à s'indigner, lorsque mes cris firent retentir les voûtes de mes appartements. On m'entendit demander grâce au plus vil de tous les humains et tenter sa pitié à mesure qu'il était plus inexorable.

Depuis ce temps, son âme insolente et servile s'est élevée sur la mienne. Sa présence, ses regards, ses paroles, tous les malheurs viennent m'accabler. Quand je suis seule, j'ai du moins la consolation de verser des larmes; mais, lorsqu'il s'offre à ma vue, la fureur me saisit, je la trouve impuissante, et je tombe dans le désespoir.

Le tigre ose me dire que tu es l'auteur de toutes ces barbaries. Il voudrait m'ôter mon amour et profaner jusques aux sentiments de mon cœur. Quand il me prononce le nom de celui que j'aime, je ne sais plus me plaindre, et je ne puis plus que mourir.

J'ai soutenu ton absence, et j'ai conservé mon amour par la force de mon amour. Les nuits, les jours, les moments, tout a été pour toi. J'étais superbe de mon amour même, et le tien me faisait respecter ici. Mais, à présent... Non; je ne puis plus soutenir l'humiliation où je suis descendue. Si je suis innocente, reviens pour m'aimer. Reviens, si je suis coupable, pour que j'expire à tes pieds.

Du sérail d'Ispahan, le 2 de la lune de Maharram, 1720.

LETTRE CLVIII [a]

ZÉLIS A USBEK, A PARIS

A mille lieues de moi, vous me jugez coupable; à mille
lieues de moi, vous me punissez.

Qu'un eunuque barbare porte sur moi ses viles mains,
il agit par votre ordre. C'est le tyran qui m'outrage, et
non pas celui qui exerce la tyrannie.

Vous pouvez, à votre fantaisie, redoubler vos mauvais
traitements. Mon cœur est tranquille depuis qu'il ne peut
plus vous aimer.

Votre âme se dégrade, et vous devenez cruel. Soyez sûr
que vous n'êtes point heureux.

Adieu.

Du sérail d'Ispahan, le 2 de la lune de Maharram, 1720.

LETTRE CLIX

SOLIM A USBEK, A PARIS

JE me plains, magnifique Seigneur, et je te plains : jamais
serviteur fidèle n'est descendu dans l'affreux désespoir
où je suis. Voici tes malheurs et les miens. Je ne t'en
écris qu'en tremblant.

Je jure, par tous les prophètes du Ciel, que, depuis
que tu m'as confié tes femmes, j'ai veillé nuit et jour
sur elles; que je n'ai jamais suspendu un moment le cours
de mes inquiétudes. J'ai commencé mon ministère par les
châtiments, et je les ai suspendus sans sortir de mon austé-
rité naturelle.

Mais que te dis-je [b]? Pourquoi te vanter ici une fidélité
qui t'a été inutile? Oublie tous mes services passés; regarde-
moi comme un traître; et punis-moi de tous les crimes que
je n'ai pas pu empêcher.

Roxane, la superbe Roxane! O Ciel! à qui se fier désor-
mais? Tu soupçonnais Zélis [c], et tu avais pour Roxane une
sécurité entière. Mais sa vertu farouche était une cruelle

imposture : c'était le voile de sa perfidie. Je l'ai surprise dans les bras d'un jeune homme, qui, dès qu'il s'est vu découvert, est venu sur moi. Il m'a donné deux coups de poignard. Les eunuques, accourus au bruit, l'ont entouré. il s'est défendu longtemps, en a blessé plusieurs; il voulait même rentrer dans la chambre, pour mourir, disait-il, aux yeux de Roxane. Mais enfin, il a cédé au nombre, et il est tombé à nos pieds.

Je ne sais si j'attendrai, sublime Seigneur, tes ordres sévères : tu as mis ta vengeance en mes mains; je ne dois pas la faire languir.

Du sérail d'Ispahan, le 8 de la lune de Rebiab 1, 1720.

LETTRE CLX *a*

SOLIM A USBEK, A PARIS

J'AI pris mon parti : [tous les malheurs vont disparaître; je vais punir.

Je sens déjà une joie secrète; mon âme et la tienne vont s'apaiser : nous allons exterminer le crime, et l'innocence va pâlir *b*.]

O vous, qui semblez n'être faites que pour ignorer tous vos sens et être indignées de vos désirs mêmes, éternelles victimes de la honte et de la pudeur, que ne puis-je vous faire entrer à grands flots dans ce sérail malheureux, pour vous voir étonnées de tout le sang que j'y vais répandre!

Du sérail d'Ispahan, le 8 de la lune de Rebiab 1, 1720.

LETTRE CLXI

ROXANE A USBEK, A PARIS

OUI, je t'ai trompé; j'ai séduit tes eunuques, je me suis jouée de ta jalousie, et j'ai su, de ton affreux sérail, faire un lieu de délices et de plaisirs.

Je vais mourir : le poison va couler dans mes veines. Car que ferais-je ici, puisque le seul homme qui me retenait à la vie n'est plus ? Je meurs ; mais mon ombre s'envole bien accompagnée ; je viens d'envoyer devant moi ces gardiens sacrilèges qui ont répandu le plus beau sang du Monde.

Comment as-tu pensé que je fusse assez crédule pour m'imaginer que je ne fusse dans le Monde que pour adorer tes caprices ? que, pendant que tu te permets tout, tu eusses le droit d'affliger tous mes désirs ? Non ! J'ai pu vivre dans la servitude, mais j'ai toujours été libre : j'ai réformé tes lois sur celles de la Nature, et mon esprit s'est toujours tenu dans l'indépendance.

Tu devrais me rendre grâces encore du sacrifice que je t'ai fait : de ce que je me suis abaissée jusqu'à te paraître fidèle ; de ce que j'ai lâchement gardé dans mon cœur ce que j'aurais dû faire paraître à toute la Terre ; enfin, de ce que j'ai profané la vertu, en souffrant qu'on appelât de ce nom ma soumission à tes fantaisies.

Tu étais étonné de ne point trouver en moi les transports de l'amour. Si tu m'avais bien connue, tu y aurais trouvé toute la violence de la haine.

Mais tu as eu longtemps l'avantage de croire qu'un cœur comme le mien t'était soumis. Nous étions tous deux heureux : tu me croyais trompée, et je te trompais.

Ce langage, sans doute, te paraît nouveau. Serait-il possible qu'après t'avoir accablé de douleurs [a], je te forçasse encore d'admirer mon courage ? Mais c'en est fait : le poison me consume ; ma force m'abandonne ; la plume me tombe des mains ; je sens affaiblir jusqu'à ma haine ; je me meurs.

Du sérail d'Ispahan, le 8 de la lune de Rebiab 1, 1720.

FIN
des
Lettres persanes

APPENDICES

AUX

LETTRES PERSANES

Les Pensées et fragments inédits *de Montesquieu,* conservés actuellement à la Bibliothèque municipale de Bordeaux *(ms. 1866) et édités en 1899 (Bordeaux, Gounoulhou, 2 vol. in-4°), contiennent de nombreux fragments relatifs aux* Lettres persanes.

I. *APOLOGIES*

LETTRES PERSANES

Lorsque cet ouvrage parut, on ne le regarda pas comme un ouvrage sérieux : il ne l'était pas. On pardonna deux ou trois témérités en faveur d'une conscience qui était toute à découvert, qui portait la critique sur tout et le venin sur rien. Tout lecteur se rendit témoignage à lui-même. Il ne se souvint que de sa gaieté. L'on se fâchait autrefois comme on se fâche aujourd'hui ; mais on savait mieux autrefois quand il fallait se fâcher [1].

APOLOGIE DES LETTRES PERSANES

On ne peut guère imputer aux *Lettres persanes* les choses que l'on a prétendu y choquer la religion.

Ces choses ne s'y trouvent jamais liées avec l'idée d'examen, mais avec l'idée de singularité ; jamais avec l'idée de critique, mais avec l'idée d'extraordinaire.

1. Ms, t. III, f° 478, n° 2249, *op. cit.*, t. I, p. 44.

C'était un Persan qui parlait, et qui devait être frappé de tout ce qu'il voyait et de tout ce qu'il entendait.

Dans ce cas, quand il parle de Religion, il n'en doit pas paraître plus instruit que des autres choses, comme des usages et des manières de la Nation, qu'il ne regarde point comme bonnes ou mauvaises, mais comme merveilleuses.

Comme il trouve bizarres nos coutumes, il trouve quelquefois de la singularité dans de certaines choses de nos dogmes, parce qu'il les ignore, et il les explique mal, parce qu'il ne connaît rien de ce qui les lie, et de la chaîne où ils tiennent.

Il est vrai qu'il y a quelque indiscrétion à avoir touché ces matières, puisque l'on n'est pas aussi sûr de ce que peuvent penser les autres que de ce qu'on pense soi-même[1].

II. FRAGMENTS DE VIEUX MATÉRIAUX DES LETTRES PERSANES

1. SUITE DE L'HISTOIRE DES TROGLODYTES

C'était[2] un grand spectacle de voir tous les Troglodytes dans la joie, pendant que le Prince fondait en larmes. Le lendemain, il parut devant les Troglodytes avec un visage qui ne marquait ni tristesse ni joie. Il ne parut occupé que du soin du gouvernement. Mais l'ennui secret qui le dévorait le mit bientôt dans le tombeau. Ainsi mourut le plus grand roi qui ait jamais gouverné les hommes.

Il fut pleuré pendant quarante jours : chacun crut avoir perdu son père; chacun disait : « Qu'est devenue l'espérance des Troglodytes ? Nous vous perdons, cher Prince! Vous croyiez que vous n'étiez pas digne de nous commander. Le ciel a fait voir que nous n'étions pas dignes de vous

1. *Ibid.*, t. III, f⁰ 320, n⁰ 2032, *op. cit.*, t. I, p. 44-45. La parenté de ces deux fragments est évidente avec les *Quelques réflexions* imprimées dans le *Supplément* de 1754 et présentées en tête de notre recueil.

2. « J'avais pensé de continuer l'histoire des Troglodytes, et voilà quelle était mon idée. » *(Note de Montesquieu.)*

obéir. Mais nous jurons, par vos mânes sacrés, que, puisque vous n'avez pas voulu nous gouverner par vos lois, nous nous conduirons par vos exemples. »

Il fallut élire un autre prince, et il y eut une chose de remarquable, c'est que, de tous les parents du monarque défunt, aucun ne réclama la couronne. On choisit, dans cette famille, le plus sage et le plus juste de tous.

Vers la fin de son règne, quelques gens crurent qu'il était nécessaire d'établir chez les Troglodytes le commerce et les arts. On assembla la Nation, et cela fut résolu.

Le roi parla ainsi : « Vous voulûtes que je prisse la couronne et me crûtes assez vertueux pour vous gouverner. Le ciel m'est témoin que, depuis ce temps, le bonheur des Troglodytes a été l'unique objet de mes inquiétudes. J'ai la gloire que mon règne n'a point été souillé par la lâcheté d'un Troglodyte. Voudriez-vous préférer aujourd'hui les richesses à votre vertu ? »

« Seigneur, lui dit un d'entre eux, nous sommes heureux ; nous travaillons sur un fonds excellent. Oserai-je le dire ? Ce sera vous seul qui déciderez si les richesses seront pernicieuses à votre peuple, ou non. S'ils voient que vous les préférez à la vertu, ils s'accoutumeront bientôt à en faire de même, et, en cela, votre goût réglera le leur. Si vous élevez dans les emplois ou que vous approchiez de votre confiance un homme par cela seul qu'il est riche, comptez que ce sera un coup mortel que vous porterez à sa vertu, et que vous ferez insensiblement autant de malhonnêtes gens qu'il y aura d'hommes qui auront remarqué cette cruelle distinction. Vous connaissez, Seigneur, la base sur quoi est fondée la vertu de votre peuple : c'est sur l'éducation. Changez cette éducation, et celui qui n'était pas assez hardi pour être criminel rougira bientôt d'être vertueux.

« Nous avons deux choses à faire : c'est de flétrir également l'avarice et la prodigalité. Il faut que chacun soit comptable à l'État de l'administration de ses biens, et que le lâche qui s'abaissera jusqu'à se dérober une honnête subsistance ne soit pas jugé moins sévèrement que celui qui dissipera le patrimoine de ses enfants. Il faut que chaque citoyen soit équitable dispensateur de son propre bien, comme il le serait de celui d'un autre. »

« Troglodytes, dit le roi, les richesses vont entrer chez vous ; mais je vous déclare que, si vous n'êtes pas vertueux, vous serez un des peuples les plus malheureux de la terre. Dans l'état où vous êtes, je n'ai besoin que d'être plus juste que vous : c'est la marque de mon autorité royale, et je n'en saurais trouver de plus auguste. Si vous ne cherchez à vous distinguer que par des richesses, qui ne sont rien en elles-mêmes, il faudra bien que je me distingue par les mêmes moyens, et que je ne reste pas dans une pauvreté que vous mépriserez. Il faudra donc que je vous accable d'impôts, et que vous employiez une grande partie de votre subsistance à soutenir la pompe et l'éclat qui serviront à me rendre respectable. Je trouve à présent toutes mes richesses dans moi-même ; mais, pour lors, il faudra que vous vous épuisiez pour m'enrichir, et ces richesses dont vous faisiez tant de cas, vous n'en jouirez point ; elles viendront toutes dans mes trésors. O Troglodytes ! nous pouvons être unis par un beau lien : si vous êtes vertueux, je le serai ; si je suis vertueux, vous le serez [1]. »

2. FRAGMENTS SUR LA RÉGENCE

Enfin on vient de publier l'arrêt qui met l'Étranger aux Petites-Maisons et tous les Français à l'Hôpital ! Les actions et les billets de banque perdent de moitié [2]. On ôte aux sujets trente fois cent millions d'un coup de plume, c'est-à-dire une somme qui existe à peine dans le Monde, et avec laquelle on pourrait acheter tous les fonds du royaume de Perse. Toute la Nation est en larmes. La nuit et le deuil couvrent ce malheureux royaume : il ressemble à une ville prise d'assaut ou ravagée par les flammes. Au milieu de tant de malheurs, l'Étranger seul paraît content de lui-même et parle encore de soutenir son funeste système. J'habite ici le Pays du Désespoir : mes yeux ne voient que malheurs qui accablent les Infidèles. Un vent s'élève et emporte leurs richesses. Leur fausse abondance disparaît comme un fantôme.

1. Ms., t. II, f⁰ 464, n⁰ 1616, op. cit., t. I, p. 51-54.
2. L'étranger est Law et l'arrêt est celui du 21 mai 1720.

J'apprends en ce moment que l'arrêt dont je parlais vient d'être révoqué [1]. Ce changement ne te doit pas paraître extraordinaire. Ici *les projets chassent les projets comme les nues chassent les nues*. L'arrêt est révoqué, mais non pas le mal qu'il a fait. Le Ministère vient de faire au Peuple une confidence dont il ne se relèvera jamais [2].

De Paris, du 21 de la lune de Rebiab I, 1720.

Tu me dis que notre grand monarque n'est occupé qu'à rendre à ses sujets une justice inviolable, qu'à retirer les petits de l'oppression des grands, et à faire respecter les grands par les petits. Gloire à jamais à ce généreux prince! Veuille le Ciel que sa puissance n'ait pas plus de bornes que sa justice [3]!

Vous me demandez ce que c'est que la Régence. C'est une succession de projets manqués et d'idées indépendantes; des saillies mises en air de système; un mélange informe de faiblesse et d'autorité; toute la pesanteur, sans la gravité du ministère; un commandement toujours trop roide ou trop lâche; tantôt la désobéissance enhardie et tantôt la juste confiance découragée; une malheureuse inconstance à abandonner le mal même; un conseil qui tantôt se roidit, tantôt se multiplie, qui paraît et se perd aux yeux du public d'une manière sourde ou éclatante, aussi différent par les personnes qui le composent qu'il l'est par la fin qu'elles se proposent [4].

1. Révocation du 27 mai 1720.
2. Ms., t. II, f⁰ 462-463, *op. cit.*, t. I, p. 49-50.
3. *Ibid.*, f⁰ 463, *op. cit.*, t. I, p. 50.
4. *Ibid.*, f⁰ 463, *op. cit.*, t. I, p. 50.

Il y a une espèce de turban qui fait faire la moitié des sottises qui se font en France. Ce prétendant qui veut avoir le chapeau à quelque prix qu'il en soit, s'imagine qu'il couvrira toutes les mauvaises démarches qu'il fait pour l'obtenir.

Il n'y a guère de prince qui ne s'en sente honoré. Il n'y a guère de faquin qui n'y puisse prétendre. Sa pourpre confond toutes les conditions et s'allie orgueilleusement avec elles [1].

Je me souviens que, lorsque nous arrivâmes en France, Hagi Ibbi regardait le Roi avec mépris lorsqu'on lui disait qu'il n'avait ni femmes, ni eunuques, ni sérail; que personne ne fuyait lorsqu'il passait quelque part; que lorsqu'il était dans la capitale, à peine la plupart des gens distinguaient-ils son carrosse de celui d'un particulier [2].

3. LETTRES NON INSÉRÉES

LE GRAND EUNUQUE A JANUM, A... [3]

Je prie le Ciel qu'il te ramène en ces lieux et te dérobe à tous les dangers.

Destiné à remplir une place dans le sérail qui m'est soumis, tu iras peut-être quelque jour au poste que j'occupe; c'est là que tu dois porter tes vues.

Songe donc de bonne heure à te former et à t'attirer les regards de ton maître. Compose-toi un front sévère; laisse tomber des regards sombres; parle peu. Que la joie fuie de tes lèvres : la tristesse sied bien à notre condition. Tranquille en apparence, fais, de temps en temps, sortir

1. *Ibid.*, f⁰ 463, *op. cit.*, t. I, p. 51. Allusion au chapeau de cardinal et probablement à l'abbé Dubois.

2. *Ibid.*, f⁰ 464, *op. cit.*, t. I, p. 51.

3. « Cette lettre n'a pu être mise dans les *Lettres persanes* : 1⁰ parce qu'elle ressemble trop aux autres et 2⁰ parce qu'elle ne fait que redire ce qui est mieux dit. Je la mets ici à cause de certains fragments que j'en pourrai peut-être tirer, et quelques endroits vifs qui s'y trouvent. » *(Note de Montesquieu.)*

un esprit inquiet. N'attends pas les rides de la vieillesse pour en montrer les chagrins.

C'est en vain que tu te plieras à une lâche complaisance. Nous sommes tous haïs des femmes, et haïs jusqu'à la fureur. Crois-tu que cette rage implacable soit l'effet de la sévérité avec laquelle nous les traitons ? Ah ! elles pardonneraient nos caprices, si elles pouvaient nous pardonner nos malheurs.

Ne te pique point d'une probité trop exacte. Il y a une certaine délicatesse qui ne convient guère qu'aux hommes libres. Notre condition ne nous laisse pas le pouvoir d'être vertueux. L'amitié, la foi, les serments, le respect pour la vertu, sont des victimes que nous devons sacrifier à tous les instants. Obligés de travailler sans cesse à conserver notre vie et à détourner de dessus notre tête les châtiments, tous les moyens sont légitimes ; la finesse, la fraude, l'artifice sont les vertus des malheureux comme nous.

Si tu viens jamais à la première place, ton principal objet sera de te rendre maître du sérail. Plus tu seras absolu, plus tu auras de moyens pour rompre les brigues et la fureur de la vengeance. Il faut commencer par abattre le courage et ensevelir toutes les passions dans l'étonnement et dans la crainte. Tu n'y réussiras jamais mieux qu'en animant la jalousie de ton maître. Tu lui feras, de temps en temps, de petites confidences. Tu arrêteras son esprit sur les soupçons les plus légers. Tu l'y fixeras ensuite par quelques nouvelles circonstances. Quelquefois tu t'abandonneras à lui-même, et laisseras, pour quelque temps, flotter son esprit incertain. Tu te présenteras ensuite, et il sera charmé de trouver en toi un médiateur entre son amour et sa jalousie : il te demandera tes avis. Doux ou sévère, tu te feras une protectrice, ou tu humilieras une ennemie.

Ce n'est pas que tu puisses toujours jeter à ton gré les soupçons de quelque intrigue criminelle : des femmes abattues sous tant de regards ne peuvent guère être accusées de certains crimes avec apparence. Mais il faut les aller chercher dans les ressources que l'amour désespéré se procure quand l'imagination furieuse va se prendre à tous les objets qu'elle trouve. Ne crains point d'en trop dire : tu peux être hardi à feindre. Depuis tant d'années que je

gouverne, j'ai appris, j'ai vu même des choses incroyables. Mes yeux ont été témoins de tout ce que la rage peut inventer et de tout ce que le Démon d'Amour peut produire.

Si tu vois que ton maître, capable du joug de l'amour, détermine son cœur sur quelqu'une de ses femmes, relâche un peu à son égard de ta sévérité ordinaire; mais appesantis-toi sur ses rivales, et tâche de lui rendre agréables et ta douceur et ta sévérité.

Mais, si tu vois que, peu constant dans ses amours, il use en souverain de toutes les beautés qu'il possède; qu'il aime, quitte et reprenne; qu'il détruise le matin les espérances du soir; tu seras dans la plus heureuse situation où tu puisses être. Maître de toutes ses femmes, traite-les comme si elles vivaient dans une perpétuelle disgrâce, et ne crains rien d'une faveur qui se perd à mesure qu'elle se donne.

C'est donc à toi d'aider son inconstance. Il arrive quelquefois qu'une beauté triomphe et arrête le cœur le plus volage. Il a beau s'échapper, elle le rappelle toujours. Des retours si constants menacent d'un attachement éternel. Il faut, à quelque prix qu'il en soit, rompre ces nouvelles chaînes. Ouvre le sérail; fais-y entrer à grands flots de nouvelles rivales; fais diversion de toutes les parts; confonds une superbe maîtresse dans le nombre; et réduis-la à disputer encore ce que les autres ne pouvaient plus défendre.

Cette politique te réussira presque toujours. Par ce moyen, tu useras si bien son cœur qu'il ne sentira rien. Les grâces seront perdues; tant de charmes secrets pour tout l'Univers le seront encore plus à ses yeux mêmes. En vain ses femmes à l'envi essaieront sur lui les traits les plus redoutables. Inutiles à l'amour, elles ne tiendront à son cœur que par la jalousie.

Tu vois que je ne te cache rien. Quoique je n'aie jamais guère connu cet engagement qu'on appelle amitié, et que je me sois enveloppé tout entier dans moi-même, tu m'as pourtant fait sentir que j'avais encore un cœur, et, pendant que j'étais de bronze pour tous ces esclaves qui vivaient sous mes lois, je voyais croître ton enfance avec plaisir.

Je pris soin de ton éducation. La sévérité, toujours inséparable des instructions, te fit longtemps ignorer

que tu m'étais cher. Tu me l'étais pourtant, et je dirais que je t'aimais comme un père aime son fils, si ces noms de père et de fils n'étaient pas plus propres à nous rappeler à tous deux un souvenir affreux qu'à nous marquer une douce et secrète sympathie [1].

*
**

RICA A USBEK

Voici une lettre qui est tombée entre mes mains :

Ma chère Cousine,

Deux hommes tout de suite m'ont quittée. J'ai attaqué celui que vous saviez; mais il a été comme un rocher. Mon cœur s'indigne des affronts qu'il reçoit chaque jour.

Que n'ai-je point fait pour l'attirer? J'ai cent fois renchéri sur les politesses que j'ai coutume de faire. « Bon Dieu, disais-je en moi-même, se peut-il que moi, à qui on disait autrefois tant de douceurs, je fasse aujourd'hui tant de restitutions pour rien! »

Vous avez, ma chère Cousine, deux ans moins que moi, et vos charmes sont bien au-dessus des miens. Mais je vous conjure de ne me point abandonner dans la résolution que j'ai prise de quitter le monde. Vous êtes confidente de tant de secrets; je suis dépositaire de tant d'autres! Il y a plus de trente ans que notre amitié triomphe de toutes les petites brouilleries que produisent nécessairement dans une société la variété des intrigues et la multiplicité des intérêts.

Je vous l'ai dit souvent : ces petits maîtres que j'ai tant aimés, je ne puis plus les souffrir. Ils sont si contents d'eux-mêmes, et si peu de nous; ils mettent à un si haut prix leur sottise et leur figure... Ma chère Cousine, sauvez-moi de leur mépris.

Je commence à prendre un tel goût à la société des gens dévots qu'elle fait toute ma consolation. Je n'ai point encore

1. Ms., t. II, f⁰ 466, *op. cit.*, t. I, p. 54-58. Ébauche de la *Lettre* XV (3ᵉ paragraphe). Quelques phrases reparaîtront dans la *Lettre* XXII (4ᵉ paragraphe).

assez rompu avec le monde pour qu'ils aient confiance en moi. Mais à mesure que je m'en détache, ils s'approchent un peu. Quelle douceur dans ce nouveau genre de vie, au lieu du tumulte et ce bruit du monde imposteur!

Je vais, ma chère cousine, me livrer à eux tout entière. Je leur découvrirai l'état d'un cœur qui prend toutes les impressions qu'on lui donne. Il n'est point en moi d'éteindre toutes mes passions; il ne s'agit que de les régler.

Il y a une chose qui est le principe fondamental de la vie dévote : c'est la suppression totale des agréments étrangers. Car, quoique, entre nous, ils soient toujours beaucoup plus innocents dans le temps qu'on les quitte que lorsqu'on commence à s'en servir, cependant ils marquent toujours une certaine envie de plaire au monde, que la dévotion déteste. Elle veut que l'on paraisse devant lui avec toutes les injures du temps, pour lui faire voir à quel point on les méprise. Pour nous, ma chère Cousine, il me semble que nous pouvons encore nous montrer telles que nous sommes. Je vous l'ai dit cent fois, que vous étiez charmante lorsque vous paraissiez le plus négligée, et qu'il y avait en vous beaucoup d'art à n'en mettre point.

Puisse cette lettre vous toucher le cœur et vous inspirer des résolutions que je n'ai prises qu'après les avoir longtemps combattues!

Adieu.

La dévotion, qui, dans certaines âmes, est une marque de force, dans d'autres en est une de faiblesse. Elle n'est jamais indifférente : car, si, d'un côté, elle orne les gens vertueux, elle achève la dégradation de ceux qui ne le sont pas.

A Paris, le 25 de la lune de Rebiab, 1717 [1].

USBEK A ZÉLIS

Vous demandez devant le juge votre séparation. Quel exemple donnez-vous à votre fille! Quel sujet d'entretien

1. Ms., t. II, f⁰ 468, *op. cit.*, t. I, p. 58-60. Cette lettre sur les thèmes alternés de la coquetterie et de la dévotion méritait un meilleur sort.

pour tout le sérail! Vous m'insultez bien moins en faisant voir le peu d'amour que vous avez pour moi, que le peu de respect que vous avez pour vous-même.

Croyez-vous que la vertu coûte moins à vos compagnes qu'à vous; que leur vie soit moins laborieuse? Non, sans doute. Mais les combats soufferts sont inconnus, les douleurs d'une victoire trop contestée sont secrètes, et la vertu, lors même qu'elle tyrannise, paraît en elles sous un maintien modeste et un visage tranquille.

Je crois bien que vous souffrez toutes les rigueurs de la continence. Je compte sur la vigilance de mes eunuques. Ils respectaient votre âge; ils vous croyaient maîtresse de vos passions. Mais, à présent qu'ils en connaissent l'empire, il ne faut pas douter qu'ils ne redoublent leurs soins pour vous soutenir. Ils vous traiteront comme si vous étiez encore dans les périls de la jeunesse, et recommenceront à vous plier à une éducation dont vous vous êtes si fort écartée.

Défaites-vous donc de vos idées, et sachez qu'il ne vous reste plus que mon amour et le repentir : car je ne suis point homme à souffrir qu'une femme que j'aime passe dans les bras d'un autre, quand je devrais être regardé comme le plus barbare de tous les hommes...

Je n'en dis pas davantage. Vous connaissez mon cœur et vous m'entendez.

*De ***, le premier de la lune de Zilhagé,* 1718 [1].

III. *AUTOGRAPHES TIRÉS DES CAHIERS DE CORRECTIONS*

RICA A USBEK, A LA CAMPAGNE

Tu restes à la campagne, et moi, je suis dans le tumulte de Paris. J'étais hier dans une nombreuse compagnie. Un jeune homme parlait beaucoup, et comme je l'avais vu quelquefois, j'avais déjà compris qu'il avait une grande

1. Cette lettre, datée du 1er février 1718, fait partie du cycle de Zélis (*Lettres* LXII et LXX-LXXI) où reparaît chaque fois le thème de l'éducation de sa fille. Ms., t. II, f° 471, *op. cit.,* t. I, p. 60-61.

impertinence dans les manières et une égale fatuité dans les discours. Ce jour-là, il employait son esprit à déshonorer quinze ou vingt personnes. Il se tut un moment; ce qui fit que j'eus le temps de lui dire : « Apparemment, Monsieur, vous ne connaissez plus personne dans ce pays-ci ? — Pourquoi cela ? reprit-il. — Je l'ai cru, lui répondis-je, parce que vous ne dites plus de mal de qui que ce soit. — Vous êtes bien bon de vous échauffer, me répondit-il. Je parie que vous ne connaissez pas une seule des personnes dont j'ai parlé. — Je ne connais pas non plus, lui répondis-je, ceux qu'on vole sur les grands chemins; je serai pourtant toujours fâché qu'on y vole. Je ne connais point les gens dont vous venez de parler; mais ils ont une qualité bien respectable, c'est qu'ils ne sont pas ici. »

Cette brusquerie ne déplut pas à la compagnie; mais elle ne le rendit pas plus sage. Il commença à débiter un athéisme brutal, et, ensuite, me regardant fixement : « Je suis sûr, dit-il, que Monsieur désapprouve ce que je dis. — Point du tout, lui répondis-je. Ce que vous dites ne regarde que Dieu. Il n'y a pas grand mal à cela. Cet Être suprême, qui ne voit un insecte comme vous que parce qu'il est immense, saura bien vous punir. Ainsi vous ne faites que pitié. Mais tantôt j'étais indigné de vous voir désoler tant de familles. »

Il me semble, Usbek, qu'il est bon qu'il y ait des gens qui ne soient pas médiocres, même dans la corruption. Ils font aimer la vertu, plus que ne pourraient faire les hommes les plus vertueux. Il y a des médisances qui m'exhortent à l'amour, et des blasphèmes qui m'élèvent vers le Créateur comme des hymnes que j'entends chanter.

De Paris, le 10 de la lune de Rebiab II, 1717 [1].

1. Texte publié par Barckhausen (édition des *Lettres, op. cit.*, t. I, p. 314-315) d'après l'autographe, une feuille de papier double. La lettre commençait par cette phrase biffée : « Tu ne me mandes point ce que tu fais à la campagne ». Datée du 10 juin 1717, elle pouvait prendre place entre les n[os] CII et CIII. L'austérité du ton et l'allusion à l'athéisme pourraient indiquer une rédaction tardive.

*
**

HAGGI IBBI A GEMCHID, DERVICHE
DE LA MONTAGNE DE JARON

Heureux Gemchid! la loi du saint Alcoran ne t'a point été donnée en vain : tu découvres des préceptes cachés dans les moindres paroles de ce divin livre. Il semble grossir sous le nombre de tes pratiques. Tu multiplies les sujets de l'obéissance et ajoutes sans cesse aux commandements de celui qui nous a trouvés faibles lorsqu'il nous cherchait fidèles.

Permets-moi de te dire mes pensées.

En matière de Religion, plus le sujet de la dispute est léger, plus elle devient violente. Elle prend des forces de la petitesse du sujet. Le feu manque de nourriture, mais il s'allume toujours.

Tu sais les minces sujets de nos disputes sur Hali et Abubaker. Si les sectateurs de ces grands hommes n'avaient pas été plus échauffés pour défendre leurs opinions que ces grands hommes ne le furent eux-mêmes sur leur propre intérêt, la Religion musulmane aurait été tranquille; la Terre n'auroit pas troublé le Ciel, et le Ciel n'aurait pas troublé la Terre. Ce qui a contribué à aigrir le plus les esprits, ce sont les paroles injurieuses que la fureur a mis[es] dans les deux liturgies. Or, dès qu'une des parties a tant fait que de s'en choquer, quoique ces injures soient si générales qu'elles ne peuvent porter sur personne, cependant l'équité naturelle et la piété religieuse ordonne de les ôter, ne voulant pas qu'on dise aux autres des injures qui les offensent, et le bon sens, qu'on les dise en forme de prières.

A Paris, le dernier jour de la lune de Chabban, 1720 [1].

1. Texte publié par Barckhausen (*op. cit.*, t. I, p. 315-316) d'après deux feuilles réunies par deux épingles. La première partie seule est autographe et comporte cette note : « Ne faire qu'une lettre de ces deux ». Dans la *Lettre* XXXV, Gemchid était dervis de Tauris, dans la *Lettre* XCVII, le dervis de la montagne de Jaron était Hassein. Le thème de la tolérance entre les sectes musulmanes est exploité dans la *Lettre* LX.

L'envie que j'ai de m'instruire des mœurs de ce pays fait que je me communique le plus que je puis, et que je cherche toujours de nouvelles connaissances. J'ai trouvé pour cela un secret merveilleux : c'est d'écouter ; car un Français est parleur. Il aime à entretenir tout le monde de sa naissance, de son mérite, de son équipage, de ses domestiques, de son bien, de ses bonnes fortunes. Il est ravi de trouver un homme patient. Il serait fâché que vous ignorassiez l'histoire de sa vie, avec ses épisodes. Prêtez-lui des oreilles, il est votre ami. S'il peut vous faire rire, il vous aura une obligation infinie. Sa reconnaissance sera éternelle si vous retenez bien qu'il a deux cent mille aspres de rente, une meute et vingt esclaves. Convainquez-vous surtout que sa profession est plus excellente que celle des autres. Ajoutez-y qu'il excelle dans cette profession, vous aurez la clef de son cœur [1].

IV. FRAGMENTS DIVERS

Il n'y a guère de lumière à tirer des livres occidentaux pour l'histoire ancienne. Il y a un vide dans les premiers temps, que tout le monde est convenu de remplir. Les ruines même ont péri et cependant il faut édifier.

Lorsque l'histoire manque, on lui substitue les fables. Il en est comme de ces pays pauvres, où l'on est obligé de donner cours à la monnaie la plus légère. Les poètes deviennent des auteurs graves et, dans leur territoire, ils sont aussi écoutés que les plus judicieux historiens.

Ce n'est point l'histoire des hommes, c'est celle des dieux. Ces dieux se changent en héros, à mesure que les temps deviennent moins grossiers. Ces héros n'ont pour enfants que des hommes parce qu'on voit les enfants de

1. Fragment de lettre (autographe sur feuille simple) publié par Barckhausen (*op. cit.*, t. I, p. 316). Au verso, une note d'un secrétaire renvoie au second paragraphe de la *Lettre* XLIV sur l'orgueil professionnel. *L'aspre* est une monnaie d'argent turque.

plus près que les pères, et voilà le temps fabuleux qui cesse et le temps historique qui commence.

On ne saurait dire dans quel chaos les siècles historiques ont trouvé la génération des dieux. Les mythologistes ont fait comme deux sectes différentes, aussi opposées dans leurs opinions que dans l'esprit qui les conduit. Les uns, plus attachés à la lettre, distinguent toutes les divinités, sans être choqués de leur multiplicité. Les autres, plus subtils, veulent toujours simplifier et confondent les unes avec les autres.

Les poètes étaient du premier genre, les philosophes du second. Mais il y avait bien peu de philosophie à se charger du pénible emploi de mettre la superstition en système et de ranger ce qui était sans cesse brouillé par les écarts des poètes, les fantaisies des peintres, l'avarice des prêtres et la prodigieuse fécondité des superstitieux. Mais ce n'était pas la seule branche de ce procès immortel. Les uns, plus grossiers, voulaient tout entendre à la lettre, les autres, plus subtils, prennent tout pour allégorie et reportent tout à la morale et à la physique.

Les philosophes révoltés voulaient restreindre ce prodigieux nombre de divinités qui avaient passé jusqu'aux noms abstraits des substances, mais quelle grande différence y avait-il entre ceux qui animaient toute la nature et les théologiens qui la divinisaient toute entière ?

USBEK [1].

On dit que le rebelle Mevis fait en Perse des progrès étonnants et que le Peuple le suit de toutes parts.

Nos princes ont jusqu'ici exercé leur pouvoir avec si

1. Cette lettre d'Usbek, retrouvée par M. Desgraves à la Brède (mai 1950) et publiée par André Masson (*Mercure de France*, 1er janvier 1954), illustre les procédés de composition de Montesquieu. Les quatre derniers paragraphes ne sont que la reprise, à peine remaniée, d'un fragment consigné dans les *Pensées* (ms, t. II, f⁰ 457, *op. cit.*, t. I, p. 306-307) sous le titre de *Réflexions sur les premières histoires*. Ce projet de dissertation, sans doute académique, a été coiffé par deux nouveaux paragraphes et l'allusion aux « livres occidentaux » permet de rejoindre la fiction orientale d'une lettre persane.

peu de retenue, ils se sont si fort joués de la Nature humaine, que je ne m'étonne pas que Dieu permette que les peuples se lassent et secouent un joug trop appesanti. Malheureuse condition des sujets! Ils n'ont presque point de voie légitime pour se défendre de la vexation, et quand ils ont raison dans le fond, il se trouve qu'ils ont tort dans la forme.

Prends au hasard l'histoire de quelque trouble d'État. Il y a à parier mille contre un que le Prince ou son ministre en sont la cause. Le Peuple, naturellement craintif, et qui a raison de l'être, bien loin de songer à attaquer de front ceux qui ont une puissance redoutable dans leurs mains, a même de la peine à se déterminer à se plaindre.

Nous sommes en Perse si persuadés de cette maxime que nous en faisons un usage continuel : dans les démêlés qui arrivent dans les provinces, la Cour décidera toujours pour le Peuple contre ceux qui ont l'autorité du Prince.

En effet, l'autorité despotique ne se doit jamais communiquer. Les ordres arbitraires ne doivent point être exécutés arbitrairement, et il est de l'intérêt d'un prince injuste que celui qui exécute ses volontés, même les plus tyranniques, observe, dans la manière de les exécuter, les règles de la justice la plus exacte.

Dans les états despotiques, on est pour le Peuple contre le gouverneur ou l'intendant. C'est tout le contraire dans les états monarchiques [1].

V. HUIT LETTRES PERSANES OUBLIÉES ET RETROUVÉES

Dans le cinquième numéro du Fantasque, *hebdomadaire d'Amsterdam édité par Thémiseul de Saint-Hyacinthe en 1745,*

1. L'éditeur des *Pensées* (*op. cit.*, t. I, p. 111-112, ms, t. III, f⁰ 133) avait déjà reconnu dans ce texte un fragment de lettre persane. Plus perspicace, Antoine Adam a fait valoir l'allusion à la Perse et à « nos princes ». Le rebelle *Mevis* est le chef afghan Mir-Weiss, révolté depuis 1713 contre le shah Hussein. La rédaction de cette page ne saurait être antérieure au 30 juin 1719, lorsque Montesquieu consigne dans le *Spicilège* les premiers détails de l'affaire. Mais l'opposition de la monarchie et du despotisme semble témoigner d'une doctrine plus tardive que celle de la *Lettre* CII.

paraissaient huit Lettres persanes *inconnues des recueils anté-rieurs. L'éditeur, aventurier des lettres, cosmopolite et nomade, jouissait depuis le succès en 1714 du* Chef-d'œuvre d'un inconnu *d'un renom quelque peu contesté. Familier du salon de Mme de Lambert de 1716 à 1720, puis de 1731 à 1733 jusqu'à la mort de la marquise, il connaissait fort bien Montesquieu au point de le parrainer lors de son élection le 9 mars 1730 à la Royal Society de Londres. En 1745, réfugié en Hollande, besogneux, il semble avoir monnayé dans d'obscurs recueils et d'éphémères périodiques les manuscrits de ses anciens amis. Voici son préambule ambigu :*

« Les Lettres persanes... *se trouvèrent l'autre jour dans l'ordre des livres choisis que je relis l'un après l'autre. Toujours charmé de voir dans ce livre la perfection du style jointe à la solidité de la raison et à la vivacité du sentiment, je me souvins que j'avais parmi mes manuscrits quelques lettres des mêmes Persans et vraisemblablement du même traducteur. Si elles sont de lui, son copiste les avait apparemment égarées, ce qui fait qu'elles ne se trouvent point imprimées avec les autres. Si elles ne sont pas de lui, cet excellent traducteur pourra les désavouer, en cas que le public s'y méprenne, ce qui pourrait bien arriver. Je vais les donner au public, ne fût-ce que pour en faire l'essai. »*

En fait, ni le public du temps, ni Montesquieu ne semblent en avoir eu connaissance. Le Fantasque *dut attendre 1965 avant d'être exhumé par une jeune érudite, Mlle Elisabeth Carayol, qui fit valoir dans un article de la* Revue d'Histoire littéraire *l'intérêt et l'authenticité de ces nouvelles* Lettres persanes.

Nous ne saurions en effet douter de l'authenticité de ces huit lettres. Quatre d'entre elles (II - III - V - VI), inconnues en 1745, ne nous surprennent guère : la deuxième, sur l'Ambassa-deur de Perse, est la quatrième du Supplément *de l'édition de 1754 (cf.* supra, nº *XCI, p. 189); la troisième, sur le Turc et le Cannibale, nous est connue par un texte des* Pensées *(ms. de Bordeaux, t. III, fº 2, éd. Gounouilhou, t. II, p. 171) et de l'*Histoire véritable *(cf.* Œuvres complètes, *éd.* Masson, *t. III, p. 338); quant à la cinquième sur l'Eunuque et à la sixième sur les Femmes, nous en possédions d'autres moutures dans les* Pensées *(ms. t. III, ffos 466 et 468, op. cit., t. I, pp. 54-61) que nous avons insérées ici même (cf.* supra, *p. 340 et 343). Comment imaginer que les quatre autres (I - IV - VII - VIII), qui sont en partie ou totalement neuves, ont été forgées*

*par Saint-Hyacinthe ? Nous ne saurions, après une lecture,
que confirmer l'impression d'authenticité ressentie par Elisabeth
Carayol : c'est le style, le ton, les thèmes des* Lettres persanes.
*Si Montesquieu, après les avoir confiées à Saint-Hyacinthe, en a
refusé l'impression, si même quelques-unes ont disparu de ses
dossiers, nous en comprenons aisément les raisons : inachèvement,
médiocrité, double emploi pour les premières ; minceur pour
la lettre VII sur les Héros ; mais les lettres I sur* la Confession,
IV sur Religion et mal de mer, *VIII* sur le Ridicule des
controverses religieuses *étaient d'une audace inquiétante :
Voltaire n'a jamais été plus net ni plus insolent.*

*Nous ne publierons que les textes inédits ou non insérés dans
notre recueil. Pour les autres, à la suite de Mlle Carayol, nous
marquerons les variantes.*

I

LETTRE DE USBEK A IBBEN A SMYRNE

Je me méfie si fort des Chrétiens que je suis toujours
sur mes gardes quand je me trouve auprès d'eux.

J'en sais des choses qui m'en donnent très mauvaise
idée. Ceux-mêmes qui paraissent les plus réglés ont de
certaines pratiques qui me les rendent suspects.

Que dis-tu de ces personnages qui ont besoin de se rendre
honnêtes tous les huit jours et qui ont l'effronterie d'aller
dire à Dieu : *Seigneur, oubliez le passé, il y a cinquante ans
que je vous trompe régulièrement toutes les semaines, mais essayez
encore cette fois-ci et recommençons.*

Les enfants d'Ali font une fois en leur vie le pèlerinage
à la Mecque : ils donnent une fois en leur vie le dixième
de leur bien ; mais ils ne tourmentent pas sans cesse la
miséricorde par de nouveaux crimes et de nouvelles expia-
tions. Inquiets sur les anciennes dettes, jamais quittes
envers le Seigneur, ils craignent d'en contracter de nou-
velles, de combler la mesure et d'aller jusqu'au terme où
la bonté paternelle finit.

A Paris, le 28 *de la lune de Regeb,* 1713.

II

LETTRE SUR L'AMBASSADEUR DE PERSE
(Cf. Lettre XCI, *supra*, pp. 189-190)

Variantes :

1er paragraphe : « des présents que le nôtre ne saurait donner *à ses plus vils esclaves* ».

4e paragraphe : « Ne dis rien de *ceci à nos ministres*, épargne la tête d'un malheureux; je ne veux *point* qu'*ils* le punissent de leur propre imprudence et de l'indigne choix qu'ils ont fait; *sache seulement s'ils l'ont fait.* »

III

FRAGMENT D'UNE LETTRE D'USBEK A *** A ***

Je ne sais comment il arriva qu'un Turc se trouva un jour avec un cannibale. Vous êtes bien cruel, lui dit le Mahométan, vous mangez les captifs que vous avez pris à la guerre. Que faites-vous des vôtres, lui répondit le cannibale? Nous les tuons, mais quand ils sont morts, nous ne les mangeons pas.

Il vaut bien la peine pour si peu de chose de se distinguer des sauvages. Nous trouvons de la barbarie à des coutumes presque indifférentes et nous n'en trouvons pas à violer toutes les règles de l'humanité et à faire taire tous les sentiments de la pitié [1].

De Paris, le 10 de la lune de Chabban, 1715.

IV

LETTRE DE HAGI IBBI A GEMEHID,
DERVIS DE LA MONTAGNE DE JARON

Te dirai-je, Gemehid, combien mon cœur a été déchiré dans le cruel trajet qu'il m'a fallu faire de Smyrne à Mar-

1. Paragraphe différent dans les *Pensées*, II, 171 : « Il semble qu'il n'y ait pas de peuple qui n'ait sa cruauté particulière et que chaque nation ne soit touchée que de celle des autres nations, comme si la barbarie était une affaire d'usage, comme les modes et les habits. »

seille : je fus deux fois pendant quarante jours sans pouvoir faire une seule prière. Plus les vents agissaient sur mon vaisseau, moins j'étais en état de parler à Dieu. A mesure que j'avais plus de besoin de la miséricorde, je voyais croître l'impossibilité de la demander. Que me sert, disais-je en moi-même, mon pèlerinage à la Mecque, s'il faut que je vive, peut-être même que je meure ici, comme un infidèle, et qu'en quelque situation que je me mette, je sois remué sans cesse sans pouvoir être un instant dans l'état convenable pour prier?

Quelquefois, attentif au temps, je voyais venir le calme avec plaisir, mais quand je m'étais bien examiné, je trouvais que je remuais encore, et l'heureux scrupule qui s'élevait dans mon cœur venait m'empêcher de profaner le saint nom que je voulais louer.

Jusques à quand, disais-je, n'aurai-je pour ma loi qu'un zèle inutile? Comment faut-il qu'avec un cœur pur, je ne puisse remplir ce qu'elle me prescrit? Ne serai-je jamais sur cette terre immobile qui repose sur le chameau, digne de me prosterner devant Dieu et de conférer avec les anges! Heureux Gemehid, lorsque tu pries, tu as sous tes pieds la montagne de Jaron, et c'est là que le prophète jette d'abord les yeux lorsqu'il les tourne vers la terre.

La loi du Saint Alcoran ne t'a point été donnée en vain; tu découvres des préceptes cachés dans les moindres paroles de ce divin livre. Il semble grossir sous le nombre de tes pratiques, tu multiplies les sujets de l'obéissance, tu ne te bornes point à quelques préceptes rigides, tu suis avec la même sévérité les conseils de celui qui aurait pu ordonner tout ce qu'il conseille et qui nous a trouvés faibles lorsqu'il nous cherchait fidèles [1].

De Paris, le 25 de la lune de Regeb, 1713.

1. Ce dernier paragraphe est identique au premier d'un fragment publié par Barckhausen d'après les Cahiers de corrections (cf. *supra*, p. 347).

V

LETTRE SUR L'EUNUQUE
(Cf. *supra*, pp. 340-343)

Variantes :

2ᵉ paragraphe : « *Si tu as de l'honneur,* c'est là... »

4ᵉ paragraphe : « ... que tu te *plierais...* ».

6ᵉ paragraphe : « ... pour rompre les brigues et *réprimer* la fureur de la vengeance ».

9ᵉ paragraphe : « ... qu'il détruise le matin les espérances du soir, *que le caprice suive le choix, le mépris le caprice; pour lors,* tu seras... ».

12ᵉ paragraphe : « Tu vois, *Janum,* que je ne te cache rien. »

«... Tu m'as *cependant* fait sentir... »

13ᵉ paragraphe : « ... qu'*à marquer* une douce... ».

VI

LETTRE SUR LA COQUETTERIE ET LA DÉVOTION
(Cf. *supra*, pp. 343-344)

Variantes :

7ᵉ paragraphe : « Je vous l'ai dit *une fois* que vous étiez charmante... »

Dernier paragraphe : « Mon cher Usbek, la dévotion qui dans certaines âmes est une marque de force, dans d'autres en est une de faiblesse; *peut-être que ce qu'on en pourrait dire de mieux, c'est qu'elle laisse le cœur comme elle le trouve; mais non,* elle n'est jamais indifférente... »

VII

LETTRE DE USBEK A *** A ***

Les premiers héros étaient bienfaisants, ils protégeaient les voyageurs, purgeaient la terre des monstres, entreprenaient des ouvrages utiles, tels furent *Hercule* et *Thésée.*

Dans la suite ils furent seulement courageux, comme *Achille, Ajax, Diomède* : après cela ils furent de grands conquérants comme *Philippe* et *Alexandre*.

Enfin ils devinrent amoureux, comme ceux des romans.

A présent, je ne sais ce qu'ils font. Ils ne sont plus sujets qu'aux caprices de la fortune. On fait valoir un empire comme un fermier fait valoir sa terre, on en tire le plus qu'on peut. Si l'on fait la guerre, elle se fait par commission et seulement pour avoir des terres qui donnent des subsides; ce qu'on appelait autrefois *gloire, lauriers, trophées, triomphes, couronnes,* est aujourd'hui de l'argent comptant.

A Paris, le 3 de Rhebiab, 1717.

VIII

LETTRE DE RICA A ***

En matière de religion, plus le sujet de la dispute est léger, plus elle devient violente; elle prend des forces à mesure de la petitesse du sujet, le feu manque de nourriture, mais il s'allume toujours [1].

L'Allemagne est agitée de mille troubles. Les Molaks catholiques et protestants ont la conscience assez timorée pour mettre le feu et la discorde partout. Les meilleures têtes de l'Europe travaillent depuis un an à terminer des différends qui dans un temps calme ne coûteraient pas un quart d'heure d'attention.

S'il s'agissait des principes fondamentaux des deux religions, peut-être pourrait-on parvenir à les faire taire. Mais il est question d'une affaire de toute autre conséquence, c'est de savoir qui aura le démenti de six jésuites ou de

1. Paragraphe identique à l'autographe des Cahiers de corrections publié par Barckhausen (cf. *supra*, p. 347, 3e §). Ce texte sur les controverses des sectes musulmanes est d'ailleurs une transposition prudente de la page présente.

six ministres, et toute l'Allemagne va combattre pour l'honneur de ces six ministres et de ces six jésuites [1].

Rien n'a plus contribué à aigrir les esprits que quelques paroles injurieuses contre les Catholiques qui sont dans le livre sacré des Protestants [2]. Les premiers ont voulu les faire ôter, les autres ont refusé; sottise des deux parts.

Il est étonnant que les Catholiques aient voulu se choquer de ces injures qui sont si générales qu'elles ne peuvent porter sur personne, mais dès qu'ils ont tant fait que de s'en choquer, il est encore plus étonnant que les Protestants aient refusé de les ôter; l'équité naturelle et la piété religieuse ne voulant pas qu'on dise aux autres des injures qui les offensent et le bon sens qu'on les dise en forme de prières.

A Paris, le dernier de la lune de Chabban, 1720.

1. Allusion à la conférence de 1719-1720 présidée par lord Stanhope (cf. E. Carayol, *art. cit.*, p. 25).
2. Le catéchisme de Heidelberg.

VARIANTES

VARIANTES

RÉPERTOIRE DES SIGLES

A : édition princeps 1721.

B : 2ᵉ édition 1721.

C : édition 1754.

D : édition 1758.

α : petit cahier de corrections 1754.

β : grand cahier de corrections 1754.

γ : texte raturé du grand cahier.

P : *Pensées*.

S : *Spicilège*.

Page 3 :

a) P. *Préface de l'Éditeur.* Ce qui fait le mérite principal des *Lettres persanes*, c'est qu'on y trouve [...] — γ : Il ne faut pas être étonné que les diverses éditions des *Lettres persanes* soient pleines de fautes. Cet ouvrage fut abandonné par son auteur dès sa naissance. Ce qui fait son mérite principal, c'est qu'on y trouve [...]

b) P. et c'est une des causes du succès de *Paméla* et des *Lettres péruviennes* (ouvrages charmants qui ont paru depuis).

c) P. ne sont pas choisis, mais forcés [...]

Page 4 :

a) P. les libraires de Hollande

b) P *om.* je vous prie

c) P. suffira.

d) P. et encore moins.

e) P. Il y a dans les premières lettres quelques traits qu'on a jugés trop hardis. Mais on prie

f) P. jouer un si grand rôle dans ces lettres

g) P *om.* c'est-à-dire dans un autre univers.

h) P *om.* nécessairement

i) P. il semble qu'on n'avait eu à peindre les sentiments qu'ils avaient eus [...]

j) *P.* d'imprudence. On fait cette justification par amour pour les grandes vérités, indépendamment du respect pour le genre humain, que l'on n'a pas certainement voulu frapper dans l'endroit le plus tendre. On prie de remarquer que ces traits se trouvent toujours liés avec le sentiment de surprise et d'étonnement, jamais avec l'idée d'examen et encore moins avec celle de critique.

k) *P.* des coutumes et des usages ordinaires de la nation.

Page 5 :

a) *P.* On avouera que cette singularité est marquée dans les *Lettres persanes* à ce coin qu'elle n'est jamais fondée que sur la parfaite ignorance où ils sont de la chaîne qui lie ces dogmes avec nos autres vérités. Tout l'agrément ne consiste que dans le contraste qu'il y a entre des choses réelles et la manière dont elles sont aperçues.

De toutes les éditions de ce livre, il n'y a que la première qui soit bonne; elle n'a point éprouvé la témérité des libraires. Elle parut en 1721 imprimée à Cologne, chez Pierre Marteau. Celle qu'on donne aujourd'hui mérite la préférence, parce qu'on y a corrigé en quelques endroits le style de la première et quelques fautes qui s'étaient glissées dans l'impression. Ces fautes, dans les éditions suivantes, se sont multipliées sans nombre parce que cet ouvrage fut abandonné par son auteur dès sa naissance. Fin.

Page 7 :

a) *B.* et parce qu'ils

Page 8 :

a) *Toutes les éditions conservent l'erreur :* ennuyé, *au lieu de la vraie leçon donnée par l'édition Pierre Brunel, 1721.*

b) *ABC.* leur ouvrage

c) αγ. de la nation française

Page 11 :

a) *La* Lettre Première *manque dans B.*

Page 13 :

a) *AB.* et tu leur obéis — *CD.* et leur obéis

b) *AB.* dont — *CD.* d'où

Page 14 :

a) *B.* D'Erzeron, le 10 de la lune de Rebiab 2, 1711.

b) *A.* Je me croyais (*leçon corrigée dans quelques exemplaires au moyen d'un carton*)

 BCD. voyais

Page 17 :

a) *La* Lettre V *manque dans* B

b) *La* Lettre VI *est la première de* B.

Page 19 :

a) *ABC.* compte

Page 20 :

a) *B.* je quitterais pour toi l'Empire du monde

b) *B.* calmer

c) *B.* des passions

d) *ABC.* désirs

Page 21 :

a) *ABC.* de notre tempérament

b) *ABC.* espérer

Page 22 :

a) *B.* le 12.

Page 24 :

a) γ. sur

b) γ *om.* et

Page 25 :

a) *AB.* et reflux

Page 26 :

a) *B add.* qu'il y a de femmes dans le sérail

b) *AB.* laissai

c) *B.* à proportion

d) *A om.* me

Page 27 :

a) *La* Lettre X *manque dans* B, *qui rappelle les deux derniers alinéas au début de la lettre suivante.*

Page 28 :

a) *B. remplace ainsi le premier alinéa :*

« Tu me demandes si les hommes sont heureux par les plaisirs et les satisfactions des sens ou par la pratique de la vertu. Tu veux que je t'explique ce que tu m'as ouï dire quelquefois, que les hommes sont nés pour être vertueux, et que la justice est une qualité qui leur est aussi propre que l'existence.

Si tu consultes les mollaks, ils t'accableront de passages du Saint Alcoran, sans faire attention que tu ne leur parles pas comme vrai croyant mais comme homme, comme citoyen et comme père de famille. »

Page 29 :

 a) *B*. les trouvèrent

Page 30 :

 a) *B*. il s'émut entre eux

 b) *AB om.* à

 c) αγ. à terminer vos différends, tandis que je négligerai mes affaires

 d) *ABC*. ses terres

 e) αγ. Un étranger tout nu vit chez un troglodyte de la laine

Page 31 :

 a) *ABC*. l'étranger — γ : le troglodyte

 b) *B*. entre

 c) *ABC*. A Erzeron

Page 32 :

 a) *B*. aimés

 b) *ABC*. touchant

Page 33 :

 a) *B*. cœurs

 b) *ABC*. par avance

Page 34 :

 a) *AC*. ils chantaient ensuite

Page 35 :

 a) *ABC*. Que voulez-vous

 b) *AC*. Posez

Page 36 :

 a) Pas même

Page 37 :

a) *AB*. Eh!

Page 38 :

a) *La* Lettre XV *manque dans AB; première du* Supplément *de C.
Dans* β, *Montesquieu indique :* « Cette lettre doit être mise à la page 64,
tome I. Elle sera la quinzième et celle qui était la quinzième sera la
seizième, ainsi de suite. »

b) *AB*. élever

Page 39 :

a) αβ. *ajoutent :* Adieu

b) *AB*. Au sérail

c) *La* Lettre XVI *manque dans B*.

Page 41 :

a) *B*. mes inquiétudes : j'ai des doutes

Page 43 :

a) *ABC*. reprit le Prophète

Page 44 :

a) *B*. *ajoute en note :* Tradition mahométane.

b) *ABC*. A

Page 47 :

a) αγ. et ils ne s'avisent de faire usage des découvertes nouvelles
qu'après qu'on s'en est servi mille fois contre eux.

b) *ABC*β. nulle expérience... nulle habileté

c) *ABC*. tous les Ottomans. — αβ. exercent tous les Ottomans

Page 48 :

a) *ABC*. que de permettre

b) *AB*. traversé

c) *ABC*. A

Page 49 :

a) αγ. parce que

b) *AB*. de ces eunuques noirs — *B*. de ces noirs

Page 50 :

 a) *ABC.* à l'attentat

 b) αγ. les yeux ouverts

Page 51 :

 a) *AC.* A — *BD.* De

 b) *C.* 1712

 c) *B.* que pour obéir

 d) *B om.* qui n'êtes... ordonne

 e) *ABC.* A

 f) *C.* 1712

Page 52 :

 a) *La* Lettre XXII, *qui manque dans AB, est la deuxième du Supplément de C. Dans* β, *Montesquieu indique :* « Page 86, après la ligne 13 et la fin de la lettre, mettre cette lettre-ci qui, par l'addition d'une lettre précédente, sera la vingt-deuxième. »

 b) αβ *add.* au sérail d'Ispahan

 c) αβ. de ses

 d) αβ. grands Dieux

Page 53 :

 a) γ. il leur est permis de sortir de leur maison avec quelques vieilles

 b) γ. et il est rare que le mari s'en formalise

Page 54 :

 a) *ABC.* A

Page 55 :

 a) γ *om.* soudain

Page 56 :

 a) βαγ *om.* que trois ne sont qu'un

Page 57 :

 a) *A.* matrices. *B om.* toute. αγ. Les femmes sont à la tête de cette révolte

 b) γ. L'écrit en question

 c) αγ *om.* contre la Constitution

 d) *ABC.* Il faut

Page 58 :

a) αγ. Je continuerai à t'écrire. Tout ce que je t'ai dit m'étonne au point que si ce n'étaient des faits, je croirais être dans le délire.

b) *La* Lettre XXV *manque dans B.*

c) *AC*. Je ne suis pas

d) *A*. A

Page 59 :

a) *ABC*. Vous mîtes le poignard à la main

Page 60 :

a) *AB*. sans en

b) αγ. leurs regards semblent les chercher

c) *A om.* de *Erreur corrigée par carton.*

d) *A*. défendu. *Erreur corrigée par carton.*

Page 61 :

a) *A*. leurs personnes

b) *ABC*. porter le crime si loin

c) γ. elles ont toutes dans le cœur

d) αβ. mais nous savons

Page 62 :

a) *AB*. A

Page 63 :

a) *ABC*. Tantôt

b) *ABC*. Tantôt une autre, avec des yeux vifs et un air passionné, [...]

c) *ABC*. n'en est que plus vive pour être muette

d) *AC*. les acteurs. — *BD*. les actrices

e) *ABC*. quelques jeunes gens

f) *B*. qui sont dans un continuel exercice *au lieu de :* qu'on prend [...] fatigue

AC. soutenir à

Page 64 :

a) *ABC*. par

Page 65 :

a) *A*. m'amener

b) *AB*. A

Page 66 :

a) *ABC*. Ainsi si l'on

b) *ABC*. Italie

Page 67 :

a) *AC*. et qu'ils abhorrent

b) *B*. et qu'ils sont

Page 68 :

a) *ABC*. A

b) *ABC*. Je voyais aussitôt

Page 69 :

a) *ABC*. A. *Nous n'indiquerons plus désormais cette variante généralisée dans l'édition* D.

Page 70 :

a) *ABC*. et il

b) *La* Lettre XXXII *manque dans* B.

c) *AC*. ni les bâtiments

Page 71 :

a) *AB*. le précepte

Page 73 :

a) *AB*. Rica

b) *AB*. impossible

Page 74 :

a) *ABC*. la même gaieté que les Français

b) *AC*. isolée des autres

c) *B*. minent

Page 75 :

 a) *AC.* seront menés par eux

Page 76 :

 a) *B.* d'un de leurs docteurs

Page 77 :

 a) *ABC.* de

Page 78 :

 a) *AB.* qui se puisse
 b) *ABC.* d'une bonne manière

Page 79 :

 a) αγ. qui prennent un idiome barbare
 b) *AB.* exemples

Page 80 :

 a) *B om.* et

Page 81 :

 a) αγ. à renoncer
 b) *Erreur de CD :* sont

Page 82 :

 a) *AB.* n'ayons

Page 83 :

 a) *ABC.* du sexe
 b) *ABC.* Tu verras

Page 84 :

 a) *AC.* la nature de la femme
 b) *AC.* et que le membre viril

Page 85 :

 a) *A.* Non, disaient les nuées
 b) *B.* s'écrièrent

Page 86 :

a) *AB om.* si

b) *ABC.* à moins que de

Page 87 :

a) *B.* Quand je vois les peuples du Mogol accourir en foule pour voir leur roi

b) *B.* qui se fait

c) *B.* quand je les vois

d) *La* Lettre XLI *manque dans B.*

e) αγ. très

Page 88 :

a) αγ *om.* malgré lui

b) αγ. et de pouvoir vivre dans ces lieux qu'aujourd'hui il n'ose pas même regarder.

c) αγ. que pour me venger de certaines

d) *La* Lettre XLII *manque dans B.*

e) *AC.* pas assez encore

Page 89 :

a) αγ. à une peine

b) αγ. ceux qui ont reçu en naissant un traitement pareil

c) *La* Lettre XLIII *manque dans B.*

d) γ. ils seront respectés du grand Eunuque et de l'intendant de mes jardins

e) *AC.* mettre la main sur vous

f) *AC om.* me

Page 90 :

a) *AB.* si l'on

Page 91 :

a) *AB.* brigandages

b) γ *om.* régulièrement

c) *Erreur de A :* Rhédi

Page 92 :

a) *ABC.* par aller acheter — *B.* me dit-il

b) *ABC.* établissons d'abord

c) *ABC.* mais aussi

d) *ABC.* le tirant à quartier

e) *ABC.* me dit-il

f) *ABC.* un

g) *ABC.* où

h) γ. l'homme le plus riche

Page 93 :

a) γ. de tant de trésors que pour sa gloire

b) γ *om.* par cet escalier

c) *B om. tout l'alinéa :* Adieu [...]

Page 94 :

a) αγ. d'y parvenir

b) *ABC.* on est sûr

c) *ABC.* on est bien plus sûr par là

d) *AC.* celles

Page 96 :

a) *La* Lettre XLVII *manque dans B.*

Page 97 :

a) γ. un autre qui se baignait tout nu

b) γ *om. toute la phrase :* Effrayées de ce péril [...]

c) *A.* les disputes

Page 98 :

a) *AC.* que lorsque

b) *AC.* qu'au péril qui menace

c) *AC.* le péril. γ *relie toute la ligne à la phrase qui suit :* Dans la crainte de perdre notre vie ou notre vertu, mon cher Usbek, je t'adorerai toujours.

d) *AB.* ils valent bien la peine

Page 99 :

a) αβ. examiner. — *ABC add.* selon ma coutume

b) *ABC.* et dont les caractères présentaient

c) γ. et nous nous trouvions

d) γ. vous me trouverez peut-être, lui dis-je, plus de curiosité que de politesse, mais permettez que je vous fasse quelques questions, car je suis au désespoir de n'être au fait de rien, et de ne démêler les mœurs ni les caractères.

e) *ABC.* la torture plus de deux cents fois et cependant

f) γ. Je vous dirai tout ce que je saurai, me répondit-il, vous êtes un homme discret et vous n'abuserez pas de ma confiance

g) γ. qu'il y a une politesse générale commune

Page 100 :

a) *ABC.* dis-je pour lors

b) *ABC.* Il est nécessaire

Page 101 :

a) *ABC om.* qui

b) *Erreur de A :* animés

c) *ABC.* qu'il y a quelquefois

d) *ABC.* avec les gens

e) *ABC om.* si

f) *ABC.* dont le vice est plus raffiné

g) *ABC.* peut-être qu'il en est

h) *B om.* à

Page 102 :

a) *AC om.* ses aventures

b) *ABC.* Et pourquoi cela

c) *AC.* s'est comme rétréci

d) *ABC.* par une habitude de

e) γ. qu'il parle si haut

f) γ. Dans ce moment

Page 103 :

a) γ. un instant après

b) *ABC.* qui pestera un peu

c) γ. à une seule

d) *B.* de me perdre

Page 104 :

a) *AB*. Eh!

Page 105 :

a) γ *om.* et

b) γ. Ce sont là de belles colonies

c) *B*. où vous êtes

Page 106 :

a) *Erreur de A :* accable

b) γ. Il faut faire comme moi

Page 107 :

a) *ABC*. deux mille lieues

Page 108 :

a) *AB*. dans la maison

b) γ. d'une indifférence

Page 109 :

a) *ABC*. la roue de coups

b) *B om.* bien

c) *ABC*. quand ce serait

d) *AC*. qu'on en pût avoir

Page 110 :

a) αγ. fleurir le commerce et les arts

b) *ABC*. laquelle

c) *ABC*. qui pouvait en avoir

Page 111 :

a) αγ *om.* car

b) *ABC*. et je ne crois pas que vous soyez plus âgées l'une que l'autre. Eh vraiment, Monsieur,

c) γ *om.* et

Page 112 :

a) *ABC*. et pour se dérober

b) *AB om.* à

c) *AB*. Eh quoi !

Page 113 :

a) *ABC.* laquelle

b) *ABC.* de manière qu'

Page 114 :

a) *AC.* comme si je l'avais fait

b) *ABC om.* en

c) *ABC.* il me vient dans l'idée une chose

d) *ABC.* Nous nous dirons chacun tous les jours

Page 115 :

a) *ABC.* dès la veille

b) *ABC.* pas

c) *ABC.* tant que de dire

d) *AB.* un bon mot; il faut le publier, il faut

Page 116 :

a) *A.* de l'Europe *Leçon corrigée par carton.*

b) *A om.* Il y en a que tout le monde hait : ce sont les maris jaloux. *Omission corrigée par carton.*

c) *ABC.* du sexe

Page 117 :

a) *B.* se piquent

Page 118 :

a) γ. quoiqu'il n'y ait guère personne qui ne sache qu'en jugeant ainsi il s'est bien souvent trompé; mais c'est une affaire de convention.

b) γ. et elle remplit

Page 119 :

a) γ *om.* nous

b) *AB.* le 18

Page 120 :

a) γ. on dit cependant

b) *ABC.* et, après m'avoir fait voir toute la maison, il me mena dans le jardin où nous nous mîmes

c) *ABC*. Eh quoi

d) *ABC om.* et

e) γ. mais qui ne l'irritent pas

f) *B*. au meilleur marché

Page 121 :

a) *ABC*. ils entrent

b) γ. ils ne veulent rien faire de plus qu'il ne faut, ils ne veulent rien faire de moins.

c) *ABC*. en les qualifiant telles

d) *ABC*. Si le grand Sophi avait dans sa cour un homme comme vous,

Page 122 :

a) *ABC*. Là-dessus je saluai

b) *ABC*. ensuite

c) *A*. cueillit

Page 123 :

a) *AB. mettent le signe* : *après* ans

Page 125 :

a) *AB*. religions

Page 127 :

a) *ABC*. d'imposer

b) *ABC*. à

c) *ABC*. pas

Page 128 :

a) *ABC*. et les petits enfants

Page 129 :

a) *ABC*. ayant été admis [...] s'alla placer

b) *ABC*. il commit l'action d'un fanatique et d'un fou γ. et en cela il commit une action qu'on ne peut que blâmer

Page 130 :

a) *Erreur de A :* nous

Page 131 :

a) *Erreur de AC :* et je plie — *Erreur de B :* et replie.

b) *B.* Il faut ici

c) *ABC.* semble être venu

Page 132 :

a) *ABC.* de ces titres-là.

Page 133 :

a) αβ *om.* ni

Page 134 :

a) *ABC.* de me confier

b) *AC.* à me les faire exercer même et les conduire

c) *B.* après les avoir poussées jusqu'à faire rompre, il les faisait revenir

d) *AC om.* et se sentait flatté de cette espèce de triomphe — *Erreur de B :* frappé

e) *Add.* γ. C'est ainsi que pendant vingt ans il exerça ce sexe difficile qui, quand il ne peut être vaincu, commence à devenir superbe et qu'il est moins aisé d'humilier que d'anéantir.

Page 135 :

a) *La* Lettre LXV *manque dans B.*

b) *AC.* sont une marque

Page 136 :

a) γ. d'un oubli

b) *B.* placent

Page 137 :

a) *ABC.* C'est-à-dire que vous êtes

b) *ABC.* Vous avez fait

c) *ABC.* aucune de tes nouvelles.

Page 139 :

a) *B.* ne les permet

Page 140 :

a) *ABC.* j'appris qu'il avait, par le crédit

b) αγ. et suivant le préjugé de cette religion, elle ne devait me regarder qu'avec horreur.

c) *C.* il me fit lui parler

Page 142 :

a) *ABC.* et dans le même équipage

Page 143 :

a) γ. Mais ma sœur, voici notre livre sacré, le livre de notre législateur Zoroastre, lisez-le sans prévention;

Page 144 :

a) *ABC.* à ces douces paroles

b) *ABC.* je vis [...] que je m'étais figuré

c) *ABC.* de ses gardiens. Il fallait que nous fissions tout, elle et moi : si je manquais

Page 145 :

a) *ABC.* de sa fenêtre, qui donnaient

b) *ABC.* sa

c) *ABC.* Enfin, après

Page 147 :

a) *C.* à me la rendre

b) *AB.* me va mettre

c) *B.* l'un l'autre

Page 148 :

a) *ABC.* et lui ai rendu

b) *ABC.* que vous imaginez

c) *ABC.* Mais comment

d) *ABC.* pour payer mes provisions

Page 150 :

a) *ABC*. gracieux

b) *AB*. un tout qu'il crut

Page 151 :

a) *Le texte D suit ABC sauf une variante* (les essences *pour* l'essence des choses), *mais nous possédons deux états différents :*

1. αβ. *repris par Barckhausen :* Souvent même l'impuissance ne serait pas dans lui, mais dans les choses relatives et c'est la raison pour laquelle il ne peut pas changer l'essence des choses. C'est ce qui a fait que quelques-uns de nos docteurs ont osé nier la prescience infinie de Dieu, sur ce fondement qu'elle est incompatible avec sa justice. Selon eux, il n'est pas possible que Dieu prévoie les choses qui dépendent de la détermination des choses libres.

2. γ. De plus il y a des cas où l'impuissance ne serait pas dans Dieu mais dans les choses relatives et c'est la raison pourquoi Dieu ne peut pas changer l'essence des choses.

b) αβ. Ils croient que Dieu

c) *C.* Comme

d) αβ. ces docteurs veuillent

Page 152 :

a) αβ. Il semble que l'Alcoran

b) αβ. vouloir ignorer

Page 153 :

a) αβ. mais un être qui connaîtrait les déterminations futures des âmes pourrait-il mettre des conditions à ses grâces?

b) *ABC*. avait dit

c) *ABC*. mille écus

d) αβ *om.* bien

e) *Tout le dernier alinéa manque dans AB.*

f) *La* Lettre LXX *manque dans B.*

Page 154 :

a) *AC*. ils firent convenir Soliman

b) *AC*. Enfin, les cérémonies du mariage accomplies, on conduisit

c) *AC*. Si pareil traitement arrivait à ma fille

d) *La* Lettre LXXI *manque dans B.*

e) αβ *om.* c'est une vieille erreur dont on est aujourd'hui revenu parmi nous; et

Page 155 :

a) αβ. quoiqu'elles soient clairement établies dans les livres de leur ancien législateur.

b) *ABC*. Rica à Usbek

Page 157 :

a) αβ. choses

b) *ABC*. Rica à Usbek

c) *ABC*. Que cela veut-il dire

d) *ABC*. qu'un autre ? — Ce n'est pas cela

e) *ABC*. Je prends déjà condamnation et je la lui passe tout entière.

Page 158 :

a) *ABC*. Usbek

Page 159 :

a) *ABC*. parce, disaient-ils, que

b) *ABC*. parce qu'ils abaissaient

Page 160 :

a) γ *om.* indignement

Page 161 :

a) *AB*. cela dire

Page 162 :

a) *ABC*. Croyez-vous

b) αγ *om.* mon cher Ibben

c) αγ *om.* et, malgré qu'on en ait,

d) *ABC*. de plus ou moins

e) *AB*. terres. *Erreur reprise par Barckhausen.*

f) *La Lettre LXXVII, qui manque dans AB, est la troisième du Supplément de C. Montesquieu pensait d'abord ajouter un alinéa à la lettre précédente. Ses hésitations se manifestent par trois états du texte :*

1. γ (*biffé in* β) : Toutes les choses que je viens de dire, mon cher Ibben, sont des paradoxes qui, je crois, ne tiendront pas devant le raisonnement que je vais te faire. Depuis que l'Être suprême a uni nos âmes à nos corps, l'être composé a toujours une horreur secrète de la séparation de deux êtres simples : ce sentiment est une branche de

la Loi naturelle. Si les hommes vivent en société et que ce sentiment prévienne les conséquences de la hardiesse de celui qui, maître de sa vie, le serait bientôt de celle des autres, il deviendra aisément une Loi civile. Si les hommes ont une religion et que ce sentiment marque plus notre dépendance du créateur que l'empire que nous prendrons sur nous-même, il sera encore une Loi religieuse. *(Grand cahier, p. 41.)*

2. αβ *(biffé in* β*)* : Mon cher Ibben, j'ai peur que ma philosophie ne m'ait porté trop loin. Écoute ce raisonnement. Si un être est composé de deux êtres et que la nécessité de conserver l'union marque plus la dépendance du Créateur, on en a pu faire une loi religieuse. Si cette nécessité de conserver l'union est un meilleur garant des actions de la vie, on en a pu faire une Loi civile. Si l'être composé a toujours une horreur secrète de la séparation des deux êtres simples, ce sentiment peut être regardé comme une branche de la loi naturelle (Adieu, de Venise, le dernier jour de la lune de Saphar). *(Grand cahier,* intercalaire, pp. 40-41.)

3. *Le texte définitif de 1754 est au contraire une lettre indépendante, réfutation d'Ibben des idées d'Usbek. Nous en possédons l'original autographe fixé par une épingle au cahier* β *et recopié dans* β.

g) *Montesquieu a d'abord écrit :* Mon cher Rica

Page 163 :

a) *Le secrétaire* (Fitz-Patrick) *a écrit par erreur :* De Venise, *erreur provenant de* β (2) *et corrigée dans* D.

Page 164 :

a) *ABC.* s'en est affaiblie

b) *ABC.* Pour la moustache

c) *ABC.* quoique pourtant on ne laisse pas d'en tirer souvent

d) *ABC.* il se coupa

e) αγ. sur-le-champ

f) *ABC.* de la vanité

g) *ABC.* ils la fondent

Page 165 :

a) *A.* de vieux Chrétiens

b) αγ. et ne se résoudrait jamais à compromettre par une vile et mécanique industrie l'honneur et la dignité de sa peau

Page 166 :

a) *ABC.* Ils connaissent mieux que les autres le faible des femmes

b) *ABC add.* ils savent que l'imagination va toujours, que rien ne l'amuse en chemin ; elle arrive et là on était quelquefois averti d'avance.

c) *ABC.* toujours

Page 167 :

a) αγ. à la leur ôter.

b) *ABC.* tel port

c) β *add. après* désertes : Je suis, etc.

Page 168 :

a) *ABC. placent avant cette lettre la* Lettre CXXIX.

b) *ABC om.* noir

c) αγ. menèrent hier au sérail

Page 169 :

a) *ABC.* J'ai souvent pensé en moi-même pour savoir quel, de tous les gouvernements, était

b) *ABC.* et qu'ainsi

Page 170 :

a) *ABC.* où l'on vit

b) *ABC.* qu'on vient de condamner

c) αγ. d'ailleurs on ne dit pas

d) αγ. et en Angleterre on ne dit pas qu'il s'y commette

e) αγ. je trouve que le prince qui est la loi même

Page 171 :

a) αβ. peu prévue

b) *AB.* commit

c) αγ *om.* soudain

d) *ABC.* ni en gloire, ni dans la grandeur

Page 172 :

a) *ABC.* presque tous les peuples

Page 173 :

a) αγ. et dont le talent est bien extraordinaire.

b) γ. et qui maintiennent une conversation pendant deux heures sans qu'il

c) *ABC.* ils ne le sont pourtant pas

d) *ABC*. les choses

e) γ. et qui

f) *ABC*γ. Je t assure

g) *ABC*. ces sortes de gens

Page 175 :

a) *ABC*. et qu'ils aiment mieux se satisfaire que les autres.

Page 176 :

a) *ABC*. de notre vie, de notre bien ni de notre honneur — α : bonheur

Page 177 :

a) *ABC*. que de voir dans un même lieu rassemblées

b) *ABC*. écrits et conservés dans les temples

Page 178 :

a) *ABC*. de trois batailles.

b) αγ. le bras

Page 179 :

a) *ABC*. cette laborieuse nation qui,

Page 180 :

a) *ABC*. des guerres

Page 181 :

a) *AC om*. La justice se mêle de tous leurs différends

b) *ABC*. Avant que d'y arriver

Page 182 :

a) αγ. Celui-ci a beau avoir

b) *ABC*. mais on a reconnu

Page 183 :

a) *ABC*. cela est bien naturel

b) *ABC*. que le Français

c) *ABC*. et peuplent

d) *ABC.* en un instant

e) *AC.* des sollicitations

Page 184 :

a) *AB.* de grands

Page 186 :

a) *AB.* qu'il ne sentît

Page 187 :

a) *ABC.* Mais cette noble émulation

b) *ABC.* qu'il n'aura plus à espérer

Page 189 :

a) *La* Lettre XCI, *qui manque dans AB, est la quatrième du Supplément de C.*

Page 193 :

a) *AB.* qui peut nous servir

Page 195 :

a) αγ. qui règle les différends entre deux peuples et tyrannise dans le droit public

Page 196 :

a) *ABC.* le pas

b) *ABC.* puisque son but est la destruction de la Société.

c) *B.* c'est de priver

Page 197 :

a) *AC.* établie par les tribunaux, qui retranche

b) *ABC.* par là de notre Société et n'est plus un de nos membres.

c) *ABC.* Le droit de conquête n'est point un droit. Une société ne peut être fondée que sur la volonté des associés. Si elle est détruite par la conquête, le peuple redevient libre : il n'y a plus de nouvelle société et si le vainqueur en veut former, c'est une tyrannie.

A l'égard des traités de paix, ils ne sont jamais légitimes lorsqu'ils ordonnent une cession ou dédommagement plus considérable que le dommage causé. Autrement c'est une pure violence contre laquelle on peut toujours revenir : à moins que, pour ravoir ce qu'on a perdu, on ne soit obligé de se servir de moyens si violents qu'il en arrive un mal plus grand que le bien que l'on en doit tirer.

C donne la nouvelle version dans son Supplément (p. 13).

Page 198 :

a) *A.* ces

Page 199 :

a) *ABC.* et les règles moins inflexibles
b) *ABC.* elles font presque la moitié de notre office

Page 200 :

a) *AB.* te vais dire

Page 201 :

a) *ABC.* connu
b) *ABC add.* comme je te le ferai voir dans une lettre particulière.
c) *ABC.* plus de prodiges

Page 202 :

a) *AB.* et quel temps

Page 203 :

a) *ABC.* choses puériles
b) *ABC.* dans nos livres saints

Page 204 :

a) *AB.* de fortune

Page 205 :

a) αγ. et il eût été moins aisé d'en sentir le néant
b) γ. mais quand on vient à examiner quels sont les gens
c) γ *om.* surtout
a) αγ *om.* te
e) α *om.* et
f) *A.* n'eusses
g) γ. quelque temps

Page 206 :

a) *ABC.* c'était
b) *AB.* les portes

c) *ABC.* à ces fantaisies.

d) *ABC.* quoi qu'en dise la critique

e) αγ. pourrait peut-être parvenir

Page 207 :

a) *ABC om.* ils y rappellent tout

b) *ABC add.* ils y rappellent tout

c) αγ. accorder

d) *ABC.* je ne te parle

Page 209 :

a) *ABC.* qui sont la honte

b) γ. de la C

Page 210 :

a) *ABC.* Il m'a fallu bien suer

b) *ABC.* je défie bien

c) *ABC.* Eh bien, lisez

d) *ABC.* deux heures.

e) αγ. il sortit de ses retranchements

f) *ABC.* pour lors

Page 211 :

a) γ. en petits états

b) *ABC.* que la plupart

c) *ABC.* est-il impossible

d) *ABC om.* dans leur pureté

Page 212 :

a) *ABC.* les princes

b) γ. Un Persan qui, par un malheur, quelque faute ou quelque imprudence s'est attiré la disgrâce du prince, est sûr de mourir. Mais s'il avait attenté à la vie de son souverain, s'il avait voulu livrer les places aux ennemis, il ne perdrait que la vie : il ne court donc pas plus de risque dans ces derniers cas que dans les premiers

Page 213 :

a) *ABC.* princes morts

Page 215 :

a) *ABC.* Et d'où

b) *AB. om* Usbek

Page 217 :

a) *ABC.* c'est un crime

b) *ABC.* qui avait vaincu et pris un prince qui s'était révolté et qui lui disputait la couronne, ayant voulu

Page 218 :

a) *ABC.* d'Europe

b) *AB.* plus de place imprenable

Page 219 :

a) *ABC.* Que nous importait-il

b) *ABC.* en a fait

c) *AB.* le 2

Page 220 :

a) *ABC.* serait distingué même

b) *ABC.* ils cherchent

Page 221 :

a) *ABC.* quelque jour

b) *ABC.* les Grecs qui les subjuguèrent

c) *ABC.* à moins que de

d) *ABC.* s'ensuit que

e) αγ. que l'est notre monarque

Page 222 :

a) γ. qui, quoiqu'il ait de quoi vivre jusqu'au jour du jugement, travaille sans cesse

b) *ABC.* les arts qui sont

c) *ABC.* le plus misérable

d) *ABC.* qui ne fût en état de

e) *ABC.* propagation

f) *ABC.* cette circulation [...] et les autres cesserait absolument : chacun ne tirerait de revenu que de sa terre et n'en tirerait précisément que ce qu'il faut. *C :* ce qu'il lui faut

g) *ABC.* ce n'est pas la centième partie du revenu d'un royaume

h) *ABC.* centième

i) *AB.* couleurs

Page 223 :

a) *AB.* il faut

Page 224 :

a) *ABC.* de besoin

b) *ABC.* est comme celui qui

Page 225 :

a) *ABC.* et prennent non seulement

Page 227 :

a) *ABC.* aux minutes, aux formalités

Page 228 :

a) *B.* à poster sa droite [...] à placer une mouche

b) *AB.* pour faire venir parties de plaisir sur parties, les faire succéder et renaître sans cesse

c) *ABC.* bien réjouies.

d) *ABC.* il faudra bien rire et bien nous divertir.

Page 229 :

a) *La* Lettre CXI, *qui manque dans A, apparaît dans B et constitue la cinquième du Supplément de C.*

b) *B.* Rica

Page 230 :

a) *B.* Le Peuple est un animal qui voit et qui entend, mais qui ne pense jamais. Il est dans une léthargie ou dans une fougue surprenante et il va et vient sans cesse d'un de ses états à l'autre, sans savoir jamais d'où il est parti.

J'ai ouï parler en France d'un certain gouverneur de Normandie qui, voulant se rendre plus considérable à la Cour, excitait lui-même de temps en temps quelques séditions qu'il apaisait aussitôt.

Il avoua depuis que la plus forte sédition ne lui coûta, tout compte fait, qu'un demi-toman. Il faisait assembler quelques canailles dans un cabaret qui donnait le ton à toute la ville et ensuite à toute la province.

Ceci me fait ressouvenir d'une lettre qu'écrivit, dans les derniers troubles de Paris, un des généraux de cette ville à un de ses amis : « Je fis sortir, il y a trois jours, les troupes de la ville; mais elles furent repoussées avec perte; je compte pourtant que je réparerai facilement ce petit échec. »

b) *B.* la populace

c) *B.* il a été résolu au Conseil de faire paraître

d) *B add.* et pour peu que la conjoncture des affaires le demande, nous aurons la ressource de demander au graveur de le rouer.

e) *Note de B.* Le Cardinal Mazarin, voulant prononcer l'*Arrêt d'Union*, dit devant les députés du Parlement l'*Arrêt d'Ognon*; sur quoi le peuple fit force plaisanteries.

Page 231 :

a) *B.* Jugez après cela si le peuple a tort de s'animer et de faire

b) *B om.* Depuis notre défaite

c) *B om. tout l'alinéa remplacé par :* Je suis, etc.

d) *B.* De Paris, le 9 de la lune de Zilcadé, 1715

Page 233 :

a) *ABC.* que le plus grand

Page 234 :

a) αγ. la cinquantième

b) *ABC.* la deux-centième partie

c) *AB.* y formaient autrefois

d) *ABC.* plus pleine

Page 235 :

a) *ABC.* que délabrement

b) *B.* aussi

c) *ABC.* lorsqu'elle était province romaine.

d) *ABC.* la cinquantième partie

e) *ABC.* du temps de César.

Page 236 :

a) *AC.* de tous les changements. — *B :* de tous les changements qui y arrivent

b) *ABC.* aux mêmes lois

c) *ABC.* dont la plus petite peut

d) *ABC.* augmenter ou diminuer

Page 237 :

a) *ABC*. ceux qui connaissent la nature et qui ont de Dieu une idée raisonnable peuvent-ils

Page 238 :

a) *ABC. add.* Il ne faut donc pas compter les années du monde; le nombre des grains de sable de la mer ne leur est pas plus comparable qu'un instant.

Page 239 :

a) αβ. Ces philosophes pensent

b) *Tout l'alinéa manque dans AB.*

c) *ABC*. bien

d) *ABC*. de femmes

e) *ABC*. ordonné par

Page 240 :

a) *ABC*. et d'esclaves

b) *AB*. plus propres

Page 241 :

a) *ABC*. soit enfin

b) γ. Quelle dépopulation pour l'Univers

c) *ABC*. Voilà comme un seul homme occupe lui seul tant de sujets de l'un et de l'autre sexe à ses plaisirs

Page 243 :

a) *ABC*. étaient

Page 245 :

a) γ. chemin faisant

Page 248 :

a) *ABC*. à un équilibre et aujourd'hui la balance commence à l'emporter de leur côté. Cette supériorité augmentera tous les jours; les Protestants deviendront plus riches

b) *ABC om.* du nombre

Page 249 :

a) *ABC.* dix fois plus

b) *ABC.* que nous avons

c) *ABC.* d'Europe

Page 251 :

a) *AB.* que les hommes en pussent faire

b) γ. étaient de faire un enfant, de labourer un champ et de planter un arbre.

Page 252 :

a) γ. trop enracinée.

Page 253 :

a) *ABC.* qui puisse

b) *AC.* isolées

c) *ABC.* ne l'excusent jamais.

Page 254 :

a) γ. uniquement

b) *Tout l'alinéa apparaît en 1754 dans le Supplément de C (p. 15).*

c) *ABC.* la nature du climat.

Page 255 :

a) *ABC.* dont nous avons parlé

Page 256 :

a) *ABC.* tous les Indiens et tous les métis

b) *ABC.* Rien ne devrait

Page 257 :

a) *AB.* ils prirent, chacun

b) *ABC.* avoir voulu en même temps

Page 258 :

a) *ABC.* et de même leur propre pays

b) *ABC.* et les besoins attirent dans les pays

Page 259 :

a) *ABC.* rien ne l'empêche jamais

b) *AB.* A quoi servent

c) *ABC.* qu'on ne les enrôlât

Page 260 :

a) *ABC.* qu'à peine

Page 261 :

a) *La* Lettre CXXIV, *qui manque dans A, est la soixantième de B et la sixième du Supplément de C.*

b) *B.* Usbek à ***

c) *B.* se présentent [...] et il me semble

d) *B.* de nos plus riches sujets

e) *B.* à la multitude innombrable

f) *B.* en branlant

Page 262 :

a) *B.* pas

b) *B.* A ces causes

c) *B.* s'appliquant

d) *B.* de quatre en quatre ans

e) *B add.* avec leurs amis

f) *Erreur de B :* ils

g) *B.* à tous nos magistrats

h) *B.* A Paris, le 11 de la lune de Zilcadé, 1715

Page 263 :

a) *ABC.* demander permission

Page 264 :

a) *ABC.* qui as mis dans l'esprit de cette femme cette fureur

b) γ *om.* fort

Page 266 :

a) γ. lorsque l'on flétrit

Page 267 :

a) γ. d'être sage

b) *ABC.* d'une rêverie

Page 270 :

a) *Cette lettre, la soixante-dix-septième de AC, est transférée ici, par la recommandation expresse de* αβ; *avec l'indication du changement de date.*

Page 271 :

a) α. toujours se conformer

Page 272 :

a) *ABC.* De Paris, le 18 de la lune de Saphar, 1715

b) γ. ils sauront bientôt combien

Page 273 :

a) *ABC om.* ils

Page 274 :

a) *AB.* l. C., *C :* le C.

Page 275 :

a) *AB.* plus grand que tous les princes

b) *ABC.* avant qu'ils ne fussent

Page 276 :

a) *ABC.* Les premiers gouvernements du monde furent

Page 277 :

a) *ABC.* On verra

Page 278 :

a) *ABC add.* Il semble que la liberté soit faite pour le génie des peuples d'Europe et la servitude pour celui des peuples d'Asie. C'est en vain que les Romains offrirent aux Cappadociens ce précieux trésor : cette nation lâche le refusa et elle courut à la servitude avec le même empressement que les autres peuples coururent à la liberté.

b) *ABC.* les démembrèrent et en firent

Page 279 :

 a) *AB.* et déplorait

 b) *ABC.* obligé de vivre

Page 280 :

 a) *C.* où je puisse

 b) *ABC.* en terre

Page 281 :

 a) αγ. *om.* seul

Page 282 :

 a) *ABC om.* me

 b) αγ *om.* mais

 c) *ABC.* Mais j'ai

Page 284 :

 a) *B.* où l'on escarmouche

Page 285 :

 a) *B.* Usbek au même

 b) *ABC.* ces sciences-là.

Page 286 :

 a) *ABC.* dont nous faisons plus de cas

Page 287 :

 a) *ABC.* Voilà ce qui s'appelle

 b) *ABC.* les mathématiciens

 c) *ABC.* corollaire en pourrait-on

 d) αγ. et furent les fondateurs de presque tous les royaumes

Page 288 :

 a) *ABC.* les historiens de l'Allemagne, laquelle

 b) *B.* à proportion

 c) *B.* puis reparaissent

 d) *ABC.* accablée de sa fausse opulence

Page 289 :

a) *B.* a su mêler

b) *B.* la liberté

Page 290 :

a) *ABC.* leurs parures et leurs ornements

Page 291 :

a) *ABC.* je fais cas des autres

b) *ABC.* qui

c) *ABC.* qui passent

d) *ABC.* qui font des héros qui

Page 292 :

a) *ABC.* On lève aujourd'hui en Perse et en Turquie les subsides pe la même manière que les fondateurs de ces monarchies les levaient

b) *ABC.* et de ceux d'un particulier

Page 293 :

a) *ABC.* non seulement [...] mais même quelquefois

b) *ABC.* on s'était mal trouvé

c) *Erreur de CD :* qu'elle

d) *ABC.* dessous

Page 294 :

a) *B.* Je t'assure

Page 296 :

a) *ABC.* qui le font

b) *AB.* Rica à Usbek

Page 298 :

a) *AC.* un moindre

Page 300 :

a) *B.* les plaisirs.

Page 303 :

a) *Erreur de AC :* Il est chassé

b) *ABC.* notre

Page 304 :

a) *B.* revient

b) *ABC.* les femmes. — α. ces femmes les plus incrédules

c) *ABC.* quatre cents lieues

d) *ABC.* Enfin Ibrahim

e) *AB.* assez singulière

f) αγ. trente-trois

g) *B.* Gemmadi I

Page 305 :

a) *ABC.* de monnaie

Page 306 :

a) *ABC.* où je prouve

b) *ABC.* où je prouve

Page 307 :

a) αγ *om.* le Naturaliste

b) *ABC.* dans une outre

Page 309 :

a) *ABC.* tout ce qu'il y aura

Page 310 :

a) *Montesquieu s'est demandé s'il ne fallait pas supprimer cette lettre en entier. En marge des corrections de* β, *on lit :* « Oter cette 137ᵉ lettre... et mettre quelque chose à la place ». *Il se contenta de couper toutes les fantaisies médicales qui suivent la lettre du médecin. D les rétablit, mais en note.*

Page 311 :

a) *B.* interne

b) *AB.* un moment

c) *ABC.* Cette concession que tu me fais

Page 312 :

a) *ABC.* quelque puissance

b) *ABC add.* Il y a bien des choses que je n'entends pas. Mais toi, qui es médecin, tu dois entendre le langage de tes confrères. *D le restitue en note.*

Page 313 :

a) α. N'auriez-vous point dans votre boutique quelques vieux livres de dévotion que vous n'ayez pas pu vendre — γ : N'auriez-vous pas dans votre boutique quelqu'un de ces livres que je vous achetais autrefois pour une vieille tante

b) γ *om.* révérend *et* Jésuite espagnol

Page 314 :

a) *AB* affaiblir

Page 317 :

a) *La* Lettre CXLIV, *qui manque dans AB, est la septième du Supplément de C.*

b) *Cette Lettre, qui manque dans A, apparaît dans BCD. Nous ne croyons pas, sous prétexte qu'elle ne figure pas dans* αβ, *devoir l'exclure, malgré l'exemple de Barckhausen et de Carcassonne.*

Page 318 :

a) *B.* qui porte

b) *B.* Je ne pense jamais à ces misérables

c) *B.* L'hiver passé

Page 319 :

a) *B.* j'y suis

Page 320 :

a) *B.* on vous a accusé

b) *B.* on lui suscitera

c) *B.* la constitution des empires

d) *B add.* Mais que dirai-je de ce siècle, où je vois un savant à la discrétion d'un libraire ? où je vois un homme qui mériterait des statues contraint de consacrer ses veilles pour la fortune d'un misérable artiste ? Ses ouvrages auraient été utiles à la postérité. Mais ils sont précipités par l'avarice et la fin est entièrement asservie aux moyens.

e) *B.* ce n'est pas assez [...] ce n'est pas assez

Page 321 :

a) *B.* le 10 de la lune de Zilcadé, 1715.

b) *ABC.* ministre

Page 322 :

a) *ABC*. violer dans toutes les occasions de leur vie

Page 323 :

a) *B*. Gemmadi I

Page 324 :

a) αγ. à qui s'adressait la lettre que vous avez surprise

Page 325 :

a) γ. prompts et sévères

b) γ. vous y auriez trouvé des ordres terribles, et si vous ne les exécutez pas, vous périrez.

Page 326 :

a) *ABC*. aient trouvé

b) *ABC*. Je ne sais

c) γ. Il semble que tout leur soit permis, depuis la mort du grand Eunuque

Page 327 :

a) *AB*. avant qu'elles n'arrivassent

b) *ABC*. de manière que la lettre est perdue

Page 331 :

a) *La* Lettre CLVII, *qui manque dans AB, est la neuvième du Supplément de C.*

Page 332 :

a) *La* Lettre CLVIII, *qui manque dans AB, est la dixième du Supplément de C.*

b) *AB*. Mais que dis-je

c) *ABC*. Zachi

Page 333 :

a) *La* Lettre CLX *manque dans AB ; c'est la onzième du Supplément de C.*

b) α. Tous tes malheurs vont disparaître. Il faut que j'apaise ton âme. Je vais punir. Je sens une joie secrète. Quand j'aurai exterminé le crime, je verrai pâlir l'innocence — γ. Il faut que j'apaise ton âme. Tous tes malheurs vont disparaître. Je vais punir. Je sens une joie secrète. Quand le crime sera exterminé, il ne restera plus qu'à faire pâlir l'innocence

Page 334 :

a) *AB*. douleur,

TABLE DES MATIÈRES

LETTRES PERSANES